ITALIA

1: 300 000

ATLANTE STRADALE e TURISTICO
TOURIST and MOTORING ATLAS
ATLAS ROUTIER et TOURISTIQUE
STRASSEN- und REISEATLAS
TOERISTISCHE WEGENATLAS
ATLAS DE CARRETERAS y TURÍSTICO

MICHELIN

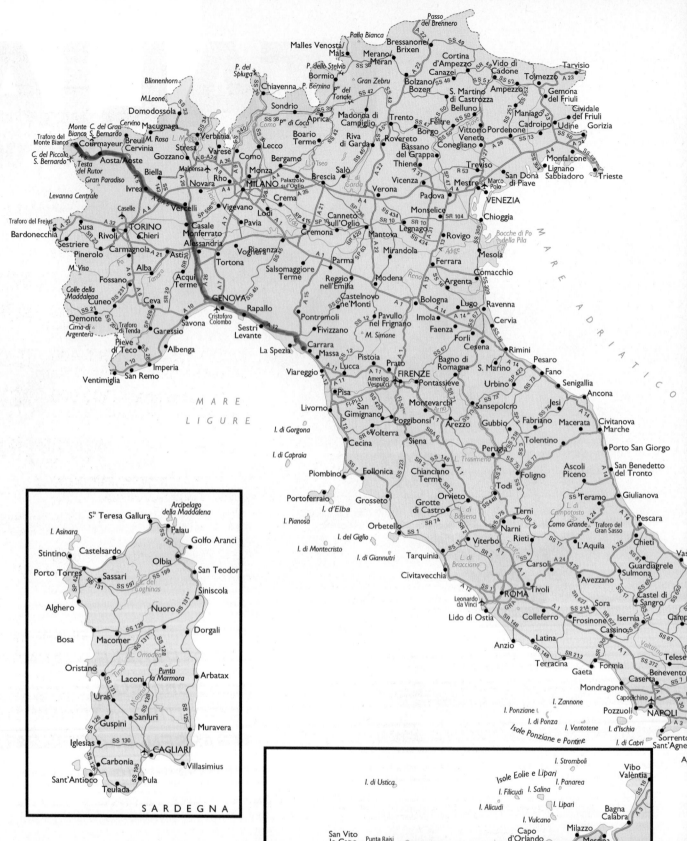

Grandi itinerari
Route planning
Grands itinéraires
Reiseplanung
Grote verbindingswegen
Información general

SARDEGNA

SICILIA

Sommario

Contents / Sommaire / Inhaltsübersicht / Inhoud / Sumario

Copertina interna: Quadro d'insieme
Inside front cover: Key to map pages
Intérieur de couverture : Tableau d'assemblage / Umschlaginnenseite: Übersicht
Binnenzijde van het omslag: Overzichtskaart / Portada interior: Mapa índice

1

Legenda
Key / Légende / Zeichenerklärung / Verklaring van de tekens / Signos convencionales

2 - 121

Italia 1: 300 000 — 2 - 91
Italy / Italie / Italien / Italië / Italia

Sicilia 1: 300 000 — 92 - 107
Sicily / Sicile / Sicilien / Sicilië / Sicilia

Sardegna 1: 300 000 — 108 - 121
Sardinia / Sardaigne / Sardinien / Sardinië / Cerdeña

122 - 154

Indice completo
Index of place names / Index des localités / Ortsverzeichnis / Plaatsnamenregister / Índice

155 - 206

Piante di città
Town plans / Plans de ville / Stadtpläne
Stadsplattegronden / Planos de ciudades

Alla fine del volume: distanze
Back of the guide: distances
En fin d'atlas : distances
Am Ende des Buches: Entfernungen
Achter in het boek: afstanden
No fim do volume: distâncias

MICHELIN INNOVE SANS CESSE POUR UNE MEILLEURE MOBILITÉ PLUS SÛRE, PLUS ÉCONOME, PLUS PROPRE ET PLUS CONNECTÉE.

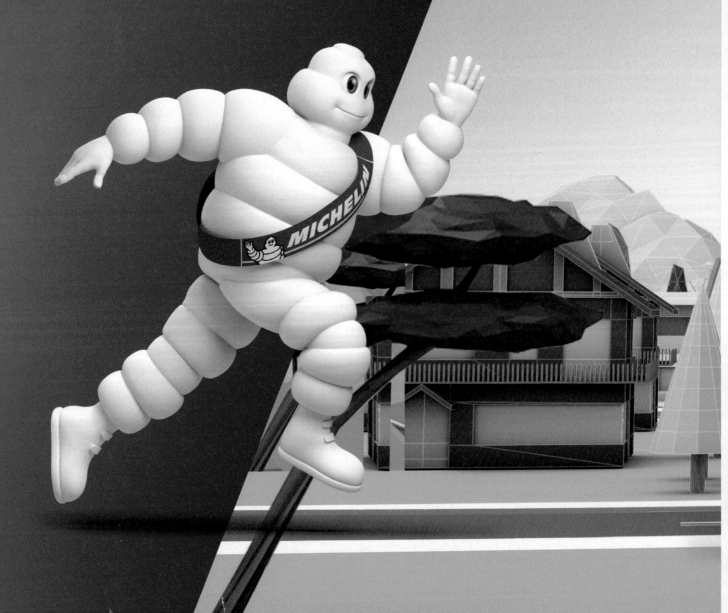

Équiper ma voiture avec **2 pneus hiver** me garantit une sécurité maximum...

?

FAUX !

En hiver, en dessous de 7°C notamment, pour une meilleure tenue de route, vos quatre pneus doivent être identiques et changés en même temps.

2 PNEUS HIVER SEULEMENT =
la tenue de route de votre véhicule n'est pas optimale.

4 PNEUS HIVER =
c'est le choix d'une **meilleure sécurité** dans les virages, en descente et en cas de freinage.

Si vous êtes régulièrement confrontés à la pluie, à la neige ou au verglas, optez pour un pneu de la gamme **MICHELIN Alpin**. Cette gamme vous offre confort et précision de conduite pour affronter les obstacles de l'hiver.

MICHELIN S'ENGAGE

▶ MICHELIN EST
LE **N°1 MONDIAL
DES PNEUS ÉCONOMES
EN ÉNERGIE** POUR
LES VÉHICULES LÉGERS.

▶ POUR **SENSIBILISER
LES PLUS JEUNES
À LA SÉCURITÉ ROUTIÈRE,**
MÊME EN DEUX-ROUES :
DES ACTIONS DE TERRAIN
ONT ÉTÉ ORGANISÉES
DANS **16 PAYS** EN 2015.

QUIZ

1 POURQUOI BIBENDUM, LE BONHOMME MICHELIN, EST BLANC ALORS QUE LE PNEU EST NOIR ?

Le personnage de Bibendum a été imaginé à partir d'une pile de pneus, en 1898, à une époque où le pneu était fabriqué avec du caoutchouc naturel, du coton et du soufre et où il est donc de couleur claire. Ce n'est qu'après la Première guerre mondiale que sa composition se complexifie et qu'apparaît le noir de carbone. Mais Bibendum, lui, restera blanc !

2 SAVEZ-VOUS DEPUIS QUAND LE GUIDE MICHELIN ACCOMPAGNE LES VOYAGEURS ?

Depuis 1900, il était dit alors que cet ouvrage paraissait avec le siècle, et qu'il durerait autant que lui. Et il fait encore référence aujourd'hui, avec de nouvelles éditions et la sélection sur le site MICHELIN Restaurants - Bookatable dans quelques pays.

3 DE QUAND DATE « BIB GOURMAND » DANS LE GUIDE MICHELIN ?

Cette appellation apparaît en 1997 mais dès 1954 le Guide MICHELIN signale les « repas soignés à prix modérés ». Aujourd'hui, on le retrouve sur le site et dans l'application mobile MICHELIN Restaurants - Bookatable.

Si vous voulez en savoir plus sur Michelin en vous amusant, visitez l'Aventure Michelin et sa boutique à Clermont-Ferrand, France :
www.laventuremichelin.com

Une meilleure façon d'avancer

Legenda	Key	Légende
Strade	**Roads**	**Routes**
Autostrada	Motorway	Autoroute
Doppia carreggiata di tipo autostradale	Dual carriageway with motorway characteristics	Double chaussée de type autoroutier
Svincoli: completo, parziale	Interchanges : complete, limited	Échangeurs : complet, partiels
Svincoli numerati	Interchange numbers	Numéros d'échangeurs
Area di servizio - Alberghi	Service area - Hotels	Aire de service - Hôtels
Restaurant of zelfbediening	Restaurant or self-service	Restaurant ou libre-service
Strada di collegamento internazionale o nazionale	International and national road network	Route de liaison internationale ou nationale
Strada di collegamento interregionale o di disimpegno	Interregional and less congested road	Route de liaison interrégionale ou de dégagement
Strada rivestita - non rivestita	Road surfaced - unsurfaced	Route revêtue - non revêtue
Strada per carri, sentiero	Rough track, footpath	Chemin d'exploitation, sentier
Autostrada, strada in costruzione	Motorway, road under construction	Autoroute, route en construction
(data di apertura prevista)	(when available: with scheduled opening date)	(le cas échéant : date de mise en service prévue)
Larghezza delle strade	**Road widths**	**Largeur des routes**
Carreggiate separate	Dual carriageway	Chaussées séparées
4 corsie - 2 corsie larghe	4 lanes - 2 wide lanes	4 voies - 2 voies larges
2 o più corsie - 2 corsie strette	2 or more lanes - 2 narrow lanes	2 voies ou plus - 2 voies étroites
Distanze (totali e parziali)	**Distances** (total and intermediate)	**Distances** (totalisées et partielles)
tratto a pedaggio su autostrada	Toll roads on motorway	Section à péage sur autoroute
tratto esente da pedaggio su autostrada	Toll-free section on motorway	Section libre sur autoroute
Su strada	on road	sur route
Numerazione - Segnaletica	**Numbering - Signs**	**Numérotation - Signalisation**
Strada europea - Autostrada	European route - Motorway	Route européenne - Autoroute
E 54 A 96	E 54 A 96	E 54 A 96
Strada federale	Federal road	Route fédérale
SS 36 SR 25 SP 25	S 36 R 25 P 25	S 36 R 25 P 25
Ostacoli	**Obstacles**	**Obstacles**
Forte pendenza (salita nel senso della freccia)	Steep hill (ascent in direction of the arrow)	Forte déclivité (flèches dans le sens de la montée)
Passo - Altitudine	Pass and its height above sea level - Altitude	Col et sa cote d'altitude - Altitude
Percorso difficile o pericoloso	Difficult or dangerous section of road	Parcours difficile ou dangereux
Passaggi della strada:	Level crossing:	Passages de la route:
a livello, cavalcavia, sottopassaggio	railway passing, under road, over road	à niveau, supérieur, inférieur
Casello - Strada a senso unico	Toll barrier - One way road	Barrière de péage - Route à sens unique
Strada vietata - Strada a circolazione regolamentata	Prohibited road - Road subject to restrictions	Route interdite - Route réglementée
Innevamento: probabile periodo di chiusura	Snowbound, impassable road during the period shown	Enneigement : période probable de fermeture
Strada con divieto di accesso per le roulottes	Caravans prohibited on this road	Route interdite aux caravanes
Trasporti	**Transportation**	**Transports**
Ferrovia	Railway	Voie ferrée
Aeroporto - Aerodromo	Airport - Airfield	Aéroport - Aérodrome
Trasporto auto: (stagionale in rosso)	Transportation of vehicles: (seasonal services in red)	Transport des autos : (liaison saisonnière en rouge)
su traghetto	by boat	par bateau
su chiatta (carico massimo in t.)	by ferry (load limit in tons)	par bac (charge maximum en tonnes)
Traghetto per pedoni e biciclette	Ferry (passengers and cycles only)	Bac pour piétons et cycles
Risorse - Amministrazione	**Accommodation - Administration**	**Hébergement - Administration**
Capoluogo amministrativo	Administrative district seat	Capitale de division administrative
Confini amministrativi	Administrative boundaries	Limites administratives
Zona franca	Free zone	Zone franche
Frontiera:	National boundary:	Frontière :
Dogana - Dogana con limitazioni	Customs post - Secondary customs post	Douane - Douane avec restriction
Sport - Divertimento	**Sport & Recreation Facilities**	**Sports - Loisirs**
Golf - Ippodromo	Golf course - Horse racetrack	Golf - Hippodrome
Circuito Automobilistico - Porto turistico	Racing circuit - Pleasure boat harbour	Circuit automobile - Port de plaisance
Spiaggia - Parco divertimenti	Beach - Country park	Plage - Parc récréatif
Parco con animali, zoo	Safari park, zoo	Parc animalier, zoo
Albergo isolato	Secluded hotel or restaurant	Hôtel ou restaurant isolé
Rifugio - Campeggio	Mountain refuge hut - Caravan and camping sites	Refuge de montagne - Camping, caravaning
Funicolare, funivia, seggiovia	Funicular, cable car, chairlift	Funiculaire, téléphérique, télésiège
Ferrovia a cremagliera	Rack railway	Voie à crémaillère
Mete e luoghi d'interesse	**Sights**	**Curiosités**
Principali luoghi d'interesse, vedere LA GUIDA VERDE	Principal sights: see THE GREEN GUIDE	Principales curiosités : voir LE GUIDE VERT
Località o siti interessanti, luoghi di soggiorno	Towns or places of interest, Places to stay	Localités ou sites intéressants, lieux de séjour
Edificio religioso - Castello, fortezza	Religious building - Historic house, castle	Édifice religieux - Château, forteresse
Rovine - Monumento megalitico	Ruins - Prehistoric monument	Ruines - Monument mégalithique
Grotta - Ossario - Necropoli etrusca	Cave - Ossuary - Etruscan necropolis	Grotte - Ossuaire - Nécropole étrusque
Giardino, parco - Altri luoghi d'interesse	Garden, park - Other places of interest	Jardin, parc - Autres curiosités
Palazzo, villa - Vestigia greco-romane	Palace, villa - Greek or roman ruins	Palais, villa - Vestiges gréco-romains
Scavi archeologici - Nuraghe	Archaeological excavations - Nuraghe	Fouilles archéologiques - Nuraghe
Panorama - Vista	Panoramic view - Viewpoint	Panorama - Point de vue
Percorso pittoresco	Scenic route	Parcours pittoresque
Simboli vari	**Other signs**	**Signes divers**
Teleferica industriale	Industrial cable way	Transporteur industriel aérien
Industrie	Industrial activity	Industries
Torre o pilone per telecomunicazioni - Raffineria	Telecommunications tower or mast - Refinery	Tour ou pylône de télécommunications - Raffinerie
Pozzo petrolifero o gas naturale - Centrale elettrica	Oil or gas well - Power station	Puits de pétrole ou de gaz - Centrale électrique
Miniera - Cava - Faro	Mine - Quarry - Lighthouse	Mine - Carrière - Phare
Diga - Cimitero militare	Dam - Military cemetery	Barrage - Cimetière militaire
Parco nazionale - Parco naturale	National park - Nature park	Parc national - Parc naturel

Zeichenerklärung

Straßen
Autobahn
Schnellstraße mit getrennten Fahrbahnen

Anschlussstellen: Voll - bzw. Teilanschlussstellen
Anschlussstellennummern
Tankstelle mit Raststätte - Hotel
Restaurant / SB-Restaurant
Internationale bzw.nationale Hauptverkehrsstraße
Überregionale Verbindungsstraße oder Umleitungsstrecke

Straße mit Belag - ohne Belag
Wirtschaftsweg, Pfad
Autobahn, Straße im Bau
(ggf. voraussichtliches Datum der Verkehrsfreigabe)

Straßenbreiten
Getrennte Fahrbahnen
4 Fahrspuren - 2 breite Fahrspuren
2 oder mehr Fahrspuren - 2 schmale Fahrspuren

Straßenentfernungen (Gesamt- und Teilentfernungen)
Mautstrecke auf der Autobahn
Mautfreie Strecke auf der Autobahn

auf der Straße
Nummerierung - Wegweisung
Europastraße - Autobahn **E 54   A 96**
Bundesstraße SS 36   SR 25   SP 25

Verkehrshindernisse
Starke Steigung (Steigung in Pfeilrichtung) 7-12% +12%
Pass mit Höhenangabe - Höhe 793 (560)
Schwierige oder gefährliche Strecke
Bahnübergänge:
schnienengleich - Unterführung - Überführung
Mautstelle - Einbahnstraße
Gesperrte Straße - Straße mit Verkehrsbeschränkungen
Eingeschneite Straße: voraussichtl.Wintersperre 12-5
Für Wohnanhänger gesperrt

Verkehrsmittel
Bahnlinie
Flughafen - Flugplatz
Autotransport: (rotes Zeichen: saisonbedingte Verbindung)
per Schiff
per Fähre (Höchstbelastung in t) 15 15
Fähre für Personen und Fahrräder

Unterkunft - Verwaltung
Verwaltungshauptstadt R   P
Verwaltungsgrenzen
Freizone
Staatsgrenze: Zoll - Zollstation mit Einschränkungen

Sport - Freizeit
Golfplatz - Pferderennbahn
Rennstrecke - Yachthafen
Badestrand - Erholungspark
Tierpark, Zoo Fernwanderweg
Abgelegenes Hotel oder Restaurant
Schutzhütte - Campingplatz
Standseilbahn, Seilbahn, Sessellift
Zahnradbahn

Sehenswürdigkeiten
Hauptsehenswürdigkeiten: siehe GRÜNER REISEFÜHRER {Chioggia (▲)
Sehenswerte Orte, Ferienorte {Malcesine O
Sakral-Bau - Schloss, Burg, Festung
Ruine - Vorgeschichtliches Steindenkmal
Höhle - Ossuarium - Etruskische Nekropole
Garten, Park - Sonstige Sehenswürdigkeit
Ausgrabungen - Nuraghe
Palast, Villa - Griechische, römische Ruinen
Rundblick - Aussichtspunkt
Landschaftlich schöne Streck

Sonstige Zeichen
Industrieschwebebahn
Industrieanlagen
Funk-, Sendeturm - Raffinerie
Erdöl-, Erdgasförderstelle - Kraftwerk
Bergwerk - Steinbruch - Leuchtturm
Staudamm - Soldatenfriedhof
Nationalpark - Naturpark

Verklaring van de tekens

Wegen
Autosnelweg
Gescheiden rijbanen van het type autosnelweg

Aansluitingen: volledig, gedeeltelijk
Afritnummers
Serviceplaats - Hotels
Restaurant of zelfbediening
Internationale of nationale verbindingsweg
Interregionale verbindingsweg

Verharde weg - onverharde weg
Landbouwweg, pad
Autosnelweg in aanleg, weg in aanleg
(indien bekend: datum openstelling)

Breedte van de wegen
Gescheiden rijbanen
4 rijstroken - 2 brede rijstroken
2 of meer rijstroken - 2 smalle rijstroken

Afstanden (totaal en gedeeltelijk)
Gedeelte met tol op autosnelwegen
Tolvrij gedeelte op autosnelwegen

op andere wegen
Wegnummers - Bewegwijzering
Europaweg - Autosnelweg **E 54   A 96**
Federale weg S 36   R 25   P 25

Hindernissen
Steile helling (pijlen in de richting van de helling) 7-12% +12%
Bergpas en hoogte boven de zeespiegel - Hoogte 793 (560)
Moeilijk of gevaarlijk traject
Wegovergangen:
gelijkvloers, overheen, onderdoor
Tol - Weg met eenrichtingsverkeer
Verboden weg - Beperkt opengestelde weg
Sneeuw: vermoedelijke sluitingsperiode 12-5
Verboden voor caravans

Vervoer
Spoorweg
Luchthaven - Vliegveld
Vervoer van auto's: (tijdens het seizoen: rood teken)
per boot
per veerpont (maximum draagvermogen in t.) 15 15
Veerpont voor voetgangers en fietsers

Verblijf - Administratie
Hoofdplaats van administratief gebied R   P
Administratieve grenzen
Vrije zone
Staatsgrens: Douanekantoor - Douanekantoor met
beperkte bevoegdheden

Sport - Recreatie
Golfterrein - Renbaan
Autocircuit - Jachthaven
Strand - Recreatiepark
Safaripark, dierentuin
Afgelegen hotel
Berghut - Kampeerterrein
Kabelspoor, kabelbaan, stoeltjeslift
Tandradbaan

Bezienswaardigheden
Belangrijkste bezienswaardigheden: zie DE GROENE GIDS {Chioggia (▲)
Interessante steden of plaatsen, vakantieoorden {Malcesine O
Kerkelijk gebouw - Kasteel, vesting
Ruïne - Megaliet
Grot - Ossuarium - Etruskische necropool
Tuin, park - Andere bezienswaardigheden
Paleis, villa - Grieks-Romeinse overblijfselen
Archeologische opgravingen - Nuraghe
Panorama - Uitzichtpunt
Schilderachtig traject

Diverse tekens
Kabelvrachtvervoer
Industrie
Telecommunicatietoren of -mast - Raffinaderij
Olie- of gasput - Elektriciteitscentrale
Mijn - Steengroeve - Vuurtoren
Stuwdam - Militaire begraafplaats
Nationaal park - Natuurpark

Signos convencionales

Carreteras
Autopista
Autovía

Enlaces: completo, parciales
Números de los accesos
Áreas de servicio - Hotel
Restaurant o auto servicio
Carretera de comunicación internacional o nacional
Carretera de comunicación interregional o alternativo

Carretera asfaltada - sin asfaltar
Camino agrícola, sendero
Autopista, carretera en construcción
(en su caso: fecha prevista de entrada en servicio)

Ancho de las carreteras
Calzadas separadas
Cuatro carriles - Dos carriles anchos
Dos carriles o más - Dos carriles estrechos

Distancias (totales y parciales)
Tramo de peaje en autopista
Tramo libre en autopista

en carretera
Numeración - Señalización
Carretera europea - Autopista **E 54   A 96**
Carretera federal S 36   R 25   P 25

Obstáculos
Pendiente Pronunciada (las flechas indican el sentido del ascenso) 7-12% +12%
Puerto - Altitud 793 (560)
Recorrido difícil o peligroso
Pasos de la carretera:
a nivel, superior, inferior
Barrera de peaje - Carretera de sentido único
Tramo prohibido - Carretera restringida
Nevada: Período probable de cierre 12-5
Carretera prohibida a las caravanas

Transportes
Línea férrea
Aeropuerto - Aeródromo
Transporte de coches: (Enlace de temporada: signo rojo)
por barco
por barcaza (carga máxima en toneladas) 15 15
Barcaza para el paso de peatones

Alojamiento - Administración
Capital de división administrativa R   P
Límites administrativos
Zona franca
Frontera: Aduanas - Aduana con restricciones

Deportes - Ocio
Golf - Hipódromo
Circuito de velocidad - Puerto deportivo
Playa - Zona recreativa
Reserva de animales, zoo
Hotel aislado
Refugio de montaña - Camping
Funicular, Teleférico, telesilla
Línea de cremallera

Curiosidades
Principales curiosidades: ver LA GUÍA VERDE {Chioggia (▲)
Localidad o lugar interesante, lugar para quedarse {Malcesine O
Edificio religioso - Castillo, fortaleza
Ruinas - Monumento megalítico
Cueva - Osario - Necrópolis etrusca
Jardín, parque - Curiosidades diversas
Palacio, villa - Vestigios grecorromanos
Restos arqueologicos - Nuraghe
Vista panorámica - Vista parcial
Recorrido pintoresco

Signos diversos
Transportador industrial aéreo
Industrias
Torreta o poste de telecomunicación - Refinería
Pozos de petróleo o de gas - Central eléctrica
Mina - Cantera - Faro
Presa - Cementerio militar
Parco nacional - Parque natural

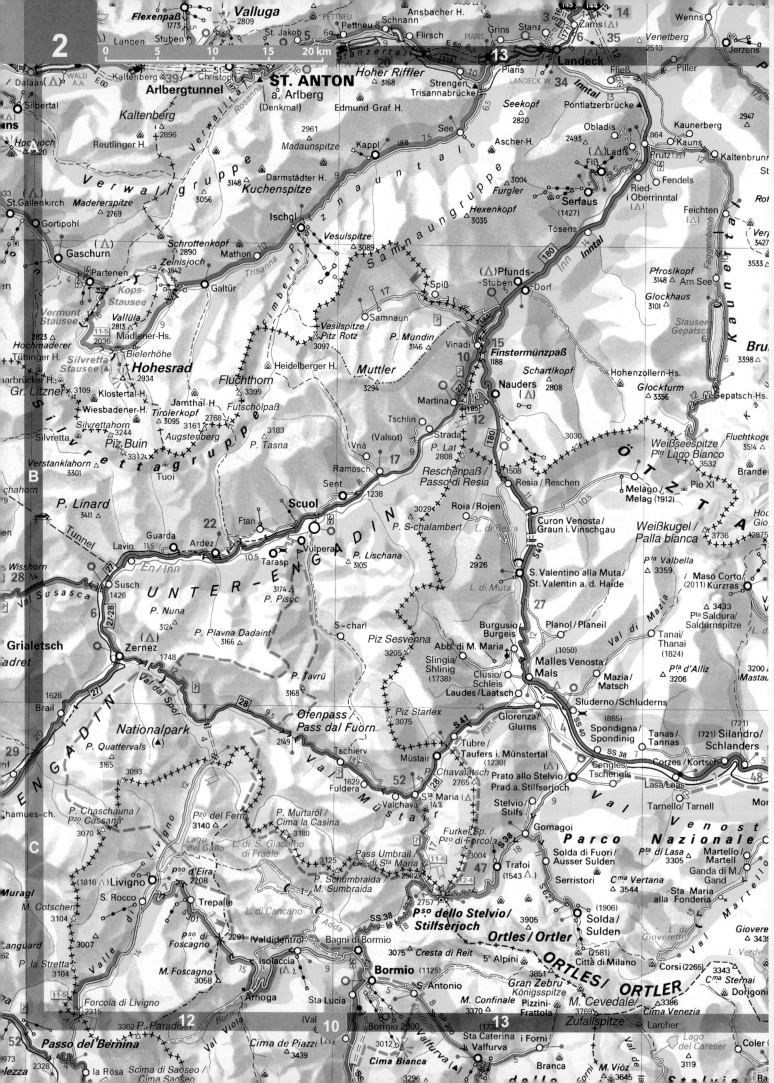

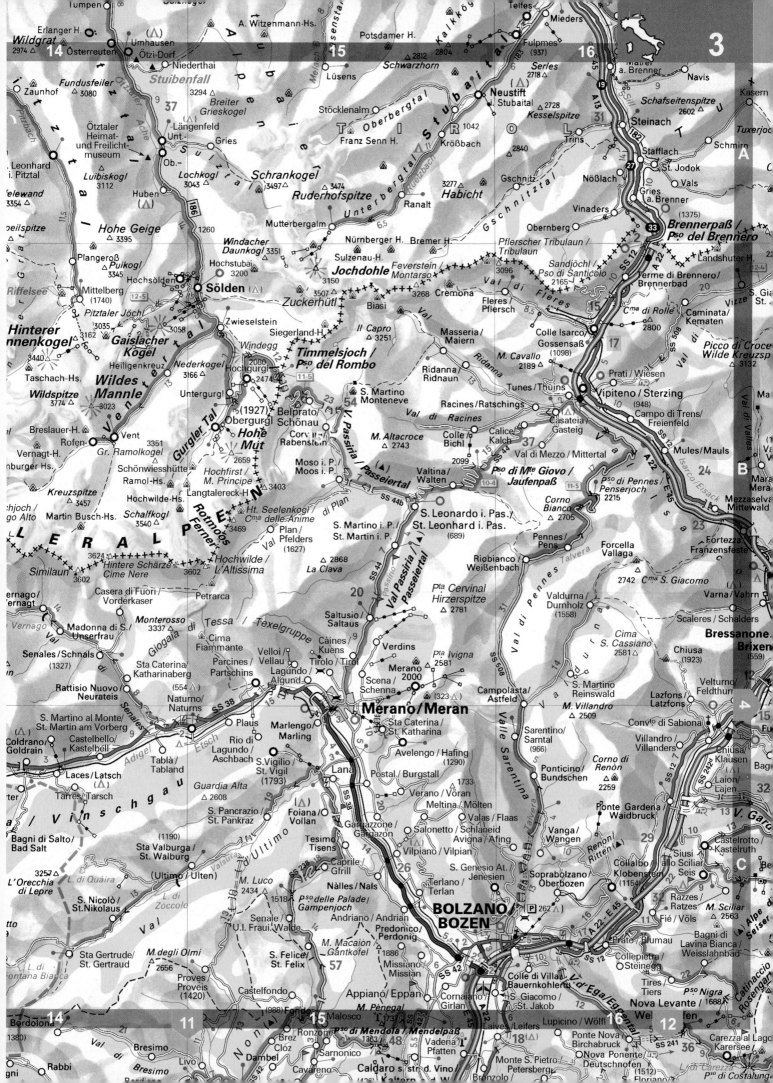

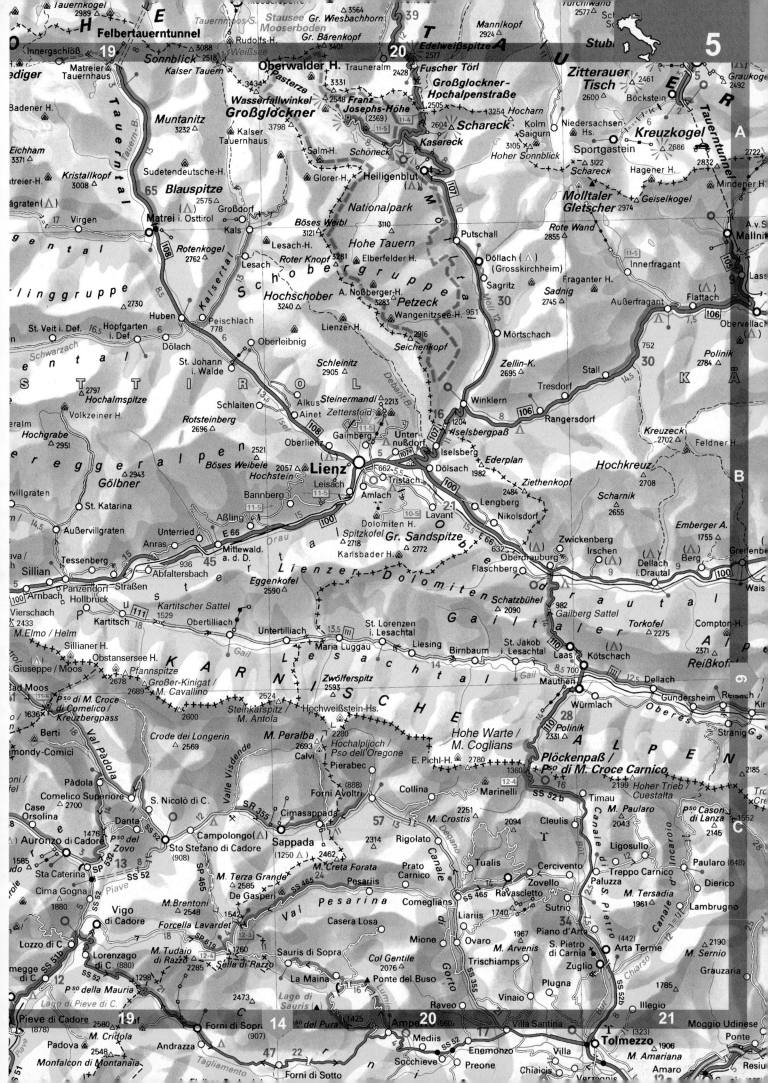

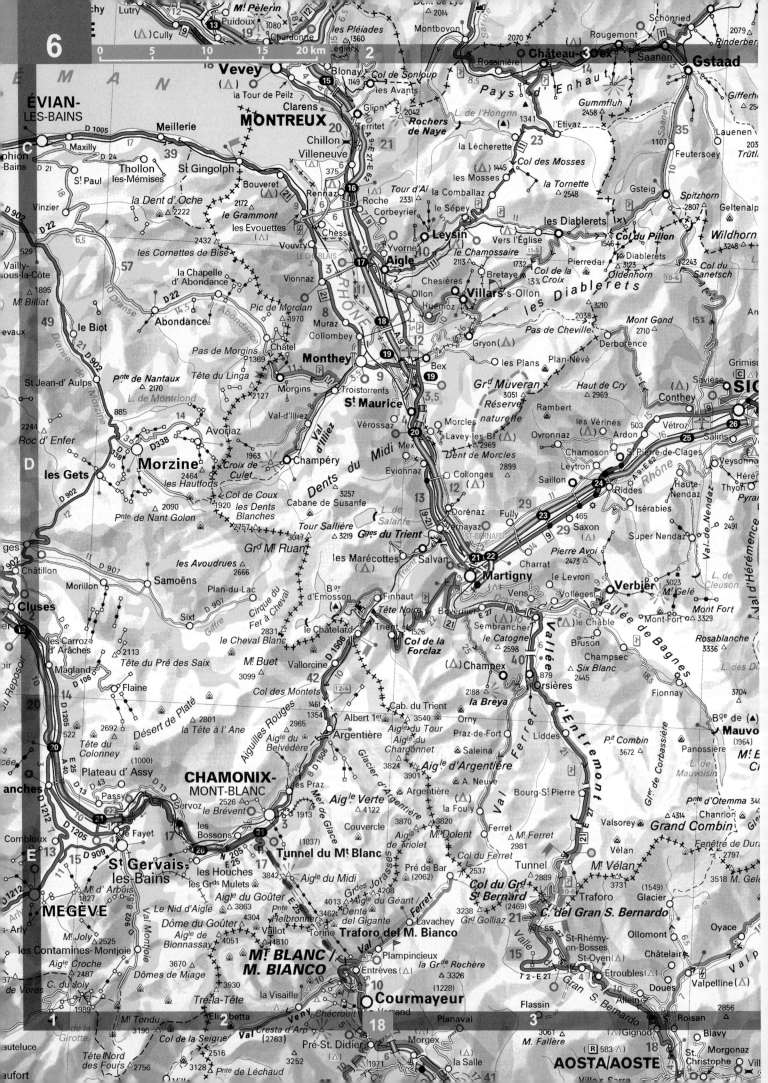

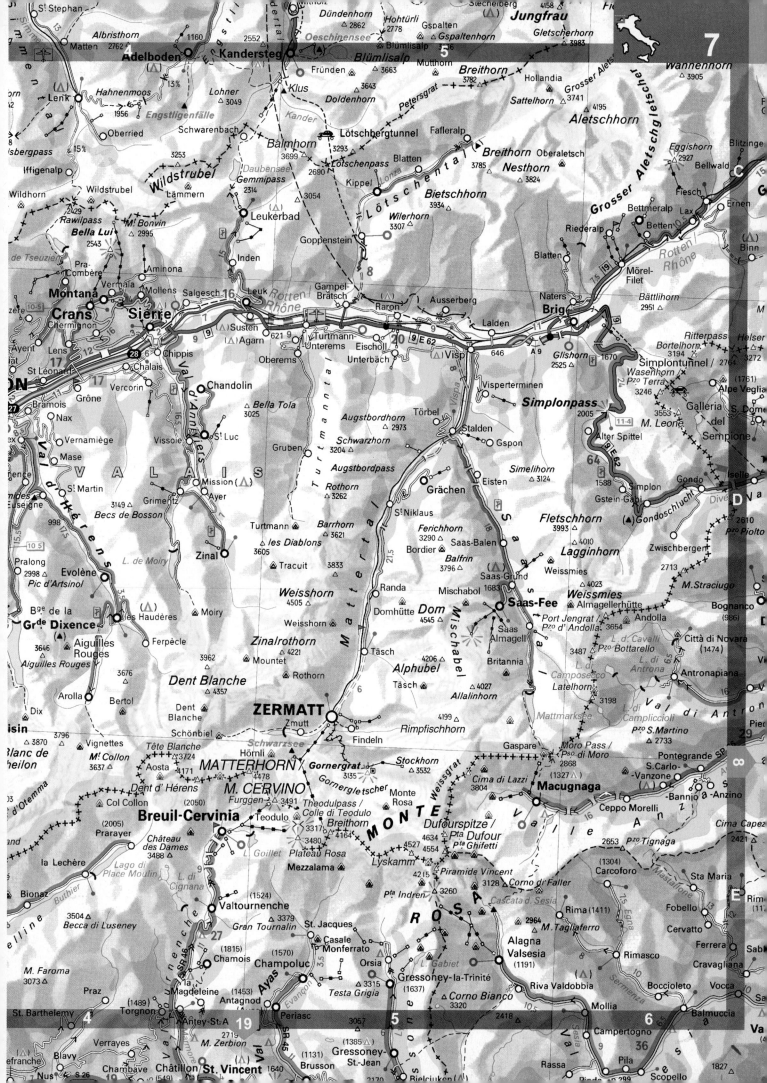

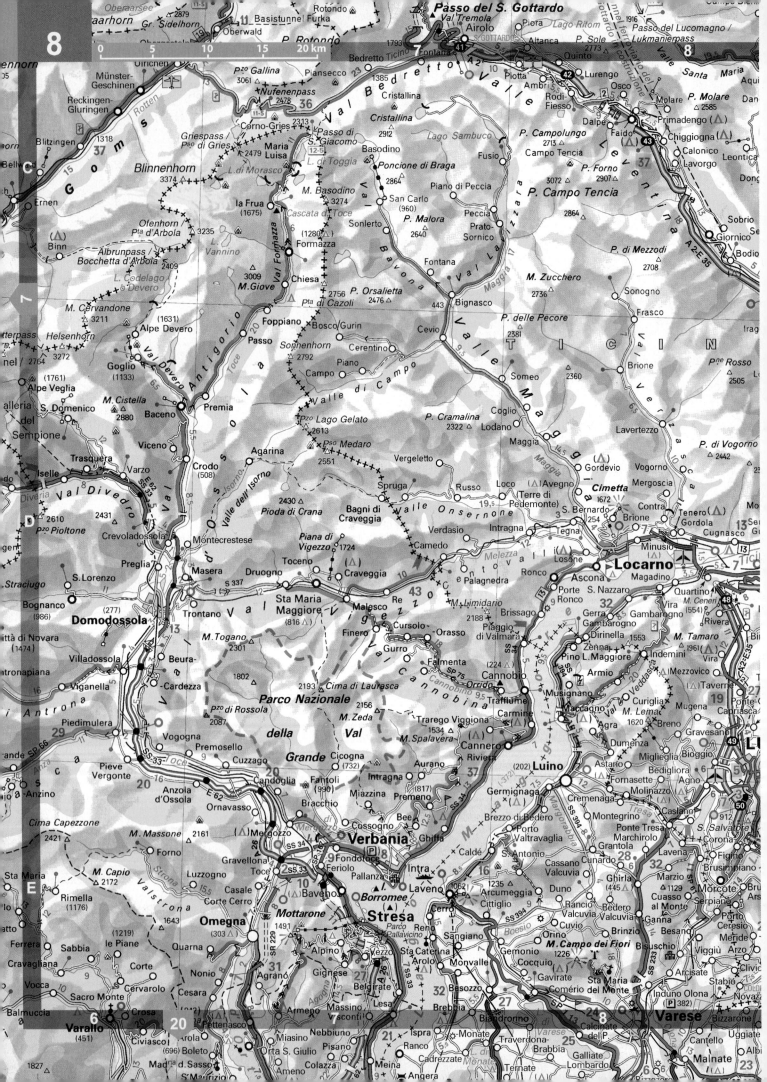

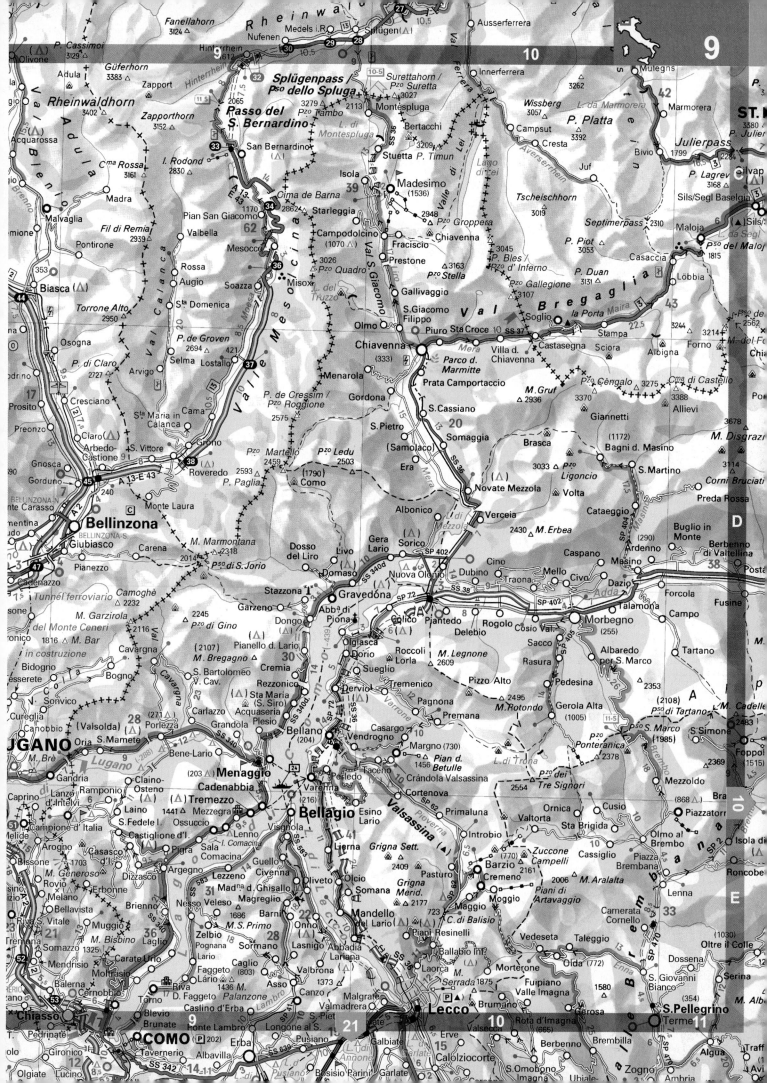

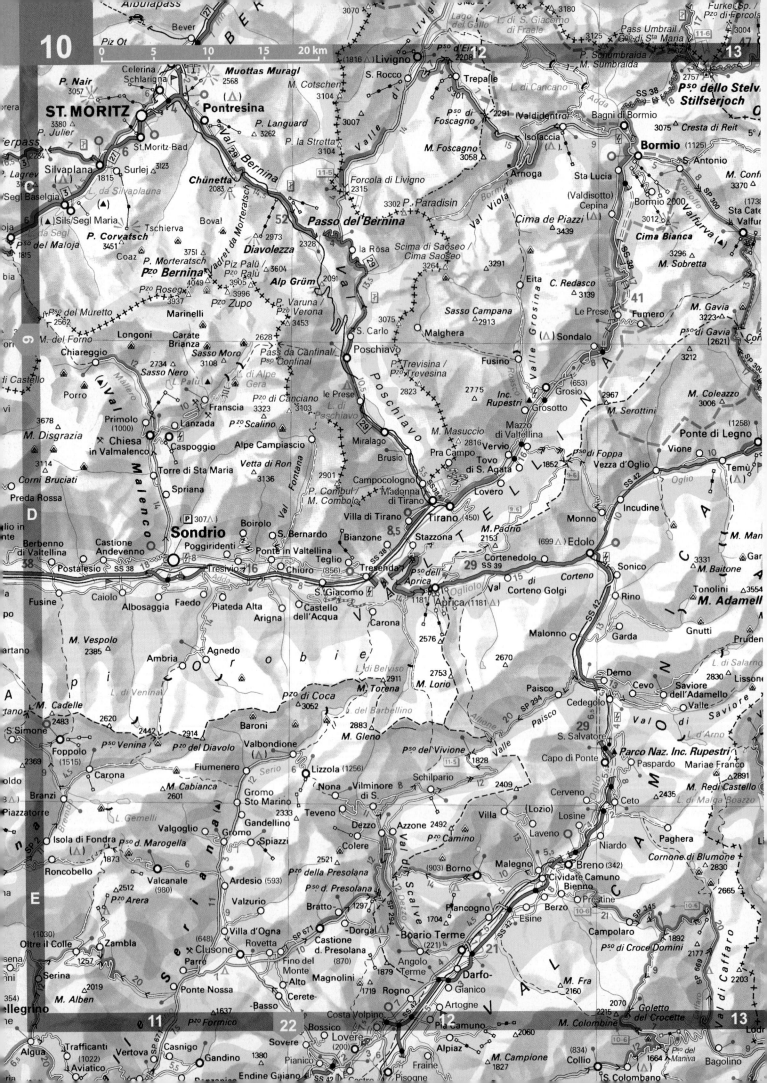

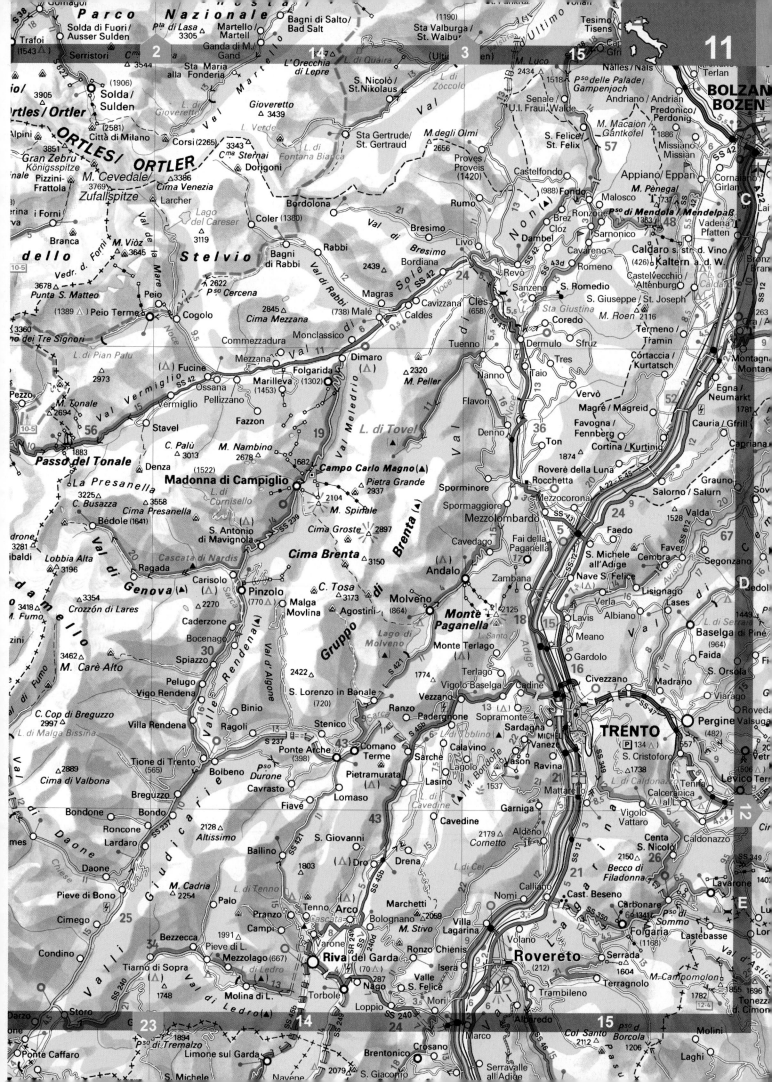

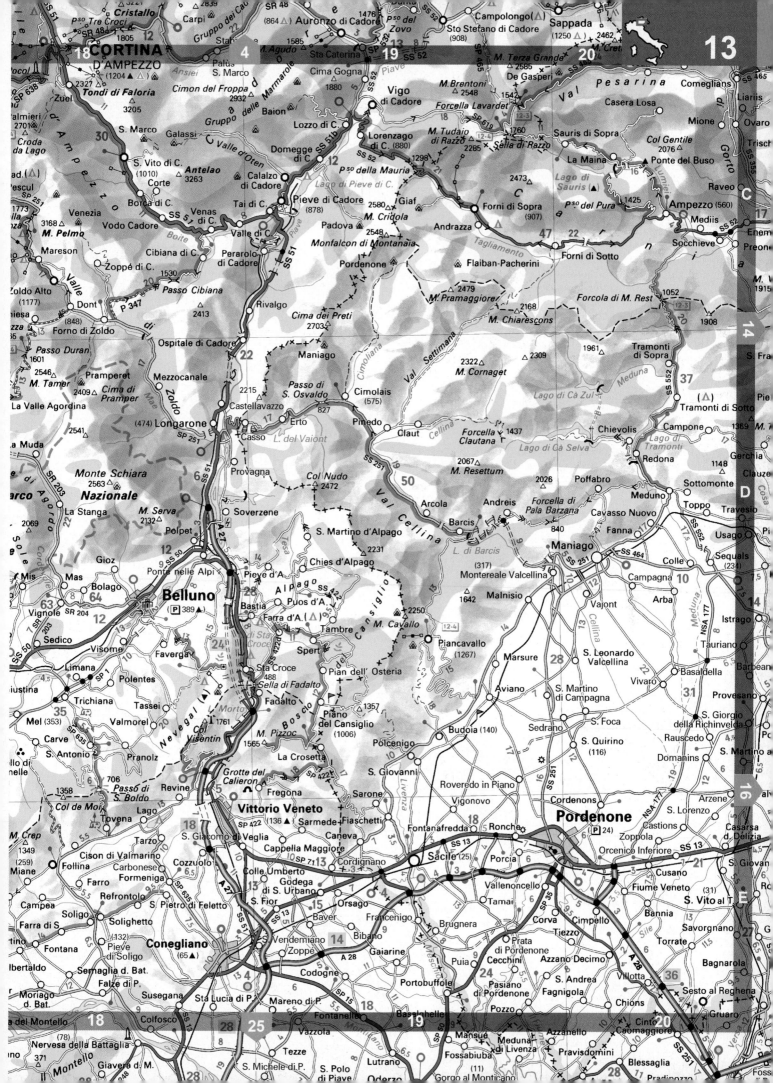

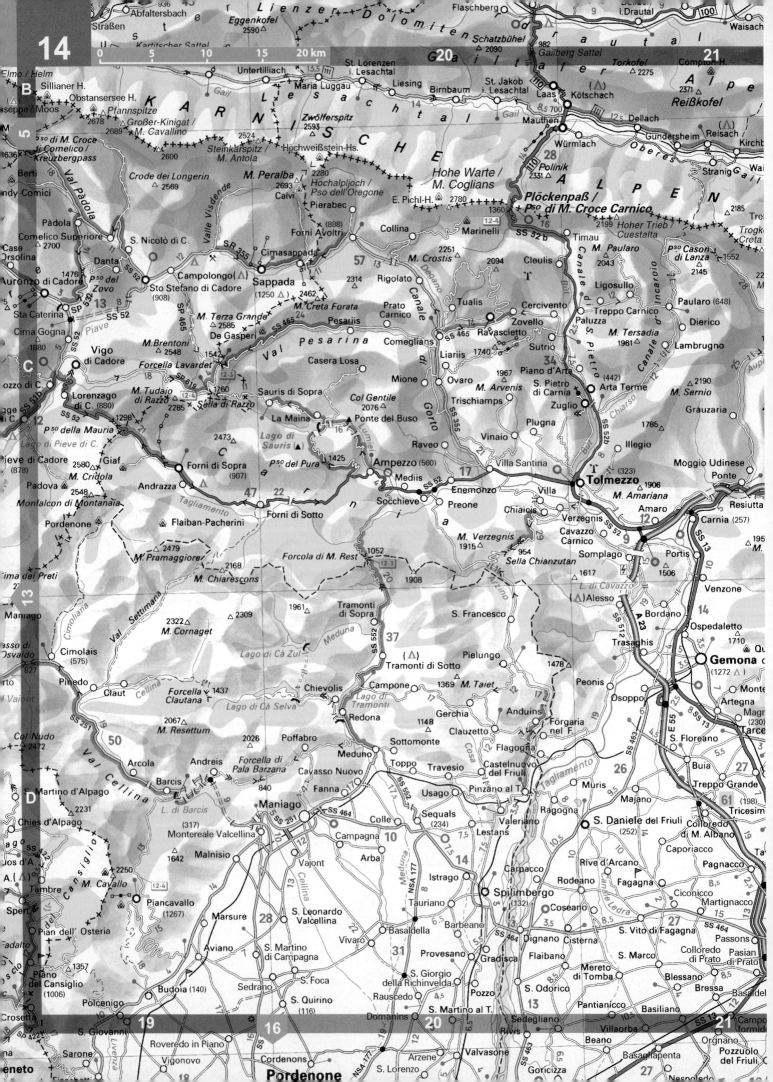

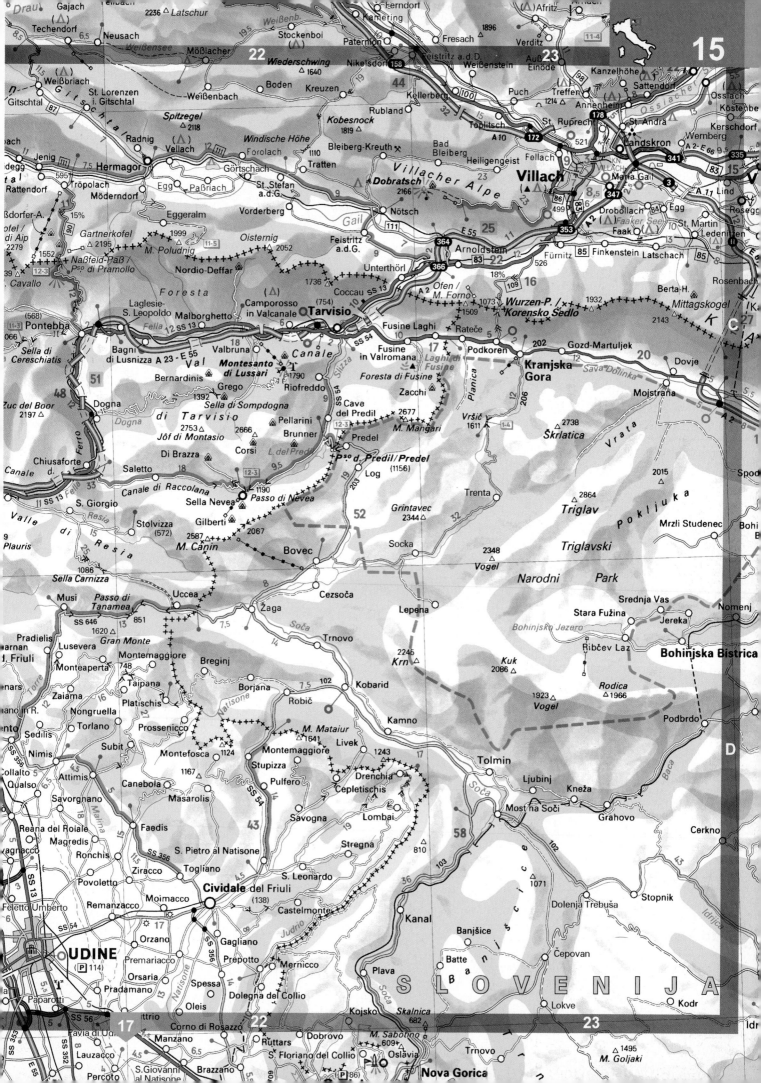

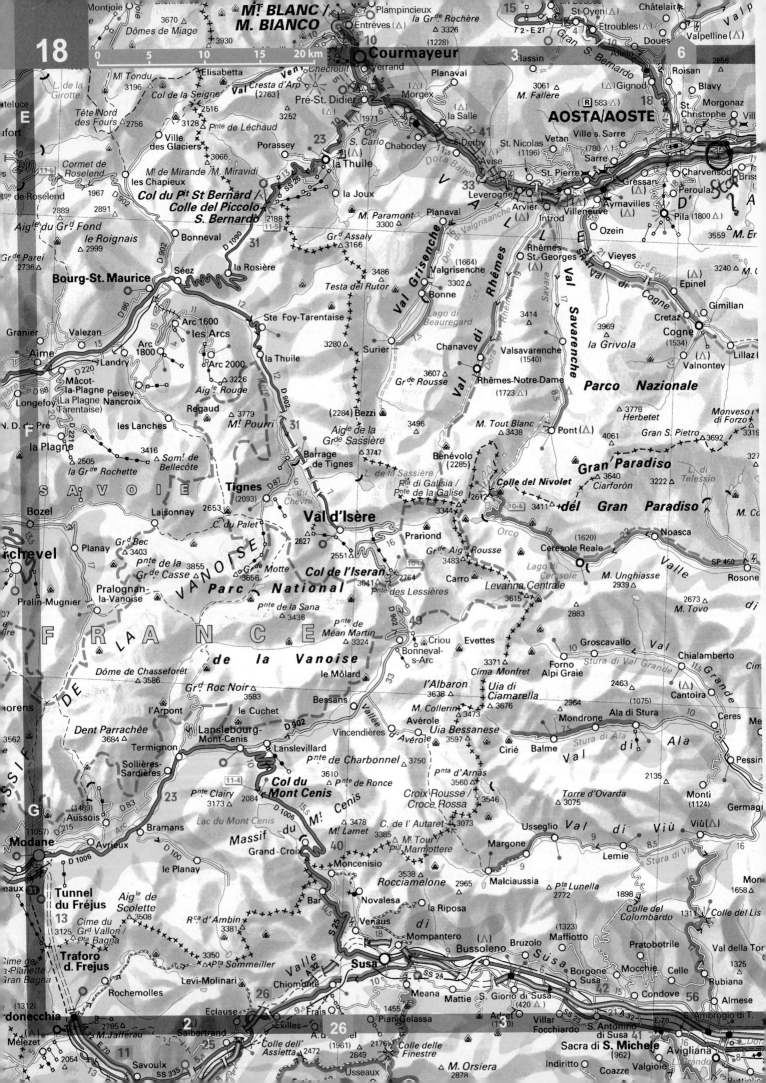

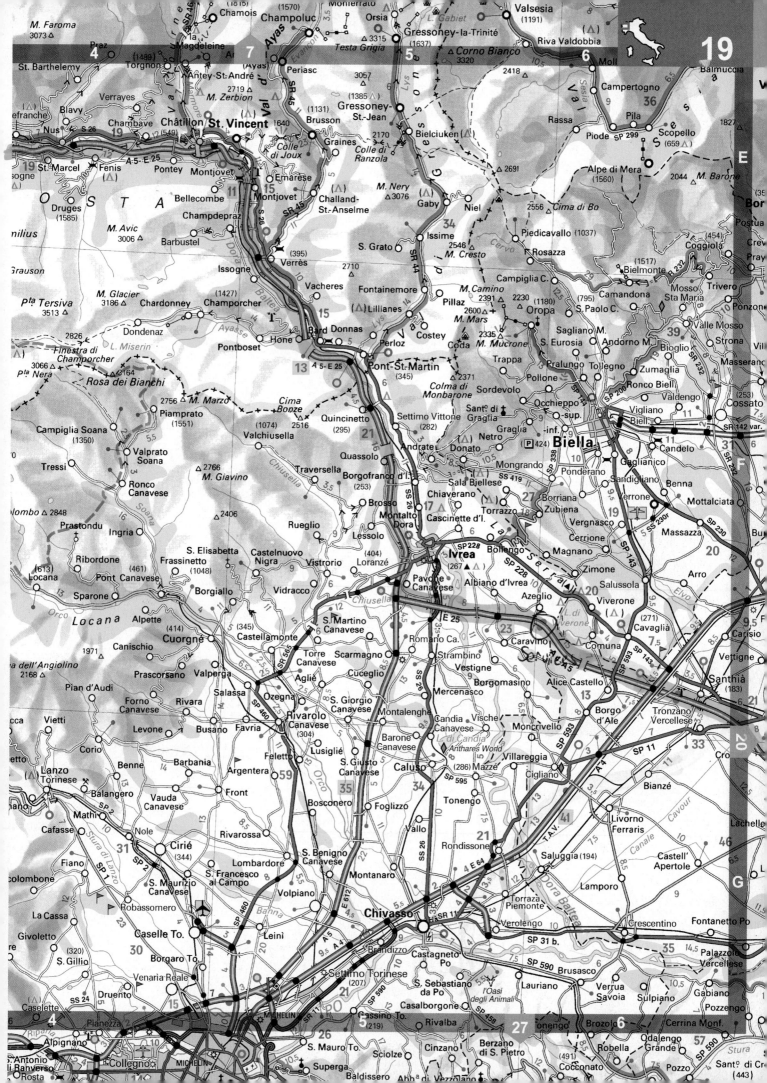

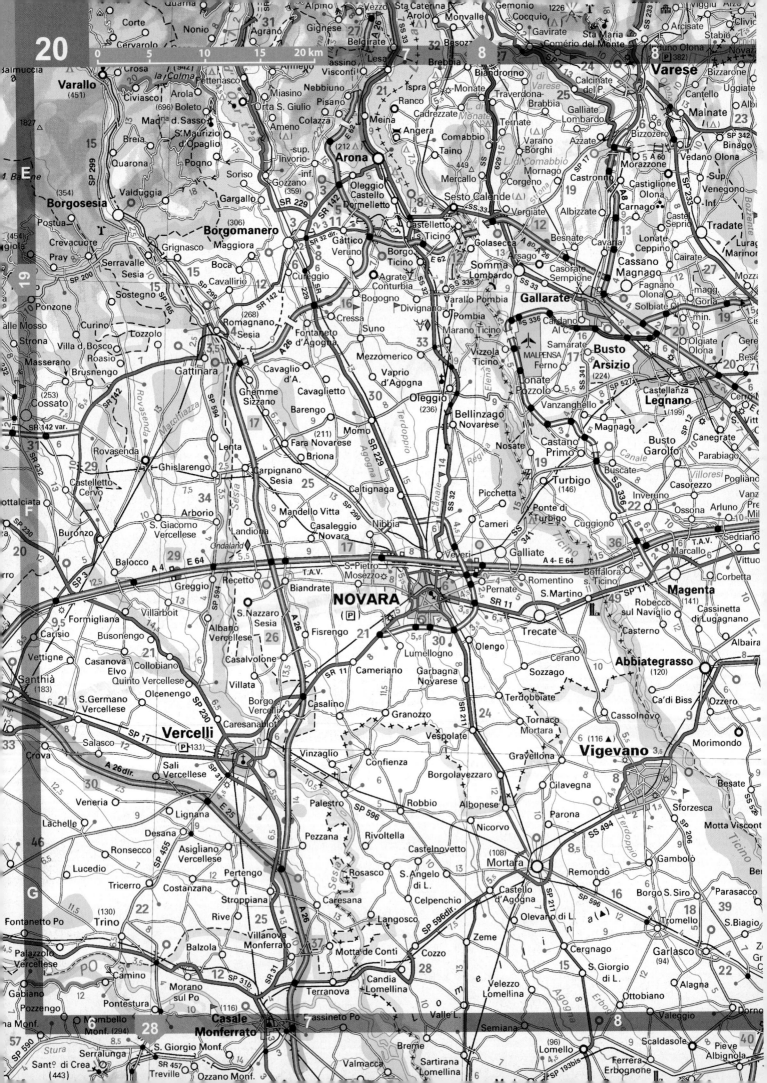

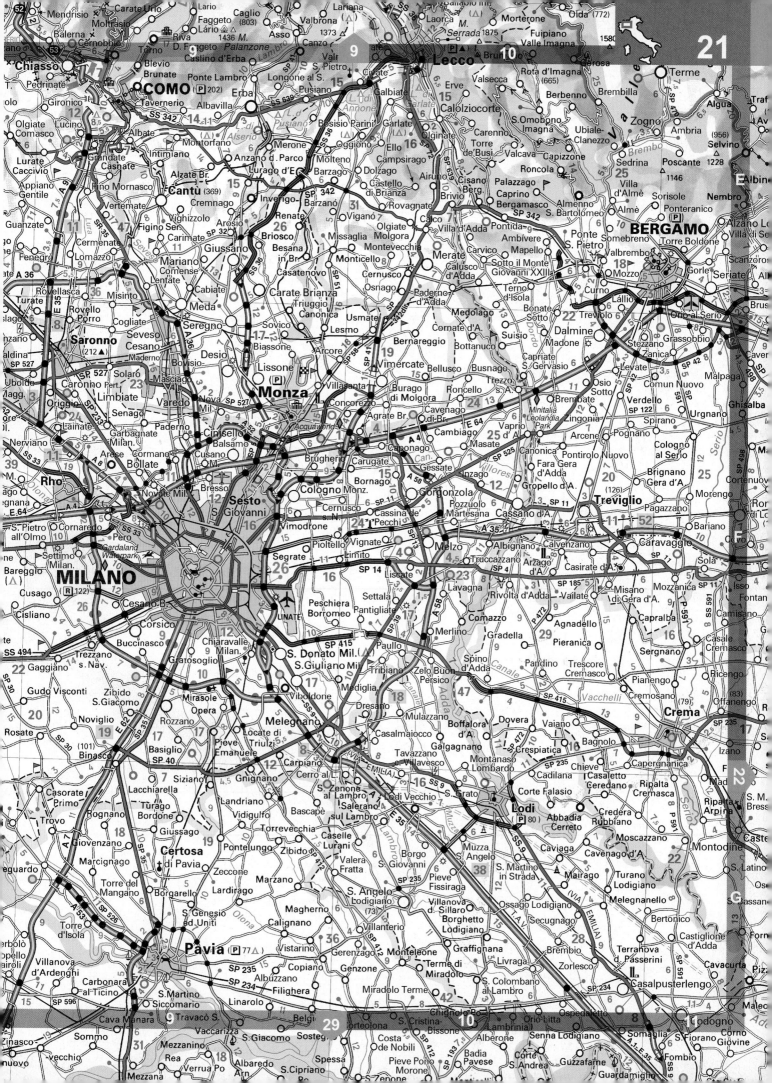

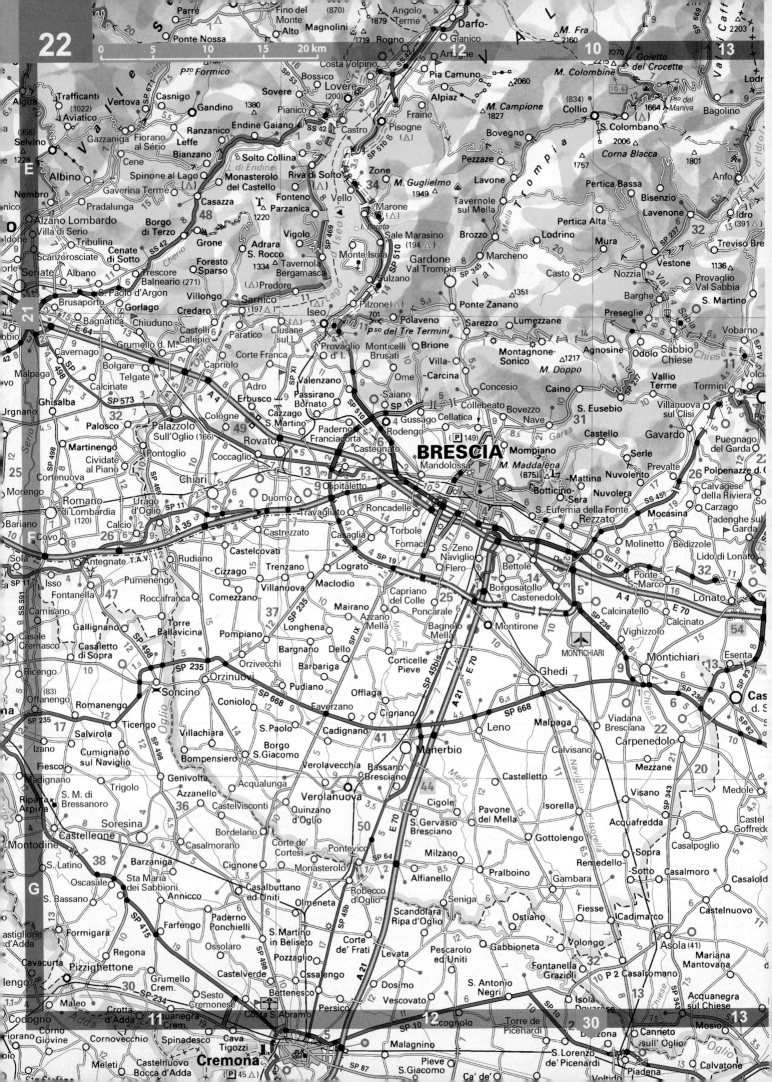

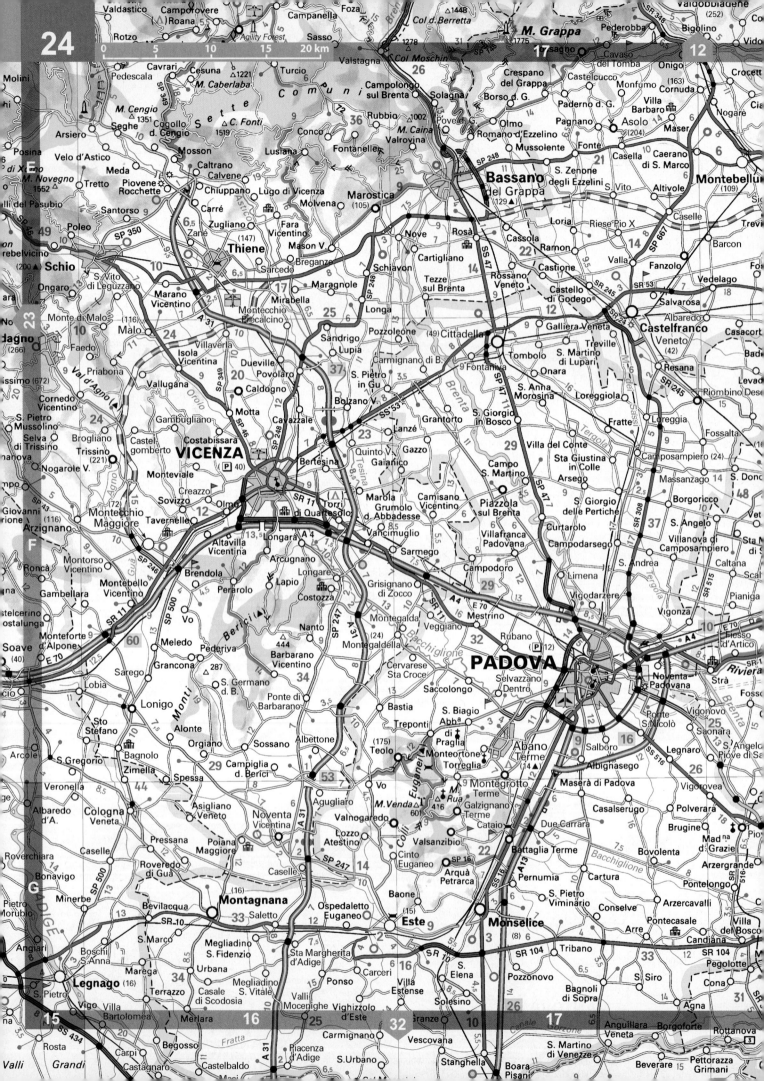

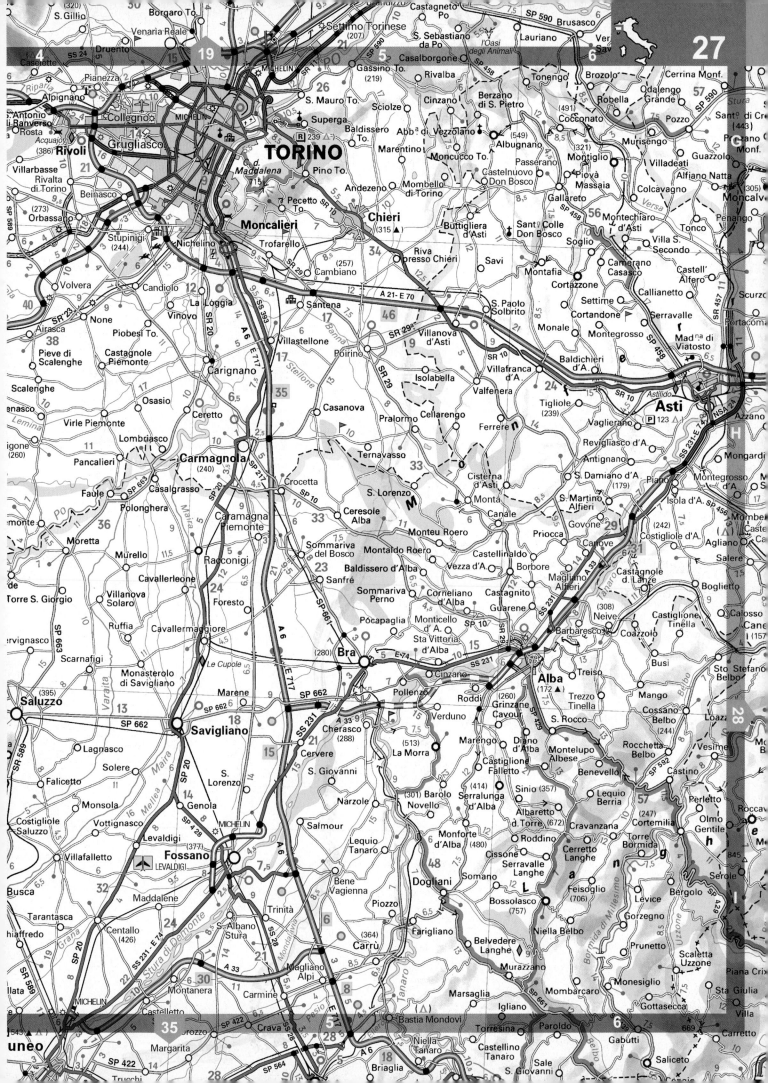

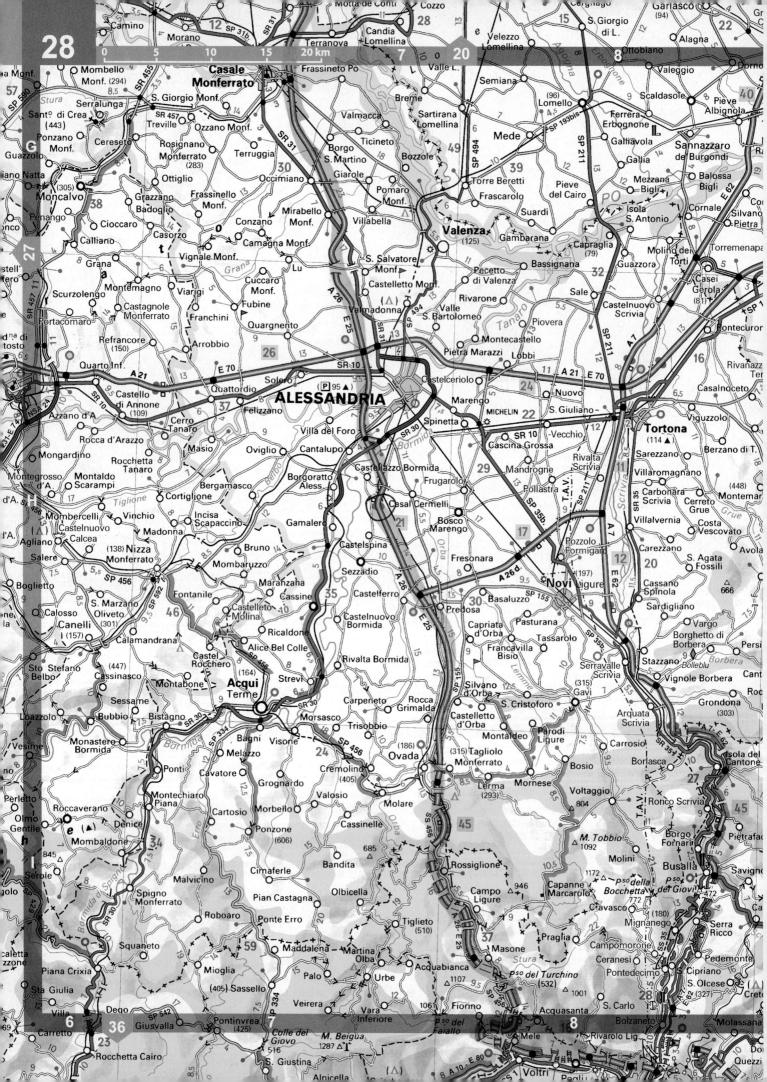

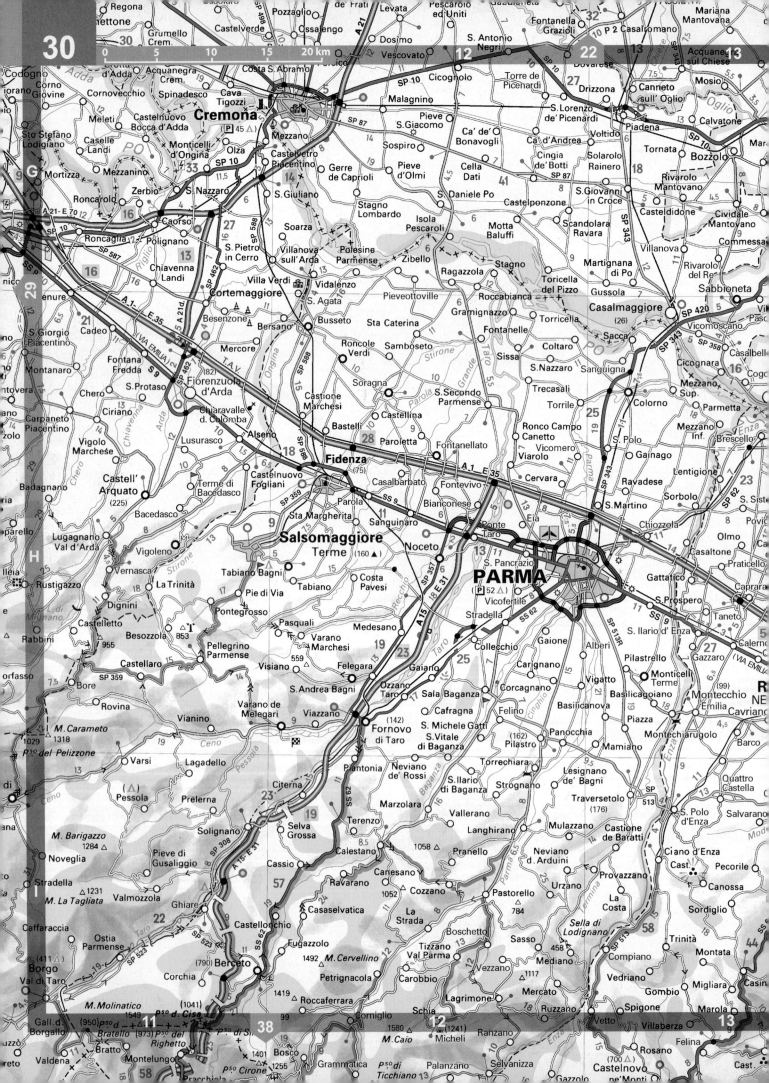

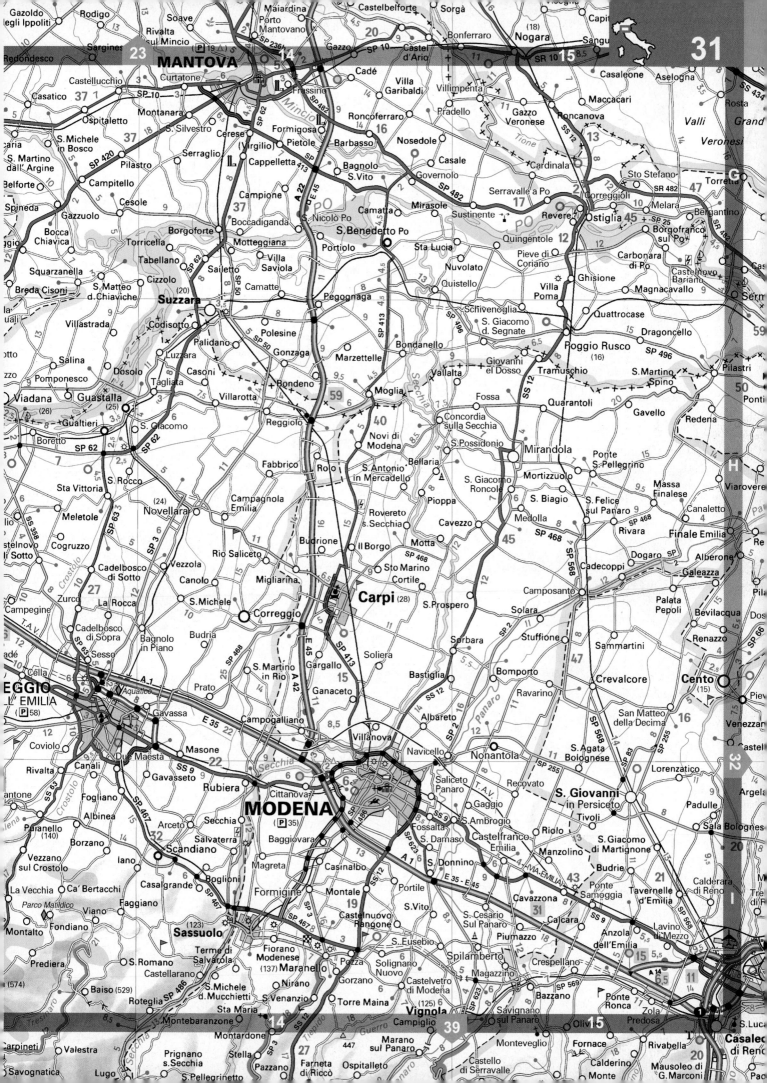

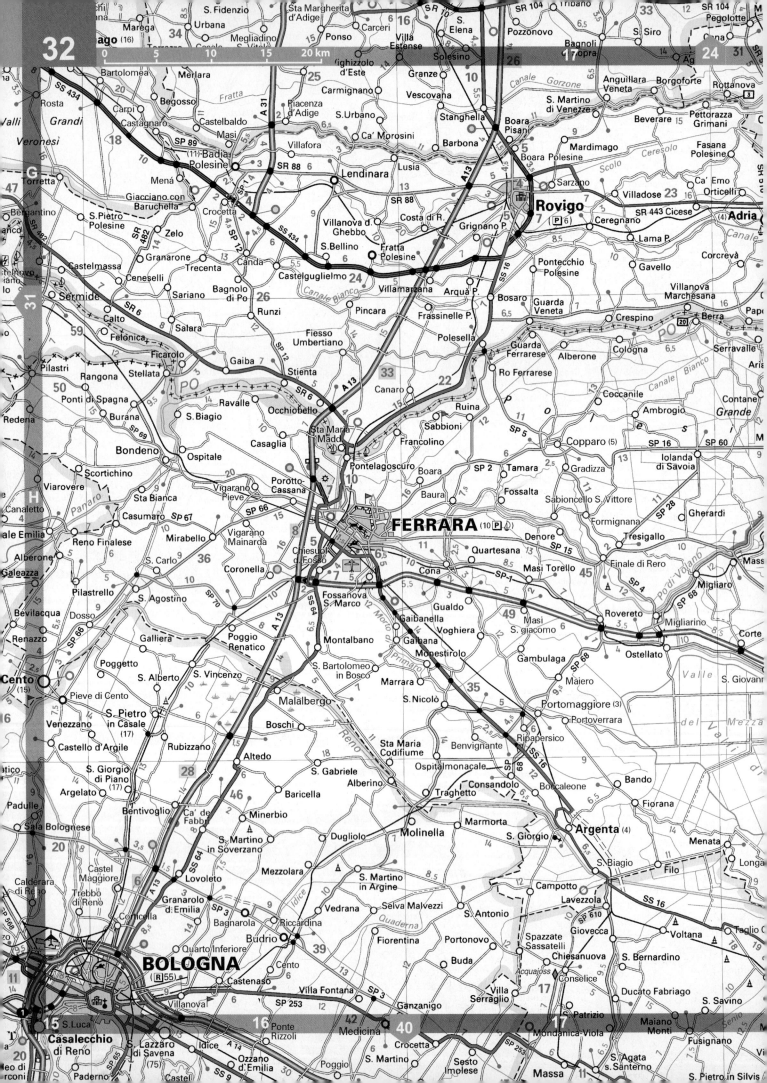

G

Consolo
Cantarana
Ca' Bianca
26
ADIGE
Martinelle
S. Anna
S. Pietro
Cavanella
d'Adige
Ca'
Briani
Tornova
Norge
Polesine
Rosolina
Loreo
SP 45
Cavanella Po
Donada
Bottrighe
Mazzorno
Taglio di Po
Corbola
ozze
Isola
d'Ariano
Piano
31
28
no Ferrarese
Ariano nel Polesine (4)
Riva
Massenzatica
Mesola
Bonifica
Ferrarese
n
e
ezzogoro
Italba
SP 68
Bosco
Mesola
SP 68
6
Codigoro
(4)
Abb° di
Pomposa
Bosco d.
Mesola
Taglio d. Falce
a Fiscaglia
Volano
Vaccolino
Valle
Bertuzzi
Marozzo
Lido di Volano
SP 15
Centrale
Lagosanto
16
Volania
S. Giuseppe
Lido di Pomposa
Lido d. Nazioni
Spina
Lido d. Scacchi
Comacchio
Porto Garibaldi
Saline
Lido d.Estensi
Lido di Spina
Comacchio
Foce del Reno
strino
Anita
Cippo di A.Garibaldi
Mandriole
Casal Borsetti (⚓)
28
S. Alberto
Reno
Cruser
orelli
Savarna
Lamone
Marina Romea (⚓)
Porto Corsini
Alfonsine
Torri
Pineta S. Vitale
Marina di Ravenna

Foce d. Brenta
Isola V
Rosapineta (△)
Rosolina Mare (▲ △)
Caleri
Isola Albarella
Albarella
Foce del Po
di Levante
Ca
Cappello
Po di Levante
Porto Levante
Foce del Po
di Maistra
Porto Viro
Contarina
(2 ⚓)
Scanarello
Boccasette
Po di Maistra
Bocche d. Po
d. Pila
Ca' Venier
Ca Zuliani
Pila
Po di Venezia
Tolle
Po di Pila
Segalare
Porto Tolle
Polesine Camerini
Isola
della
Donzella
Ca' Mello
Scardovari
Isola di Polesine
Gnocca
Oca
Cassella
Sacca d.
Scardovari
Bonelli
Goro
Gnocchetta
Bocca del Po
delle Tolle
Gorino
Bocche del Po
di Gnocca
Bacucco
Bocca del Po
di Goro
Lidi Ferraresi (▲)

H

I

Mezzano
Villanova
Borgo
Fusara
Carmerlona
Punta Marina

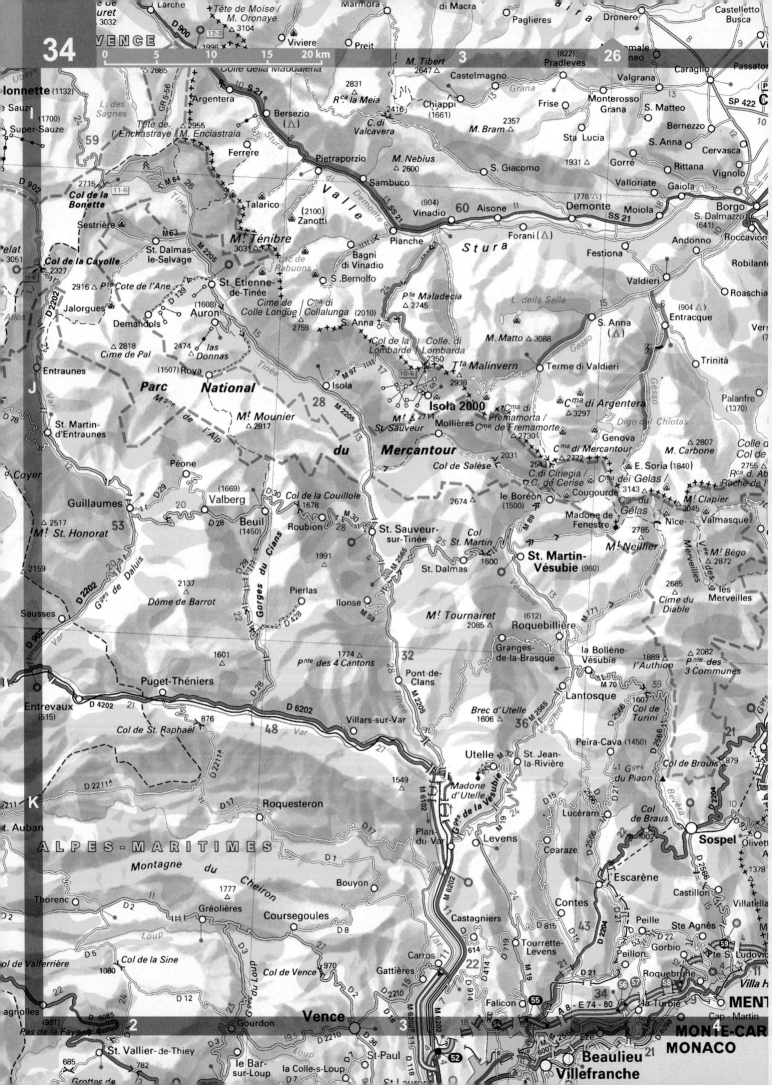

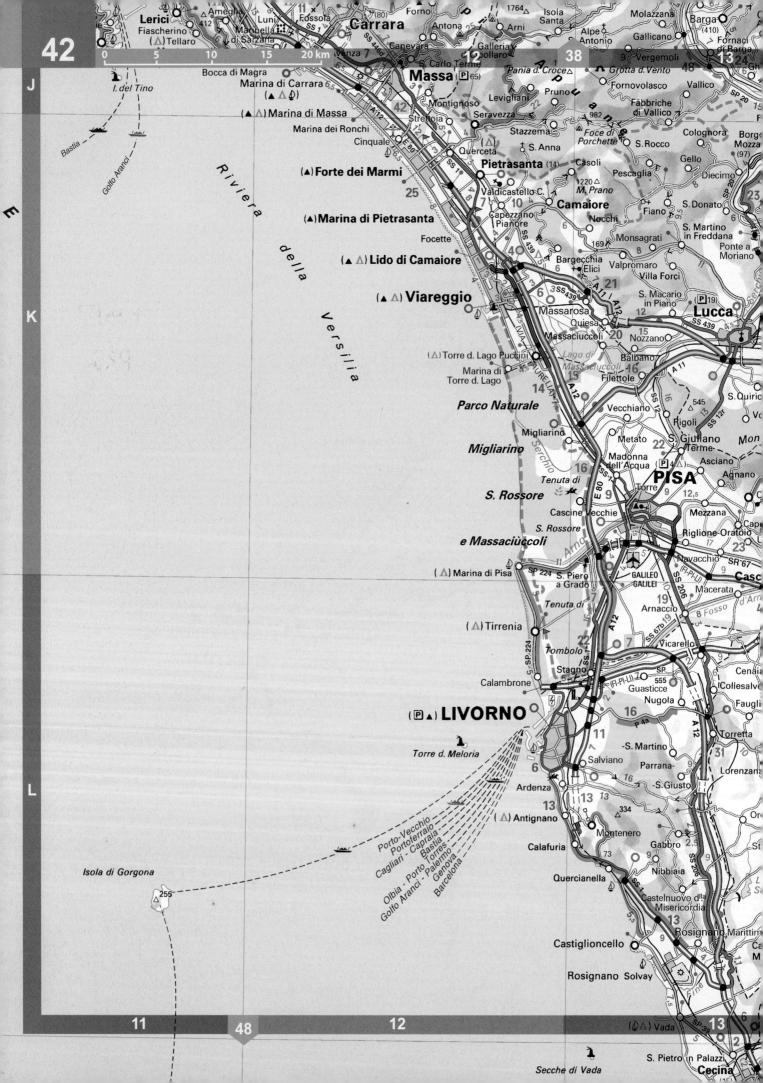

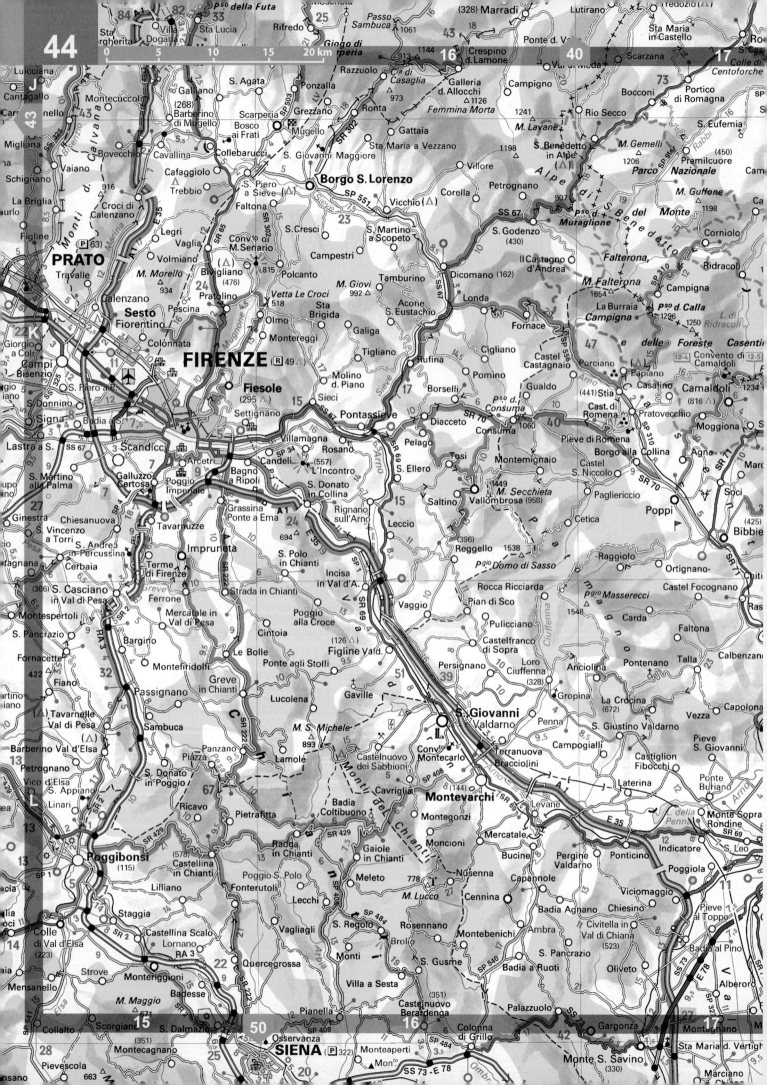

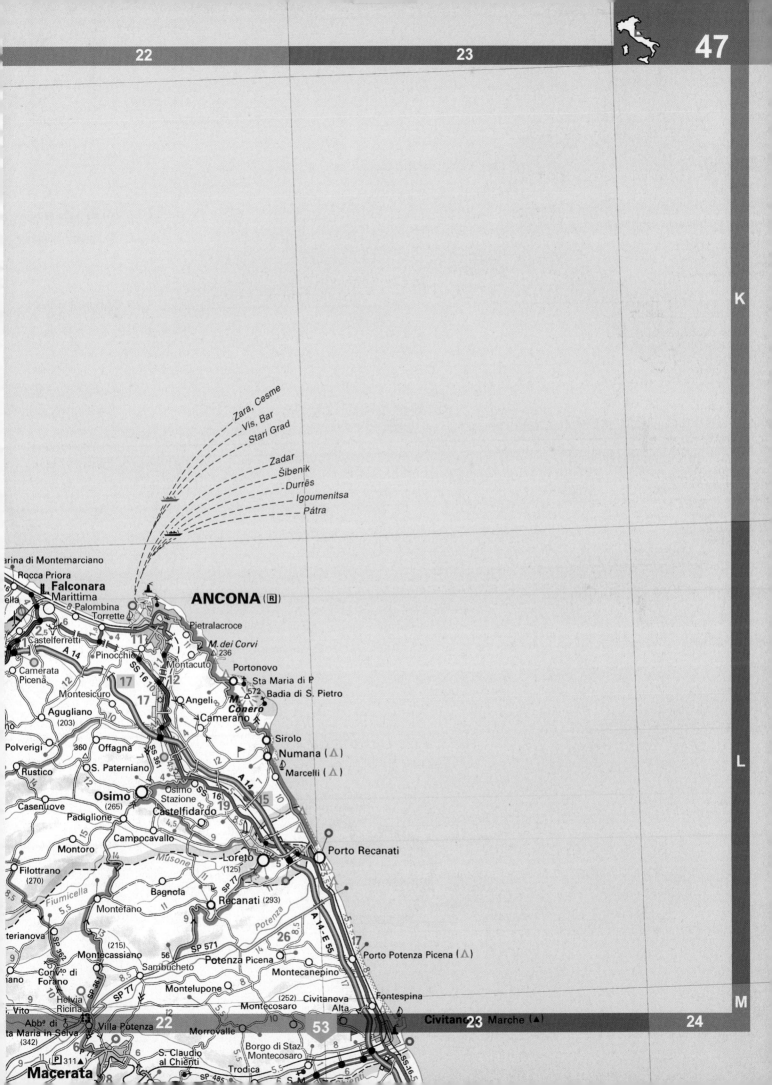

K

Zara, Cesme
Vis, Bar
Stari Grad

Zadar
Šibenik
Durrës
Igoumenitsa
Pátra

arina di Montemarciano
Rocca Priora
Falconara
Marittima
Palombina
Torrette
ANCONA ®
Pietralacroce
ella
Castelferretti
A 14
Pinocchio
SS 16
Camerata
Picena
Montesicuro
Montacuto
M. dei Corvi
△ 236
Portonovo
Sta Maria di P
Badia di S. Pietro
△ 572
M.
Conero
Camerano
Angeli
Agugliano
(203)
Polverigi
Offagna
360
S. Paterniano
SS 361
Sirolo
Numana (△)
Marcelli (△)
Rustico
A 14
Osimo
Stazione
SS 16
Osimo
(265)
Casenuove
Castelfidardo
19
15
Padiglione
Campocavallo
Montoro
Musone
Loreto
(125)
Porto Recanati
Filottrano
(270)
Fiumicella
SP 77
Bagnola
Recanati (293)
Montefano
Potenza
A 14- E 55
terianova
(215)
Montecassiano
SP 362
SP 571
26
17
Potenza Picena
Porto Potenza Picena (△)
Convto di
Forano
SP 77
Sambucheto
Montecanepino
Montelupone
Fontespina
Vito
Helvia
Ricina
(252)
Civitanova
Alta
Montecosaro

L

M

Abbª di
ta Maria in Selva
(342)
Villa Potenza
Morrovalle
S. Claudio
al Chienti
Borgo di Staz.
Montecosaro
Trodica
Macerata
P 311 ▲
SP 485

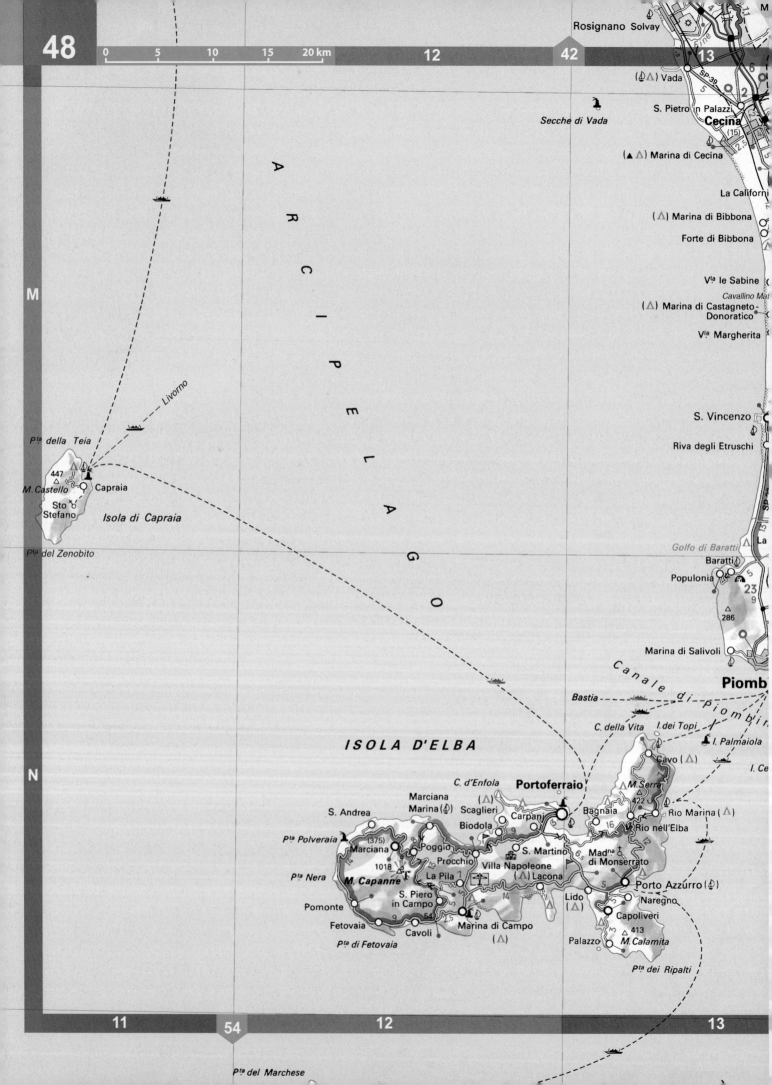

0   5   10   15   20 km

Rosignano Solvay

(⚓△) Vada

Secche di Vada

S. Pietro in Palazzi

Cecina
(15)

(▲△) Marina di Cecina

La Californi

(△) Marina di Bibbona

Forte di Bibbona

V^la le Sabine

Cavallino Ma

(△) Marina di Castagneto-
Donoratico

V^la Margherita

A R C I P E L A G O

M

Livorno

P^ta della Teia

447
△
M. Castello   Capraia

Sto
Stefano   Isola di Capraia

S. Vincenzo

Riva degli Etruschi

Golfo di Baratti   La

Baratti

P^ta del Zenobito

Populonia   23
9

286

Marina di Salivoli

Canale di Piomb

Piomb

Bastia

C. della Vita   I. dei Topi

I. Palmaiola

N

Cavo (△)

I. Ce

ISOLA D'ELBA

C. d'Enfola   **Portoferraio**

M. Serra
422

(△)

Marciana   Scaglieri   Carpani   Bagnaia   Rio Marina (△)
S. Andrea   Marina (⚓)

Biodola   9   16   Rio nell'Elba

P^ta Polveraia

(375)   Poggio
Marciana   S. Martino   Mad^na †
1018   13   di Monserrato

P^ta Nera   Procchio   6.5
Villa Napoleone
M. Capanne   La Pila 1   (△) Lacona   5   **Porto Azzurro** (⚓)

Pomonte   S. Piero   14   Lido   Naregno
in Campo   (△)
54   Capoliveri
Fetovaia   9   413
Cavoli   Marina di Campo   Palazzo   **M. Calamita**

P^ta di Fetovaia   (△)

P^ta dei Ripalti

P^ta del Marchese

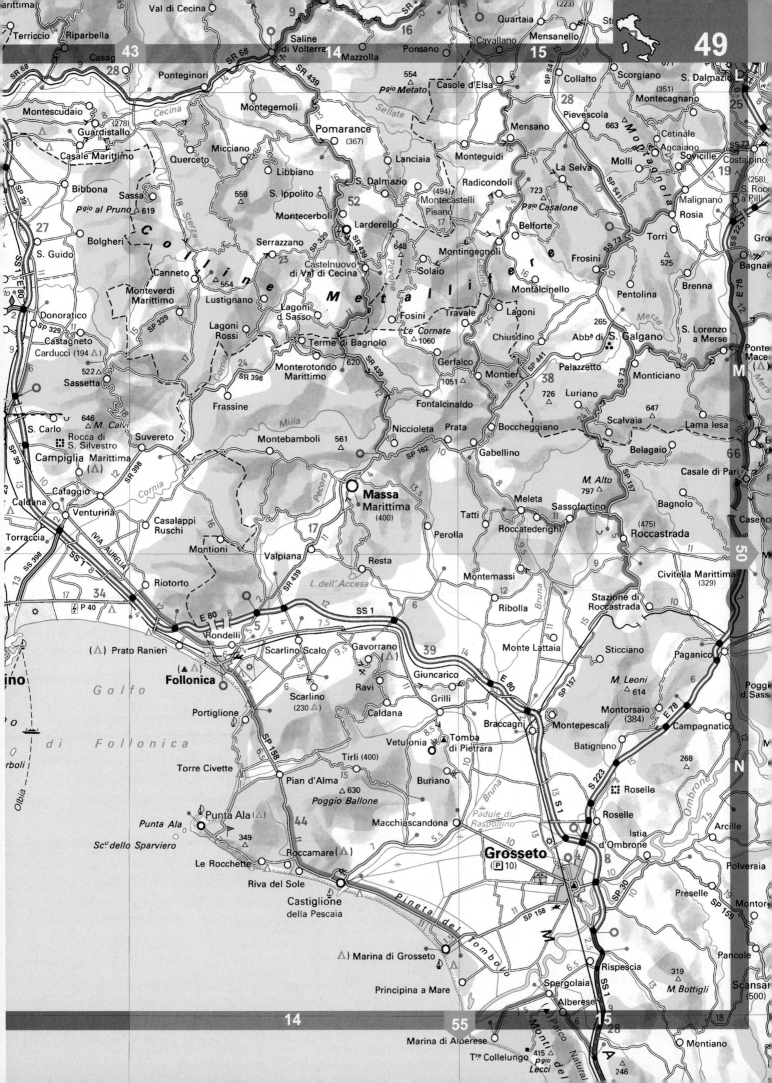

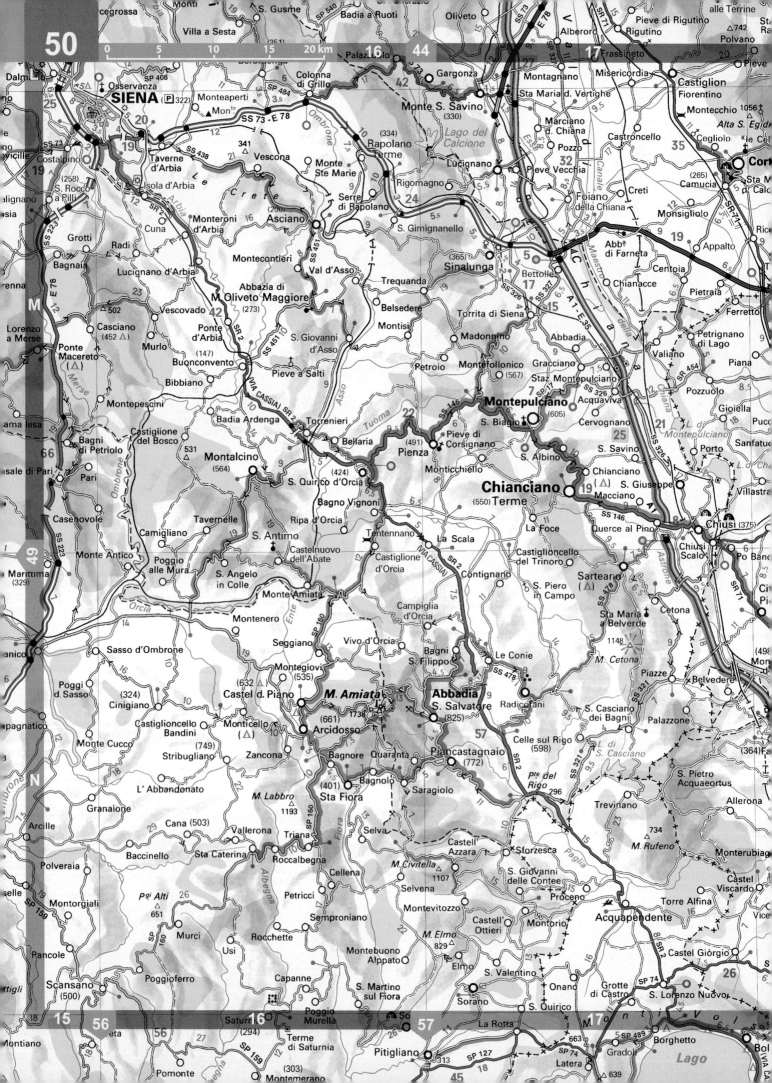

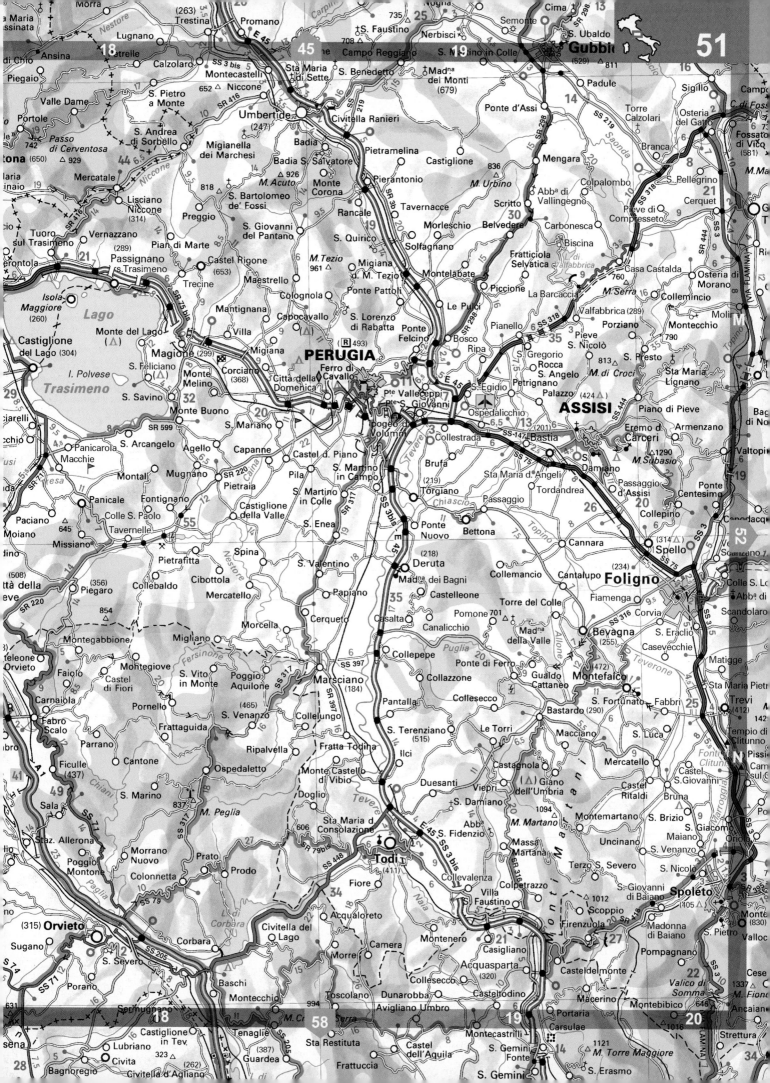

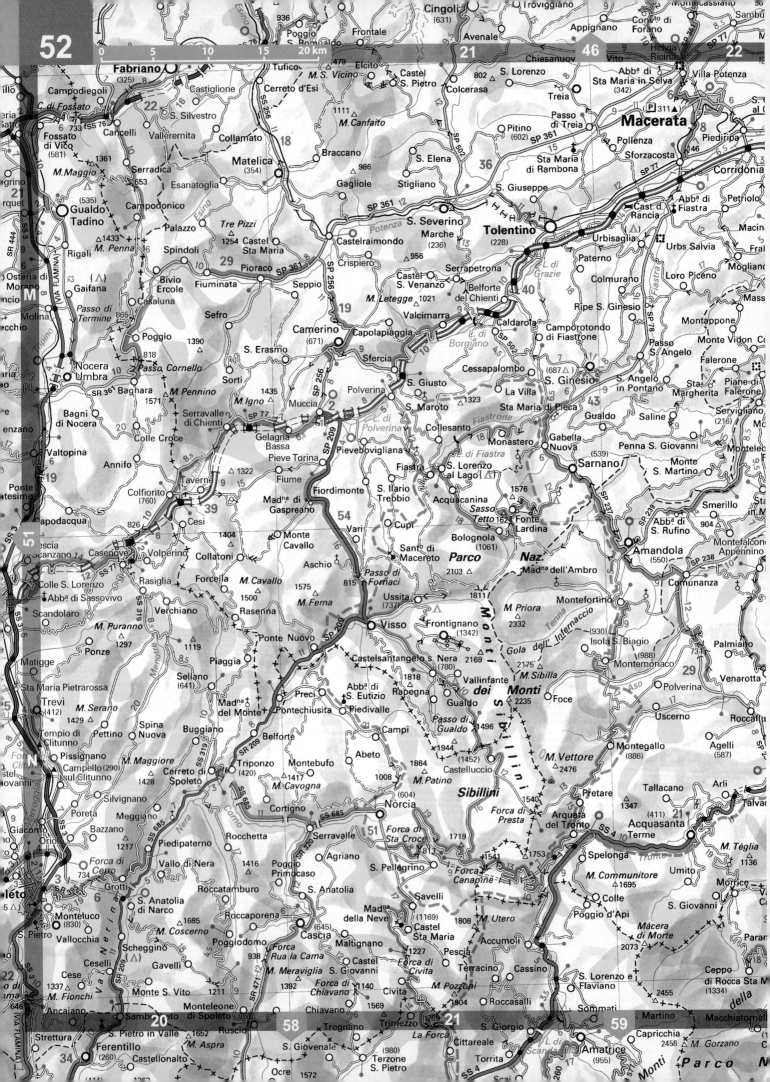

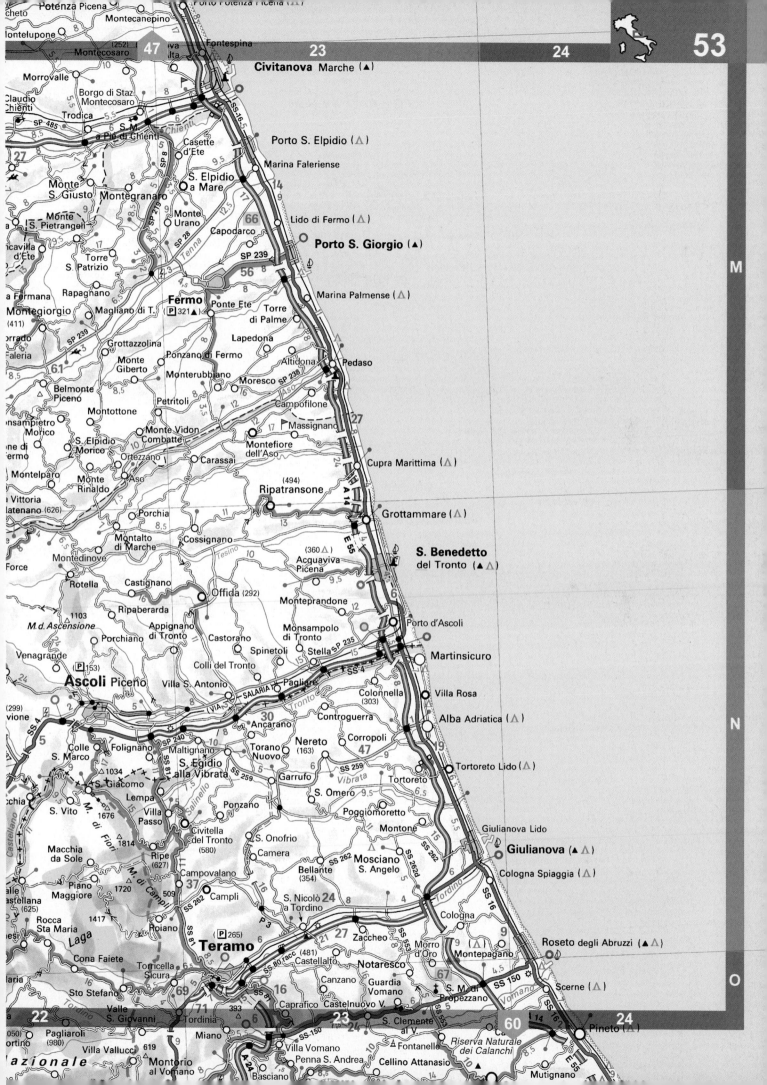

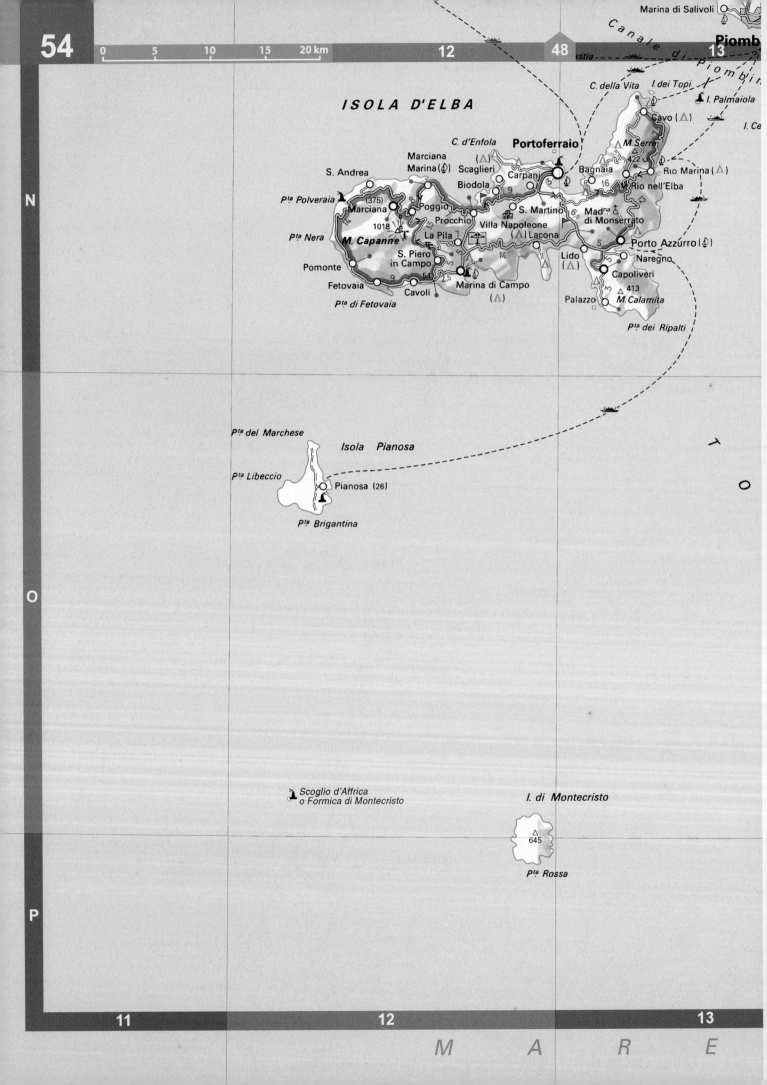

0 5 10 15 20 km

Marina di Salivoli

Piomb

C a n a l e   d i   P i o m b i n

astia

N

I S O L A   D' E L B A

C. della Vita I. dei Topi
I. Palmaiola
I. Ce
Cavo (△)

C. d'Enfola **Portoferraio**
M. Serra
422

Marciana
Marina (⚓) Scaglieri
Biodola Carpani
Rio Marina (△)
Rio nell'Elba
9
16

S. Andrea

P.ta Polveraia
(375)
Marciana Poggio
S. Martino
Mad.na
di Monserrato
14

P.ta Nera 1018
13
M. Capanne Procchio
Villa Napoleone
(△) Lacona

La Pila 1
Pomonte
S. Piero
in Campo
5
5 14
5 Lido
(△)
Porto Azzurro (⚓)
Naregno

Fetovaia
54
Capoliveri
9
Cavoli
Marina di Campo
(△)
Palazzo 413
M. Calamita

P.ta di Fetovaia
P.ta dei Ripalti

O

P.ta del Marchese

Isola   Pianosa

P.ta Libeccio
Pianosa (26)

P.ta Brigantina

T
O

Scoglio d'Affrica
o Formica di Montecristo

I. di Montecristo

△
645

P.ta Rossa

P

M   A   R   E

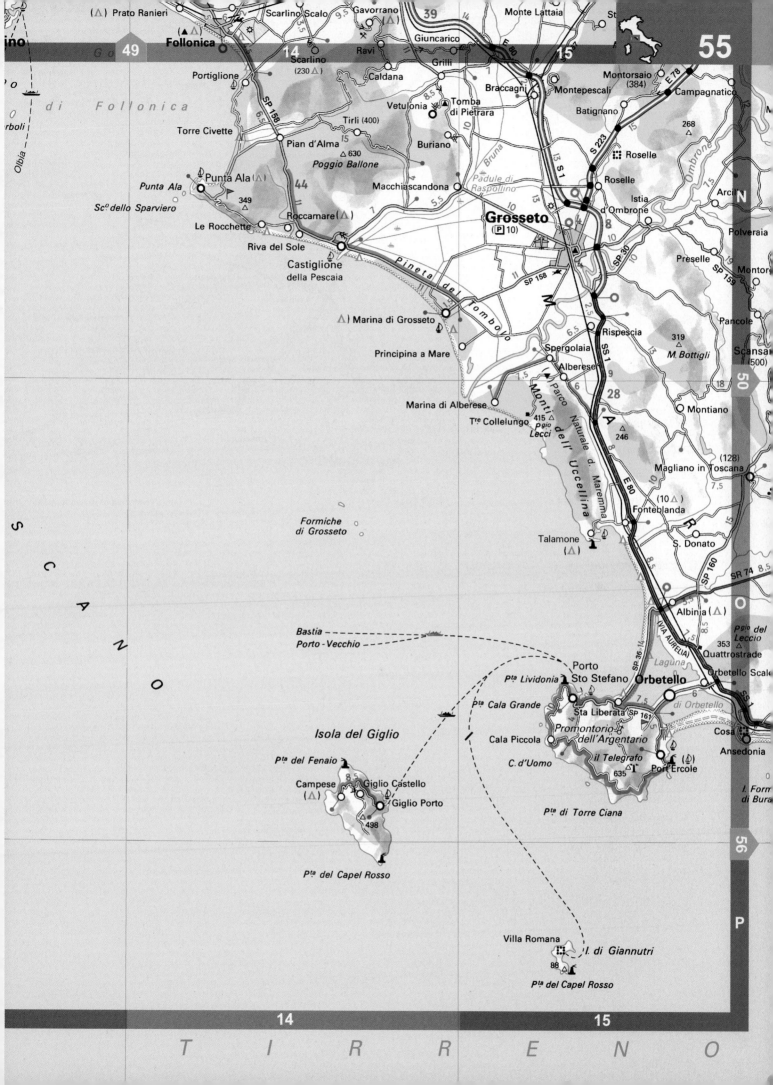

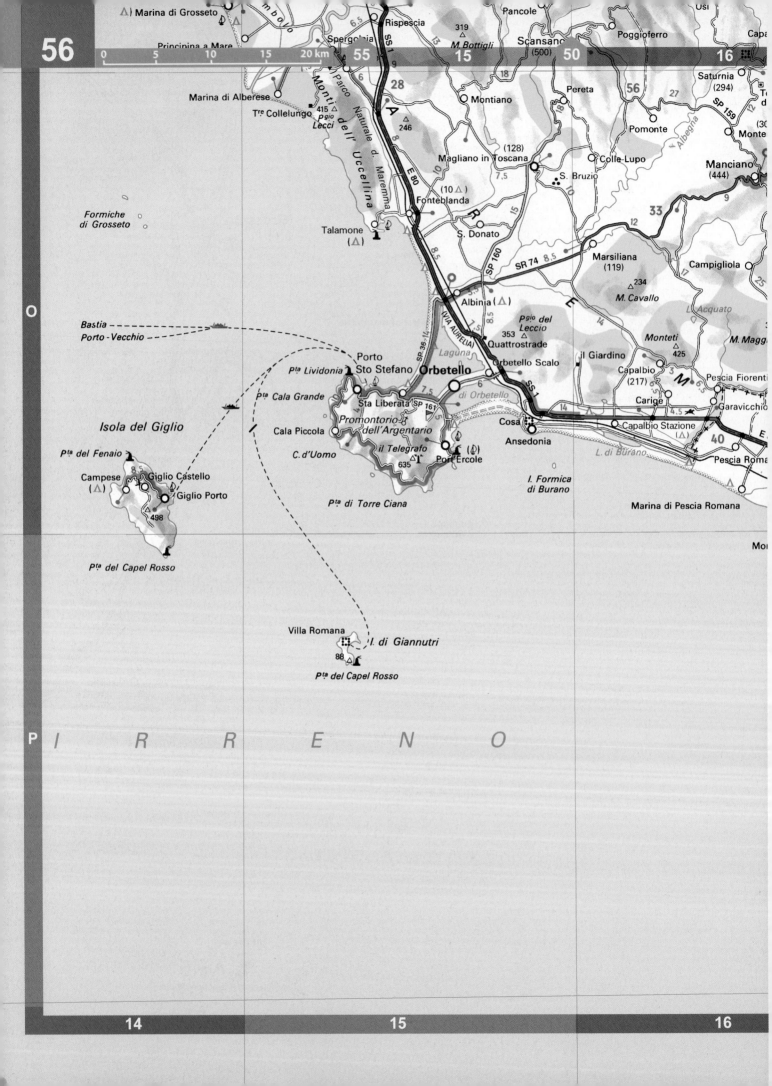

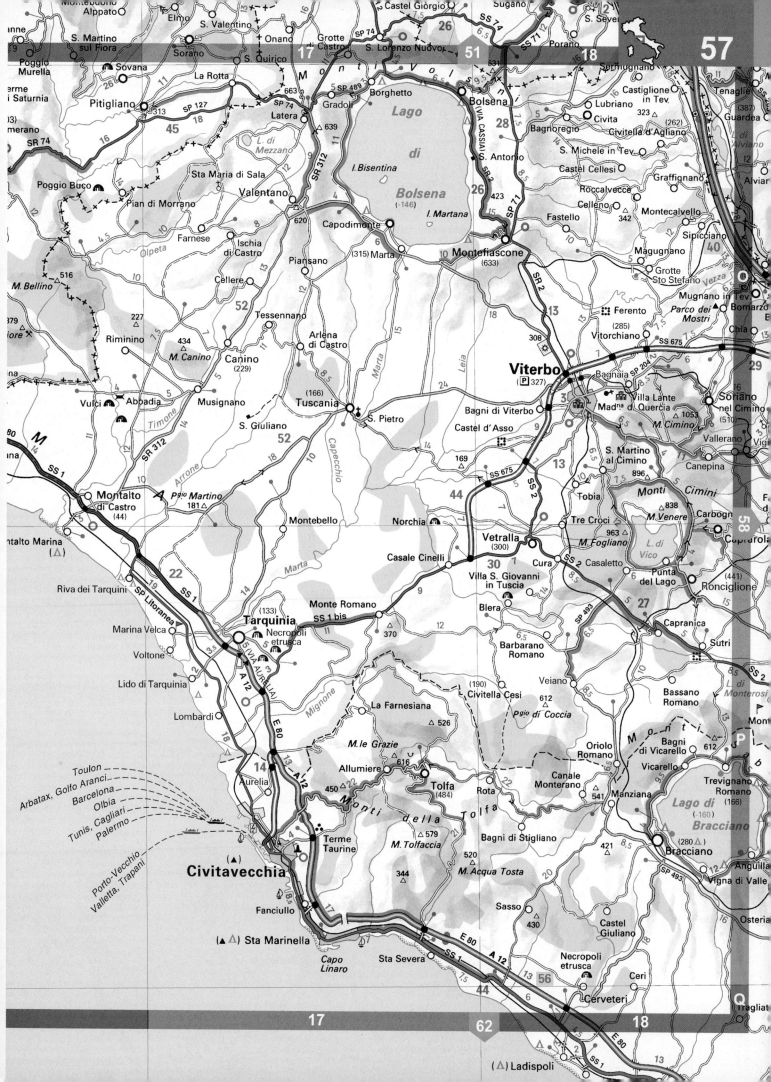

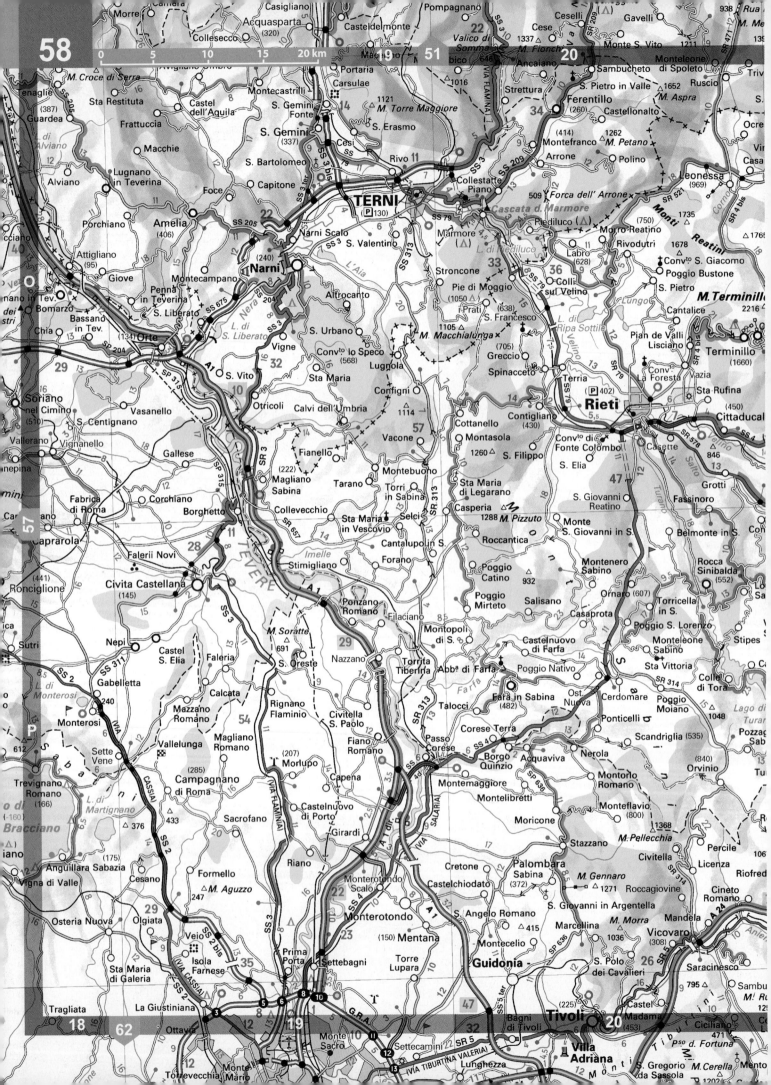

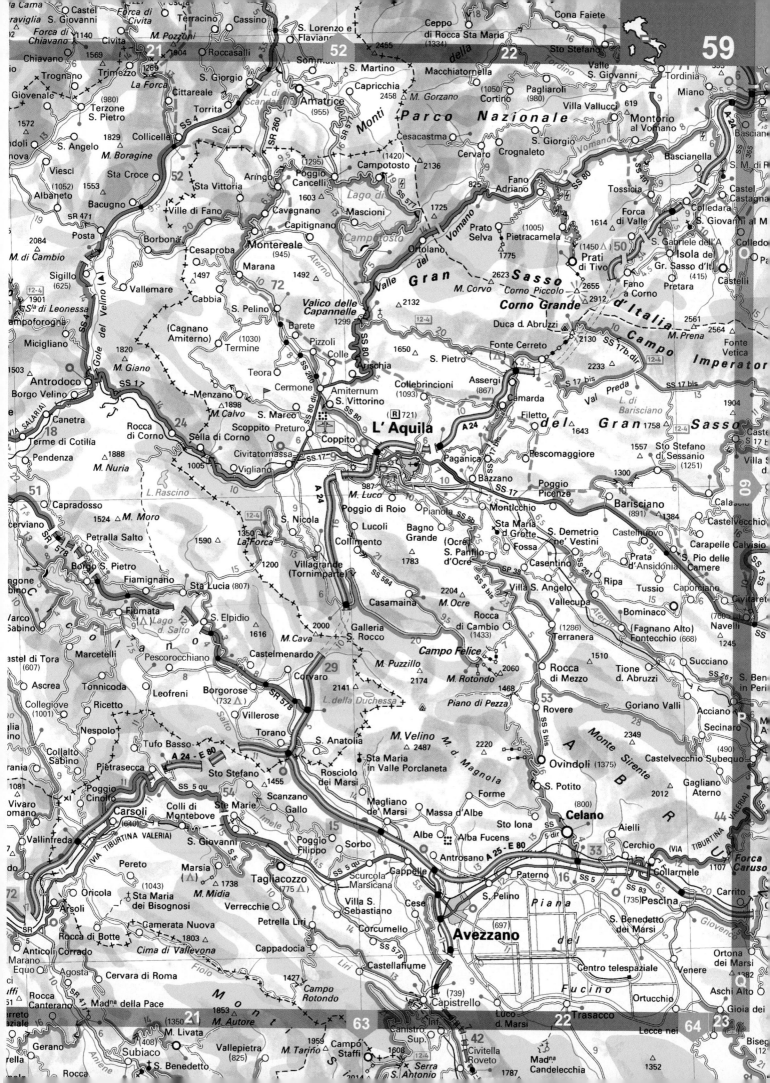

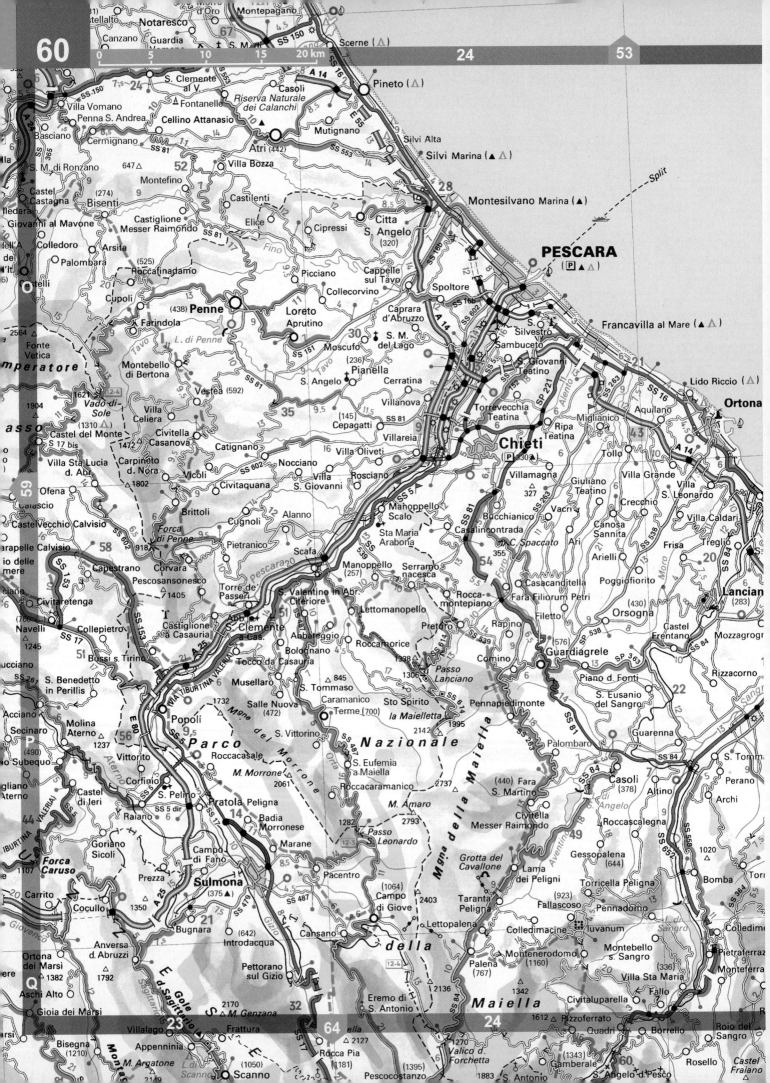

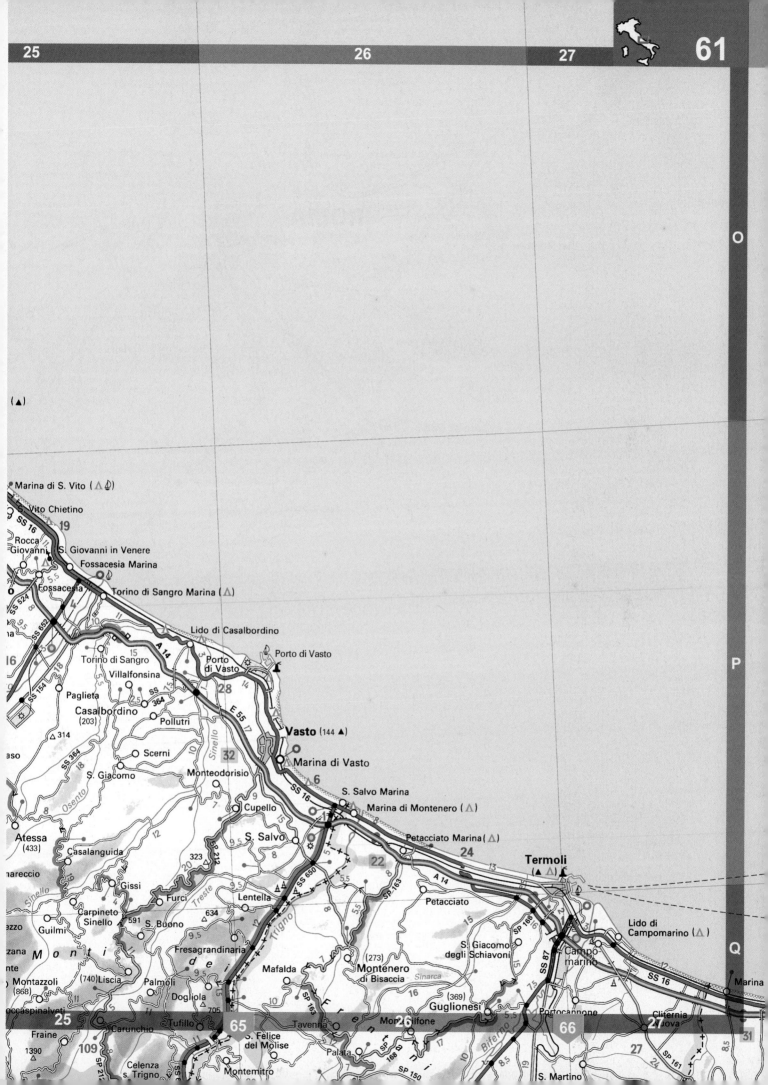

O

(▲)

Marina di S. Vito (△ ⚓)
S. Vito Chietino
SS 16   **19**
Rocca
S. Giovanni in Venere
Giovanni
Fossacesia Marina
Fossacesia   **4**
SS 524
SS 652
Torino di Sangro Marina (△)
Lido di Casalbordino
A 14   Porto
Torino di Sangro   di Vasto   Porto di Vasto
Villalfonsina
SS 154   **28**
SS 364   Paglieta
Casalbordino
(203)
Pollutri   E 55
△ 314
SS 364   Scerni   **32**   Vasto   (144 ▲)
S. Giacomo   Monteodorisio   Marina di Vasto
6
SS 16   S. Salvo Marina
Osento   Cupello   Marina di Montenero (△)
Atessa   S. Salvo   Petacciato Marina (△)
(433)
Casalanguida   **24**   **Termoli**
Sinello   **22**   (▲ △)
nareccio   Gissi   SP 212   A 14
Furci   Lentella   SP 163   Petacciato   Lido di
Carpineto   SS 650   Campomarino (△)
Sinello   591   S. Buono   634
Guilmi   Treste   S. Giacomo   SS 87   Campo
M o n t i   degli Schiavoni   marino
zana   d e i   Fresagrandinaria   (273)   SS 16   Marina
Montazzoli   Mafalda   Montenero   Sinarca
(868)   (740) Liscia   Palmoli   di Bisaccia
ccaspinalveti   Dogliola   SP 163   (369)   Portocannone   Cliternia
Trigno   705   Guglionesi   Nuova

Fraine   Carunchio   S. Felice   Palata   S. Martino
1390   **109**   del Molise
Celenza   SP 150   SP 161
s. Trigno   Montemitro

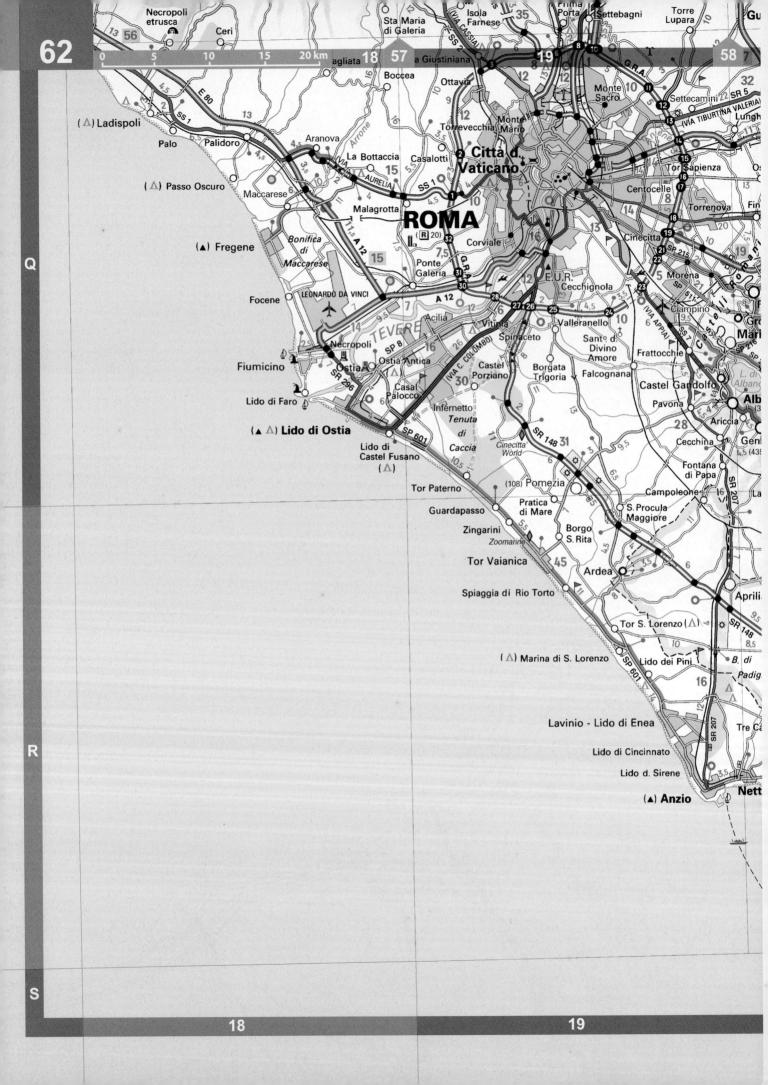

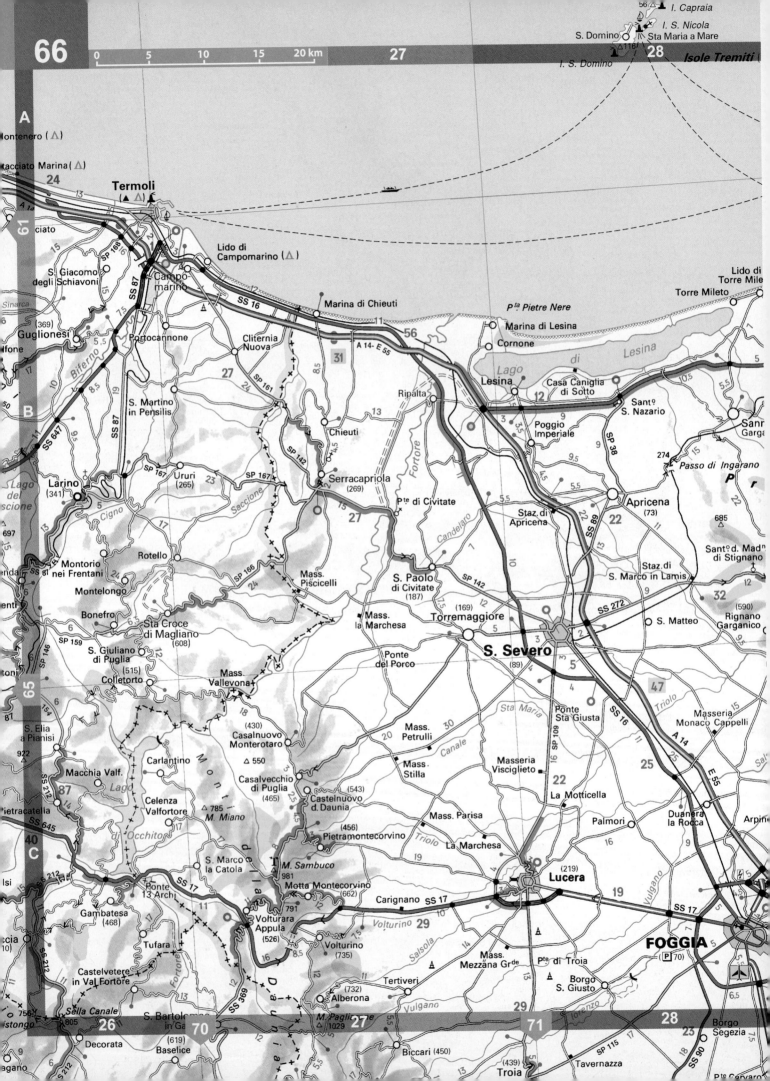

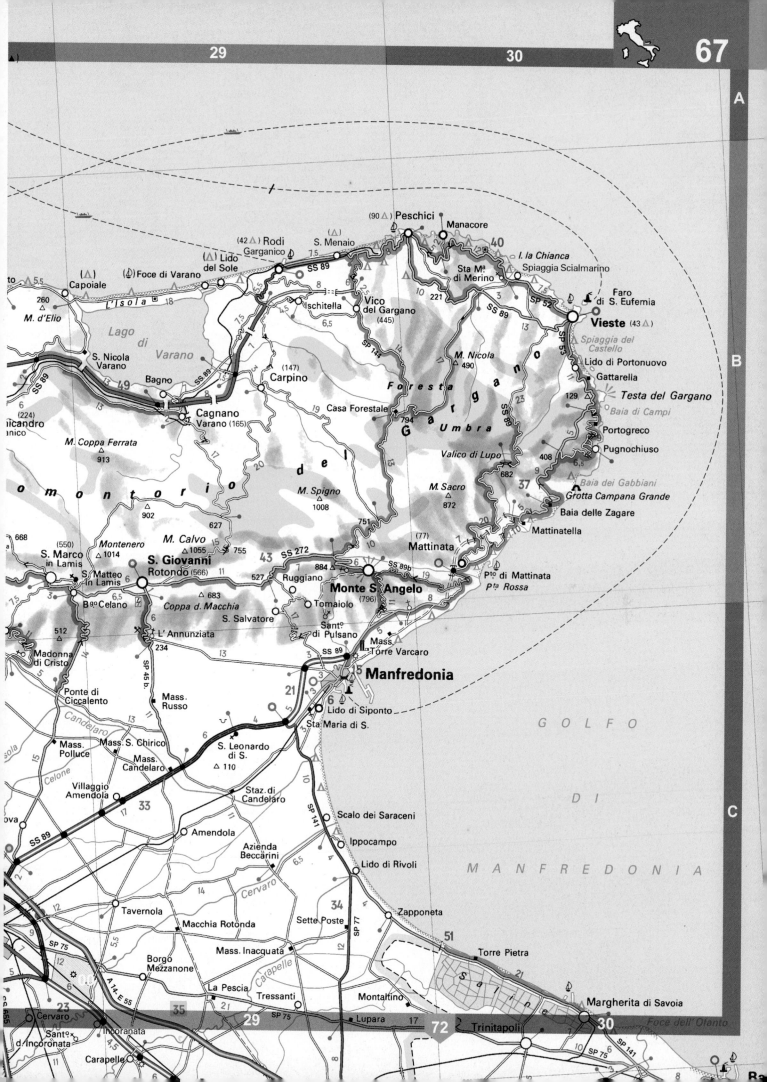

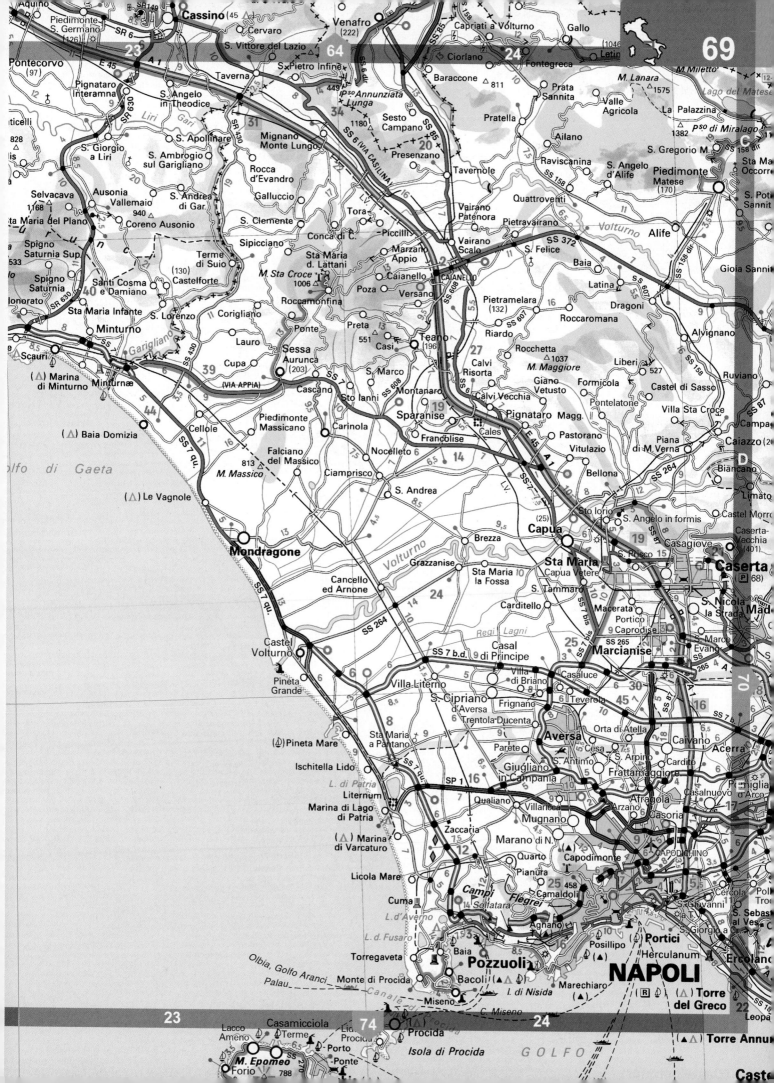

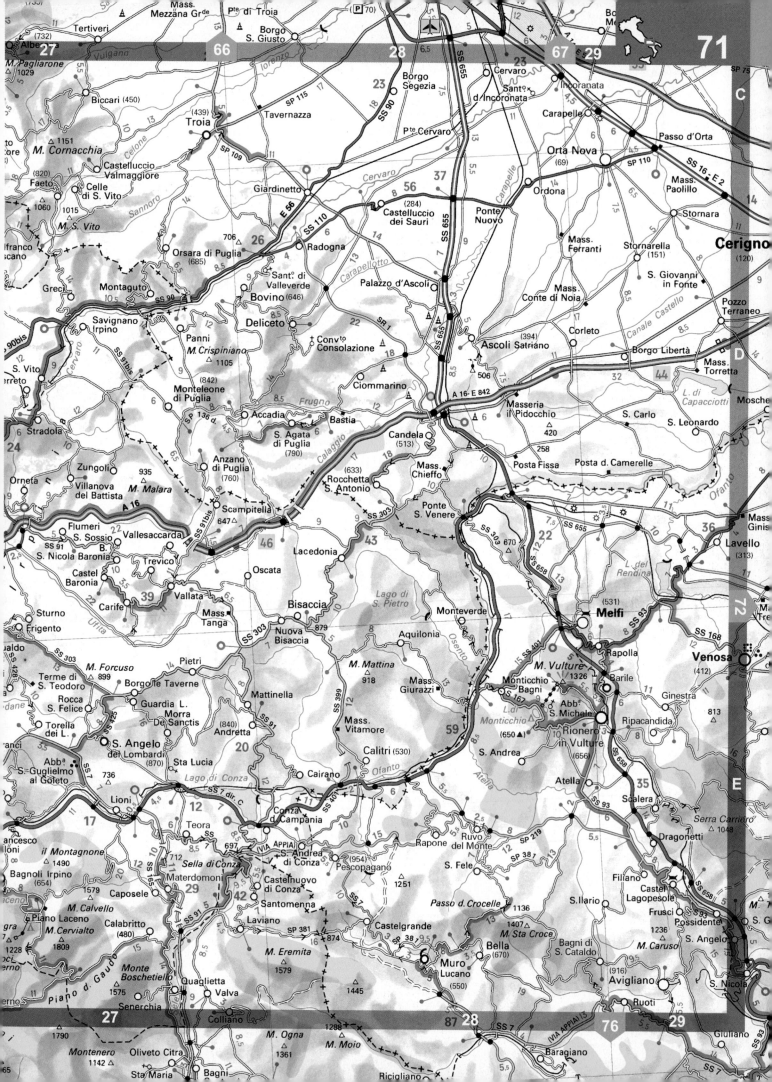

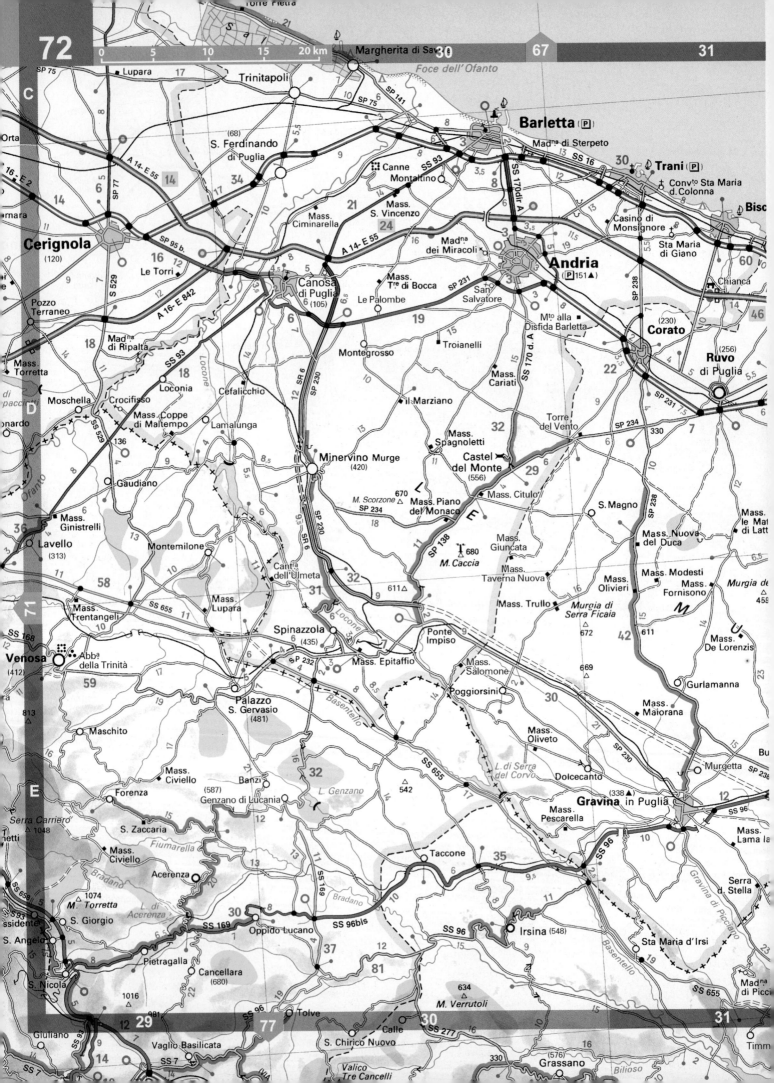

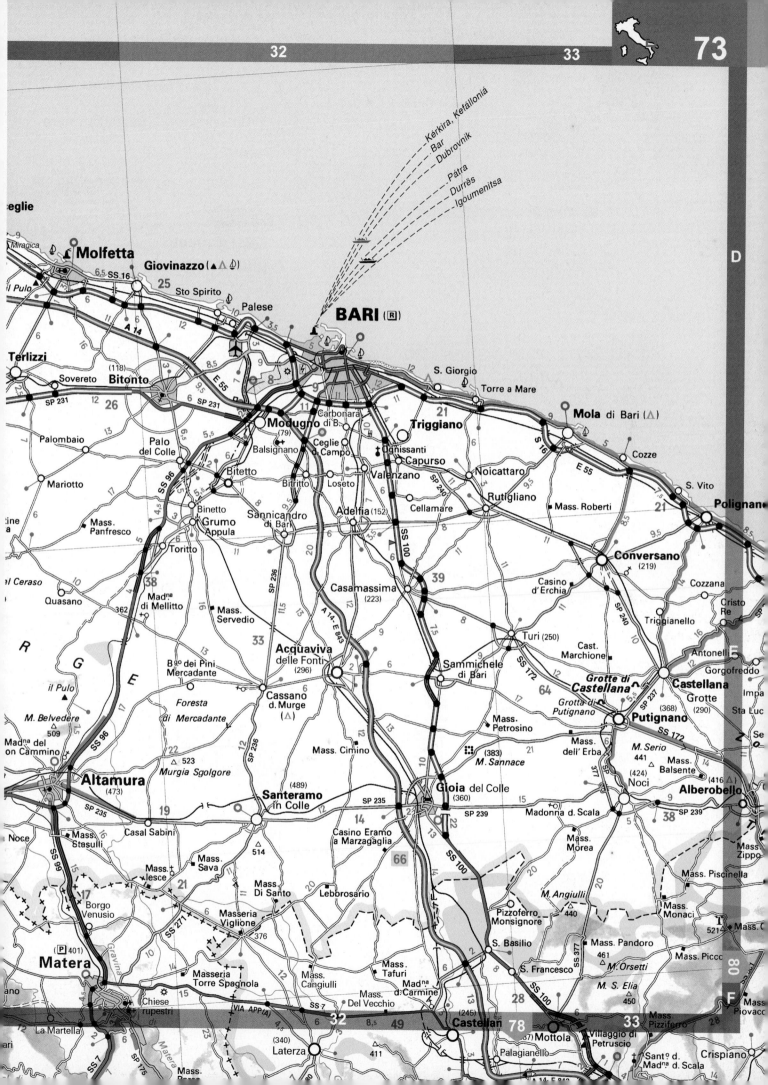

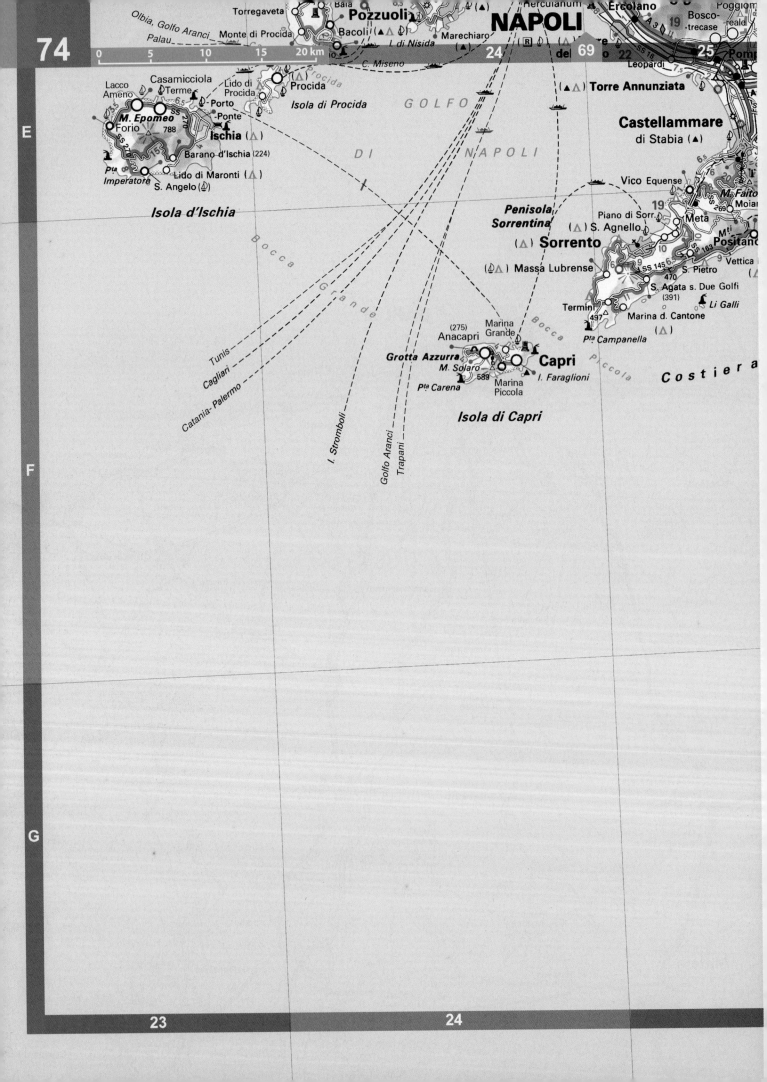

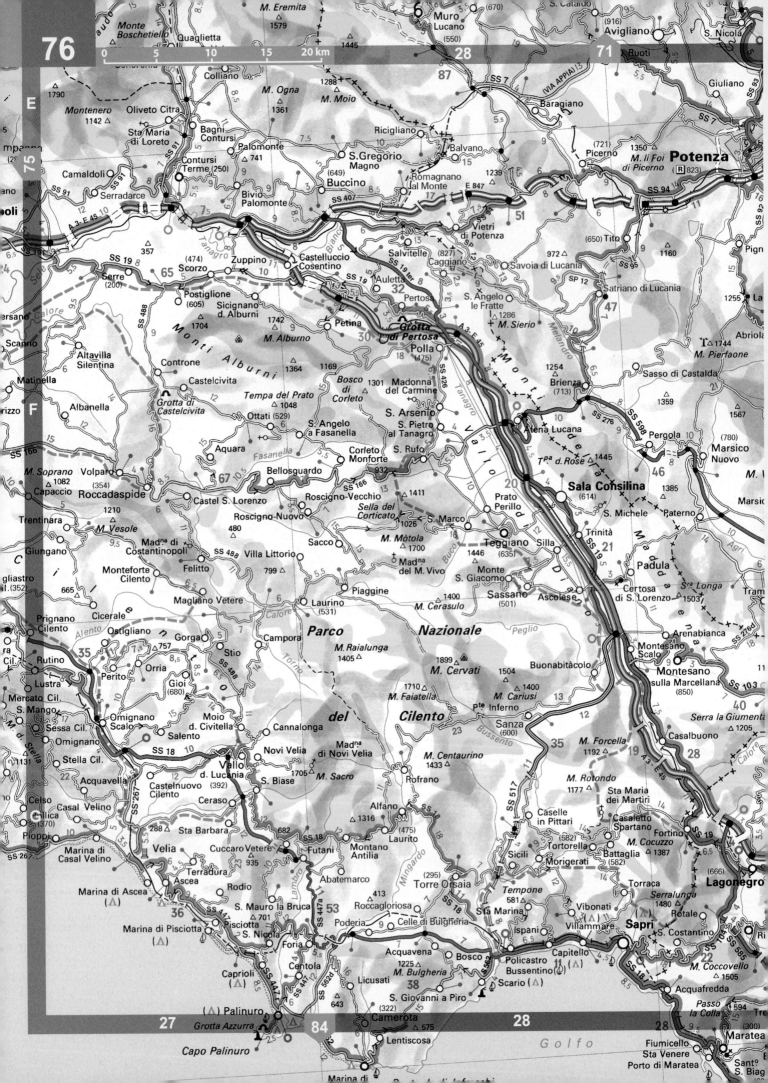

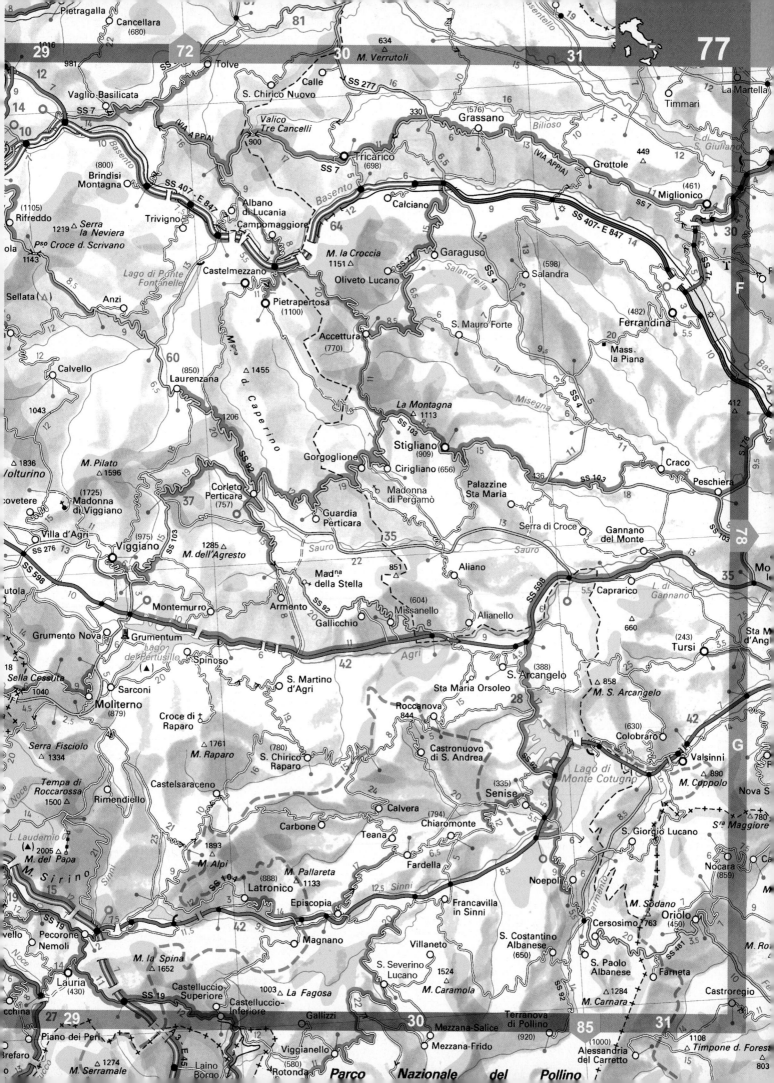

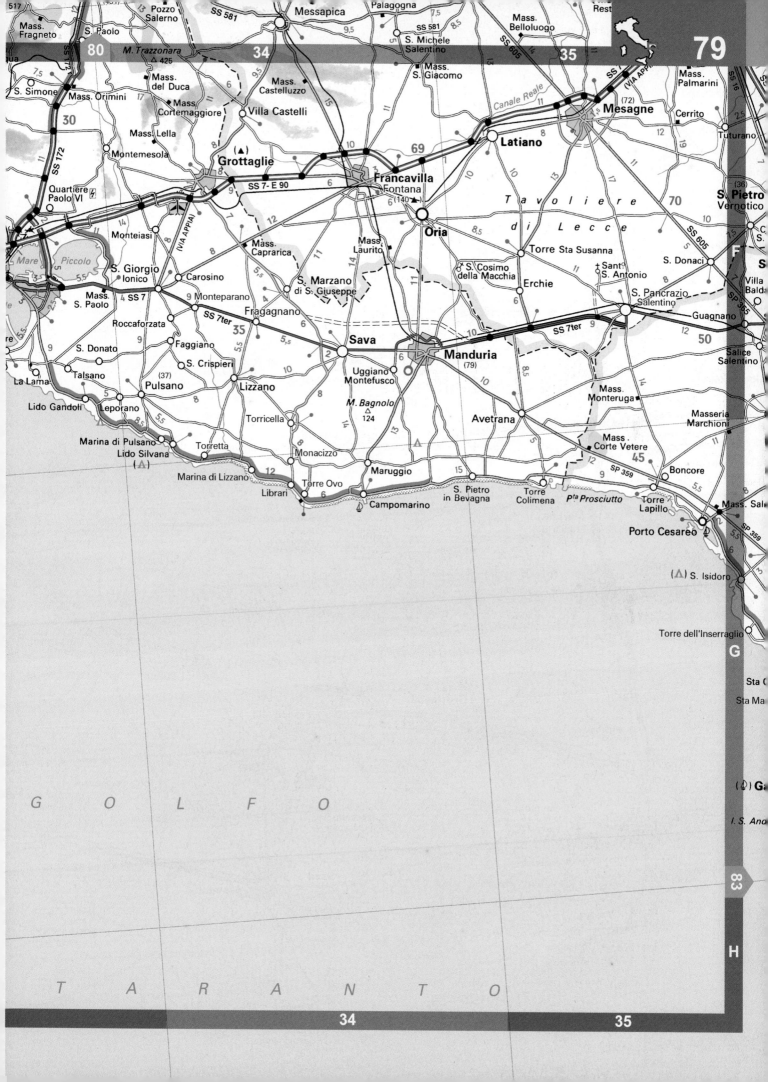

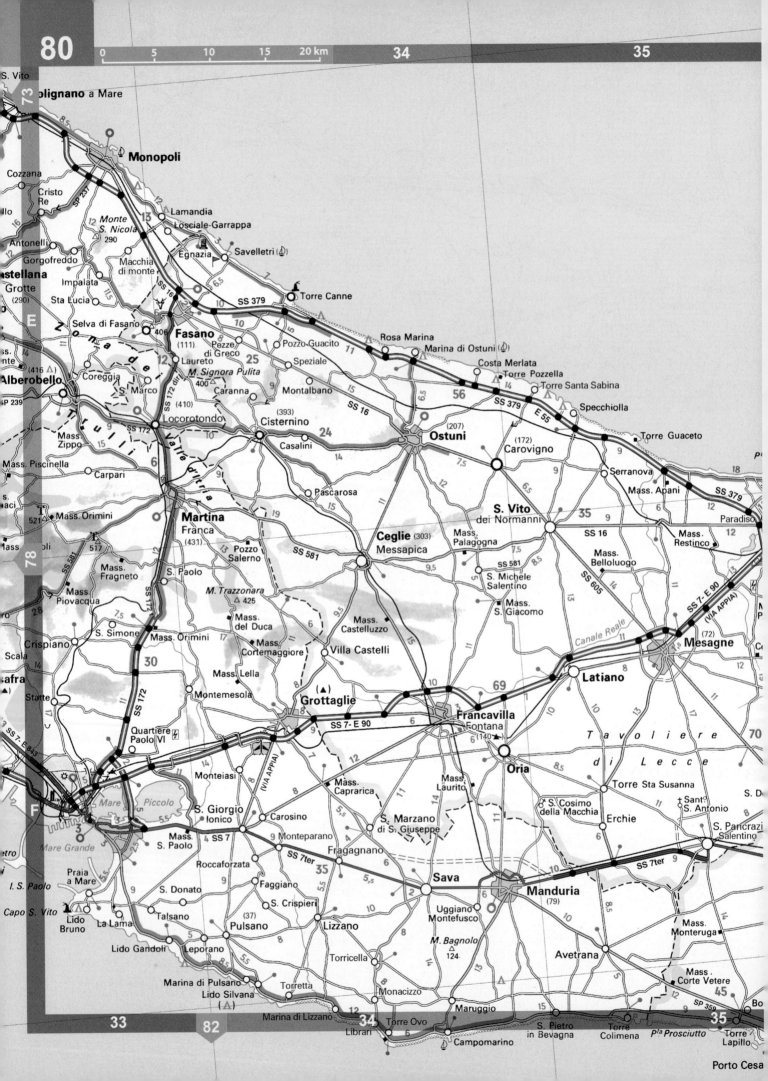

E

Kefállloniá
Igoumenítsa
Pátra
Kérkira

a Penne

Brindisi (P ▲ ⚓)

CASALE   I. S. Andrea

Capo Bianco

C. di Torre Cavallo

Pta d. Contessa

Mass. Villanova

Torre Mattarelle

Mass. almarini

Lido Cerano

F

erritо

SS 16   2.5

Tuturano

Torre S. Gennaro

Lindinuso

14

38

Casalabate

(36)

S. Pietro
Vernotico

Torchiarolo

T.re Rinalda

4.5

5.5   8

Cellino S. Marco

SP 357

Abbª
Sta Maria
di Cerrate

3.5

Case
Simini

10

7.5

Squinzano

SS 605

naci

SP 365

Villa Baldassarri

Trepuzzi

SS 613

Frigole

13

Borgo Piave

S. Cataldo

Guagnano

Campi Salentina

SS 7ter

50

Salice Salentino

Novoli

5.5

5.5

Surbo

SP 357

12

7

SP 364

2

Lecce (P) 51

Carmiano

Arnesano

Acaia

Torre Specchia

Masseria Marchioni

Veglie

(49)

Monteroni di Lecce

Merine

Vanze

SP 366

S. Foca

Struda

Pisignano

Acquarica di Lecce

Roca Vecchia

6.5

S. Pietro in Lama

Lequile

Cavallino

Lizzanello

Vernole

Torre dell'Orso

Leverano

S. Cesario di Lecce

S. Donato di

Caprarica di L.

Castri di L.

Melendugno

35

S. Andrea

Mass. Salmenta

83

36

Galugnano

Calimera

rgagne

Frassanito

SP 359

Mass

Sternatia

Martignano

Alimini Grande

G

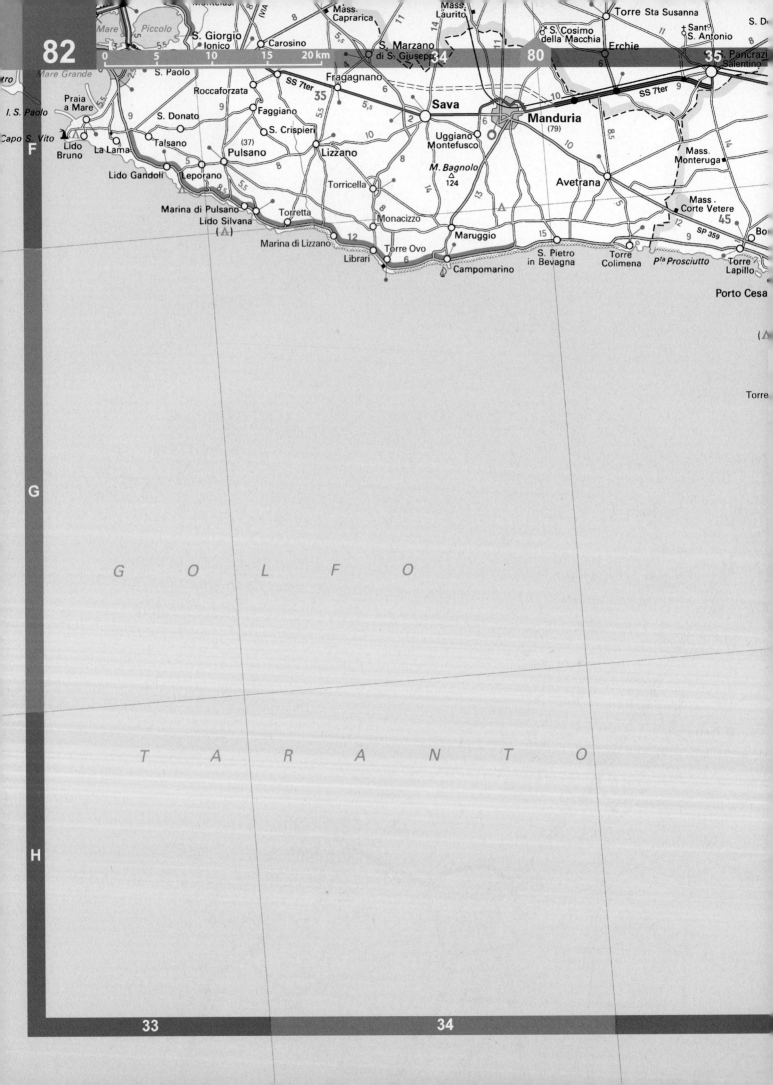

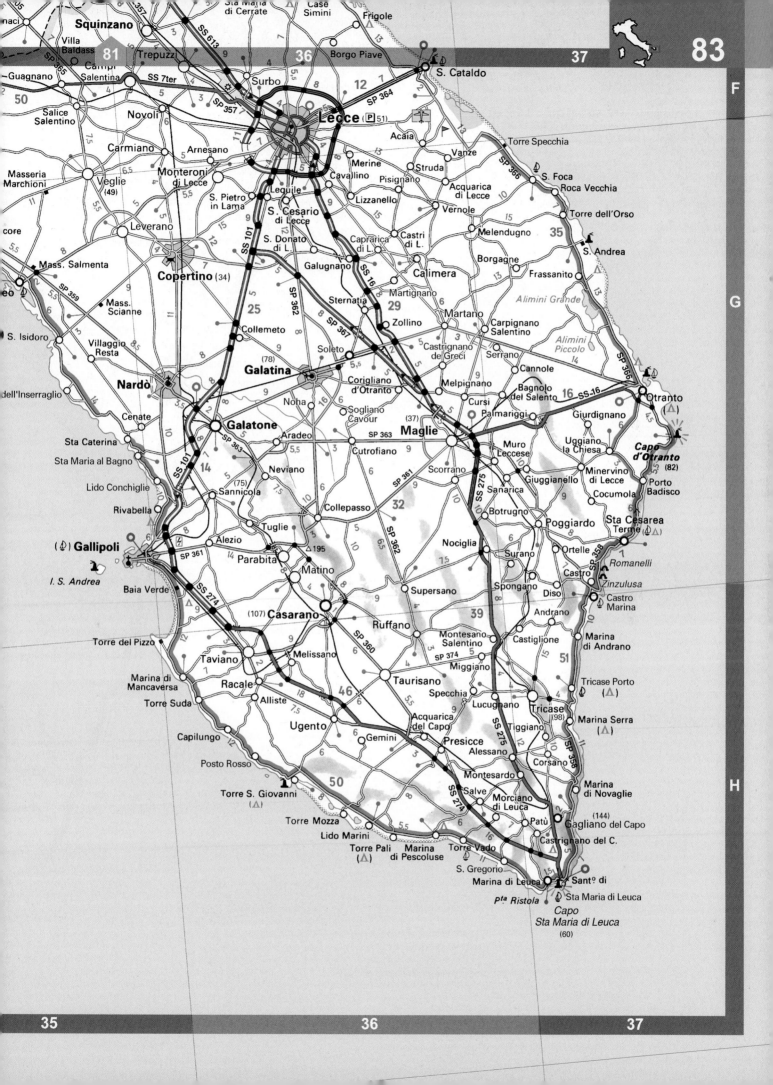

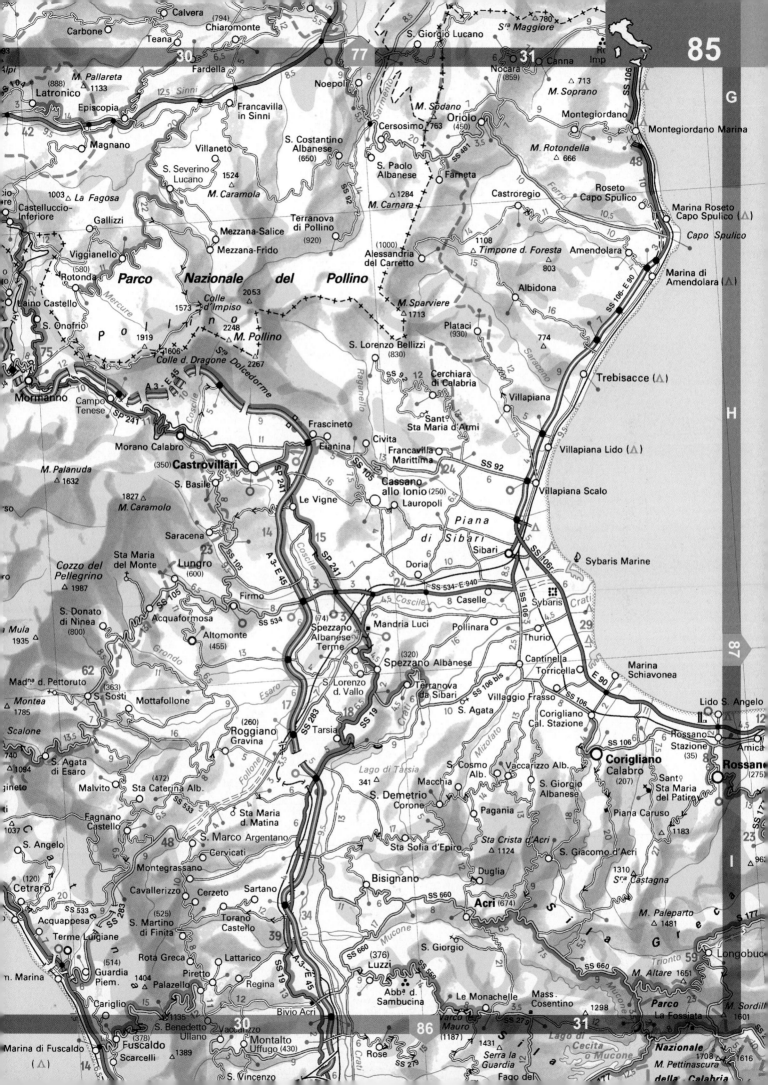

Capo Trionto
Lido S. Angelo (△)
11 12
SS 106- E 90
4,5
Foresta
7,5
Amica
(35)
Rossano
(275)
15
Mirto Crosia
Crosia
Calopezzati
SS 531
448 △
St. di Pietrapaola
3,5
20
SS 106
St. di Mandatoriccio-Campana
Paludi (384)
Cropalati
Caloveto
E 90 6
Cariati Marina
23
10
SS 177
Destro
962 △
Pietrapaola
SS 383
Cariati
S. Morello
624 △
P.ta Fiume Nicà
SS 177
16
Mandatoriccio
SS 108 ter
Terravecchia
Crucoli Torretta
M. Serino
948 △
Scala Coeli
2,5
Longobucco
59
SS 282
Campana
(617)
23
Crucoli
Cappella
1651
13
6
9
529 △
M. Lelo
Ciro
10
13
Cappella
P.ta Alice
M. Sordillo
1601
Bocchigliero
(872)
77
938 △
Nicà
(324)
Cirò Marina
2
M. Suvaro
631
127
S. Anastasia
7,5
nale
1708 1616
Umbriatico
(422)
17
Lipuda
54
SS 106
Mezzocampo
1454 △ 1001
1014 △
Pino Grande
Savelli
Verzino
(549)
Carfizzi
Melissa
Torre Melissa
E 90
Germano
SS 492
Pallagorio
S. Nicola
dell'Alto
5,5
1730 △
28
Vittravo
Le Murgie
404 △
Strongoli
(342)
8,5
SS 107
E 846
L. Votturino
Palla Palla
SS 108b
(1049)
9,5
Castelsilano
21
Zinga
17
Casabona
6
10
SS 492
Marina di Strongoli
S. Giovanni
in Fiore
Cerenzia
645 △
528 △
Fasàna
43
Cagno
Infantino
Caccuri
Bagni
di Repole
Belvedere di
Spinello
189 △
6
Bucchi
Montenero
1881 △
1371
Croce
di Agnara
SS 107- E 846
Lese
Rocca di Neto
8
7,5
Gabella Grande
38
Trepidò-
Sott.
Sta Rania
10
Altilia
Neto
29
SS 107- E 846
10
1745 △
SS 179
14
Cotronei (530)
M
Sta Severina
(326)
13
Parco Nazionale
1765 1723
M- Gariglione
Pagliarelle
Roccabernarda
SS 109
22
a
Scandale
c
Crotone (P)
della
Petilia
Policastro
(436)
Foresta
SS 109 ter
8,5
h
S. Mauro
Marchesato
Calabria
Tirivolo
M. Femminamorta
Mesoraca
SS 109
13
260 △
159
Santo Hera Lacinia
Villaggio Racise
Buturo
Filippa
1240
Arietta
33
Cutro
(218)
Papanice
SS 106
Capo Colon
1402
Petrona
Cerva
Marcedusa
Termine
Grosso
13
S. Anna
Salica
Taverna
Albi (710)
Magisano
SS 109
Belcastro
Rosito
Vermica
Vil. Turistico
Sorbo
Basile
S. Giovanni
Fossato Serralta
Andali
S. Leonardo
di Cutro
31
Isola
di Capo Rizzuto
(96)
Capo Cimiti
Pentone
Sersale
(778)
Zagarise
Sellia (560)
SS 180
Cropani
Steccato
Campolongo
SS 106- E 90
14
S. Elia
89
32
Botricello
5
33
Crichi
Soveria Simeri
Simeri
Calabricata
Cropani Marina
E 90
Le Castella
Capo Rizzuto (△)
Pontegrande
Catanzaro

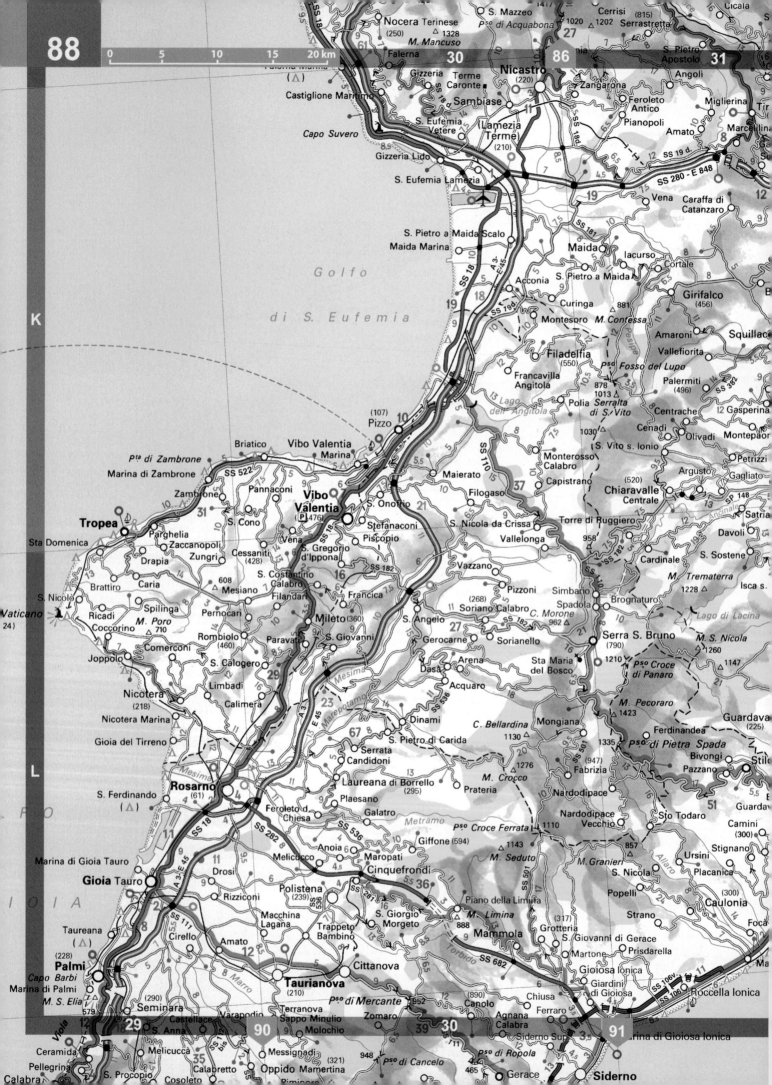

Map labels

S. Giovanni
Fossato
Serralta Sellia
Pentone
S. Elia
Crichi
Pontegrande
Catanzaro
R 343
Soveria Simeri
Simeri
Sellia Marina
La Petrizia
Le Croci
Sta Maria
S. Floro
orgia
Staletti
Montauro
28
Montepaone Lido
Soverato
Marina di Davoli
S. Andrea Apostolo d. Ionio
Ionio
S. Andrea Apostolo d. Ionio Marina
Isca Marina
Badolato Marina
Badolato (215)
28
Sta Caterina d. Ionio
Sta Caterina d. Ionio Marina
Marina di S. Antonio
Vinciarello
Caulonia
Punta Stilo
Monasterace
Monasterace Marina
Riace
Riace Marina
27
arina di Caulonia

Catanzaro Lido
Roccella
Copanello
Pta di Staletti

Andali
Sersale
Zagarise (778)
Cropani
Soveria Simeri
Calabricata
Cropani Marina
Botricello
Steccato
S. Leonardo di Cutro
Campolongo
Le Castella
Capo Rizzuto
Capo Rizzuto
Rosito
Isol

D I   S Q U I L L A C E

SS 106
SS 109
SS 180
SS 110
E 90
SS 106-E 90

K
L
M

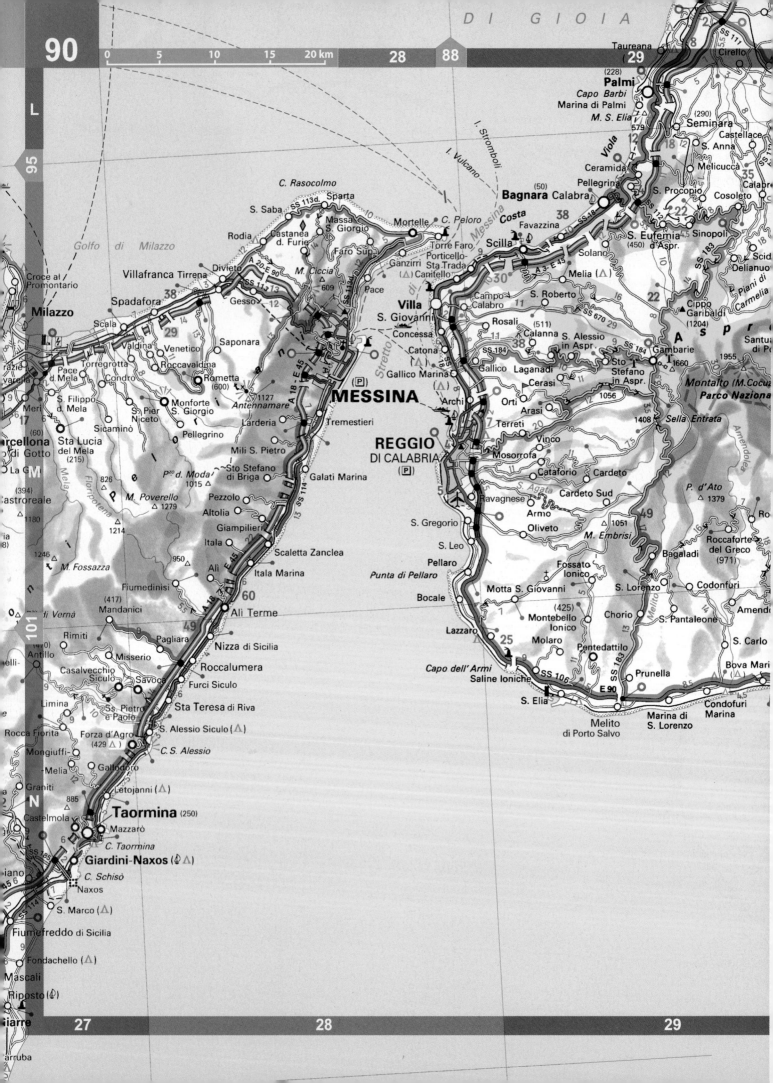

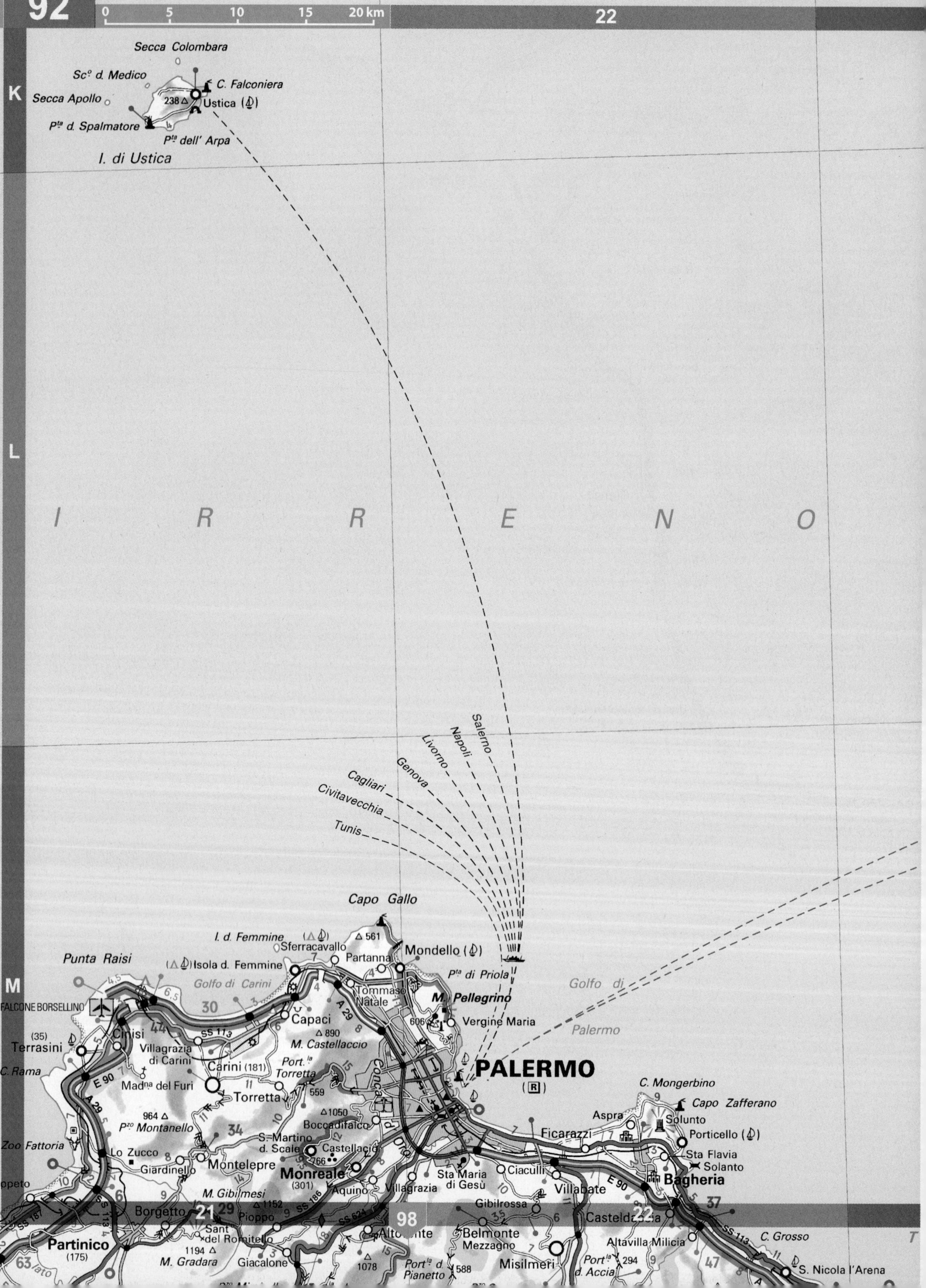

22

0 5 10 15 20 km

Secca Colombara

Sc° d. Medico
C. Falconiera
Secca Apollo
238 △ Ustica (⚓)
P.ta d. Spalmatore
P.ta dell' Arpa
I. di Ustica

I R R E N O

Salerno
Napoli
Livorno
Genova
Cagliari
Civitavecchia
Tunis

Capo Gallo

I. d. Femmine (△⚓) △ 561
Sferracavallo
Partanna Mondello (⚓)
Punta Raisi (△⚓)Isola d. Femmine 7
Golfo di Carini P.ta di Priola
Tommaso
Natale
FALCONE BORSELLINO ✈ 4.5 30 M. Pellegrino
A 6.5 A 29 606 Vergine Maria
Chisi 4.4 Capaci 8
(35) SS 113 6 △ 890
Terrasini Villagrazia M. Castellaccio
di Carini **PALERMO**
C. Rama Carini (181) Port.la (Ⓡ)
Torretta C. Mongerbino
Mad.na del Furi 11 559 Capo Zafferano
Torretta Aspra Solunto
964 △ △ 1050 Boccadifalco Ficarazzi Porticello (⚓)
P.zo Montanello 34 S. Martino Sta Flavia
Zoo Fattoria d. Scale Castellacc Solanto
Lo Zucco Giardinello Montelepre Aquino Villagrazia Ciaculli Villabate Bagheria
Trappeto Monreale Sta Maria E 90
(301) di Gesù 37
A 29 21 29 △ 1152 Pioppo Gibilrossa Casteld a 22 C. Grosso
SS 113 Sant Gibilrossa SS 113
Partinico del Romitello 98 Belmonte Altavilla Milicia
(175) 1194 △ Giacalone Altofonte Mezzagno 47
M. Gradara Port.la d. 588 Misilmeri Port.la 294 9 S. Nicola l'Arena
Pianetto d. Accia

K

I. Alicudi

675
△

Alicudi Porto

L

94

M

Golfo di

23

ermini Imerese

Cefalù

99

C. Plaia

SS 113

S. Ambrogio

C. Raisigerbi

Finale   Milianni

Castel
di Tusa

Torremuzza

24

32

25

Marina di Car

Ca

Campofelice

SS 113

Lascari

Osservatorio

28

Halæsa

48   (614)

Sto Stefano
di Camastra

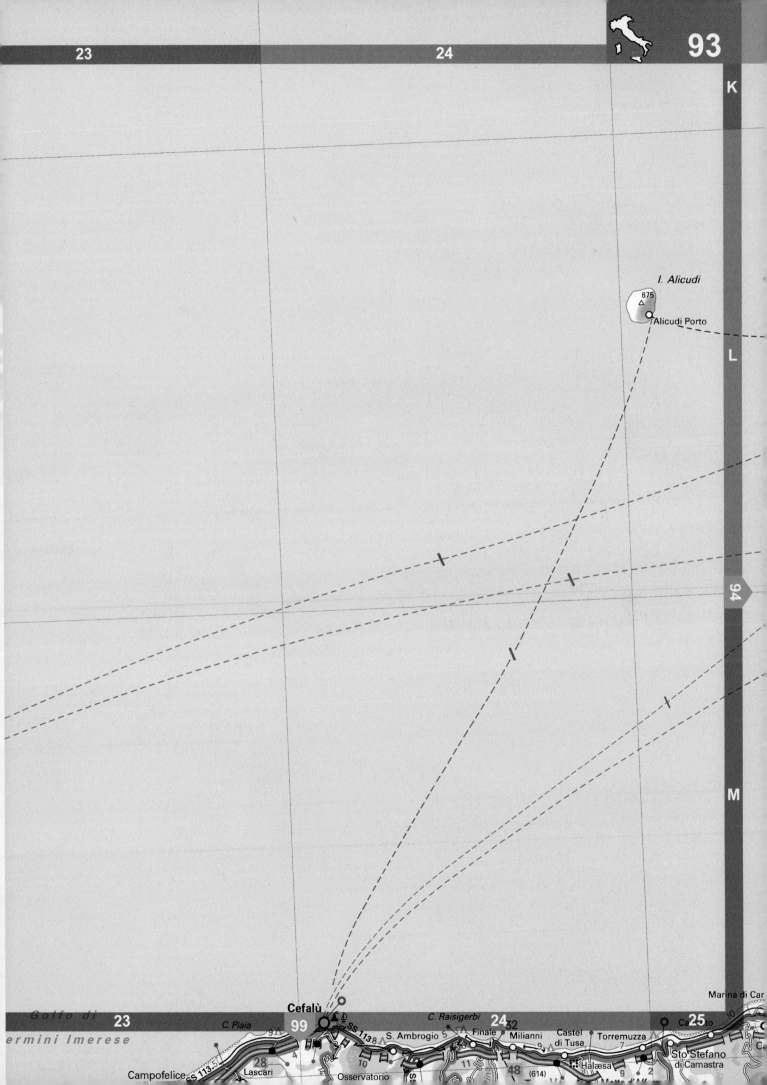

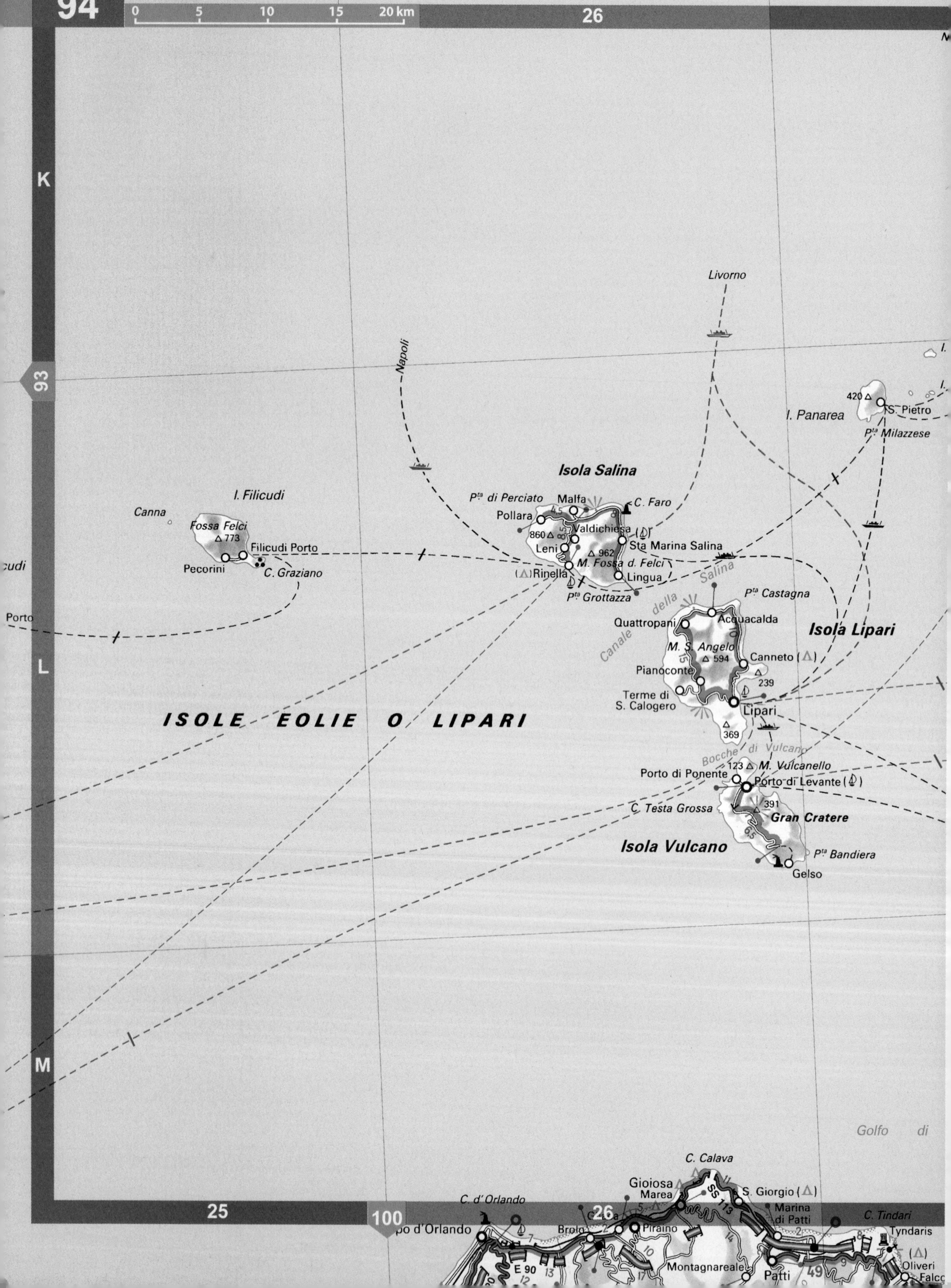

K

93

0   5   10   15   20 km

L

M

Livorno

Napoli

I. Panarea

420 △   S. Pietro

P.ta Milazzese

Isola Salina

I. Filicudi

Canna

P.ta di Perciato   Malfa   C. Faro

Pollara

Fossa Felci
△ 773

860 △   Valdichiesa   (⚓)

Leni   Sta Marina Salina

Filicudi Porto

△ 962

M. Fossa d. Felci

Pecorini   C. Graziano   (△) Rinella   Lingua

P.ta Grottazza   *Salina*

della

P.ta Castagna

Canale   Quattropani   Acquacalda

Isola Lipari

M. S. Angelo
△ 594   Canneto (△)

Pianoconte   △ 239

Terme di
S. Calogero   Lipari

△ 369

ISOLE   EOLIE   O   LIPARI

Bocche di Vulcano

123 △   M. Vulcanello

Porto di Ponente   Porto di Levante (⚓)

C. Testa Grossa   △ 391

Gran Cratere

Isola Vulcano   P.ta Bandiera

Gelso

Golfo di

C. Calava

Gioiosa
Marea   S. Giorgio (△)

C. d'Orlando

Marina
di Patti   C. Tindari

po d'Orlando   Brolo   Piraino

Montagnareale   Patti   Oliveri

Tyndaris

(△)

Falco

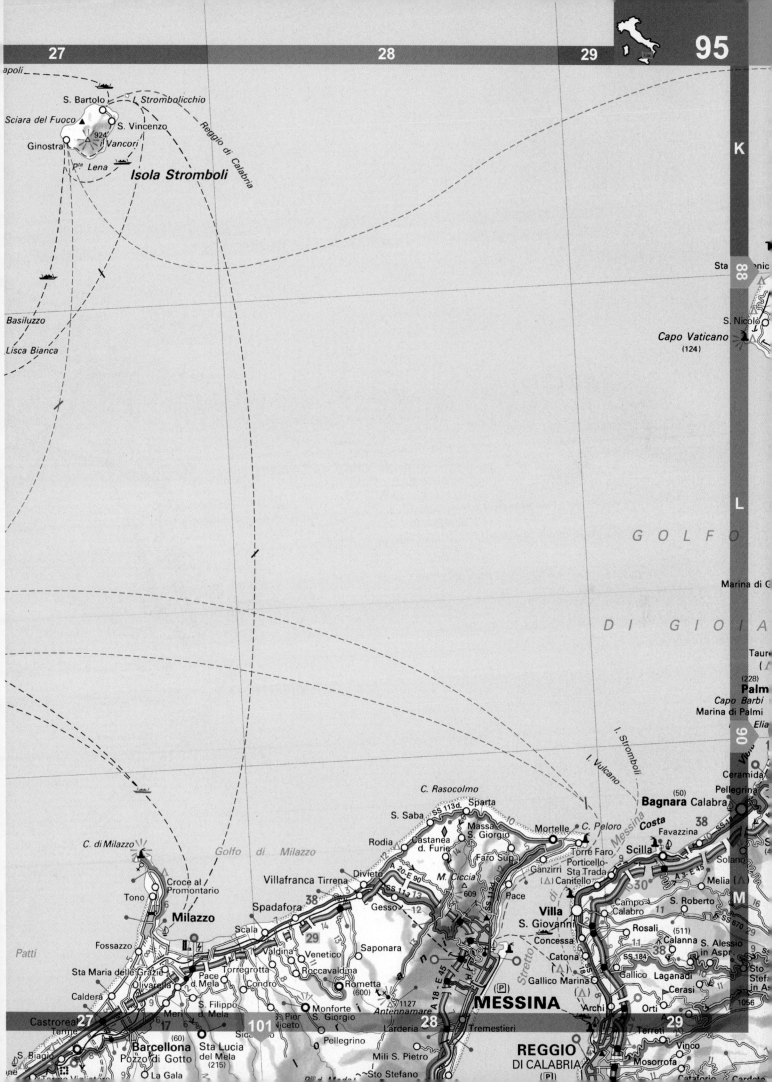

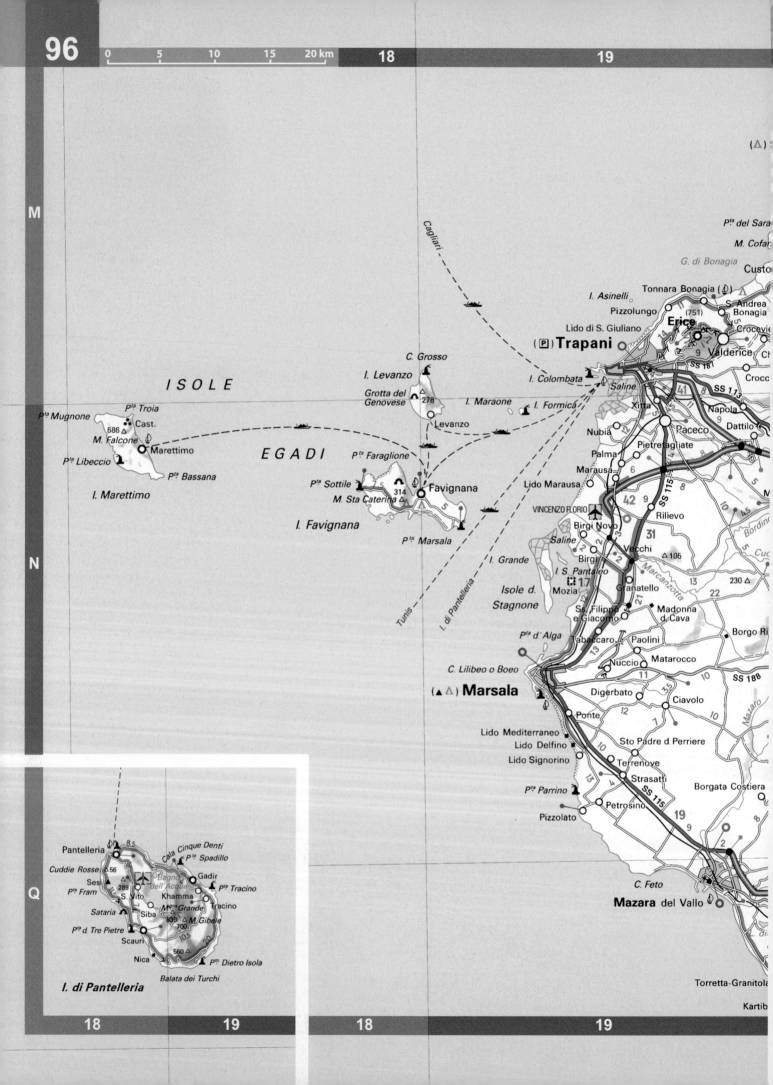

M

Cagliari

P.ta del Sara

M. Cofar

G. di Bonagia   Custo

I. Asinelli   Tonnara Bonagia (⚓)

Pizzolungo   S. Andrea
                  Bonagia
Lido di S. Giuliano   (751) **Erice**   Crocevie

(P) **Trapani**   Valderice   Ch

C. Grosso   I. Colombata   Saline   SS 181   Crocc

I S O L E   I. Levanzo   Xitta   SS 113

Grotta del   △ 278   I. Maraone   I. Formica   Nubia   Napola

Genovese   Paceco   Dattilo

P.ta Mugnone   P.ta Troia   Levanzo   Palma   Pietretagliate

686 △ Cast.   Marausa

M. Falcone   ⚓   **E G A D I**   P.ta Faraglione   Lido Marausa

P.ta Libeccio   Marettimo   P.ta Sottile   314   Favignana   VINCENZO FLORIO   Rilievo

P.ta Bassana   M. Sta Caterina △   Birgi Novo

I. Marettimo   Saline   Vecchi   △ 105

N   **I. Favignana**   P.ta Marsala   Birgi   SS 115

I. Grande   I. S. Pantaleo   Granatello

Isole d.   Mozia   17   Madonna

Stagnone   Ss. Filippo   d. Cava
            e Giacomo

Tunis   I. di Pantelleria   P.ta d'Alga   Tabaccaro   Paolini   Borgo Ri

Nuccio   Matarocco

C. Lilibeo o Boeo   Digerbato   11   SS 188

(▲ △) **Marsala**   Ciavolo

Ponte   Sto Padre d. Perriere

Lido Mediterraneo   Terrenove

Lido Delfino   Strasatti   Borgata Costiera

Lido Signorino

P.ta Parrino   Petrosino   SS 115   **19**

Pizzolato

C. Feto

Mazara del Vallo

Q

Pantelleria   8.5   Cala Cinque Denti   P.ta Spadillo

Cuddie Rosse   △ 56   Gadir

Sess   289   P.ta Tracino

P.ta Fram   S. Vito   Khamma   Tracino

Sataria   Siba   M.gna Grande   M. Gibele

839 △   700

P.ta d. Tre Pietre   Scauri   560 △   20

Nica   P.to Dietro Isola

Balata dei Turchi

I. di Pantelleria

Torretta-Granitola

Kartib

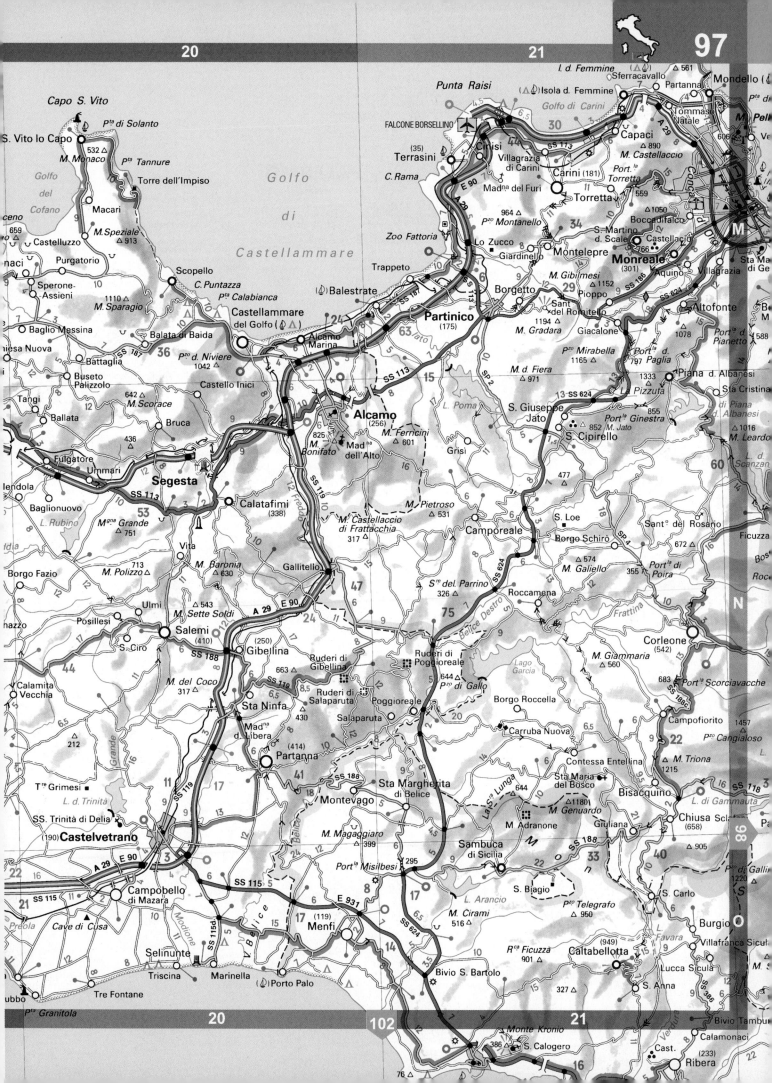

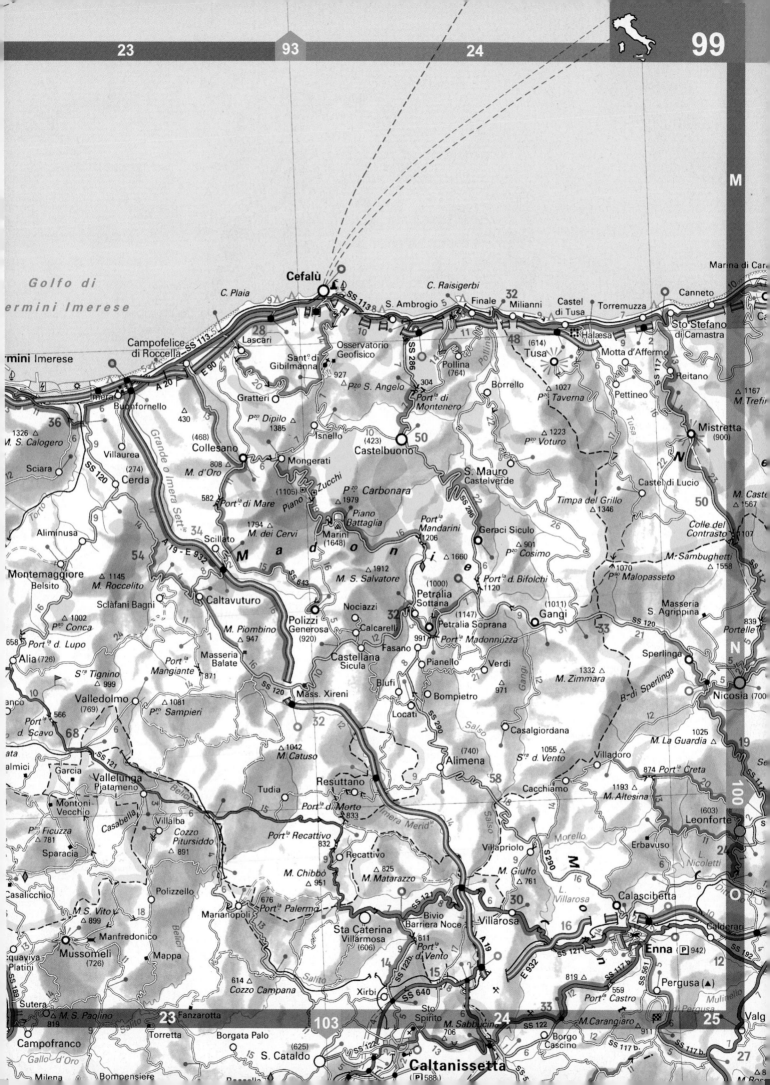

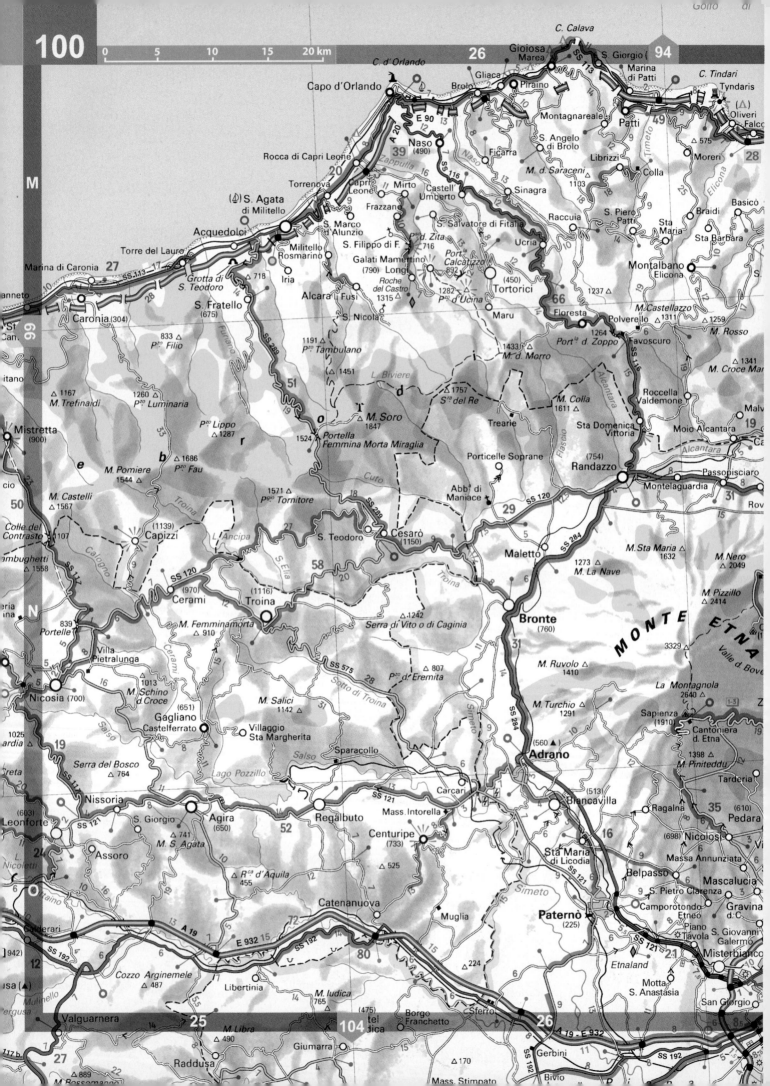

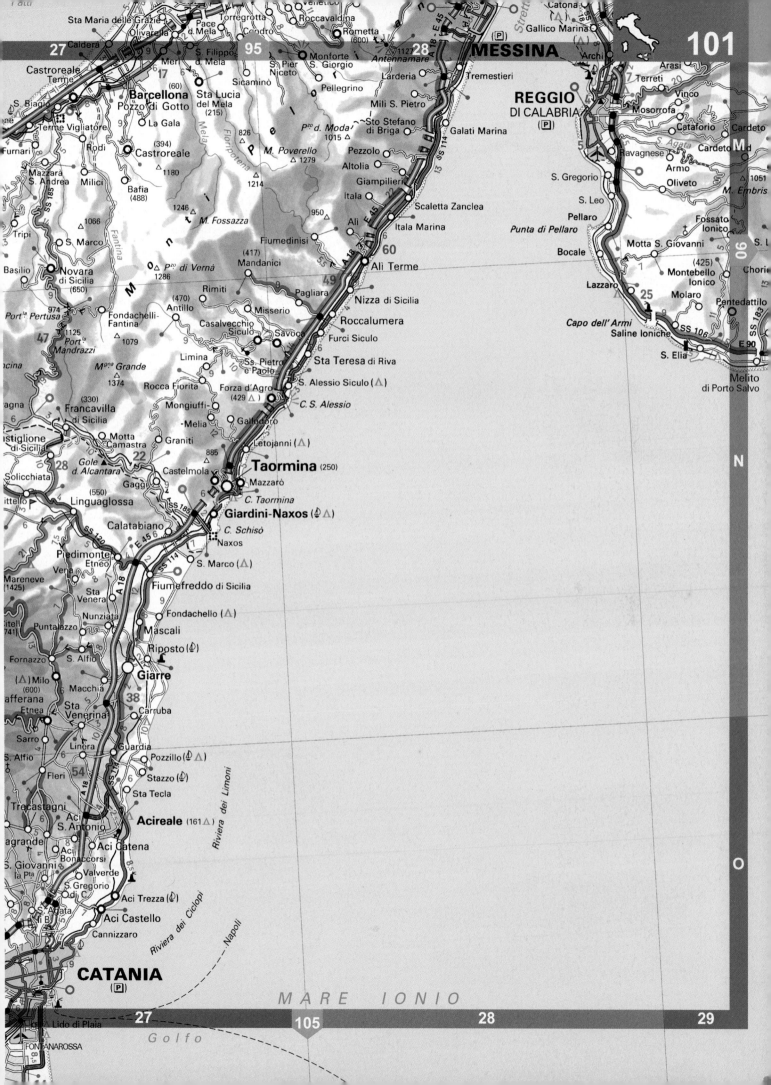

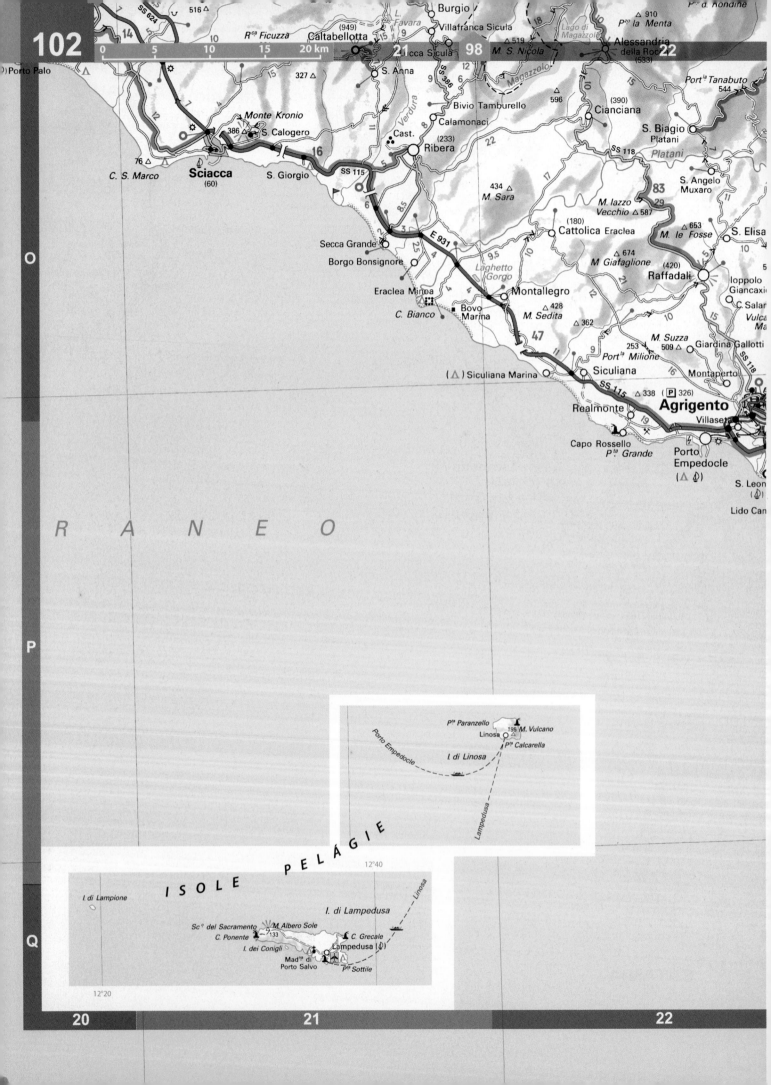

SS 624

516 △

14

R.ca Ficuzza
(949)
Caltabellotta

Porto Palo

327 △

S. Anna

Burgio

Villafranca Sicula

18

Lago di
Magazzolo

P.zo la Menta

910 △

Alessandria
della Rocca
(533)

22

21

98

Port.la Tanabuto
544 △

SS 386

519 △

M. S. Nicola

12

9

Bivio Tamburello

596 △

10

15

Cianciana
(390)

S. Biagio
Platani

Monte Kronio

386 △

S. Calogero

Calamonaci

(233)

22

SS 118

Platani

Verdura

8

Ribera

17

S. Angelo
Muxaro

653 △

S. Elisa

76 △

Sciacca
(60)

S. Giorgio

SS 115

16

5

M. Sara

434 △

M. Iazzo
Vecchio △ 587

29

83

M. le Fosse

11

C. S. Marco

E 931

8.5

6

674 △

M Giafaglione

(420)

10

5

5

Secca Grande

2

3

Cattolica Eraclea

(180)

Raffadali

Ioppolo
Giancaxio

O

Borgo Bonsignore

25

4

9,5

10

12

Laghetto
Gorgo

Montallegro

21

M. Suzza
253

509 △

Giardina Gallotti

C. Salar

Eraclea Minoa

4

4

428 △
M. Sedita

Port.la Milione

16

Vulca
Ma

C. Bianco

Bovo
Marina

362 △

9

Siculiana

Montaperto

SS 118

47

11

SS 115

338 △

(P) 326

(△) Siculiana Marina

19

Realmonte

Agrigento

Villase

M E D I T E R R A N E O

Capo Rossello
P.ta Grande

Porto
Empedocle
(△ ⚓)

S. Leon
(⚓)

Lido Can

P

Q

20

21

22

P.ta Paranzello

Porto Empedocle

Linosa

195 M. Vulcano
P.ta Calcarella

I di Linosa

Lampedusa

I S O L E   P E L Á G I E

12°40

Linosa

I. di Lampione

I. di Lampedusa

Sc.º del Sacramento
C. Ponente

M. Albero Sole
133

C. Grecale

I. dei Conigli

Lampedusa (⚓)

Mad.na di
Porto Salvo

P.ta Sottile

12°20

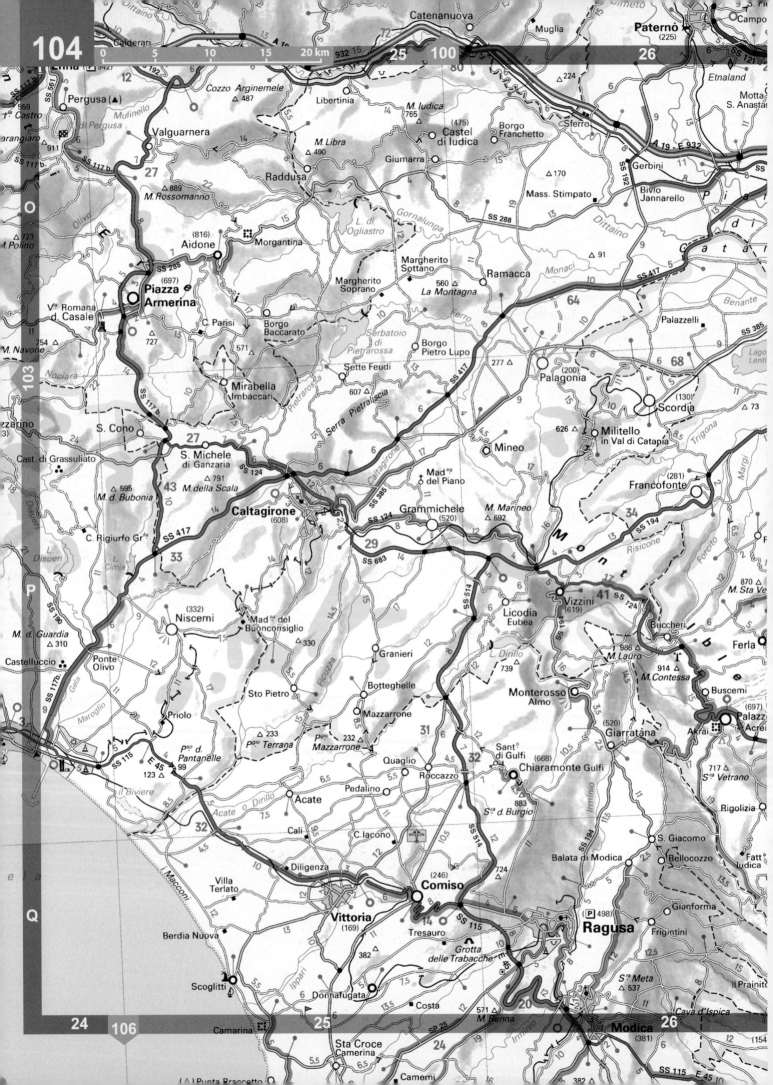

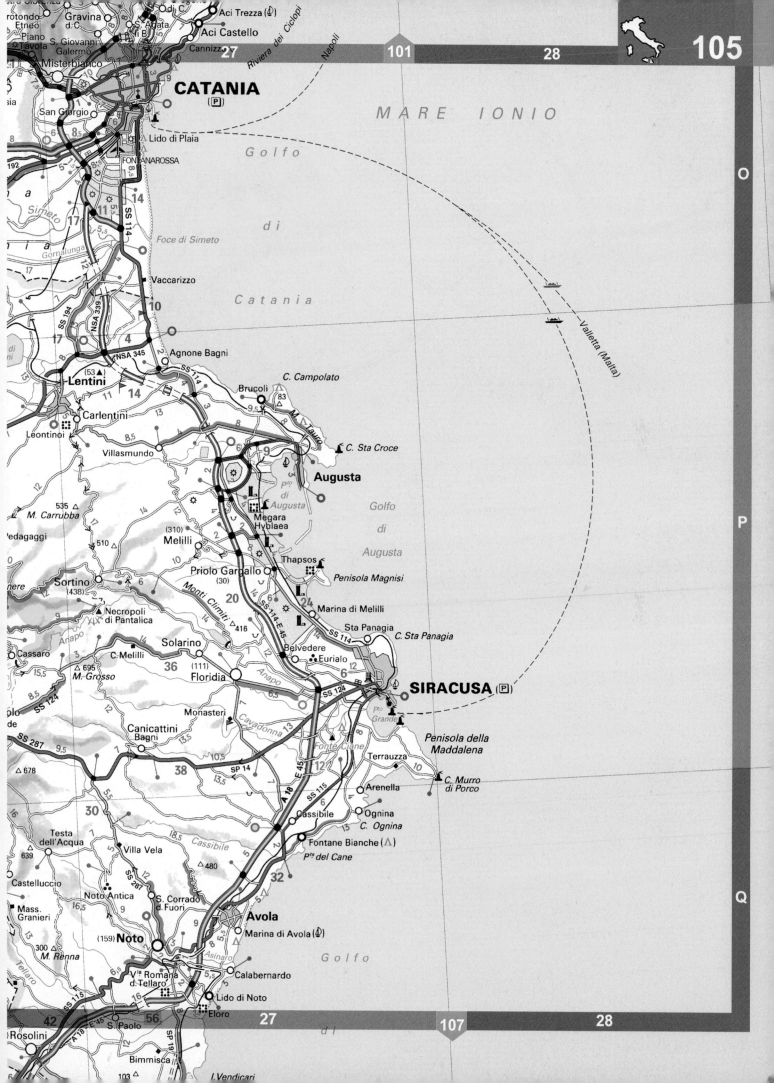

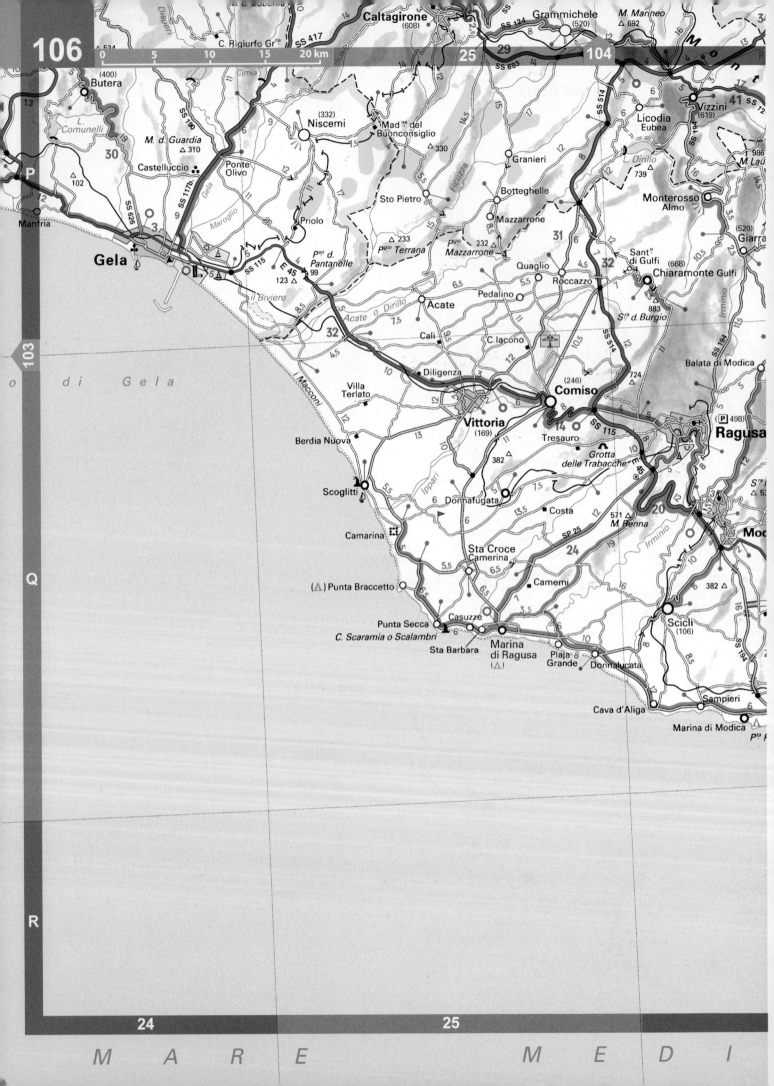

Caltagirone (608)

Grammichele (520)

M. Marineo △ 692

SS 124

SS 417

SS 683

25   29   **104**

SS 514

41 SS

Butera (400)

L. Comunelli

30

M. d. Guardia △ 310

Castelluccio

Niscemi (332)

Mad.na del Buonconsiglio

△ 330

Granieri

Vizzini (619)

Licodia Eubea

P

△ 102

Ponte Olivo

Sto Pietro

Botteghelle

Mazzarrone

L. Dirillo

M. Lauro △ 986

739

Monterosso Almo

Manfria

3

Gela

Priolo

Maroglio

P.so d. Pantanelle 99

Pizo Terrana

△ 233

232 Pizo Mazzarrone

Quaglio

31

32

Sant° di Gulfi (668)

Chiaramonte Gulfi

Giarra (520)

E 45

123 △

il Biviere

Acate o Dirillo

Acate

Pedalino

Roccazzo

883

S.ra d. Burgio

103

di Gela

i Macconi

32

Cali

C. Iacono

SS 514

Balata di Modica

724

Diligenza

Villa Terlato

Comiso (246)

Berdia Nuova

Vittoria (169)

14

Tresauro

Grotta delle Trabacche

SS 115

P 498

Ragusa

Q

Scoglitti

Ippari

Donnafugata

382

571 △ M. Renna

20

Mo...

Camarina

Costa

SP 25

Sta Croce Camerina

Camemi

24

Irminio

382 △

(△) Punta Braccetto

Punta Secca

C. Scaramia o Scalambri

Casuzze

Sta Barbara

Marina di Ragusa (△)

Plaja Grande

Donnalucata

Scicli (106)

Sampieri

Cava d'Aliga

Marina di Modica

R

M A R E   M E D I

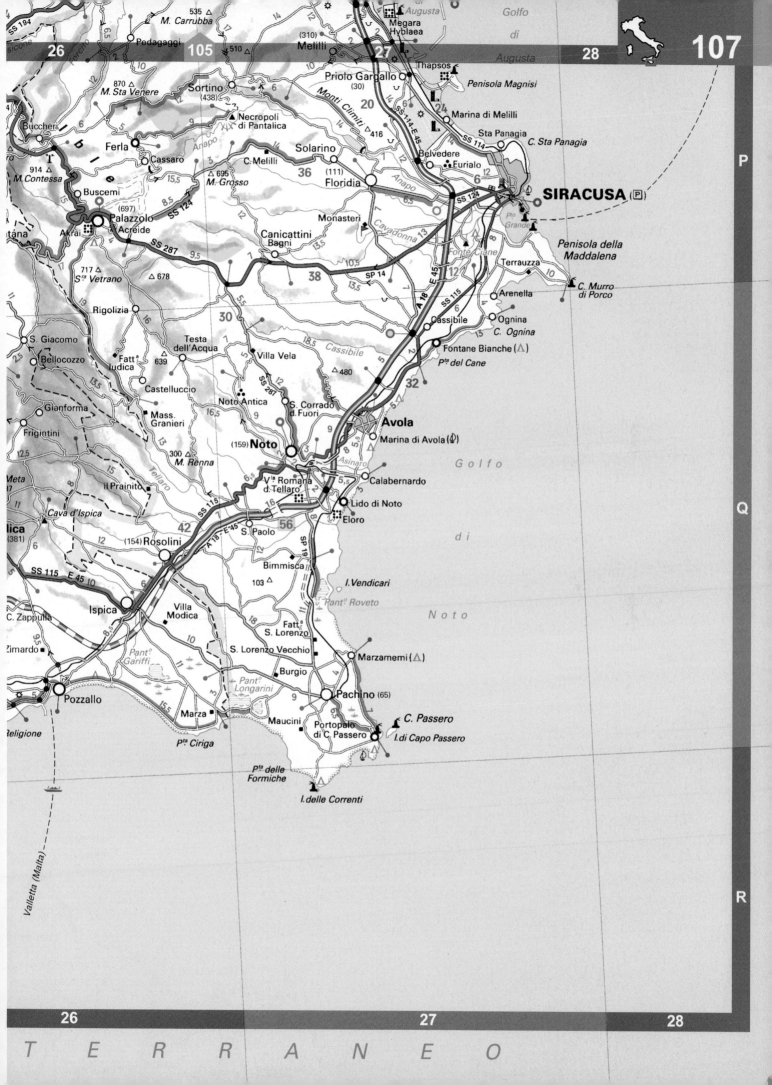

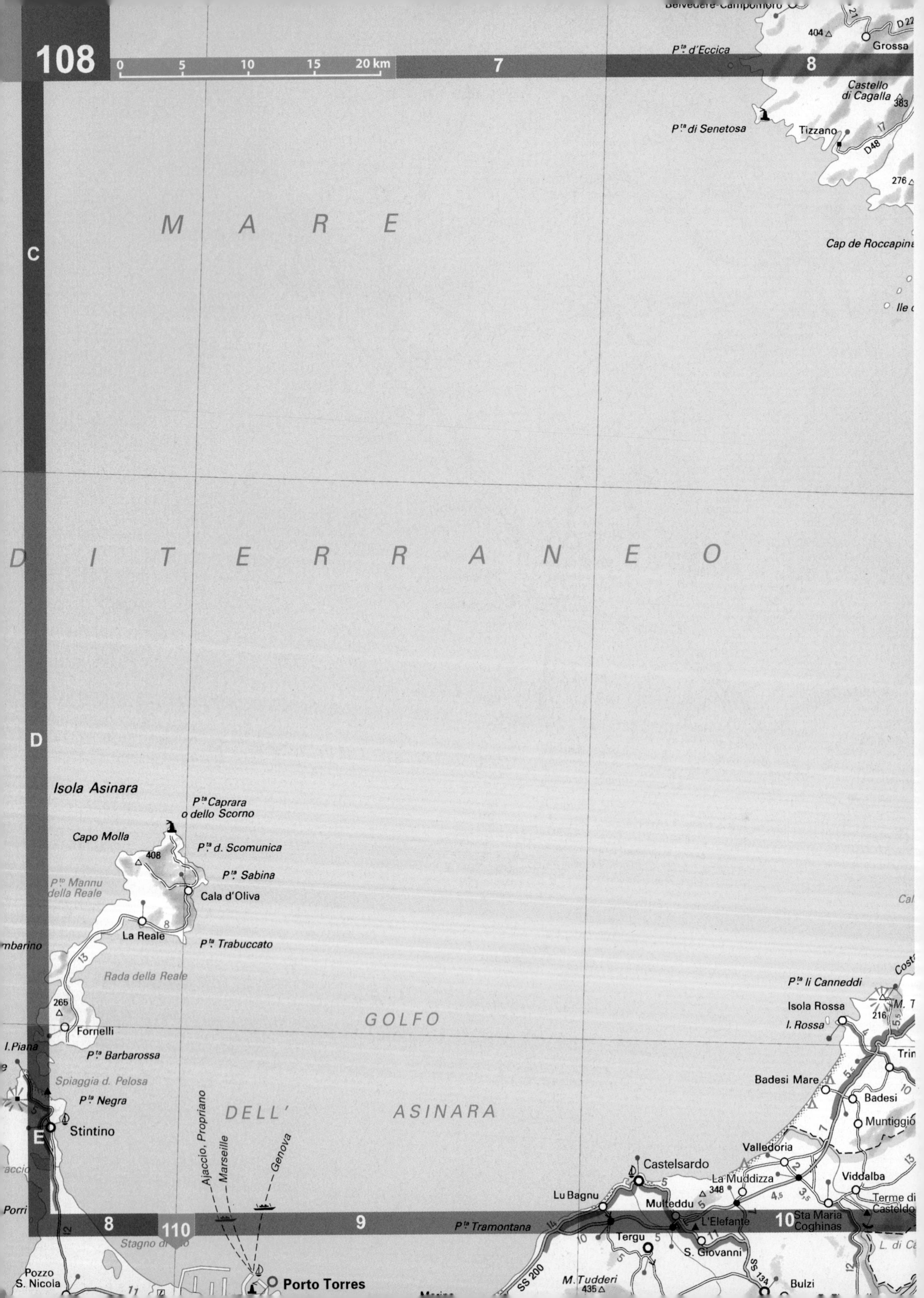

0　5　10　15　20 km

Belvedere-Campomoro

P.ta d'Eccica

Grossa

404

D 22

C

Castello
di Cagalla 383

P.ta di Senetosa

Tizzano

D 48

17

276

M   A   R   E

Cap de Roccapina

Ile d

D   I   T   E   R   R   A   N   E   O

D

Isola Asinara

P.ta Caprara
o dello Scorno

Capo Molla

P.ta d. Scomunica

408

P.ta Sabina

P.to Mannu
della Reale

Cala d'Oliva

8

mbarino

La Reale

P.ta Trabuccato

13

Rada della Reale

P.ta li Canneddi

Costa

265

GOLFO

Isola Rossa

M. 7

216

I. Rossa

5,5

Fornelli

I. Piana

P.ta Barbarossa

Badesi Mare

Badesi

Spiaggia d. Pelosa

5,5

Muntiggio

P.ta Negra

DELL'

ASINARA

Valledoria

1

E

Stintino

Ajaccio, Propriano

Marseille

Genova

Castelsardo

La Muddizza

2

Viddalba

13

Lu Bagnu

348

4,5

3,5

Terme di
Castello

Porri

Multeddu

L'Elefante

9

P.ta Tramontana

14

Sta Maria
Coghinas

10

Stagno di

Tergu

5

S. Giovanni

SS 134

L. di

Pozzo
S. Nicola

11

Porto Torres

SS 200

M. Tudderi
435

Bulzi

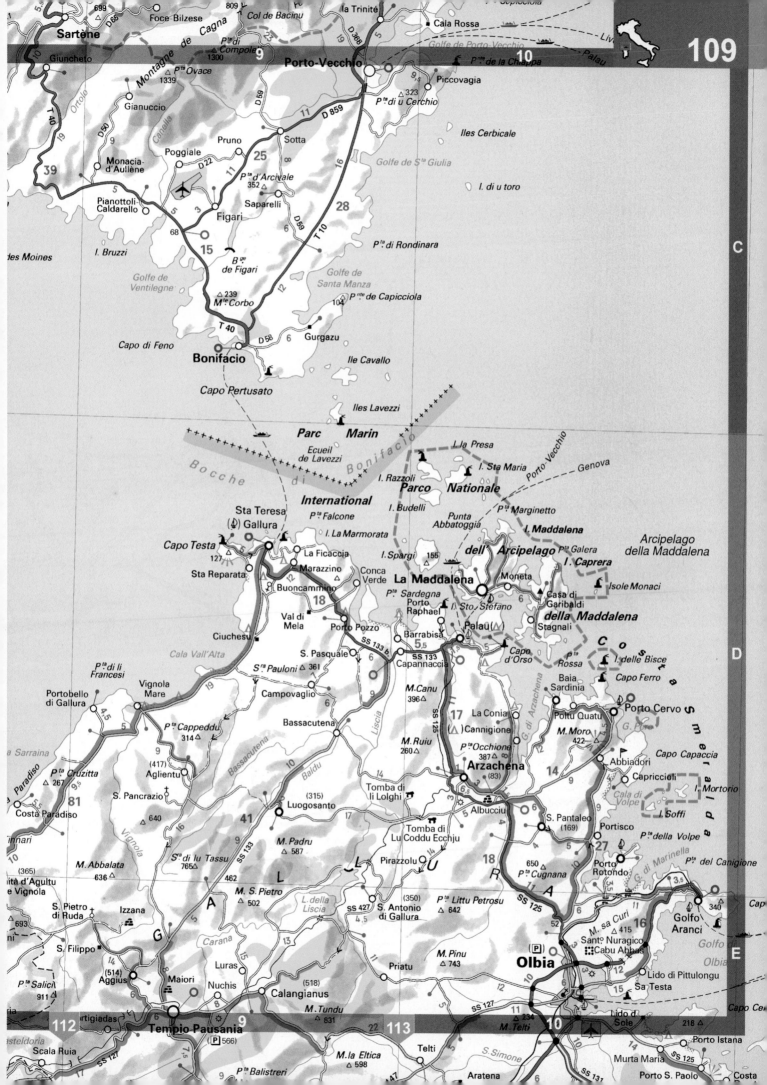

0   5   10   15   20 km

D

Isola Asinara

P.ta Caprara
o dello Scorno

Capo Molla

△ 408

P.ta d. Scomunica

P.ta Sabina

P.to Mannu
della Reale

Cala d'Oliva

8

La Reale

P.ta Trabuccato

P.ta Tumbarino

13

Rada della Reale

GOLFO

265
△

Fornelli

I. Piana

P.ta Barbarossa

Capo del Falcone

Spiaggia d. Pelosa

DELL'   ASINARA

Torre Falcone
(190)

P.ta Negra

5

P.ta Tramonta

P.ta Scoglietti

Stintino

E

Stagno di Casaraccio

I. dei Porri

12

Stagno di Pilo

Ajaccio, Propriano
Marseille
Genova

Pozzo
S. Nicola

11

Porto Torres

Marina
di Sorso

5,5

Platamona Lido

7

10

M. Sta Giusta
251 △

Santo

13

Monte
d'Accoddi

24

SS 131

R. d'Ottava

18

S. Michele
di Plaianu

21

Sorso

M. Cau
△ 233

Biancareddu

Capo Mannu

Canaglia

14

M. Alvaro
△ 342

10

La Crucca

17

S. Giovanni

13

10   SS 200

18

S. L

La Pedraia

(144)

Palmadula

Campanedda

SP 42

La
r

15

Mannu

Li Punti

7

Bancali

SASSA
(P)

Capo
dell' Argentiera

5

Argentiera

8

Monteforte

La Corte

5

N

SS 291

Caniga

SS 131

7

13

3,9

16

464 △

M. Forte

U

36

Tottubella

16

Mascari

6

△ 444

L. Baratz

Filibertu

7,5

6

5

Muro

Tissi

(▲) Porto Ferro

9

Sta Maria
la Palma

5

4

Olmedo

SS 291-7

SS 127b

5,5

Usini

Ossi
Cargeghe
(338)

F

I. Piana

M. Timidone
361 △

M. Doglia
436

Necropoli di Anghelu Ruju

L

9

M. Miale Ispina
△ 267

30

Uri

SS 127 b

3,5

22

3,5

Tramariglio

Porto
Conte

27

Fertilia
(△)

37

Tomba
Santu Pedru

SS 127 b

Serra

Iscala Mola

L. Cuga

Cuga

13

Ittiri (400)

3,5

SS 131b.

I. Foradada

Palmavera

Maristella

6

9

Putifigari   558
△

M. Unturzu

19

M. Gh

Grotta di Nettuno

Porto
Conte

Rada di
Alghero

Alghero(△)

Sant° di
Valverde

10

M. Frus
583 △

Capo Caccia

SS 292

Temo

Villanova
Monteleone
(567)

Melas

SP 49

24

Necropoli
di Pottu Codinu
(360)

718
△

Pedra Ettori

22

Monteleone
Rocca Doria

Romana

65
Igh

45

△ 644
M. Minerva

Bo
Igh

M. Ruiu
668 △

Scuola
Agraria

Padria

15

M. Mannu
△ 802

Pozz

(405)

Bad

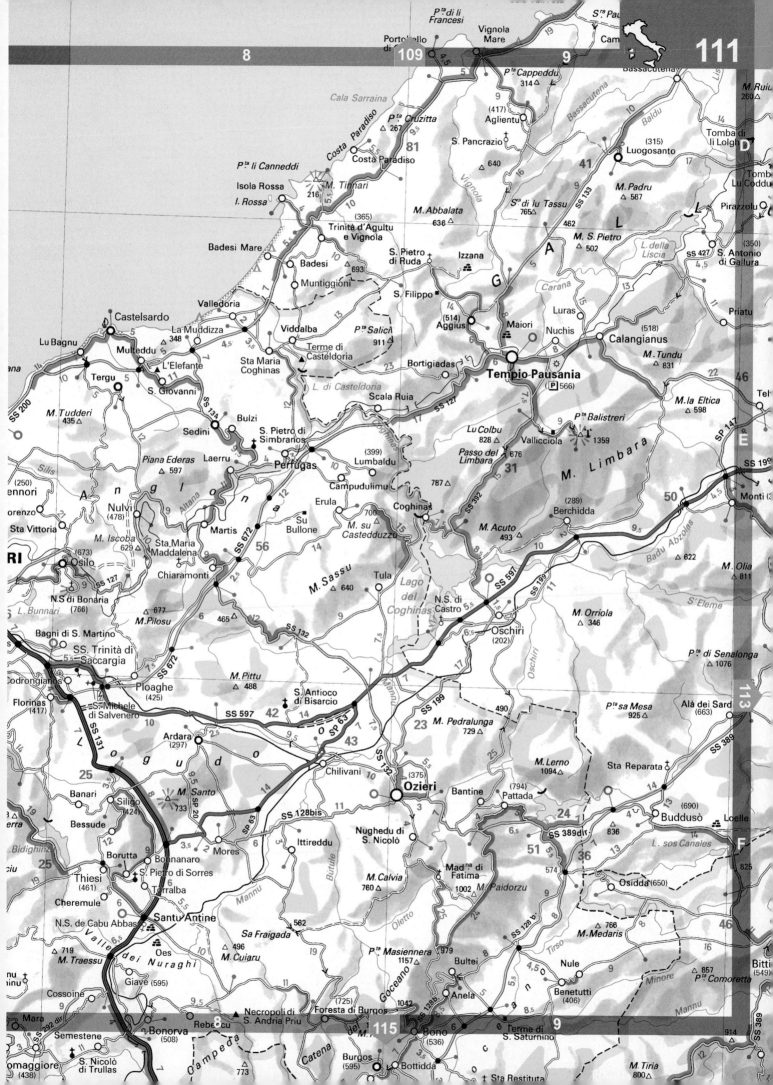

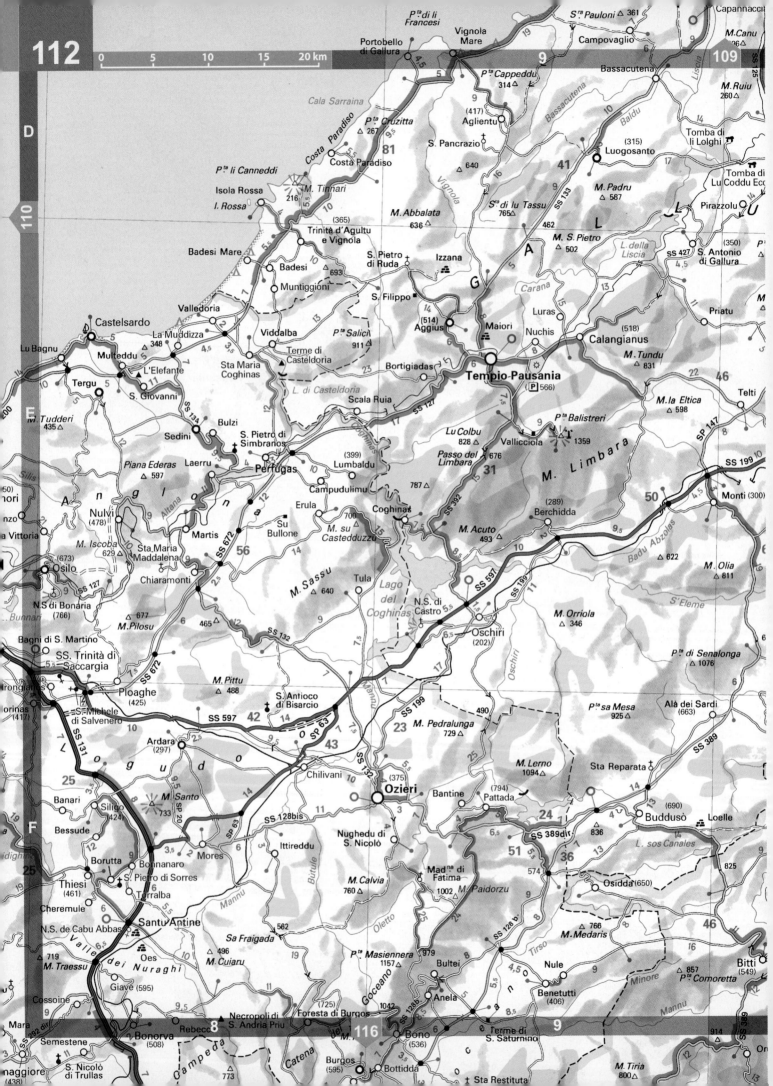

Baia Sardinia
Capo Ferro
17 La Conia 10 Poltu Quatu Porto Cervo
Cannigione
P.ta Occhione 387 M. Moro 422 Abbiadori
Arzachena (83) 14 Capo Capaccia
Capriccioli
Albucciu S. Pantaleo Cala di I. Mortorio
18 (169) Volpe I. Soffi
R P.ta Cugnana 650 Portisco
A SS 125 52 P.ta della Volpe
M. sa Curi Porto Rotondo P.ta del Canigione
Littu Petrosu 642 M. sa 415 16
S. Pinu 743 Santo Nuragico Golfo Capo Figari
Olbia Cabu Abbas Aranci 340
SS 127 M. Telti 234 Lido di Pittulongu
Aratena Lido d. Sa Testa
Enas Sole Capo Ceraso P.ta Timone
Su Canale Porto Istana 218 564
Berchiddeddu Murta Maria 14 SS 125 I. Tavolara
60 Porto S. Paolo Costa
S. Paolo M. Ruiu 317 Dorata 158 I. Molara
Mamusi (350) Monte 108 Capo Coda Cavallo
M. sa Pianedda 819 Petrosu
Padru (165) Marina di lu Impostu
P.ta Ittia 883 Stagno di S. Teodoro
M. Nieddu S. Teodoro
P.ta di Colloredda 819 P.ta Maggiore 971 Straulas P.ta d'Ottiolu
M. Sempio 828 Agrustos
Brunella Budoni Cala di Budoni
Piras Sa Pedrabianca (599) Limpiddu P.ta dell'Asino
Concas S. Lorenzo Tanaunella
Lodè M. Tundu 675 513
Posada
P.ta sa Donna 1019 Torpè La Caletta
Mamone (860) L. di Posada Sta Lucia
Nortiddi Cogoli Siniscola
Cant. Guzzurra (799) P.ta Cupetti 1029 I. Ruia
28 Siniscola Capo Comino
Onani P.ta Catirina 1127 P.ta Unnichedda 433 P.ta Ioanneddu 244
Lula (521) M. Senes 863
M. Saraloi 854 M. Turuddu 1127 P.ta su Grabellu 826 P.ta su Anzu 448

Irgoli Cala Liberotto
Loculi Onifai SS 125

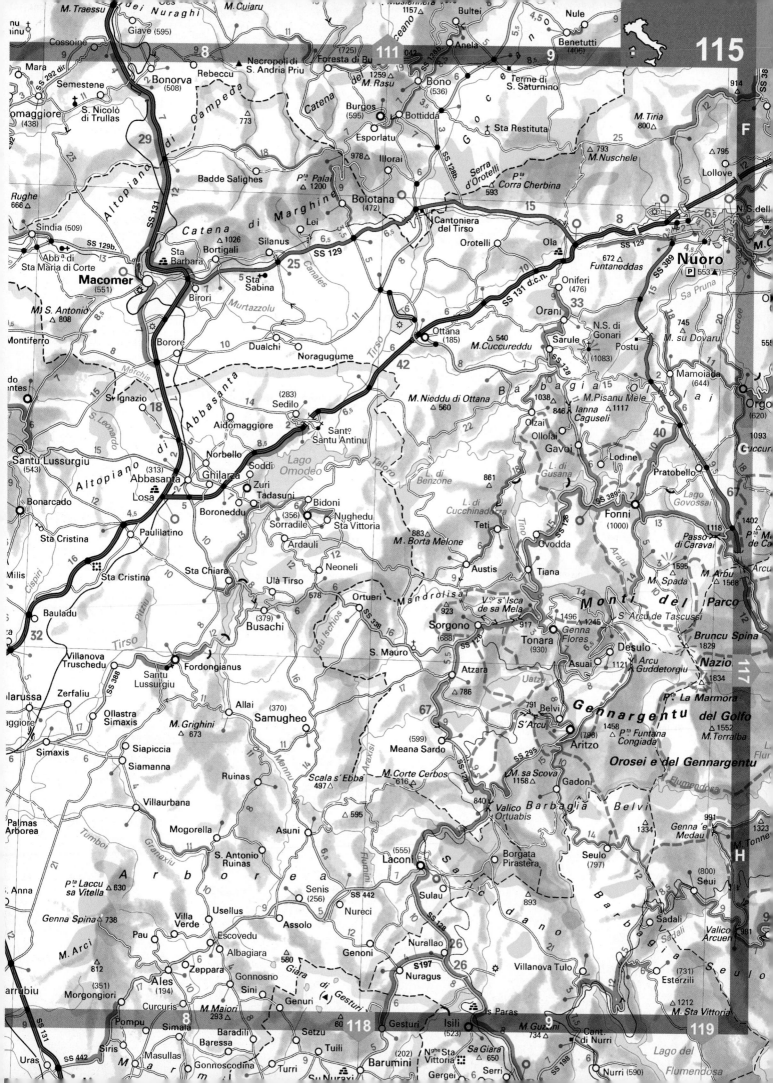

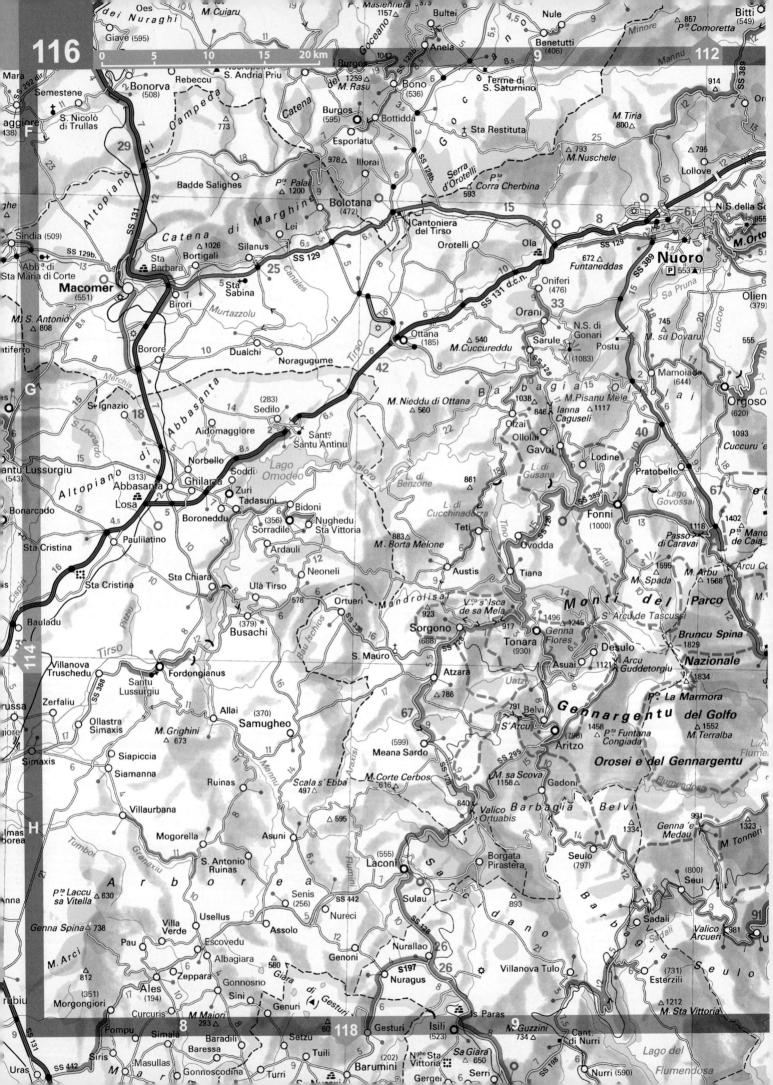

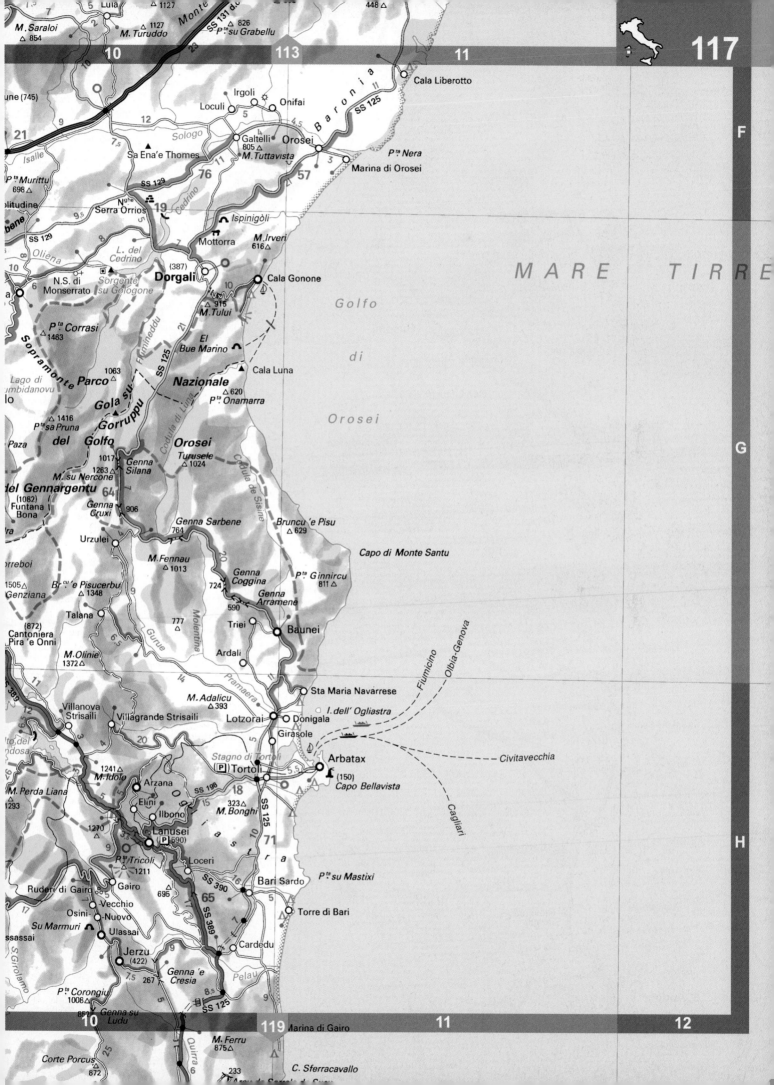

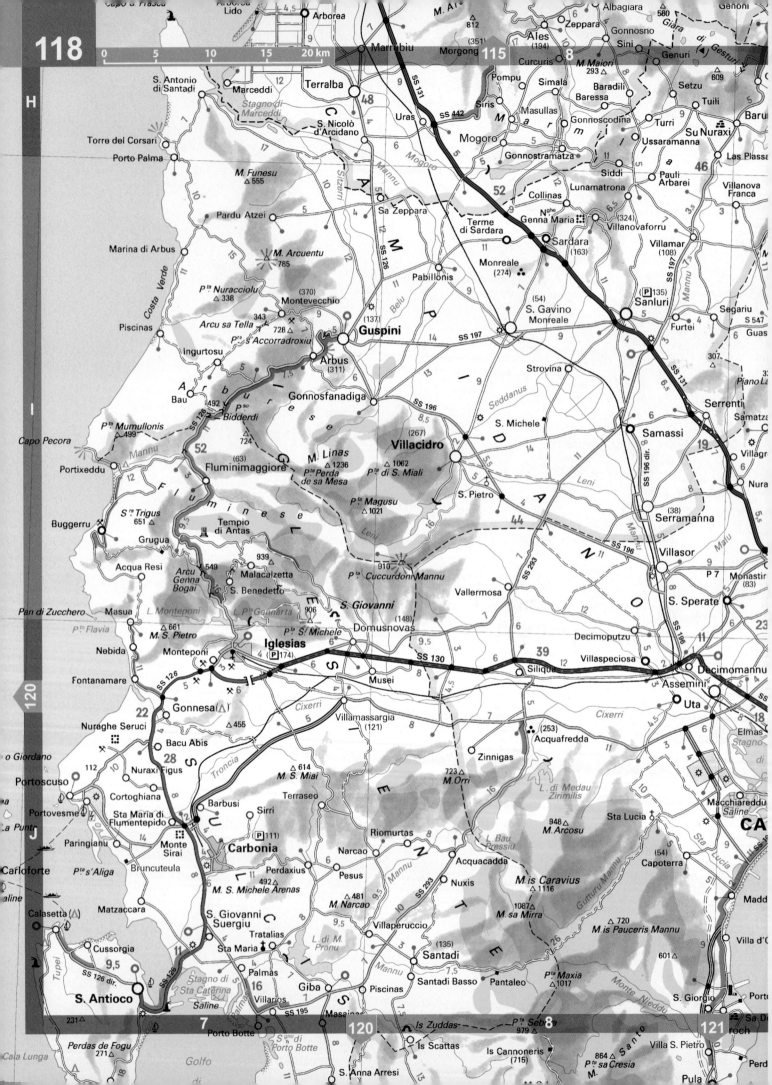

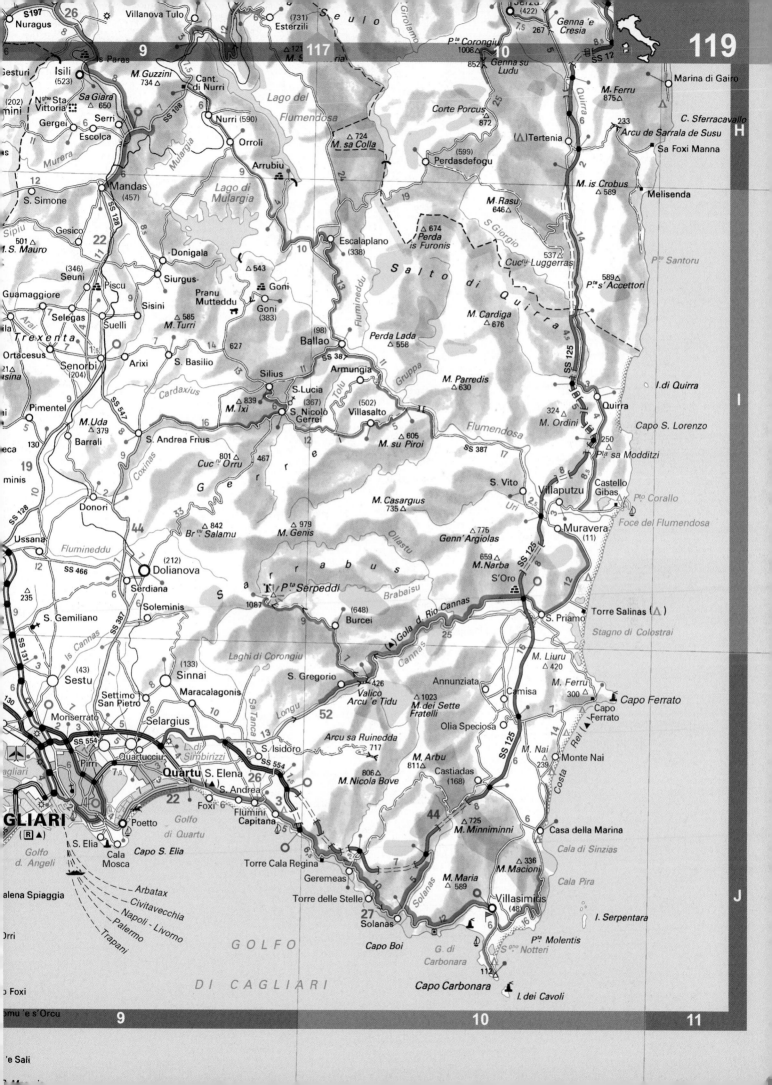

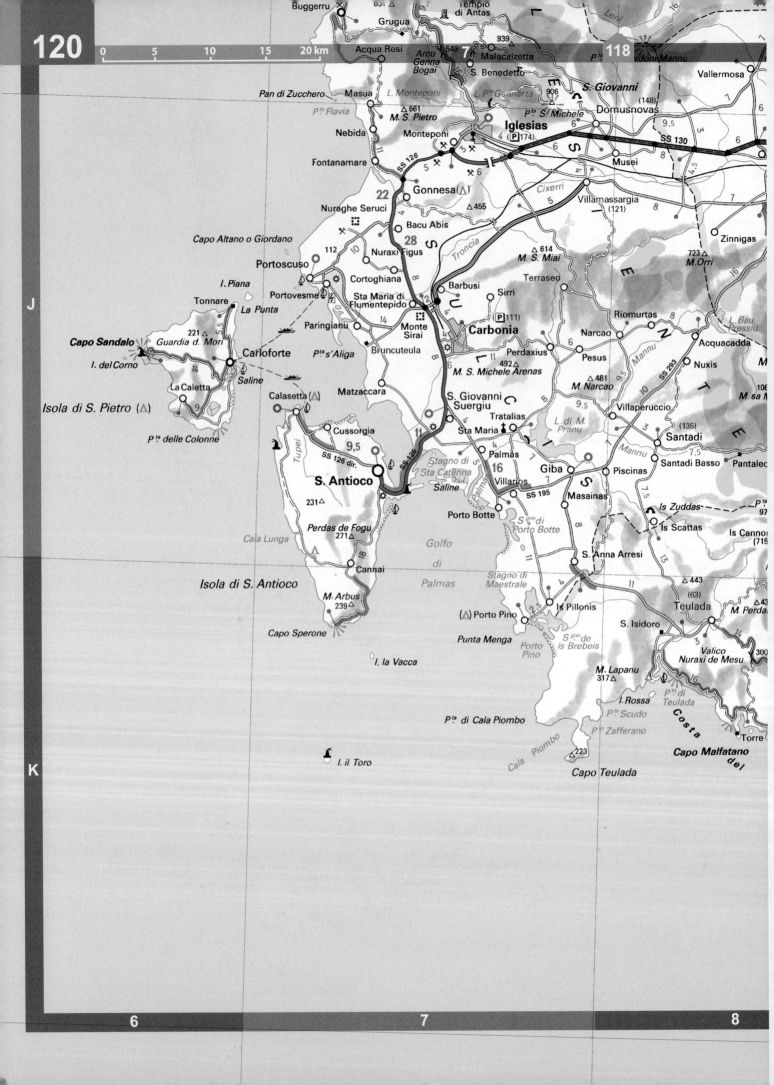

0 5 10 15 20 km

Buggerru

Grugua

Tempio di Antas

Acqua Resi

939

Malacalzetta

Arcu Genna Bogai

549 7

S. Benedetto

Pan di Zucchero

Masua

L. Monteponi

P.ta Gennarta

906

S. Giovanni

Vallermosa

L.º Flavia

P.ta S. Michele

(148)

Domusnovas

Nebida

661
M. S. Pietro

Monteponi

Iglesias

(P) 174

SS 130

Fontanamare

SS 126

4

9,5

3

Gonnesa

6

6

Musei

8

6

22

455

Cixerri

Villamassargia

8

Nuraghe Seruci

Bacu Abis

Troncia

5

(121)

Zinnigas

Capo Altano o Giordano

28

614
M. S. Miai

723
M. Orri

112

10

Nuraxi Figus

Terraseo

Portoscuso

Cortoghiana

Barbusi

Sirri

Riomurtas

8

I. Piana

Portovesme

Sta Maria di Flumentepido

Monte Sirai

Carbonia

(P) 111

Narcao

Acquacadda

Tonnare

La Punta

221

5,5

Guardia d. Mori

Paringianu

14

S. Giovanni

Perdaxius

Pesus

Nuxis

SS 293

Capo Sandalo

Carloforte

P.ta s'Aliga

Bruncuteula

M. S. Michele Arenas

492

481
M. Narcao

9,5

Villaperuccio

108
M. sa M

I. del Corno

14

Saline

Matzaccara

S. Giovanni Suergiu

Tratalias

L. di M. Pranu

(135)

Santadi

La Caletta

9

Calasetta

11

Sta Maria

Santadi Basso

Pantalec

Isola di S. Pietro

Cussorgia

9,5

Palmas

16

Giba

Piscinas

P.ta delle Colonne

SS 126 dir.

SS 126

Stagno di Sta Caterina

Villarios

7

Masainas

Is Zuddas

P.ta 97

S. Antioco

Saline

SS 195

Is Scattas

Is Cannon (715)

231

Porto Botte

S.º di Porto Botte

Perdas de Fogu

271

S. Anna Arresi

443

Cala Lunga

Stagno di Maestrale

(63)

Teulada

M. Perda

43

Isola di S. Antioco

Cannai

Is Pillonis

M. Arbus

239

(△) Porto Pino

S. Isidoro

Valico Nuraxi de Mesu

300

Capo Sperone

Punta Menga

Porto Pino

S.º de is Brebeis

M. Lapanu

317

I. Rossa

P.to di Teulada

I. la Vacca

P.ta di Cala Piombo

P.to Scudo

P.to Zafferano

Torre

I. il Toro

Cala Piombo

223

Capo Malfatano

Capo Teulada

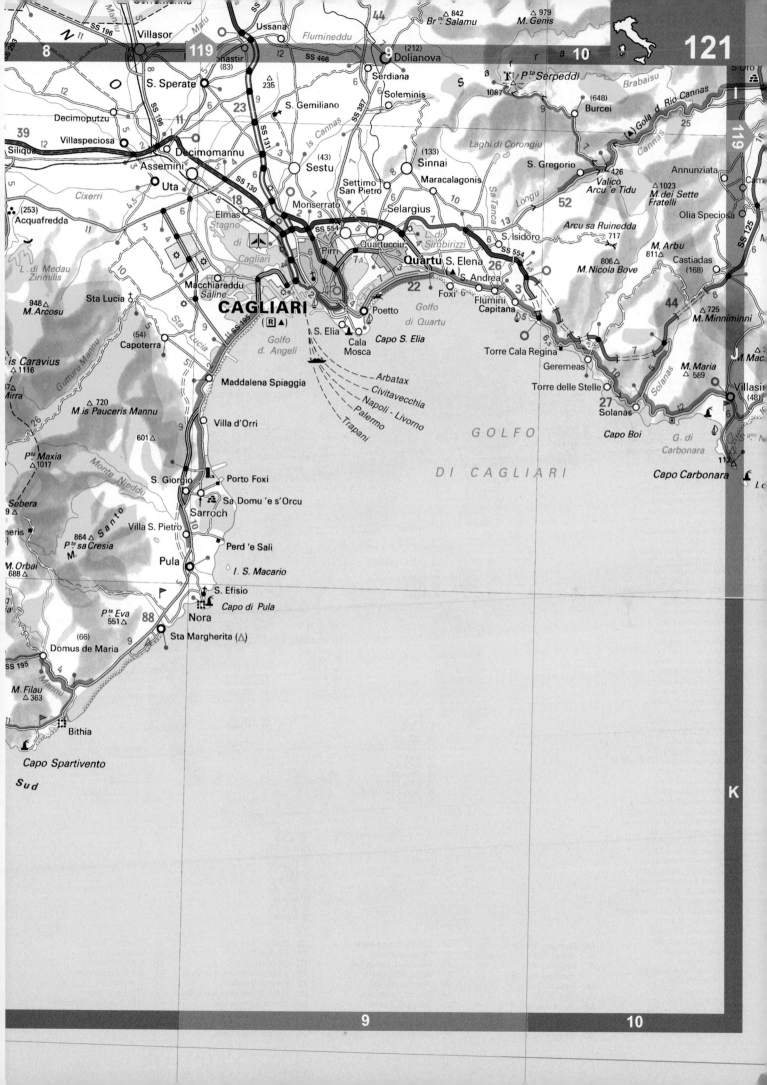

Indice dei nomi - Piante di città
Index of place names - Town plans
Index des localités - Plans de ville
Ortsverzeichnis - Stadtpläne
Plaatsnamenregister - Stadsplattegronden
Índice - Planos de ciudades

Sigle delle provinze presenti nell'indice
Abbreviations of province names contained in the index
Sigles des provinces répertoriées au nom
Im Index Vorhandene Kennzeiche
Afkorting van de provincie
Abreviaciones de los nombres de provincias

AG Agrigento (Sicilia)
AL Alessandria (Piemonte)
AN Ancona (Marche)
AO Aosta/Aoste (Valle d'Aosta)
AP Ascoli Piceno (Marche)
AQ L'Aquila (Abruzzo)
AR Arezzo (Toscana)
AT Asti (Piemonte)
AV Avellino (Campania)
BA Bari (Puglia)
BG Bergamo (Lombardia)
BI Biella (Piemonte)
BL Belluno (Veneto)
BN Benevento (Campania)
BO Bologna (Emilia-R.)
BR Brindisi (Puglia)
BS Brescia (Lombardia)
BT Barletta-Andria-Trani (Puglia)
BZ Bolzano (Trentino-Alto Adige)
CA Cagliari (Sardegna)
CB Campobasso (Molise)
CE Caserta (Campania)
CH Chieti (Abruzzo)
CI Carbonia-Iglesias (Sardegna)
CL Caltanissetta (Sicilia)
CN Cuneo (Piemonte)
CO Como (Lombardia)
CR Cremona (Lombardia)
CS Cosenza (Calabria)
CT Catania (Sicilia)
CZ Catanzaro (Calabria)
EN Enna (Sicilia)
FC Forlì-Cesena (Emilia-Romagna)
FE Ferrara (Emilia-Romagna)
FG Foggia (Puglia)
FI Firenze (Toscana)
FM Fermo (Marche)
FR Frosinone (Lazio)
GE Genova (Liguria)
GO Gorizia (Friuli-Venezia Giulia)
GR Grosseto (Toscana)
IM Imperia (Liguria)
IS Isernia (Molise)
KR Crotone (Calabria)
LC Lecco (Lombardia)
LE Lecce (Puglia)
LI Livorno (Toscana)
LO Lodi (Lombardia)
LT Latina (Lazio)
LU Lucca (Toscana)
MB Monza-Brianza (Lombardia)
MC Macerata (Marche)
ME Messina (Sicilia)
MI Milano (Lombardia)
MN Mantova (Lombardia)
MO Modena (Emilia-Romagna)
MS Massa-Carrara (Toscana)
MT Matera (Basilicata)
NA Napoli (Campania)
NO Novara (Piemonte)
NU Nuoro (Sardegna)
OG Ogliastra (Sardegna)
OR Oristano (Sardegna)
OT Olbia-Tempio (Sardegna)
PA Palermo (Sicilia)
PC Piacenza (Emilia-Romagna)
PD Padova (Veneto)
PE Pescara (Abruzzo)
PG Perugia (Umbria)
PI Pisa (Toscana)
PN Pordenone (Friuli-Venezia Giulia)
PO Prato (Toscana)
PR Parma (Emilia-R.)
PT Pistoia (Toscana)
PU Pesaro e Urbino (Marche)
PV Pavia (Lombardia)
PZ Potenza (Basilicata)

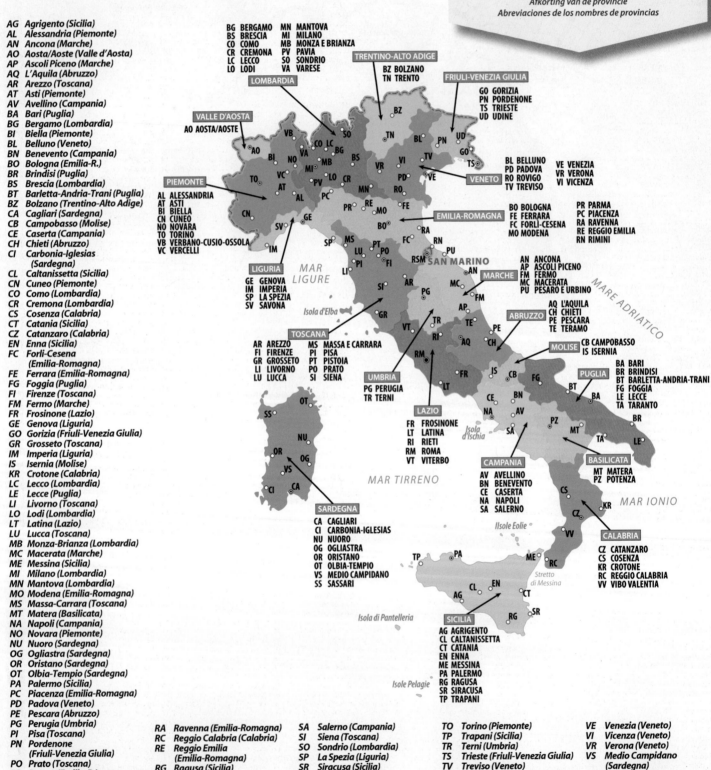

LOMBARDIA
BG BERGAMO
BS BRESCIA
CO COMO
CR CREMONA
LC LECCO
LO LODI
MN MANTOVA
MI MILANO
MB MONZA E BRIANZA
PV PAVIA
SO SONDRIO
VA VARESE

TRENTINO-ALTO ADIGE
BZ BOLZANO
TN TRENTO

FRIULI-VENEZIA GIULIA
GO GORIZIA
PN PORDENONE
TS TRIESTE
UD UDINE

VALLE D'AOSTA
AO AOSTA/AOSTE

PIEMONTE
AL ALESSANDRIA
AT ASTI
BI BIELLA
CN CUNEO
NO NOVARA
TO TORINO
VB VERBANO-CUSIO-OSSOLA
VC VERCELLI

VENETO
BL BELLUNO
PD PADOVA
RO ROVIGO
TV TREVISO
VE VENEZIA
VR VERONA
VI VICENZA

EMILIA-ROMAGNA
BO BOLOGNA
FE FERRARA
FC FORLÌ-CESENA
MO MODENA
PR PARMA
PC PIACENZA
RA RAVENNA
RE REGGIO EMILIA
RN RIMINI

LIGURIA
GE GENOVA
IM IMPERIA
SP LA SPEZIA
SV SAVONA

MARCHE
AN ANCONA
AP ASCOLI PICENO
FM FERMO
MC MACERATA
PU PESARO E URBINO

TOSCANA
AR AREZZO
FI FIRENZE
GR GROSSETO
LI LIVORNO
LU LUCCA
MS MASSA E CARRARA
PI PISA
PT PISTOIA
PO PRATO
SI SIENA

ABRUZZO
AQ L'AQUILA
CH CHIETI
PE PESCARA
TE TERAMO

MOLISE
CB CAMPOBASSO
IS ISERNIA

UMBRIA
PG PERUGIA
TR TERNI

LAZIO
FR FROSINONE
LT LATINA
RI RIETI
RM ROMA
VT VITERBO

PUGLIA
BA BARI
BR BRINDISI
BT BARLETTA-ANDRIA-TRANI
FG FOGGIA
LE LECCE
TA TARANTO

CAMPANIA
AV AVELLINO
BN BENEVENTO
CE CASERTA
NA NAPOLI
SA SALERNO

BASILICATA
MT MATERA
PZ POTENZA

SARDEGNA
CA CAGLIARI
CI CARBONIA-IGLESIAS
NU NUORO
OG OGLIASTRA
OR ORISTANO
OT OLBIA-TEMPIO
VS MEDIO CAMPIDANO
SS SASSARI

CALABRIA
CZ CATANZARO
CS COSENZA
KR CROTONE
RC REGGIO CALABRIA
VV VIBO VALENTIA

SICILIA
AG AGRIGENTO
CL CALTANISSETTA
CT CATANIA
EN ENNA
ME MESSINA
PA PALERMO
RG RAGUSA
SR SIRACUSA
TP TRAPANI

MAR LIGURE
Isola d'Elba
MAR TIRRENO
MARE ADRIATICO
SAN MARINO
Isola d'Ischia
Isole Eolie
MAR IONIO
Stretto di Messina
Isola di Pantelleria
Isole Pelagie

RA Ravenna (Emilia-Romagna)
RC Reggio Calabria (Calabria)
RE Reggio Emilia (Emilia-Romagna)
RG Ragusa (Sicilia)
RI Rieti (Lazio)
RM Roma (Lazio)
RN Rimini (Emilia-Romagna)
RSM San Marino (Rep. di)
RO Rovigo (Veneto)

SA Salerno (Campania)
SI Siena (Toscana)
SO Sondrio (Lombardia)
SP La Spezia (Liguria)
SR Siracusa (Sicilia)
SS Sassari (Sardegna)
SV Savona (Liguria)
TA Taranto (Puglia)
TE Teramo (Abruzzo)
TN Trento (Trentino-Alto Adige)

TO Torino (Piemonte)
TP Trapani (Sicilia)
TR Terni (Umbria)
TS Trieste (Friuli-Venezia Giulia)
TV Treviso (Veneto)
UD Udine (Friuli-Venezia Giulia)
VA Varese (Lombardia)
VB Verbano-Cusio-Ossola (Piemonte)
VC Vercelli (Piemonte)

VE Venezia (Veneto)
VI Vicenza (Veneto)
VR Verona (Veneto)
VS Medio Campidano (Sardegna)
VT Viterbo (Lazio)
VV Vibo Valentia (Calabria)

A

Abano Terme PD 24 F 17
Abatemarco SA 76 G 28
Abatemarco (Fiume) CS 85 H 29
Abbadia SI 50 M 17
Abbadia VT 57 O 16
Abbadia Cerreto LO 21 G 10
Abbadia Lariana LC 9 E 10
Abbadia S. Salvatore SI 50 N 17
Abbalata (Monte) OT 109 D 9
Abbasanta OR 115 G 8
Abbasanta (Altopiano di) OR 115 G 8
Abbateggio PE 60 P 24
Abbatoggia (Punta) OT 109 D 10
Abbiadori OT 109 D 10
Abbiategrasso MI 20 F 8
Abetaia BO 39 J 14
Abeto FI 40 J 17
Abeto PG 52 N 21
Abetone PT 39 J 14
Abisso (Rocca del) CN 34 J 4
Abriola PZ 77 F 29
Abruzzese AQ 59 P 22
Abruzzo (Parco Nazionale d') AQ 64 Q 23
Abtei / Badia BZ 4 C 17
Acaia LE 81 F 36
Acate RG 104 P 25
Acate (Fiume) RG 104 P 25
Accadia FG 71 D 28
Acceglio CN 26 I 2
Accellica (Monte) AV 70 E 27
Accesa (Lago dell') GR 49 N 14
Accettori (Punta s') OG 119 I 10
Accettura MT 77 F 30
Accia (Portella dell') PA 98 M 22
Acciano AQ 60 P 23
Acciarella LT 63 R 20
Acciaroli SA 75 G 27
Acconia CZ 88 K 30
Accorradroxiu (Punta s') VS 118 I 7
Accumoli RI 52 N 21
Acerenza PZ 72 E 29
Acerenza (Lago di) PZ 72 E 29
Acerno SA 75 E 27
Acerno (Le Croci di) SA 70 E 27
Acero (Forca d') AQ 64 Q 23
Acerra NA 70 E 25
Aci Bonaccorsi CT 101 O 27
Aci Castello CT 101 O 27
Aci Catena CT 101 O 27
Aci S. Antonio CT 101 O 27
Aci Trezza CT 101 O 27
Acilia RM 62 Q 19
Acireale CT 101 O 27
Acone S. Eustachio FI 40 K 16
Acqua (Bagno dell') TP 96 Q 17
Acqua Resi CI 118 I 7
Acqua Tosta (Monte) RM 57 P 17
Acquabianca GE 28 I 7
Acquabona (Passo di) CZ 86 J 31
Acquacadda CI 118 J 8
Acquacalda ME 94 L 26
Acquacanina MC 52 M 21
Acquafondata FR 64 R 23
Acquaformosa CS 85 H 30
Acquafredda BS 22 G 13
Acquafredda CA 118 J 8
Acquafredda PZ 76 G 29
Acqualagna PS 46 L 20
Acqualoreto TR 51 N 19
Acqua!unga BS 22 G 11
Acquanegra Cremonese CR 30 G 11
Acquanegra sul Chiese MN 30 G 13
Acquapendente VT 50 N 17
Acquappesa CS 85 I 29
Acquaria MO 39 J 14
Acquarica del Capo LE 83 H 36
Acquarica di Lecce LE 81 G 36
Acquaro VV 88 L 30
Acquasanta GE 36 I 8
Acquasanta Terme AP 52 N 22
Acquaseria CO 9 D 9
Acquasparta TR 51 N 19
Acquato (Lago) GR 56 O 16
Acquavella SA 75 G 27
Acquavena SA 76 G 28
Acquaviva RM 58 P 20
Acquaviva SI 50 M 17
Acquaviva Collecroce CB 65 Q 26
Acquaviva delle Fonti BA 73 E 32
Acquaviva d'Isernia IS 65 Q 24
Acquaviva Picena AP 53 N 23
Acquaviva Platini CL 99 O 23
Acquedolci ME 100 M 25
Acquerino (Rifugio) PO 39 J 15
Acquevive IS 65 R 25
Acqui Terme AL 28 H 7
Acri CS 85 I 31
Acuto FR 63 Q 21
Acuto (Monte) PG 51 M 18
Acuto (Monte) OT 111 E 9
Adalicu (Monte) OG 117 H 10
Adamello TN 11 D 13
Adamello (Monte) BS 10 D 13
Adami CZ 86 J 31
Adda SO 2 C 12
Addolorata (Santuario dell') IS 65 R 24
Adelfia BA 73 D 32
Adige BZ 3 C 14
Adige (Foce dell') RO 33 G 18
Adone (Monte) BO 40 I 15
Adrano CT 100 O 26
Adranone (Monte) AG 97 N 21
Adrara S. Rocco BG 22 E 11
Adret TO 26 G 3
Adria RO 33 G 18
Adro BS 22 F 11
Aeclanum AV 70 D 27
Afers / Eores BZ 4 B 17
Affi VR 23 F 14
Affile RM 63 Q 21
Affrica (Scoglio d') LI 54 O 12
Afing / Avigna BZ 3 C 16
Afragola NA 69 E 24
Africo RC 91 M 30
Agaggio Inferiore IM 35 K 5
Agarina VB 8 D 7
Agazzano PC 29 H 10
Agelli AP 52 N 22
Agello PG 51 M 18
Agerola NA 75 F 25
Aggius OT 109 E 9
Agira EN 100 O 25
Agliana PT 39 K 15
Agliano AT 28 H 6
Agliè TO 19 F 5
Aglientu OT 109 D 9
Aglio PC 29 H 10
Agna AR 44 K 17
Agna PD 24 G 17
Agnadello CR 21 F 10
Agnana Calabra RC 91 M 30
Agnano PI 42 K 13
Agnano NA 69 E 24
Agnara (Croce di) CS 87 J 32
Agnedo SO 10 D 11
Agnellezze (Monte) BL 12 D 18
Agnello (Colle dell') TO 26 H 2
Agner (Monte) BL 12 D 17
Agnino MS 38 J 12
Agno VI 24 F 16
Agno (Val d') VI 24 F 15
Agnone IS 65 Q 25
Agnone Bagni SR 105 P 27
Agnosine BS 22 F 13
Agogna NO 20 E 7
Agordo BL 12 D 18
Agordo (Canale di) BL 13 D 18
Agosta RM 59 Q 21
Agostini (Rifugio) TN 11 D 14
Agra VA 8 D 8
Agrano VB 8 E 7
Agrate Brianza MI 21 F 10
Agrate Conturbia NO 20 E 7
Agresto (Monte dell') PZ 77 F 30
Agri PZ 76 F 29
Agriano PG 52 N 21
Agrifoglio CS 86 J 31
Agrigento AG 102 P 22
Agropoli SA 75 F 26
Agrustos OT 113 E 11
Agudo (Monte) BL 5 C 19
Agugliano AN 47 L 22
Agugliaro VI 24 G 16
Aguzzo (Monte) RM 58 P 19
Ahrntal / Valle Aurina BZ 4 B 17
Ahrntal / Aurina (Valle) BZ 4 A 17
Aidomaggiore OR 115 G 8
Aidone EN 104 O 25
Aielli AQ 59 P 22
Aiello Calabro CS 86 J 30
Aiello del Friuli UD 17 E 22
Aiello del Sabato AV 70 E 26
Aieta CS 84 H 29
Aiguille de Triolet AO 6 E 3
Aiguilles de Bionnassay AO 6 E 2
Ailano CE 65 R 24
Aiona (Monte) GE 29 I 10
Aip (Creta di) / Trogkofel UD 14 C 21
Airasca TO 27 H 4
Airola BN 70 D 25
Airole IM 35 K 4
Airuno LC 21 E 10
Aisone CN 34 J 3
Akrai (Palazzolo Acreide) SR 104 P 26
Ala TN 23 E 14
Ala (Val di) TO 18 G 3
Alà dei Sardi OT 111 F 9
Ala di Stura TO 18 G 3
Alagna PV 20 G 8
Alagna Valsesia VC 7 E 5
Alanno PE 60 P 23
Alano di Piave BL 12 E 17
Alassio SV 35 J 6
Alatri FR 63 Q 22
Alba CN 27 H 6
Alba TN 4 C 17
Alba Adriatica TE 53 N 23
Alba Fucens AQ 59 P 22
Albagiara OR 115 H 8
Albairate MI 20 F 8
Albanella SA 75 F 27
Albaneto RI 59 O 21
Albani (Colli) RM 63 Q 20
Albano BG 22 E 11
Albano (Lago di) RM 62 Q 20
Albano (Monte) MO 38 J 13
Albano (Monte) PT 39 K 14
Albano di Lucania PZ 77 F 30
Albano Laziale RM 62 Q 19
Albano Vercellese VC 20 F 7
Albaredo TN 11 E 15
Albaredo Arnaboldi PV 29 G 9
Albaredo TV 24 F 18
Albaredo d'Adige VR 23 G 15
Albaredo per S. Marco SO 9 D 10
Albarella (Isola) RO 33 G 19
Albareto MO 31 H 14
Albareto PR 37 I 11
Albaretto della Torre CN 27 I 6
Albaro VR 23 F 15
Albate CO 21 E 9
Albavilla CO 21 E 9
Albe AQ 59 P 22
Albegna GR 50 N 16
Albeins / Albes BZ 4 B 16
Alben (Monte) BG 10 E 11
Albenga SV 35 J 6
Albera Ligure AL 29 H 9
Alberese GR 55 N 15
Alberghi PT 39 K 14
Albergian (Monte) TO 26 G 2
Alberi PR 30 H 12
Alberino BO 32 I 16
Albero Sole (Monte) AG 102 U 19
Alberobello BA 80 E 33
Alberona FG 66 C 27
Alberone PV 29 G 10
Alberone vicino a Cento FE 32 H 15
Alberone vicino a Guarda FE 32 H 17
Alberoni VE 25 F 18
Alberoro AR 44 L 17
Albes / Albeins BZ 4 B 16
Albettone VI 24 F 16
Albi CZ 87 J 31
Albiano AR 45 L 18
Albiano TN 11 D 15
Albiano d'Ivrea TO 19 F 5
Albidona CS 85 H 31
Albignano MI 21 F 10
Albignasego PD 24 F 17
Albinea RE 31 I 13
Albinia GR 55 O 15
Albino BG 22 E 11
Albiolo CO 20 E 8
Albisola Superiore SV 36 I 7
Albissola Marina SV 36 J 7
Albizzate VA 20 E 8
Albo (Monte) NU 113 F 10
Albonese PV 20 G 8
Albonico CO 9 D 10
Albosaggia SO 10 D 11
Albucciu OT 109 D 10
Albugnano AT 27 G 5
Alburni (Monti) SA 76 F 27
Alburno (Monte) SA 76 F 27
Albuzzano PV 21 G 9
Alcamo TP 97 N 20
Alcamo Marina TP 97 M 20
Alcantara CT 100 N 26
Alcantara (Gole dell') CT 101 N 27
Alcara li Fusi ME 100 M 26
Aldein / Aldino BZ 12 C 16
Aldeno TN 11 E 15
Aldino / Aldein BZ 12 C 16
Alento SA 75 G 27
Alento CH 60 O 24
Ales OR 115 H 8
Alessandria AL 28 H 7
Alessandria del Carretto CS 85 H 31
Alessandria della Rocca AG 98 O 22
Alessano LE 83 H 36
Alesso UD 14 D 21
Alezio LE 83 G 36
Alfano SA 76 G 28
Alfedena AQ 64 Q 24
Alfero FO 41 K 18
Alfianello BS 22 G 12
Alfiano Natta AL 27 G 6
Alfonsine RA 33 I 18
Alga (Punta d') TP 96 N 19
Alghero SS 110 F 6
Alghero (Rada di) SS 110 F 6
Algone (Val d') TN 11 D 14
Algua BG 21 E 11
Algund / Lagundo BZ 3 B 15
Alì ME 90 M 28
Alì Terme ME 90 M 28
Alia PA 99 N 23
Alianello MT 77 G 30
Aliano MT 77 G 30
Alice Bel Colle AL 28 H 7
Alice Castello VC 19 F 6
Alice (Punta) KR 87 I 33
Alicudi (Isola) ME 93 L 25
Alicudi Porto ME 93 L 25
Alife CE 65 S 24
Aliga (Punta s') CI 118 J 7
Alimena PA 99 N 24
Alimini Grande LE 83 G 37
Alimini Piccolo LE 83 G 37
Aliminusa PA 99 N 23
Allai OR 115 H 8
Allaro RC 88 L 31
Alleghe BL 12 C 18
Allein AO 6 E 3
Allerona TR 50 N 17
Alli CZ 87 J 31
Allievi SO 9 D 10
Allione BS 10 D 12
Alliste LE 83 H 36
Alliz (Punta d') BZ 2 B 14
Allocchi (Galleria degli) FI 40 J 16
Allone PG 51 N 19
Allumiere RM 57 P 17
Almenno S. Salvatore BG 21 E 10
Almese TO 18 G 4
Alonte VI 24 F 16
Alpago BL 13 D 19
Alpe GE 29 I 9
Alpe d'Arguel TO 26 G 2
Alpe Campiascio SO 10 D 12
Alpe Cermis TN 12 D 16
Alpe Colombino TO 26 G 3
Alpe Devero VB 8 D 6
Alpe di Mera VC 19 E 6
Alpe di S. Antonio LU 38 J 13
Alpe Gera (Lago di) SO 10 D 11
Alpe Tre Potenze PT 39 J 13
Alpe Veglia VB 7 D 6
Alpette TO 19 F 4
Alpi Apuane (Parco Naturale) MS 38 J 12
Alpi (Monte) PZ 77 G 29
Alpi Orobie SO 10 D 11
Alpiaz BS 22 E 12
Alpicella SV 36 I 7
Alpignano TO 27 G 4
Alpino VB 8 E 7
Alpo VR 23 F 14
Alseno PC 30 H 11
Alserio (Lago di) CO 21 E 9
Alta S. Egidio AR 50 M 18
Altacroce (Monte) / Hochkreuz Spitze BZ 3 B 15
Altamura BA 73 E 31
Altamura (Pulo di) BA 73 E 31
Altana Nuoro e Sassari OT 112 F 10
Altana SS 111 E 8
Altano (Capo) CA 118 J 7
Altare SV 36 I 7
Altare (Monte) CS 85 I 31
Altavilla Irpina AV 70 D 26
Altavilla Milicia PA 98 M 22
Altavilla Silentina SA 75 F 27
Altavilla Vicentina VI 24 F 16
Altedo BO 32 I 16
Altenburg / Castelvecchio BZ 11 C 15
Altesina (Monte) EN 99 N 24
Alti (Poggi) GR 50 N 16
Altidona AP 53 M 23
Altilia KR 87 J 32
Altilia CS 86 J 30
Altilia Saepinum CB 65 R 25
Altino CH 60 P 24
Altino VE 25 F 19
Altipiani di Arcinazzo FR 63 Q 21
Altissimo VI 23 E 14
Altissimo (Località) VI 23 F 15
Altivole TV 24 E 17
Alto CN 35 J 5
Alto (Giogo) / Hochjoch BZ 3 B 14
Alto (Monte) AQ 64 Q 22
Alto (Monte) GR 49 M 15
Alto (Monte) MS 38 J 12
Altofonte PA 97 M 21
Altolia ME 90 M 28
Altomonte CS 85 H 30
Altopascio LU 39 K 14
Altrei / Anterivo BZ 12 D 16
Altrocanto TR 58 O 19
Alvano (Pizzo d') AV 70 E 25
Alvaro (Monte) SS 110 E 6
Alviano TR 58 O 18
Alviano (Lago di) TR 57 O 18
Alvignano CE 69 D 25
Alvisopoli VE 16 E 20
Alvito FR 64 Q 23
Alzano Lombardo BG 21 E 11
Alzate Brianza CO 21 E 9
Amalfi SA 75 F 25
Amandola AP 52 N 22
Amantea CS 86 J 30
Amariana (Monte) UD 14 C 21
Amaro UD 14 C 21
Amaro (Monte) AQ 60 P 24
Amaroni CZ 88 K 31
Amaseno FR 63 R 22
Amaseno (Fiume) LT 63 R 21
Amato CZ 88 K 31
Amato RC 88 L 29
Amatrice RI 59 O 21
Ambin (Rocca d') TO 18 G 2
Ambra AR 44 L 16
Ambria BG 21 E 11
Ambria SO 10 D 11
Ambrogio FE 32 H 17
Ameglia SP 38 J 11
Amelia TR 58 O 19
Amendola FG 67 C 29
Amendolara CS 85 H 31
Amendolea RC 90 N 29
Amendolea (Fiumara di) RC 90 M 29
Ameno NO 20 E 7
Amiata (Monte) GR 50 N 16
Amica CS 87 I 32
Amiternum AQ 59 O 21
Amorosi BN 70 D 25
Ampezzo UD 13 C 20
Ampezzo (Valle d') BL 4 C 18
Ampollino (Lago) KR 87 J 31
Anacapri NA 74 F 24
Anagni FR 63 Q 21
Anapo CT 104 P 26
Ancaiano PG 58 O 20
Ancaiano SI 49 M 15
Ancarano TE 53 N 23
Anchione PT 39 K 14
Ancinale CZ 88 K 31
Anciolina AR 44 L 17
Ancipa (Lago) EN 100 N 25
Ancona AN 47 L 22
Andagna IM 35 K 5
Andali CZ 87 J 32
Andalo TN 11 D 15
Andezeno TO 27 G 5
Andolla (Pizzo d') VB 7 D 6
Andolla (Rifugio) VB 7 D 6
Andonno CN 34 J 4
Andora SV 35 K 6
Andorno Micca BI 19 F 6
Andrano LE 83 H 37
Andrate TO 19 F 5
Andraz BL 4 C 17
Andrazza UD 13 C 19
Andreis PN 13 D 19
Andretta AV 71 E 27
Andria BA 72 D 30
Andriace MT 78 G 32
Andriano / Andrian BZ 3 C 15
Anduins PN 14 D 20
Anela SS 111 F 9
Anela (Masseria d') TA 78 F 32
Anfo BS 22 E 13
Angeli AN 47 L 22
Angeli di Mergo AN 46 L 21
Angeli (Golfo degli) CA 119 J 9
Angera VA 20 E 7
Anghebeni TN 23 E 15
Anghelu Ruiu (Necropoli) SS 110 F 6
Anghiari AR 45 L 18
Angiari VR 23 G 15
Angiolino (Cima dell') TO 19 F 4
Angitola (Lago dell') VV 88 K 30
Angiulli (Monte) TA 73 E 33
Anglona SS 111 E 8
Angoli CZ 88 K 31
Angolo Terme BS 10 E 12
Angri SA 75 E 25
Anguillara Sabazia RM 58 P 18
Anguillara Veneta PD 32 G 17
Aniene FR 63 Q 21
Anime (Cima delle) / Hintere Seelenkogl BZ 3 B 15
Anita FE 33 I 18
Anitrella FR 64 R 22
Annicco CR 22 G 11
Annifo PG 52 M 20
Annone (Lago di) LC 21 E 10
Annone Veneto VE 16 E 20
Annunziata CA 119 J 10
Annunziata Lunga (Passo) CE 64 R 24
Anoia RC 88 L 30
Ansedonia Cosa GR 56 O 15
Ansiei BL 4 C 18
Ansina AR 45 L 18
Antagnod AO 7 E 5
Antas (Tempio di) CI 118 I 7
Antegnate BG 22 F 11
Antelao BL 4 C 18
Antenna (Monte) RC 91 M 29
Antennamare ME 90 M 28
Anterivo / Altrei BZ 12 D 16
Antermoia / Untermoi BZ 4 B 17
Anterselva (Lago d') BZ 4 B 18
Anterselva (Valle di) BZ 4 B 18
Anterselva di Mezzo / Antholz Mittertal BZ 4 B 18
Anterselva di Sopra / Antholz Obertal BZ 4 B 18
Antey-St. André AO 19 E 4
Antholz Mittertal / Anterselva di Mezzo BZ 4 B 18
Antholz Obertal / Anterselva di Sopra BZ 4 B 18
Anticoli Corrado RM 59 P 20
Antignano AT 27 H 6
Antignano LI 42 L 12
Antigorio (Val) VB 8 D 6
Antillo ME 101 N 27
Antola (Monte) GE 29 I 9
Antola (Monte) / Steinkarspitz BL 5 C 20
Antona MS 38 J 12
Antonelli BA 80 E 33
Antonimina RC 91 M 30
Antrodoco RI 59 O 21
Antrona (Lago di) VB 7 D 6
Antrona (Val di) VB 7 D 6
Antronapiana VB 7 D 6
Antrosano AQ 59 P 22
Anversa degli Abruzzi AQ 60 Q 23
Anza VB 8 E 6
Anzano del Parco CO 21 E 9
Anzano di Puglia FG 71 D 27
Anzasca (Valle) VB 7 E 5
Anzi PZ 77 F 29
Anzino VB 7 E 6
Anzio RM 62 R 19
Anzola PR 29 I 10
Anzola dell'Emilia BO 31 I 15
Anzola d'Ossola VB 8 E 7
Anzone del Parco CO 21 E 9
Anzù BL 12 D 17
Anzu (Punta su) NU 113 F 11
Aosta / Aoste AO 18 E 3
Aosta (Rifugio) AO 7 E 4
Aosta (Valle d') AO 18 E 3
Apani (Masseria) BR 80 E 35
Apecchio PS 45 L 19
Apice BN 70 D 26
Apiro MC 46 L 21
Apollo (Secca) PA 92 K 21
Apollosa BN 70 D 26
Appalto AR 50 M 17
Appenna (Monte) TO 26 H 2
Appenninia AQ 64 Q 23
Appennino (Gall. d') BO 39 J 15
Appiano Gentile CO 21 E 8
Appiano s. str. d. vino / Eppan BZ 3 C 15
Appignano MC 47 L 22
Appignano di Tronto AP 53 N 22
Aprica SO 10 D 12
Aprica (Passo dell') SO 10 D 12
Apricale IM 35 K 4
Apricena FG 66 B 28
Apricena (Stazione di) FG 66 B 28
Aprigliano CS 86 J 31
Aprilia LT 62 R 19

A

Aprilia Marittima *UD* .. 16 E 21
Aquara *SA* .... 76 F 27
Aquila di Arroscia *IM* .. 35 J 6
Aquila (Rocca d') *EN* .. 100 O 25
Aquilano *CH* .... 60 O 25
Aquileia *UD* .... 17 E 22
Aquilinia *TS* .... 17 F 23
Aqusto *CZ* .... 88 K 31
Aquino *FR* .... 64 R 23
Aquino *PA* .... 97 M 21
Arabba *BL* .... 4 C 17
Aradeo *LE* .... 83 G 36
Aragona *AG* .... 103 O 22
Arai *CA* .... 119 I 9
Aralalta (Monte) *BG* .. 9 E 10
Arancio (Lago) *AG* .. 97 O 21
Aranova *RM* .... 62 Q 18
Arasi *RC* .... 90 M 29
Aratena *OT* .... 113 E 10
Aratu *NU* .... 115 G 9
Araxisi *NU* .... 115 H 8
Arba *PN* .... 13 D 20
Arbatax *OG* .... 117 H 11
Arbia *SI* .... 44 L 16
Arbola (Bocchetta d') *VB*. 8 C 6
Arbola (Punta d') *VB*... 8 C 6
Arborea *PR* .... 114 H 7
Arborea (Località) *OR*. 114 H 7
Arborea Lido *OR* .... 114 H 7
Arborio *VC* .... 20 F 7
Arbu (Monte) *CA* .... 119 J 10
Arbu (Monte) *OG*... 115 G 10
Arburese *VS* .... 118 I 7
Arbus *VS* .... 118 I 7
Arbus (Monte) *CI* ... 120 K 7
Arcade *TV* .... 25 E 18
Arcavacata *CS* .... 86 I 30
Arce *FR* .... 64 R 22
Arcene *BG* .... 21 F 10
Arceto *RE* .... 31 I 14
Arcetri *FI* .... 43 K 15
Arcevia *AN* .... 46 L 20
Archi *CH* .... 60 P 25
Archi *RC* .... 90 M 28
Archittu (S') *OR*. .... 114 G 7
Arci (Monte) *OR* .... 115 H 8
Arcidosso *GR* .... 50 N 16
Arcille *GR* .... 49 N 15
Arcinazzo Romano *RM*. 63 Q 21
Arcisate *VA* .... 8 E 8
Arco *TN* .... 11 E 14
Arcola *SP* .... 38 J 11
Arcola *PN* .... 13 D 19
Arcole *VR* .... 23 F 15
Arcore *MI* .... 21 F 9
Arcosu (Monte) *CA* ... 118 J 8
Arcu Correboi *NU* .... 116 G 10
Arcu de Sarrala
   de Susu *OG* .... 119 H 10
Arcu
   de Tascussi (S') *NU* .. 115 G 9
Arcu'e Tidu (Valico) *CA*. 119 J 10
Arcu Genna Bogai *CI* . 118 I 7
Arcu Guddetorgiu *NU*. 115 G 9
Arcu sa Ruinedda *CA* . 119 J 10
Arcu sa Tella *VS*........ 118 I 7
Arcuentu (Monte) *VS*. 118 I 7
Arcueri (Valico) *OG*... 116 H 10
Arcugnano *VI* .... 24 F 16
Arcumeggia *VA* .... 8 E 8
Arda *PC* .... 30 H 11
Ardali *OG* .... 117 G 10
Ardara *SS* .... 111 F 8
Ardauli *OR* .... 115 H 8
Ardea *RM* .... 62 R 19
Ardenno *SO* .... 9 D 10
Ardenza *LI* .... 42 L 12
Ardesio *BG* .... 10 E 11
Ardivestra *PV* .... 29 H 9
Ardore *RC* .... 91 M 30
Ardore Marina *RC* .. 91 M 30
Area Sacra *IS* .... 65 Q 25
Aremogna *AQ* .... 64 Q 24
Arena *VV* .... 88 L 30
Arena Po *PV* .... 29 G 10
Arenabianca *SA* .... 76 G 29
Arenella *SR* .... 105 Q 27
Arenzano *GE* .... 36 I 8
Arera (Pizzo) *BG* .... 10 E 11
Arese *MI* .... 21 F 9
Arezzo *AR* .... 45 L 17
Argatone (Monte) *AQ*. 64 Q 23
Argegno *CO* .... 9 E 9
Argelato *BO* .... 32 I 16
Argenta *FE* .... 32 I 17
Argentario
   (Promontorio d') *GR*. 55 O 15
Argentera *CN* .... 34 I 2
Argentera *TO* .... 19 G 5
Argentera (Cima di) *CN*. 34 J 3
Argentiera *SS* .... 110 E 6

Argentiera
   (Capo dell') *SS*...... 110 E 6
Argentina *IM* .... 35 K 5
Argentina (Val) *IM*.... 35 K 5
Arginemele (Cozzo) *EN*. 100 O 25
Argiolas (Genn') *CA*... 119 I 10
Argusto *CZ* .... 88 K 31
Ari *CH* .... 60 P 24
Ariamacina (Lago di) *CS*. 86 J 31
Ariano (Isola d') *RO*... 33 H 18
Ariano Ferrarese *FE*.. 33 H 18
Ariano Irpino *AV* .... 70 D 27
Ariano nel Polesine *RO*. 33 H 18
Ariccia *RM* .... 62 Q 20
Arielli *CH* .... 60 P 24
Arienzo *CE* .... 70 D 25
Arietta *CZ* .... 87 J 32
Arigna *SO* .... 10 D 11
Arina *BL* .... 12 D 17
Aringo *AQ* .... 59 O 21
Arischia *AQ* .... 59 O 22
Aritzo *NU* .... 115 H 9
Arixi *CA* .... 119 I 9
Arlena di Castro *VT*... 57 O 17
Arli *AP* .... 52 N 22
Arluno *MI* .... 20 F 8
Arma di Taggia *IM*.... 35 K 5
Armeno *NO* .... 20 E 7
Armentarola *BZ*........ 4 C 17
Armento *PZ* .... 77 G 30
Armenzano *PG* .... 51 M 20
Armi (Capo dell') *RC*... 90 N 29
Armio *VA* .... 8 D 8
Armo *IM* .... 35 J 5
Armo *RC* .... 90 M 29
Armungia *CA* .... 119 I 10
Arnaccio *PI* .... 42 L 13
Arnara *FR* .... 63 R 22
Arnas (Punta d') *TO*... 18 G 3
Arnasco *SV* .... 35 J 6
Arnesano *LE* .... 81 F 36
Arni *LU* .... 38 J 12
Arno *FI* .... 43 K 15
Arno (Fosso d') *PI*..... 42 L 13
Arno (Lago d') *BS*.... 10 D 13
Arnoga *SO* .... 2 C 12
Arola *VB* .... 20 E 7
Arolo *VA* .... 8 E 7
Arona *NO* .... 20 E 7
Arosio *CO* .... 21 E 9
Arpa (Punta dell') *PA* .. 92 K 21
Arpaia *BN* .... 70 D 25
Arpaise *BN* .... 70 D 26
Arpino *FR* .... 64 R 22
Arpinova *FG* .... 67 C 28
Arquà Petrarca *PD*... 24 G 17
Arquà Polesine *RO*... 32 G 17
Arquata del Tronto *AP*. 52 N 21
Arquata Scrivia *AL*... 28 H 8
Arramene (Genna) *OG*. 117 G 10
Arre *PD* .... 24 G 17
Arro *BI* .... 19 F 6
Arrobbio *AT* .... 28 H 7
Arrone *RM* .... 62 P 19
Arrone *TR* .... 58 O 20
Arrone *VT* .... 57 O 17
Arrone (Forca dell') *TR*. 58 O 20
Arroscia *IM* .... 35 J 5
Arsago Seprio *VA*.... 20 E 8
Arsego *PD* .... 24 F 17
Arsiè *BL* .... 12 E 17
Arsiero *VI* .... 24 E 16
Arsita *TE* .... 60 O 23
Arsoli *RM* .... 59 P 21
Arta Terme *UD* .... 5 C 21
Artegna *UD* .... 14 D 21
Artemisio (Monti) *RM*. 63 Q 20
Arten *BZ* .... 12 D 17
Artena *RM* .... 63 Q 20
Artesina *CN* .... 35 J 5
Artogne *BS* .... 22 E 12
Arutas (Punta is) *OR*. 114 H 7
Arvenis (Monte) *UD* .. 5 C 20
Arvier *AO* .... 18 E 3
Arvo *CS* .... 87 J 31
Arvo (Lago) *CS*........ 86 J 31
Arzachena *OT* .... 109 D 10
Arzachena
   (Golfo di) *SS*...... 109 D 10
Arzago d'Adda *BG*... 21 F 10
Arzana *OG* .... 117 H 10
Arzano *NA* .... 69 E 24
Arzelato *MS* .... 38 I 11
Arzene *PN* .... 16 E 20
Arzercavalli *PD*........ 24 G 17
Arzergrande *PD*........ 24 G 18
Arzignano *VI* .... 24 F 16
Arzino *UD* .... 14 C 20
Ascea *SA* .... 76 G 27
Ascensione
   (Monte dell') *AP* ..... 53 N 22

Aschbach /
   Rio di Lagundo *BZ*.... 3 C 15
Aschi Alto *AQ* .... 60 Q 23
Aschio *MC* .... 52 N 21
Asciano *PI* .... 42 K 13
Asciano *SI* .... 50 M 16
Ascione (Colle d') *CS*... 86 J 31
Ascolese *SA* .... 76 F 28
Ascoli Piceno *AP* .... 53 N 22
Ascoli Satriano *FG*... 71 D 28
Ascrea *RI* .... 59 P 20
Aselogna *VR* .... 31 G 15
Aserei (Monte) *PC* ... 29 H 10
Asiago *VI* .... 12 E 16
Asigliano Veneto *VI* .. 24 G 16
Asigliano Vercellese *VC*. 20 G 7
Asinara (Golfo dell') *SS*. 108 D 7
Asinara (Isola) *SS* .... 108 D 6
Asinaro *SR* .... 105 Q 27
Asinara (Isola) *TP*.... 96 M 19
Asino (Punta dell') *OT*. 113 E 11
Aso *AP* .... 53 M 22
Aso (Fiume) *AP*........ 52 N 22
Asola *MN* .... 22 G 13
Asolo *TV* .... 24 E 17
Aspra *PA* .... 98 M 22
Aspra (Monte) *PG* ... 58 O 20
Aspromonte *RC*........ 90 M 29
Assa *VI* .... 12 E 16
Assemini *CA* .... 118 J 8
Assenza di Brenzone *VR*. 23 E 14
Assergi *AQ* .... 59 O 22
Assieni *TP* .... 97 M 20
Assietta (Colle dell') *TO*. 26 G 2
Assino *SI* .... 45 L 19
Assisi *PG* .... 51 M 19
Asso *CO* .... 9 E 9
Asso *SI* .... 50 M 16
Asso (Castel d') *VT*.... 57 O 18
Assolo *OR* .... 115 H 8
Assoro *EN* .... 100 O 25
Asta *RE* .... 38 J 13
Asta (Cima d') *TN*.... 12 D 16
Asta (Giogo d') *BZ*.... 4 B 17
Astfeld / Campolasta *BZ*. 3 C 16
Asti *AT* .... 27 H 6
Astico *VI* .... 24 E 16
Astico (Val d') *VI*..... 12 E 15
Astone *SI* .... 50 N 17
Astracaso *PC* .... 30 H 11
Astura *LT* .... 63 R 20
Asuai *NU* .... 115 G 9
Asuni *OR* .... 115 H 8
Ateleta *AQ* .... 65 Q 24
Atella *PZ* .... 71 E 28
Atella (Fiumara d') *PZ*.. 71 E 28
Atena Lucana *SA* .... 76 F 28
Aterno *AQ* .... 59 O 21
Atessa *CH* .... 61 P 25
Atina *FR* .... 64 R 23
Ato (Punta d') *RC*.... 90 M 29
Atrani *SA* .... 75 F 25
Atri *TE* .... 60 O 23
Atripalda *AV* .... 70 E 26
Attigliano *TR* .... 58 O 18
Attilia *CS* .... 86 J 30
Attimis *UD* .... 15 D 21
Atzara *NU* .... 115 H 9
Auditore *PS* .... 41 K 19
Auer / Ora *BZ* .... 12 C 15
Augusta *SR* .... 105 P 27
Augusta (Golfo di) *SR*. 105 P 27
Augusta (Porto di) *SR*. 105 P 27
Aulella *MS* .... 38 J 12
Auletta *SA* .... 76 F 28
Aulla *MS* .... 38 J 11
Aune *BL* .... 12 D 17
Aupa *UD* .... 14 C 21
Aurano *VB* .... 8 E 7
Aurelia *RM* .... 57 P 17
Aurina (Valle) /
   Ahrntal *BZ* .... 4 A 17
Aurine (Forcella) *BL* .. 12 D 17
Aurino *BZ* .... 4 B 17
Aurisina *TS* .... 17 E 23
Auronzo (Rifugio) *BL* .. 4 C 18
Auronzo di Cadore *BL*. 4 C 18
Aurunci (Monti) *FR*... 64 R 22
Ausa *SMR* .... 41 K 19
Ausoni (Monti) *FR*.... 63 R 21
Ausonia *FR* .... 64 R 23
Aussa-Corno *UD* .... 17 E 21
Ausser Sulden /
   Solda di Fuori *BZ*... 2 C 13
Austis *NU* .... 115 G 9
Autaret (Col de l') *TO*.. 18 G 3
Autore (Monte) *RM*... 63 Q 21
Avacelli *AN* .... 46 L 20
Avegno *GE* .... 37 I 9
Avelengo / Hafling *BZ*.. 3 C 15
Avella *AV* .... 70 E 25
Avella (Monti d') *BN* .. 70 E 26
Avellino *AV* .... 70 E 26

Avena *CS* .... 84 H 29
Avenale *MC* .... 46 L 21
Aventino *CH* .... 60 P 24
Avenza *MS* .... 38 J 12
Averau (Monte) *BL* ... 4 C 18
Averno (Lago d') *NA*... 69 E 24
Aversa *CE* .... 69 E 24
Aveto *GE* .... 29 I 9
Avetrana *TA* .... 79 F 35
Avezzano *AQ* .... 59 P 22
Aviano *PN* .... 13 D 19
Aviatico *BG* .... 22 E 11
Avic (Monte) *AO*..... 19 E 4
Avigliana *TO* .... 26 G 4
Avigliano *PZ* .... 71 E 29
Avigliano Umbro *TR*.. 58 O 19
Avigna / Afing *BZ* .... 3 C 16
Avio *TN* .... 23 E 14
Avise *AO* .... 18 E 3
Avisio *TN* .... 12 C 16
Avola *SR* .... 105 Q 27
Avolasca *AL* .... 28 H 8
Avosso *GE* .... 29 I 9
Ayas *AO* .... 7 E 5
Ayas (Valle d') *AO*.... 7 E 5
Ayasse *AO* .... 19 F 5
Aymavilles *AO* .... 18 E 3
Azeglio *TO* .... 19 F 5
Azzago *VR* .... 23 F 15
Azzanello *CR* .... 22 G 11
Azzanello *PN* .... 16 E 19
Azzano *AQ* .... 59 O 22
Azzano d'Asti *AT*.... 28 H 6
Azzano Decimo *PN*... 13 E 20
Azzano Mella *BS* .... 22 F 12
Azzate *VA* .... 20 E 8
Azzone *BG* .... 10 E 12
Azzurra (Grotta)
   (Anacapri) *NA* ..... 74 F 24
Azzurra (Grotta)
   (Palinuro) *SA* ..... 84 G 27

B

Bacchereto *PO* .... 39 K 14
Bacchiglione *PD*..... 24 G 17
Bacchiglione *VI*..... 24 E 16
Baccinello *GR* .... 50 N 16
Bacedasco *PC* .... 30 H 11
Bacedasco
   (Terme di) *PC*..... 30 H 11
Baceno *VB* .... 8 D 6
Bacoli *NA* .... 69 E 24
Bacu Abis *CI* .... 118 J 7
Bacucco *RO* .... 33 H 19
Bacugno *RI* .... 59 O 21
Bad Bergfall /
   Bagni di Pervalle *BZ*.. 4 B 18
Bad Froi / Bagni Froi *BZ*. 4 C 16
Bad Moos / Bagni di
   San Giuseppe *BZ*..... 4 B 19
Bad Rahmwald /
   Bagni di Selva *BZ*.... 4 B 17
Bad Salomonsbrunn /
   Bagni di Salomone *BZ*. 4 B 18
Bad Salt /
   Bagni di Salto *BZ* ... 3 C 14
Badagnano *PC* .... 30 H 11
Badalucco *IM* .... 35 K 5
Badde Salighes *NU* .. 115 F 8
Badesi *OT* .... 108 E 8
Badesse *SI* .... 43 L 15
Badi *BO* .... 39 J 15
Badia *BO* .... 39 I 15
Badia *PG* .... 51 M 19
Badia / Abtei *BZ*..... 4 C 17
Badia (Val) / Gadertal *BZ*. 4 C 17
Badia a Ruoti *AR*.... 44 L 16
Badia a Settimo *FI*... 43 K 15
Badia a Taona *PT*.... 39 J 14
Badia Agnano *AR*.... 44 L 16
Badia al Pino *AR*.... 44 L 17
Badia Ardenga *SI*.... 50 M 16
Badia Calavena *VR* .. 23 F 15
Badia Coltibuono *SI* .. 44 L 16
Badia di Susinana *FI*. 40 J 16
Badia Morronese *AQ* . 60 P 23
Badia Pavese *PV*..... 29 G 10
Badia Polesine *RO*... 32 G 16
Badia Prataglia *AR*... 45 K 17
Badia Tedalda *AR*.... 45 K 18
Badoere *TV* .... 25 F 18
Badolato *CZ* .... 89 L 31
Badolato Marina *CZ*... 89 L 31
Badolo *BO* .... 39 I 15
Badu Abzolas *OT*..... 111 E 9
Badu Crabolu *SS* .... 114 F 7
Baffadi *RA* .... 40 J 16
Baffe (Punta) *GE*..... 37 J 10
Bafia *ME* .... 101 M 27
Bagaladi *RC* .... 90 M 29

Baganza *PR* .... 30 I 12
Baggio *PT* .... 39 K 14
Baggiovara *MO*....... 31 I 14
Bagheria *PA* .... 98 M 22
Baglio Messina *TP*.... 97 M 20
Baglionuovo *TP*..... 97 N 20
Bagna (Punta) *TO* ... 18 G 2
Bagnacavallo *RA*.... 40 I 17
Bagnaia *LI* .... 48 N 13
Bagnaia *SI* .... 50 M 15
Bagnaia *VT* .... 57 O 18
Bagnara *PG* .... 52 M 20
Bagnara *PV* .... 29 H 9
Bagnara Calabra *RC* .. 90 M 29
Bagnara di Romagna *RA*. 40 I 17
Bagnara Arsa *UD*.... 17 E 21
Bagnarola *BO* .... 32 I 16
Bagnarola *PN* .... 16 E 20
Bagnasco *CN* .... 35 J 6
Bagnatica *BG* .... 22 F 11
Bagni Contursi *SA* ... 76 E 27
Bagni del Masino *SO* ... 9 D 10
Bagni di Bormio *SO*... 2 C 13
Bagni di Craveggia *VB*. 8 D 7
Bagni di Lavina Bianca /
   Weisslahnbad *BZ*.... 3 C 16
Bagni di Lucca *LU* ... 39 J 13
Bagni di Lusnizza *UD* .. 15 C 22
Bagni di Nocera *PG*... 52 M 20
Bagni di Pervalle /
   Bad Bergfall *BZ*..... 4 B 18
Bagni di Petriolo *SI*... 50 M 15
Bagni di Rabbi *TN* .... 11 C 14
Bagni di Repole *KR* ... 87 J 32
Bagni di Salomone /
   Bad Salomonsbrunn *BZ*. 4 B 18
Bagni di Salto /
   Bad Salt *BZ*........ 3 C 14
Bagni di San Giuseppe /
   Bad Moos *BZ*..... 4 B 19
Bagni di S. Martino *SS* 111 E 8
Bagni di Selva /
   Bad Rahmwald *BZ*.... 4 B 17
Bagni di Stigliano *RM*.. 57 P 18
Bagni di Tivoli *RM* ... 63 Q 20
Bagni di Vicarello *RM*.. 57 P 18
Bagni di Vinadio *CN*... 34 J 3
Bagni di Viterbo *VT*... 57 O 18
Bagni Froi / Bad Froi *BZ*. 4 C 16
Bagni Minerali *RC* .... 91 M 30
Bagni di S. Cataldo *PZ*. 71 E 28
Bagni S. Filippo *SI*.... 50 N 17
Bagno *FG* .... 67 B 29
Bagno a Ripoli *FI*..... 44 K 15
Bagno di Romagna *FO*. 40 K 17
Bagno Grande *AQ*..... 59 P 22
Bagno Vignoni *SI*..... 50 M 16
Bagnola *MC* .... 47 L 22
Bagnoli del Trigno *IS* .. 65 Q 25
Bagnoli di Sopra *PD* .. 24 G 17
Bagnoli Irpino *AV*.... 70 E 27
Bagnolo vicino
   a Roccastrada *GR*.... 49 M 15
Bagnolo vicino a
   Sta Fiora *GR*........ 50 N 16
Bagnolo (Monte) *TA*... 79 F 34
Bagnolo *VR* .... 23 G 14
Bagnolo Cremasco *CR*.. 21 F 10
Bagnolo del Salento *LE*. 83 G 37
Bagnolo Mella *BS* ... 22 F 12
Bagnolo Piemonte *CN*. 26 H 3
Bagnolo S. Vito *MN*... 31 G 14
Bagnone *MS* .... 38 J 11
Bagnoregio *VT* .... 57 O 18
Bagnu (Lu) *SS*........ 111 E 8
Bagolino *BS* .... 22 E 13
Bagolo *BO* .... 39 I 15
Baia *CE* .... 65 S 24
Baia *NA* .... 69 E 24
Baia delle Zagare *FG*.. 67 B 30
Baia Domizia *CE*..... 69 D 23
Baia Sardinia *OT*..... 109 D 10
Baia Verde *LE* .... 83 G 36
Baiano *AV* .... 70 E 25
Baiardo *IM* .... 35 K 5
Baigno *BO* .... 39 J 15
Baion (Rifugio) *BL* .. 5 C 19
Baitone (Monte) *BS*... 10 D 13
Balangero *TO* .... 19 G 4
Balata di Baida *TP*.... 97 M 20
Balata di Modica *RG*.. 104 Q 26
Balate (Masseria) *PA*.. 99 N 23
Balatelle (Monte) *PA*.. 98 N 22
Balbano *LU* .... 38 K 13
Balconevisi *PI* .... 43 L 14
Baldichieri d'Asti *AT*... 27 H 6
Baldissero d'Alba *CN*.. 27 H 5

Baldissero Torinese *TO*. 27 G 5
Baldo (Monte) *VR* ... 23 E 14
Baldu *OT* .... 109 D 9
Balestrino *SV* .... 35 J 6
Balestrate *PA* .... 97 M 21
Balisio (Colle di) *LC* ... 9 E 10
Balistreri (Punta) *OT* .. 111 E 9
Ballabio Inferiore *LC*.. 9 E 10
Ballao *CA* .... 119 I 10
Ballino *TN* .... 11 E 14
Ballone (Poggio) *GR*... 49 N 14
Balme *TO* .... 18 G 3
Balmuccia *VC* .... 7 E 6
Balocco *VC* .... 20 F 6
Balossa Bigli *PV* .... 28 G 8
Balsente (Masseria) *BA*. 73 E 33
Balsignano *BA* .... 73 D 32
Balsorano *AQ* .... 64 Q 22
Balsorano Vecchio *AQ* . 64 Q 22
Balvano *PZ* .... 76 F 28
Balze (Località) *FO*.... 45 K 18
Balze (Voltera) *PI*...... 43 L 14
Balzola *AL* .... 20 G 7
Banari *SS* .... 111 F 8
Bancali *SS* .... 110 E 7
Banchetta (Monte) *TO*. 26 H 2
Bandiera (Punta) *ME*... 94 L 27
Bandita *AL* .... 28 I 7
Bando *FE* .... 32 I 17
Banna *TO* .... 19 G 5
Bannia *PN* .... 13 E 20
Bannio *VB* .... 7 E 6
Bantine *SS* .... 111 F 9
Banzi *PZ* .... 72 E 30
Baone *PD* .... 24 G 17
Bar *TO* .... 18 G 2
Baracchella *CS* .... 86 J 31
Baraccone *CE* .... 64 R 24
Baradili *OR* .... 118 H 8
Baragazza *BO* .... 39 J 15
Baranci (Croda dei) *BZ*.. 4 B 18
Baranello *CB* .... 65 R 25
Barano d'Ischia *NA* ... 74 E 23
Baratili S. Pietro *OR*... 114 H 7
Baratti *LI* .... 48 N 13
Baratti (Golfo di) *LI* ... 48 M 13
Baratz (Lago) *SS*...... 110 E 6
Barbagia Belvì *CA* ... 115 H 9
Barbagia Ollolai *NU*... 115 G 9
Barbagia Seulo *CA*... 115 H 9
Barbania *TO* .... 19 G 4
Barbara *AN* .... 46 L 21
Barbaresco *CN* .... 27 H 6
Barbarano Romano *VT*. 57 P 18
Barbarano Vicentino *VI*. 24 F 16
Barbasso *MN* .... 31 G 14
Barbeano *PN* .... 14 D 20
Barbellino
   (Lago del) *BG*..... 10 D 12
Barberino di Mugello *FI* .39 J 15
Barberino Val d'Elsa *FI*. 43 L 15
Barbi (Capo) *RC* ..... 88 L 29
Barbianello *PV* .... 29 G 9
Barbiano *RA* .... 40 I 17
Barbona *PD* .... 32 G 17
Barbusi *CI* .... 118 J 7
Barbustel *AO* .... 19 E 4
Barcellona Pozzo
   di Gotto *ME*...... 101 M 27
Barchi *PS* .... 46 K 20
Barcis *PN* .... 13 D 19
Barcis (Lago di) *PN* .. 13 D 19
Barco *RE* .... 30 H 13
Barco *TS* .... 12 D 15
Barcola *TS* .... 17 E 23
Barcon *TV* .... 24 E 18
Bard *AO* .... 19 F 5
Bardi *PR* .... 29 I 11
Bardineto *SV* .... 35 J 6
Bardolino *VR* .... 23 F 14
Bareggio *MI* .... 21 F 8
Barengo *NO* .... 20 F 7
Baressa *OR* .... 118 H 8
Barete *AQ* .... 59 O 21
Barga *LU* .... 38 J 13
Barge *CN* .... 26 H 3
Barghe *BS* .... 22 E 13
Bargecchia *LU* .... 38 K 12
Bargi *BO* .... 39 J 15
Bargino *FI* .... 43 L 15
Bargnano *BS* .... 22 F 12
Bargone *GE* .... 37 J 10
Bari *BA* .... 73 D 32
Bari Sardo *OG* .... 117 H 10
Bariano *BG* .... 21 F 11
Baricella *BO* .... 32 I 16

Barigazzo **MO** .... 39 J 13
Barigazzo (Monte) **PR.** . 30 I 11
Barile **PZ** .... 71 E 29
Barisciano **AQ** .... 59 P 22
Barisciano (Lago di) **AQ**. 59 O 22
Barletta **BA** .... 72 D 30
Barni **CO** .... 9 E 9
Barolo **CN** .... 27 I 5
Barone (Monte) **BI** ..... 19 E 6
Baroni (Rifugio) **BG** .... 10 D 11
Baronia **NU** .... 117 F 11
Baronia (Monte) **TP** .... 97 N 20
Baronissi **SA** .... 75 E 26
Barrabisa **OT** .... 109 D 9
Barrafranca **EN** .... 103 O 24
Barrali **CA** .... 119 I 9
Barrea **AQ** .... 64 Q 23
Barrea (Lago di) **AQ** .. 64 Q 23
Barricata **TN** .... 12 E 16
Barriera Noce (Bivio) **CL**. 99 O 24
Barumini **VS** .... 118 H 9
Barzago **LC** .... 21 E 9
Barzana
  (Forcella di Palla) **PN**. 13 D 19
Barzaniga **CR** .... 22 G 11
Barzanò **LC** .... 21 E 9
Barzio **LC** .... 9 E 10
Basagliapenta **UD** ... 16 E 21
Basaldella **PN** .... 13 D 20
Basaldella **UD** .... 15 D 21
Basalghelle **TV** ..... 16 E 19
Basaluzzo **AL** .... 28 H 8
Bascape **PV** .... 21 G 9
Baschi **TR** .... 51 N 18
Bascianella **TE** .... 59 O 23
Basciano **TE** .... 60 O 23
Baselga di Pinè **TN** .... 11 D 15
Baselice **BN** .... 70 C 26
Basentello **MT** .... 72 E 30
Basento **PZ** .... 77 F 29
Basicò **ME** .... 100 M 27
Basiglio **MI** .... 21 F 9
Basiliano **UD** .... 16 D 21
Basilicagoiano **PR** .... 30 H 13
Basilicanova **PR** ..... 30 H 13
Basiluzzo (Isola) **ME** .. 94 L 27
Basodino (Monte) **VB** ... 8 C 7
Basovizza **TS** .... 17 F 23
Bassacutena **OT** ...... 109 D 9
Bassacutena (Rio) **OT**. 109 D 9
Bassana (Punta) **TP** .. 96 N 18
Bassano Bresciano **BS** .. 22 G 12
Bassano del Grappa **VI**. 24 E 17
Bassano in Teverina **VT**. 58 O 18
Bassano Romano **VT** ... 57 P 18
Bassiano **LT** .... 63 R 21
Bassignana **AL** .... 28 G 8
Bastarda (Cima) **CS** ... 86 J 31
Bastardo **PG** .... 51 N 19
Bastelli **PR** .... 30 H 12
Bastia **FG** .... 71 D 28
Bastia **AN** .... 46 L 20
Bastia **BL** .... 13 D 18
Bastia (Monte) **GE** .... 37 I 9
Bastia **PD** .... 24 F 16
Bastia Mondovì **CN** .... 35 I 5
Bastia Umbra **PG** .... 51 M 19
Bastida Pancarana **PV**. 29 G 9
Bastiglia **MO** .... 31 H 15
Batignano **GR** .... 49 N 15
Battaglia **SA** .... 76 G 28
Battaglia **TP** .... 97 M 20
Battaglia (Piano) **PA** .. 99 N 24
Battaglia Terme **PD** ... 24 G 17
Battaglione
  Monte Granero **TO** .. 26 H 3
Battifolle (Monte) **PT** .. 39 K 14
Battifollo **CN** .... 35 J 6
Battipaglia **SA** .... 75 F 26
Battisti (Rifugio) **RE** ... 38 J 13
Bau **VS** .... 118 I 7
Bau Ischios **OR** ..... 115 G 9
Bau Pressiu (Lago) **CI** .. 118 J 8
Baucca **PG** .... 45 L 18
Baucina **PA** .... 98 N 22
Baudenasca **TO** ..... 26 H 4
Bauernkohlern /
  Colle di Villa **BZ** ...... 3 C 16
Bauladu **OR** .... 115 G 8
Baunei **OG** .... 117 G 10
Baura **FE** .... 32 H 17
Baveno **VB** .... 8 E 7
Baver **TV** .... 13 E 19
Bazzano **AQ** .... 59 O 22
Bazzano **BO** .... 31 I 15
Bazzano **PG** .... 52 N 20
Beano **UD** .... 16 E 21
Beaulard **TO** .... 26 G 2
Beauregard (Lago di) **AO**. 18 F 3
Beccarini (Azienda) **FG**. 67 C 29
Becco (Croda di) /
  Seekofel **BL** .... 4 B 18

Becetto **CN** .... 26 I 3
Bedero Valcuvia **VA** .... 8 E 8
Bedizzole **BS** .... 22 F 13
Bédole **TN** .... 11 D 13
Bedollo **TN** .... 12 D 15
Bee **VB** .... 8 E 7
Begosso **VR** .... 32 G 16
Beinasco **TO** .... 27 G 4
Beinette **CN** .... 35 I 4
Belagaio **GR** .... 49 M 15
Belbo **CN** .... 35 I 6
Belcastro **CZ** .... 87 J 32
Belfiore **VR** .... 23 F 15
Belfiore (Cima) **LU** .... 38 J 12
Belforte **MN** .... 31 G 13
Belforte **PG** .... 52 N 20
Belforte **SI** .... 49 M 15
Belforte **TE** .... 53 N 23
Belforte all'Isauro **PS** .. 45 K 19
Belforte del Chienti **MC**. 52 M 21
Belgioioso **PV** .... 21 G 9
Belgirate **VB** .... 8 E 7
Belice **AG** .... 97 N 20
Belice (Valle) **TP** ...... 97 O 20
Belice Destro **PA** ...... 97 N 21
Belici **CL** .... 99 N 23
Bella **PZ** .... 71 E 28
Bellagio **CO** .... 9 E 9
Bellamonte **TN** .... 12 D 16
Bellano **LC** .... 9 D 9
Bellante **TE** .... 53 N 23
Bellardina (Colle) **VV** ... 88 L 30
Bellaria **MO** .... 31 H 14
Bellaria **PS** .... 46 L 19
Bellaria **SI** .... 50 M 16
Bellaria-Igea Marina **RN**. 41 J 19
Bellariva **RN** .... 41 J 19
Bellavalle **PT** .... 39 J 14
Bellavista **BZ** .... 4 C 16
Bellavista (Capo) **NU** .. 117 H 11
Bellecombe **AO** .... 19 E 4
Bellegra **RM** .... 63 Q 21
Bellino **CN** .... 26 I 3
Bellino (Monte) **VT** .... 57 O 16
Bellinzago Novarese **NO**. 20 F 7
Bellizzi **SA** .... 75 F 26
Bellizzi Irpino **AV** ..... 70 E 26
Bellocozzo **RG** .... 104 Q 26
Belloluogo
  (Masseria) **BR** ..... 80 F 35
Bellona **CE** .... 69 D 24
Bellori **VR** .... 23 F 14
Bellosguardo **SA** ...... 76 F 27
Belluno **BL** .... 13 D 18
Belluno Veronese **VR** .. 23 E 14
Belmonte (Cima) **CS** ... 86 J 31
Belmonte **MI** .... 21 F 9
Belmonte Calabro **CS** .. 86 J 30
Belmonte Castello **FR** .. 64 R 23
Belmonte del Sannio **IS**. 65 Q 25
Belmonte in Sabina **RI**. 58 P 20
Belmonte Mezzagno **PA**. 98 M 22
Belmonte Piceno **AP** ... 53 M 22
Belpasso **CT** .... 100 O 26
Belprato / Schönau **BZ** .. 3 B 15
Belsedere **SI** .... 50 M 16
Belsito **CS** .... 86 J 30
Belu **VS** .... 118 I 8
Belvedere **SR** .... 105 P 27
Belvedere **MN** .... 23 G 14
Belvedere **PG** .... 51 M 19
Belvedere **PS** .... 46 K 20
Belvedere **PG** .... 50 N 17
Belvedere **TE** .... 17 E 22
Belvedere (Monte) **BA**. 73 E 31
Belvedere di Spinello **KR**. 87 J 32
Belvedere Langhe **CN** .. 27 I 5
Belvedere Marittimo **CS**. 84 I 29
Belvedere Ostrense **AN**. 46 L 21
Belvi **NU** .... 115 G 9
Belviso (Lago di) **SO** ... 10 D 12
Belz **SS** .... 115 F 9
Bema **SO** .... 10 D 12
Bemante **SR** .... 104 O 26
Benas (Stagno de is) **OR**. 114 G 7
Bene Lario **CO** .... 9 D 9
Bene Vagienna **CN** .... 27 I 5
Benedello **MO** .... 39 I 14
Benedetto (Monte) **TO**. 26 H 3
Benerstare **RC** .... 91 M 30
Benetutti **SS** .... 111 F 9
Benevello **CN** .... 27 I 6
Benevento **BN** .... 70 D 26
Benevì **BO** .... 31 H 16
Benna **TO** .... 19 F 6
Benne **TO** .... 19 G 4
Bentivoglio **BO** .... 31 H 16
Benvignante **FE** .... 32 H 17
Benzone (Lago di) **NU**. 115 G 9
Berbenno **BG** .... 21 E 10
Berbenno
  di Valtellina **SO** ..... 10 D 11
Berchidda **OT** ...... 111 E 9

Berchiddeddu **OT** .... 113 E 10
Berdia Nuova **RG** ..... 104 Q 25
Bereguardo **PV** .... 21 G 9
Berga **AL** .... 29 I 9
Bergamasco **AL** ..... 28 H 7
Bergamo **BG** .... 21 E 10
Bergantino **RO** .... 31 G 15
Bergeggi **SV** .... 36 J 7
Bergeggi (Isola di) **SV** .. 36 J 7
Bergolo **CN** .... 27 I 6
Berici (Monti) **VI** ...... 24 F 16
Bernalda **MT** .... 78 F 32
Bernardinis (Rifugio) **UD**. 15 C 22
Bernareggio **MI** ...... 21 F 10
Bernezzo **CN** .... 34 I 4
Bernina (Pizzo) **SO** .... 10 C 11
Berra **FE** .... 32 H 17
Berretta (Col della) **VI**. 12 E 17
Bersano **PC** .... 30 H 12
Berta (Capo) **IM** ...... 35 K 6
Bertacchi (Rifugio) **SO**. 9 C 10
Bertesina **VI** .... 24 F 16
Berti (Rifugio) **BL** ..... 5 C 19
Bertinoro **FO** .... 41 J 18
Bertiolo **UD** .... 16 E 21
Bertonico **LO** .... 21 G 11
Berzano di San Pietro **AT**. 27 G 5
Berzano di Tortona **AL**. 28 H 8
Berzo **BS** .... 10 E 12
Berzo Demo **BS** .... 10 D 13
Berzo San Fermo **BG** .. 22 E 11
Besana in Brianza **MI** .. 21 E 9
Besano **VA** .... 8 E 8
Besate **MI** .... 20 G 8
Beseno (Castello) **TN** .. 11 E 15
Besnate **VA** .... 20 E 8
Besozzo **VA** .... 8 E 8
Besozzola **PR** .... 30 H 11
Bessude **SS** .... 111 F 8
Bettenasco **CR** ...... 22 G 12
Bettola **VR** .... 23 F 15
Bettola **PC** .... 29 H 10
Bettole **BS** .... 22 F 12
Bettolelle **AN** .... 46 L 21
Bettole **SI** .... 50 M 17
Bettona **PG** .... 51 M 19
Beura-Cardezza **VB** .... 8 D 6
Bevagna **PG** .... 51 N 19
Bevano **RA** .... 41 J 18
Bevazzana **UD** .... 16 E 21
Beverare **RO** .... 32 G 16
Beverino **SP** .... 38 J 11
Bevilacqua **BO** .... 31 H 15
Bevilacqua **VR** .... 24 G 16
Bezzecca **TN** .... 11 E 14
Bezzi (Rifugio) **AO** .... 18 F 3
Biagioni **PT** .... 39 J 14
Biana **PC** .... 29 H 10
Bianca (Cima) **SO** ...... 10 C 13
Bianca (Palla) /
  Weißkugel **BZ** ...... 2 B 14
Bianca (Punta) **AG** .... 103 P 22
Biancanelle (Poggio) **PI**. 43 L 13
Biancareddu **SS** .... 110 E 6
Biancavilla **CT** .... 100 O 26
Bianchi **CS** .... 86 J 31
Bianco **RC** .... 91 M 30
Bianco (Canale) **FE** .... 32 H 17
Bianco (Canale) **RO** .... 32 G 16
Bianco (Capo) **AG** ..... 102 O 21
Bianco (Capo) **BR** ..... 81 F 36
Bianco (Fiume) **SA** ..... 76 F 28
Bianconese **PR** .... 30 H 12
Biandrate **NO** .... 20 F 7
Biandronno **VA** .... 20 E 8
Bianzano **BG** .... 22 E 11
Bianzè **VC** .... 19 G 6
Bibano **SO** .... 10 D 12
Biasi (Rifugio) **BZ** ..... 3 B 15
Bibano **TV** .... 13 E 19
Bibbiano **RE** .... 30 I 13
Bibbiano **BO** .... 31 I 14
Bibbiena **AR** .... 44 K 17
Bibbona **LI** .... 49 M 13
Bibiana **TO** .... 26 H 3
Bibione **VE** .... 16 F 21
Bibione Pineda **VE** .... 16 F 21
Biccari **FG** .... 71 C 27
Bicinicco **UD** .... 17 E 21
Bidderdi (Passo) **VS** ... 118 I 7
Bidente **FO** .... 40 J 17
Bidighinzu (Lago) **SS** .. 111 F 8
Bidonì **OR** .... 115 G 8
Bielciuken **AO** .... 19 E 5
Biella **BI** .... 19 F 6
Bielmonte **BI** .... 19 F 6
Bienno **BS** .... 10 E 12

Bieno **TN** .... 12 D 16
Bientina **PI** .... 43 K 13
Biferno **CB** .... 65 R 25
Bifolchi (Portella dei) **PA**. 99 N 24
Biforco **AR** .... 45 K 17
Biglio **MS** .... 38 I 11
Bignone (Monte) **IM** ... 35 K 5
Bigolino **TV** .... 12 E 18
Bigoti **PC** .... 29 H 10
Bilioso **PZ** .... 77 F 31
Bimmisca **SR** .... 107 Q 27
Binago **CO** .... 20 E 8
Binasco **MI** .... 21 G 9
Binetto **BA** .... 73 D 32
Binio (Pizzo) **SO** ...... 10 D 14
Biodola **LI** .... 48 N 12
Bioglio **BI** .... 19 F 6
Bionaz **AO** .... 7 E 4
Bionde di Visegna **VR**. 23 G 15
Birchabruck /
  Ponte Nova **BZ** ..... 3 C 16
Birgi Novo **TP** .... 96 N 19
Birgi Vecchi **TP** ...... 96 N 19
Birnlücke / Picco
  (Forcella del) **BZ** ... 4 A 18
Birori **NU** .... 115 G 8
Bisaccia **AV** .... 71 D 28
Bisacquino **PA** .... 97 N 21
Bisano **BO** .... 40 J 16
Bisbino (Monte) **CO** .... 9 E 9
Bisce (Isola delle) **SS** .. 109 D 10
Bisceglie **BA** .... 72 D 31
Biscina **PG** .... 51 M 19
Bisegna **AQ** .... 64 Q 23
Bisenti **TE** .... 60 O 23
Bisentina (Isola) **VT** ... 57 O 17
Bisenzio **BS** .... 22 E 13
Bisenzio (Fiume) **PO** ... 39 K 15
Bisignano **CS** .... 85 I 30
Bissone **PV** .... 29 G 10
Bistagno **AL** .... 28 I 7
Bisuschio **VA** .... 8 E 8
Bitetto **BA** .... 73 D 32
Bitonto **BA** .... 73 D 32
Bitritto **BA** .... 73 D 32
Bitti **NU** .... 112 F 10
Biviere (il) **CL** .... 104 P 25
Biviere (Lago) **ME** ..... 100 N 26
Bivigliano **FI** .... 40 K 15
Bivio Acri **CS** .... 85 I 30
Bivio di Reino **BN** ..... 70 D 26
Bivio Ercole **MC** .... 52 M 20
Bivio Guardavalle **RC** .. 89 L 31
Bivio Palomonte **SA** .. 76 F 27
Bivona **AG** .... 98 O 22
Bivongi **RC** .... 88 L 31
Bizzarone **CO** .... 20 E 8
Bizzozero **VA** .... 20 E 8
Blacca (Corna) **BS** ..... 22 E 13
Blavy vicino a Nus **AO**. 19 E 4
Blavy vicino a
  St-Christophe **AO** ... 18 E 4
Blera **VT** .... 57 P 18
Blessaglia **VE** .... 16 E 20
Blessano **UD** .... 14 D 21
Blevio **CO** .... 21 E 9
Blinnenhorn **VB** ...... 8 C 6
Blumau /
  Prato all'Isarco **BZ** ... 3 C 16
Blumone
  (Cornone di) **BS** ..... 10 E 13
Bo (Cima di) **BI** ...... 19 E 6
Boara **FE** .... 32 H 17
Boara Pisani **PD** .... 32 G 17
Boara Polesine **RO** ..... 32 G 17
Boario Terme **BS** ...... 10 E 12
Bobbiano **PC** .... 29 H 10
Bobbio **PC** .... 29 H 10
Bobbio Pellice **TO** ..... 26 H 3
Boca **NO** .... 20 F 7
Bocale Secondo **RC** .... 90 M 28
Bocca Chiavica **MN** .... 31 G 13
Bocca di Fiume **LT** .... 63 R 21
Bocca di Magra **SP** .... 38 J 11
Bocca di Piazza **CS** .... 86 J 31
Bocca Grande **NA** ..... 74 F 24
Bocca Piccola **NA** ..... 74 F 24
Boccadasse **GE** .... 36 I 8
Boccadifalco **PA** .... 97 M 21
Boccadirio
  (Santuario di) **BO** ... 39 J 15
Boccaleone **FE** .... 32 I 17
Boccasette **RO** .... 33 H 19
Boccassuolo **MO** ..... 39 J 13
Boccea **RM** .... 62 Q 18
Bocche (Cima di) **TN** .. 12 C 17
Boccheggiano **GR** ..... 49 M 15
Bocchetta
  (Passo della) **GE** .... 28 I 8
Bocchigliero **CS** .... 87 I 32

Boccioleto **VC** .... 7 E 6
Bocco (Passo del) **GE** .. 37 I 10
Bocconi **FO** .... 40 J 17
Bocenago **TN** .... 11 D 14
Boeo (Capo) **TP** .... 96 N 19
Boesio **VA** .... 8 E 8
Boffalora d'Adda **LO** ... 21 F 10
Boffalora
  sopra Ticino **MI** ..... 20 F 8
Bogliaco **BS** .... 23 E 13
Bogliasco **GE** .... 37 I 9
Boglioni **RE** .... 31 I 14
Bognanco **VB** .... 8 D 6
Bogogno **NO** .... 20 F 7
Boi (Capo) **CA** .... 119 J 10
Boiano **CB** .... 65 R 25
Boirolo **SO** .... 10 D 11
Boissano **SV** .... 35 J 6
Boite **BL** .... 13 C 18
Bojano **CB** .... 65 R 25
Bolago **BL** .... 13 D 18
Bolano **SP** .... 38 J 11
Bolbeno **TN** .... 11 D 14
Bolca **VR** .... 23 F 15
Boleto **VB** .... 20 E 7
Bolgare **BG** .... 22 F 11
Bolgheri **LI** .... 49 M 13
Bollate **MI** .... 21 F 9
Bollengo **TO** .... 19 F 5
Bologna **BO** .... 32 I 15
Bolognano **PE** .... 60 P 23
Bolognano **TN** .... 11 E 14
Bolognetta **PA** .... 98 N 22
Bolognola **MC** .... 52 N 21
Bolotana **NU** .... 115 G 8
Bolsena **VT** .... 57 O 17
Bolsena (Lago di) **VT** .. 57 O 17
Bolzaneto **GE** .... 36 I 8
Bolzano / Bozen **BZ** ... 3 C 16
Bolzano Vicentino **VI** .. 24 F 16
Bomarzo **VT** .... 57 O 18
Bomba **CH** .... 60 P 25
Bombiana **BO** .... 39 J 14
Bombile **RC** .... 91 M 30
Bominaco **AQ** .... 59 P 22
Bompensiere **CL** ...... 103 O 23
Bompietro **PA** .... 99 N 24
Bonagia (Golfo di) **TP** .. 96 M 19
Bonamico **RC** .... 91 M 30
Bonarcado **OR** .... 115 G 7
Bonassola **SP** .... 37 J 10
Bonate Sotto **BG** ..... 21 F 10
Bonavicina-Borgo **VR**. 23 G 15
Bonavigo **VR** .... 23 G 15
Boncore **LE** .... 79 G 35
Bondanello **MN** ...... 31 H 14
Bondeno **FE** .... 32 H 16
Bondeno **MN** .... 31 H 14
Bondone **TN** .... 23 E 13
Bondone (Monte) **TN** .. 11 D 15
Bonea **BN** .... 70 D 25
Bonefro **CB** .... 66 B 26
Bonefro **UD** .... 33 H 19
Bonferraro **VR** .... 23 G 15
Bonghi (Monte) **OG** ... 117 H 10
Bonifacio
  (Bocche di) **SS** ...... 109 D 9
Bonifati **CS** .... 84 I 29
Bonifati (Capo) **CS** .... 84 I 29
Bonifato (Monte) **TP** .. 97 N 20
Bonito **AV** .... 70 D 26
Bonnanaro **SS** .... 111 F 8
Bonne **AO** .... 18 F 3
Bono **SS** .... 115 F 9
Bonorva **SS** .... 115 F 8
Bonu Ighinu **SS** .... 111 F 7
Bonze (Cima) **TO** ..... 19 F 5
Boor (Zuc del) **UD** .... 15 C 21
Boragine (Monte) **RI** .. 59 O 21
Borbera **AL** .... 28 H 8
Borbona **RI** .... 59 O 21
Borbore **CN** .... 27 H 6
Borca di Cadore **BL** ... 13 C 18
Borcola (Passo della) **TN**. 23 E 15
Bordano **UD** .... 14 D 21
Bordighera **IM** .... 35 K 4
Bordino **TP** .... 97 N 19
Bordolano **CR** .... 22 G 11
Bordolona **TN** .... 11 C 14
Bordonchio **RN** .... 41 J 19
Bordonaro d'Ivrea **TO**. 19 F 5
Borello **FO** .... 41 J 18
Borello (Torrente) **FO**. 41 J 18
Boretto **RE** .... 31 H 13
Borgagne **LE** .... 83 G 37
Borgallo
  (Galleria del) **PR** ... 38 I 11
Borgaro Torinese **TO** .. 19 G 4

Borgata Costiera **TP** ... 96 N 19
Borgata Palo **CL** ...... 103 O 23
Borgata Pirastera **OR** . 115 H 9
Borgata Trigoria **RM** ... 62 Q 19
Borgetto **PA** .... 97 M 21
Borghetto **MC** .... 46 L 21
Borghetto **RA** .... 41 J 18
Borghetto **TN** .... 23 E 14
Borghetto vicino
  a Bolsena **VT** ...... 57 O 17
Borghetto vicino
  a Viterbo **VT** .... 58 O 19
Borghetto d'Arroscia **PR**. 35 J 5
Borghetto di Borbera **AL**. 28 H 8
Borghetto di Vara **SP** .. 37 J 11
Borghetto Lodigiano **LO**. 21 G 10
Borghetto Sto Spirito **SV**. 35 J 6
Borghi **FO** .... 41 J 19
Borgia **CZ** .... 88 K 31
Borgiallo **TO** .... 19 F 5
Borgio Verezzi **SV** ...... 36 J 6
Borgo (il) **MO** .... 31 H 14
Borgo a Buggiano **PT** .. 39 K 14
Borgo a Mozzano **LU** .. 39 K 13
Borgo alla Collina **AR** .. 44 K 17
Borgo Baccarato **EN** .. 104 O 25
Borgo Bainsizza **PL** ... 63 S 21
Borgo Bonsignore **AG**. 102 O 21
Borgo Carso **LT** .... 63 R 20
Borgo Cascino **EN** .... 103 O 24
Borgo Celano **FG** ..... 67 B 28
Borgo d'Ale **VC** ...... 19 F 6
Borgo dei Pini
  Mercadante **BA** ..... 73 E 32
Borgo di Terzo **BG** .... 22 E 11
Borgo Ermada **LT** ..... 63 S 21
Borgo Faiti **LT** .... 63 R 20
Borgo Fazio **TP** .... 97 N 20
Borgo Flora **LT** .... 63 R 20
Borgo Fornari **GE** ..... 28 I 8
Borgo Franchetto **CT** .. 104 O 26
Borgo Fusara **RA** ..... 41 J 18
Borgo Grappa **LT** ..... 63 R 20
Borgo Isonzo **LT** ...... 63 R 20
Borgo Libertà **FG** ..... 71 D 29
Borgo Mezzanone **FG** .. 67 C 29
Borgo Montello **LT** .... 63 R 20
Borgo Montenero **LT** .. 68 S 21
Borgo Pace **PS** .... 45 L 18
Borgo Panigale **BO** ... 31 I 15
Borgo Piave **LT** .... 63 R 20
Borgo Piave **BR** .... 81 F 36
Borgo Pietro Lupo **CT**. 104 O 25
Borgo Podgora **LT** .... 63 R 20
Borgo Priolo **PV** ..... 29 H 9
Borgo Quinzio **RI** ..... 58 P 20
Borgo Regalmici **PA** .. 99 N 23
Borgo Rinazzo **TP** .... 96 N 19
Borgo Rivola **RA** ...... 40 J 17
Borgo Roccella **LT** .... 97 N 21
Borgo Sabotino **LT** .... 63 R 20
Borgo S. Dalmazzo **CN**. 34 J 4
Borgo S. Donato **LT** ... 63 R 20
Borgo S. Giacomo **BS**. 22 F 11
Borgo S. Giovanni **LO** .. 21 G 10
Borgo S. Giusto **FG** ... 66 C 28
Borgo S. Lorenzo **FI** ... 40 K 16
Borgo Sta Maria **LT** ... 63 R 20
Borgo S. Martino **AL** ... 28 G 7
Borgo S. Pietro **RI** .... 59 P 21
Borgo Sta Rita **RM** ..... 62 R 19
Borgo S. Siro **PV** ..... 20 G 8
Borgo Schirò **PA** ..... 97 N 21
Borgo Segezia **FG** .... 71 C 28
Borgo Ticino **NO** ..... 20 E 7
Borgo Tossignano **BO**. 40 J 16
Borgo Tufico **AN** ...... 46 L 20
Borgo Val di Taro **PR** .. 30 I 11
Borgo Valsugana **TN** .. 12 D 16
Borgo Velino **RI** ...... 59 O 21
Borgo Venusio **MT** .... 73 E 31
Borgo Vercelli **VC** ..... 20 F 7
Borgo Vodice **LT** ...... 63 R 21
Borgoforte **MN** .... 31 G 14
Borgoforte **PD** .... 32 G 17
Borgofranco d'Ivrea **TO**. 19 F 5
Borgofranco sul Po **MN**. 31 G 15
Borgolavezzaro **NO** ... 20 G 8
Borgomanero **NO** .... 20 E 7
Borgomaro **IM** .... 35 K 5
Borgomasino **TO** ..... 19 F 5
Borgone Susa **TO** ..... 18 G 3
Borgonovo Ligure **GE**. 37 I 10
Val Tidone **PC** ...... 29 G 10
Borgonovo
  Alessandrino **AL** .... 28 H 7
Borgoratto
  Mormorolo **PV** ..... 29 H 9

A B C D E F G H I J K L M N O P Q R S T U V W X Y Z

Cameri NO........... 20 F 7
Cameriano NO..... 20 F 7
Camerino MC......... 52M 22
Camerota SA......... 84 G 28
Camigliano SI..... 50M 16
Camigliatello Silano CS. 86 I 31
Caminata / Kematen BZ. 3 B 16
Camini RC......... 88 L 31
Camino AL...... 20 G 6
Camino al Tagliam UD. 16 E 20
Camino (Monte) BI... 19 F 5
Camino (Pizzo) BS... 10 E 12
Camisa CA........ 119 J 10
Camisano CR.... 21 F 11
Camisano Vicentino VI. 24 F 17
Camitrici EN...... 103 O 24
Cammarata AG.... 98 O 22
Cammarata (Monte) AG. 98 O 22
Camogli GE........ 37 I 9
Camonica (Val) BS..... 10 E 12
Campagna PN...... 13 D 20
Campagna SA..... 75 E 27
Campagna Lupia VE.. 25 F 18
Campagnano
di Roma RM..... 58 P 19
Campagnatico GR.... 50 N 15
Campagnola Emilia RE. 31 H 14
Campana CS..... 87 I 32
Campana (Cozzo) CL.. 99 O 23
Campana Grande
(Grotta) FG..... 67 B 30
Campana (Sasso) SO... 10 C 12
Campanedda SS..... 110 E 7
Campanella VI....... 12 E 16
Campanella
(Monte) CL..... 103 O 23
Campanella (Punta) NA. 74 F 24
Campea TV........ 13 E 18
Campeda
(Altopiano di) SS.. 115 G 8
Campegine RE..... 31 H 13
Campello
sul Clitunno PG..... 52 N 20
Campertogno VC..... 19 E 6
Campese GR........ 55 O 14
Campestri FI...... 40 K 16
Campi PG........ 52 N 21
Campi TN......... 11 E 14
Campi (Baia di) FG..... 67 B 30
Campi Bisenzio FI... 39 K 15
Campi Salentina LE... 81 F 36
Campiano RA..... 41 J 18
Campidano VS...... 118 H 7
Campiglia SP..... 38 J 11
Campiglia Cervo BI.... 19 J 10
Campiglia dei Berici VI. 24 F 16
Campiglia dei Foci SI.. 43 L 15
Campiglia d'Orcia SI... 50 N 17
Campiglia Marittima LI. 49M 13
Campiglia Soana TO... 19 F 4
Campiglio MO...... 39 I 14
Campiglione GR.... 56 O 16
Campiglione TO..... 26 H 3
Campigna FO..... 40 K 17
Campigno FI..... 40 J 16
Campill / Longiarù BZ.. 4 C 17
Campione MN...... 31 G 14
Campione (Monte) BS. 22 E 12
Campione del Garda BS. 23 E 14
Campione d'Italia CO... 9 E 8
Campitello MN...... 31 G 13
Campitello di Fassa TN. 4 C 17
Campitello Matese CB. 65 R 25
Campli TE........ 53 N 23
Campli
(Montagna di) TE.... 53 N 22
Campliccioli
(Lago di) VB....... 7 D 6
Campo SO........ 9 D 10
Campo (Monte) IS.... 65 Q 24
Campo Calabro RC... 90M 28
Campo dei Fiori
(Monte) VA..... 8 E 8
Campo di Fano AQ... 60 P 23
Campo di Giove AQ... 60 P 24
Campo di Pietra TV... 16 E 19
Campo di Trens /
Freienfeld BZ........ 3 B 16
Campo Felice AQ... 59 P 22
Campo Imperatore AQ. 59 O 22
Campo Ligure GE .... 28 I 8
Campo Lupino
(Monte) FR..... 63 R 22
Campo Reggiano PG.. 51 L 19
Campo Rotondo AQ... 59 Q 21
Campo S. Martino PD. 24 F 17
Campo Soriano LT..... 63 R 21
Campo Staffi FR...... 63 Q 22
Campo Tenese CS... 85 H 30
Campo Tures /
Sand in Taufers BZ.. 4 B 17
Campobasso CB....... 65 R 25

Campobello
di Licata AG...... 103 P 23
Campobello
di Mazara TP........ 97 O 20
Campocavallo AN.... 47 L 22
Campochiaro CB.... 65 R 25
Campochiesa SV..... 35 J 6
Campodalbero VI.... 23 F 15
Campodarsego PD... 24 F 17
Campodiegoli AN.... 52M 20
Campodimele LT...... 64 R 22
Campodipietra CB.... 65 R 26
Campodolcino SO..... 9 C 10
Campodonico AN..... 52M 20
Campodoro PD...... 24 F 17
Campofelice
di Fitalia PA...... 98 N 22
Campofelice
di Roccella PA...... 99 N 23
Campofilone AP...... 53M 23
Campofiorito PA..... 97 N 21
Campoformido UD.... 16 D 21
Campoforogna RI..... 58 O 20
Campofranco CL.... 103 O 23
Campogalliano MO.... 31 H 14
Campogialli AR........ 44 L 17
Campogrosso
(Passo di) TN...... 23 E 15
Campolaro BS...... 10 E 13
Campolasta / Astfeld BZ. 3 B 16
Campolattaro BN..... 65 S 26
Campoleone LT....... 62 R 19
Campoli Appennino FR. 64 Q 23
Campoli del Monte
Taburno BN......... 70 D 25
Campolieto CB...... 65 R 26
Campolongo BL...... 5 C 19
Campolongo KR..... 89 K 33
Campolongo
(Passo di) BL...... 4 C 17
Campolongo
al Torre UD......... 17 E 22
Campolongo
Maggiore VE..... 24 G 18
Campolongo
sul Brenta VI..... 24 E 17
Campomaggiore PZ... 77 F 30
Campomarino CB... 61 Q 27
Campomarino TA... 79 G 34
Campomolon
(Monte) VI....... 11 E 15
Campomorone GE ... 28 I 8
Campomulo VI....... 12 E 16
Campone PN...... 13 D 20
Camponogara VE.... 25 F 18
Campora SA....... 76 G 27
Campora S. Giovanni CS. 86 J 30
Camporeale PA..... 97 N 21
Camporgiano LU..... 38 J 13
Camporosso IM..... 35 K 4
Camporosso
in Valcanale UD... 15 C 22
Camporotondo
di Fiastrone MC..... 52M 21
Camporotondo
Etneo CT........... 100 O 27
Camporovere VI...... 12 E 16
Camposampiero PD... 24 F 17
Camposano NA...... 70 E 25
Camposanto MO...... 31 H 15
Camposauro
(Monte) BN........ 70 D 25
Camposecco (Lago di) VB. 7 D 6
Camposilvano TN..... 23 E 15
Camposonaldo FO.... 40 K 17
Campotosto AQ..... 59 O 22
Campotosto
(Lago di) AQ...... 59 O 22
Campotto FE........ 32 I 17
Campovaglio OT..... 109 D 9
Campovalano TE...... 53 N 23
Campoverde LT....... 63 R 20
Campremoldo Sopra PC. 29 G 10
Campremoldo Sotto PC. 29 G 10
Campsirago LC...... 21 E 10
Campudulimu SS..... 111 E 8
Camucia AR........ 50M 17
Camugnano BO...... 39 J 15
Cana GR........ 50 N 16
Canaglia SS....... 110 E 6
Canal S. Bovo TN.... 12 D 17
Canala (Sella) BN.... 70 C 26
Canale CN........ 27 H 5
Canale AV........ 70 E 26
Canale (Val) UD.... 15 C 22
Canale d'Agordo BL.. 12 C 17
Canale Monterano RM. 57 P 18
Canale (Su) OT..... 113 E 10
Canales NU....... 115 G 8
Canales (Lago sos) OT. 111 F 9

Canaletto MO......... 31 H 15
Canali RE............. 31 I 13
Canalicchio PG........ 51 N 19
Canalotto
(Masseria) CL...... 103 O 24
Canapine (Forca) PG... 52 N 21
Canaro RO........ 32 H 17
Canavaccio PS...... 46 K 20
Canazei TN.......... 4 C 17
Cancano (Lago di) SO... 2 C 12
Cancellara PZ....... 72 E 29
Cancelli AN......... 52M 20
Cancello CE........ 70 E 25
Cancello ed Arnone CE. 69 D 24
Cancelo (Passo di) RC.. 91M 30
Canciano (Pizzo di) SO. 10 D 11
Canda RO......... 32 G 16
Candela FG........ 71 D 28
Candelara PS....... 46 K 20
Candelaro FG...... 66 B 27
Candelaro (Masseria) FG. 67 C 29
Candelaro
(Stazione di) FG..... 67 C 29
Candeli FI........... 44 K 16
Candelo BI......... 19 F 6
Candelù TV........ 25 E 19
Candia Canavese TO... 19 G 5
Candia (Lago di) TO... 19 G 5
Candia Lomellina PV... 20 G 7
Candiana PD...... 24 G 17
Candida Parolise AV... 70 E 26
Candidoni RC....... 88 L 30
Candigliano PS..... 45 L 19
Candiolo TO....... 27 H 4
Candoglia VB....... 8 E 7
Cane (Passo del) /
Hundskehljoch BZ.... 4 A 18
Cane (Punta del) SR... 105 Q 27
Canebola UD....... 15 D 22
Canedole MN...... 23 G 14
Canegrate MI...... 20 F 8
Canelli AT........ 28 H 6
Canepina VT....... 57 O 18
Canesano PR...... 30 I 12
Canetra RI........ 59 O 21
Caneva PN........ 13 E 19
Canevara MS...... 38 J 12
Canevare MO...... 39 J 14
Canevino PV....... 29 H 9
Canfaito (Monte) MC .. 52M 21
Cangialoso (Pizzo) PA.. 98 N 22
Cangiulli (Masseria) TA. 73 E 32
Canicatti AG........ 103 O 23
Canicattini Bagni SR.. 105 P 27
Caniga SS........ 110 E 7
Canigione
(Punta del) OT...... 109 D 10
Caniglia
di Sotto (Casa) FG... 66 B 28
Canin (Monte) UD..... 15 C 22
Canino VT......... 57 O 17
Canino (Monte) VT... 57 O 17
Canistro Inferiore AQ.. 63 Q 22
Canistro Superiore AQ. 63 Q 22
Canitello RC........ 90M 28
Canna CS........ 78 G 31
Canna ME........ 94 L 25
Cannai CI......... 120 J 7
Cannalonga SA...... 76 G 27
Cannara PG........ 51 N 19
Cannas CA......... 119 J 10
Cannas
(Gola del Rio) CA.. 119 I 10
Cannas (Is) CA...... 119 J 9
Canne BA........ 72 D 30
Canneddi (Punta li) SS. 108 D 8
Cannero Riviera VB..... 8 D 7
Canneto PI......... 49M 14
Canneto (I. Lipari) ME.. 94 L 26
Canneto vicino a Sto Stefano
di Cam ME........ 99 M 25
Canneto Pavese PV... 29 G 9
Canneto sull'Oglio MN. 30 G 13
Cannigione OT...... 109 D 10
Cannizzaro CT....... 101 O 27
Cannobina (Val) VB... 8 D 7
Cannobino VB...... 8 D 7
Cannole LE........ 83 G 37
Cannoneris (Is) CA..... 121 J 8
Canolo RC........ 91M 30
Canolo RE........ 31 H 14
Canonica AR....... 45 L 17
Canonica MI....... 21 F 9
Canosa di Puglia BA... 72 D 30
Canosa Sannita CH... 60 P 24
Canossa RE........ 30 I 13
Canova LC........ 21 E 10
Canove CN........ 27 H 6
Canove VI......... 12 E 16
Cansano AQ......... 60 P 24

Cansiglio (Bosco del) BL .13 D 19
Cantagallo PO........ 39 J 15
Cantagrillo PT........ 39 K 14
Cantalice RI........ 58 O 20
Cantalupa TO...... 26 H 3
Cantalupo AL...... 28 H 7
Cantalupo PG...... 51 N 19
Cantalupo in Sabina RI. 58 P 19
Cantalupo Ligure AL... 29 H 9
Cantalupo nel Sannio IS. 65 R 25
Cantarana VE...... 25 G 18
Cantari (Monti) FR.... 63 Q 21
Cantello VA........ 20 E 8
Canterno (Lago di) FR . 63 Q 21
Cantiano PS........ 46 L 19
Cantinella CS...... 85 H 31
Cantoira TO........ 18 F 4
Cantone FG........ 45 L 18
Cantone RE........ 31 I 13
Cantone TR........ 51 N 18
Cantoniera (Passo di) PS. 45 K 18
Cantù CO........ 21 E 9
Canu (Monte) OT... 109 D 10
Canzano TE........ 53 O 23
Canzo CO........ 9 E 9
Canzoi (Valle di) BL... 12 D 17
Caorera VB........ 12 E 17
Caoria TN........ 12 D 17
Caorle VE........ 16 F 20
Caorso PC........ 30 G 11
Capaccia (Capo) OT... 109 D 10
Capanne GR....... 50 N 16
Capanne PG...... 51M 18
Capanne (Monte) LI... 48 N 12
Capanne Marcarolo AL. 28 I 8
Capanne
(Valico delle) AQ..... 59 O 22
Capannole AR...... 44 L 16
Capannoli PI...... 43 L 14
Capannori LU...... 39 K 13
Capecchio VT....... 57 O 17
Capel Rosso (Punta del)
(I. di Giannutri) GR... 55 P 15
Capel Rosso (Punta del)
(I. del Giglio) GR..... 55 P 14
Capena RM........ 58 P 19
Capergnanica CR...... 21 F 10
Capestrano AQ...... 60 P 23
Capezzano Pianore LU. 38 K 12
Capezzone (Cima) VB... 8 E 6
Capichera
(Tomba di) OT...... 109 D 10
Capilungo LE....... 83 H 36
Capistrano VV....... 88 K 30
Capistrello AQ...... 59 Q 22
Capitello SA....... 76 G 28
Capitello VR....... 23 G 15
Capitignano AQ..... 59 O 21
Capitignano SA..... 75 E 26
Capitone TR........ 58 O 19
Capizzi ME........ 100 N 25
Caplone (Monte) BS... 23 E 13
Capo Calvanico SA... 70 E 26
Capo di Ponte BS..... 10 D 13
Capo di Ponte (Parco
Nazionale Inc. Rup.) BS. 10 D 13
Capo d'Orlando ME... 100M 26
Capo Ferrato CA..... 119 J 10
Capo Passero
(Isola di) SR...... 107 Q 27
Capo Portiere LT..... 63 R 20
Capo Rizzuto KR..... 89 K 33
Capo Rossello AG.... 102 P 22
Capocavallo PG..... 51 M 18
Capodacqua PG..... 52 M 20
Capodarco AP...... 53M 23
Capodimonte NA.... 69 E 24
Capodimonte VT..... 57 O 17
Capoiale FG........ 67 B 28
Capolapiaggia MC... 52 M 21
Capoliveri LI....... 48 N 13
Capolona AR....... 45 L 17
Caponago MI...... 21 F 10
Caporiacco UD..... 14 D 21
Caporciano AQ..... 59 P 23
Caposele AV....... 71 E 27
Caposile VE........ 16 F 19
Caposotto CN..... 27 H 6
Capovalle BS....... 23 E 13
Cappadocia AQ ..... 59 P 21

Cappeddu (Punta) OT. 109 D 9
Cappella KR....... 87 I 33
Cappella Maggiore TV. 13 E 19
Cappelle AQ....... 59 P 22
Cappelle sul Tavo PE... 60 O 24
Cappelletta MN....... 31 G 14
Capracotta IS...... 65 Q 24
Capradosso RI...... 59 P 21
Caprafico TE....... 60 O 23
Capraglia AL...... 28 G 8
Capraia LI........ 48M 11
Capraia (Isola) LI.... 66 A 28
Capraia (Isola di) LI... 48M 11
Capralba CR....... 21 F 10
Caprara d'Abruzzo PE.. 60 O 24
Caprara (Punta) SS... 108 D 6
Capraia (Masseria) TA. 79 F 34
Caprarica di Lecce LE.. 83 G 36
Caprarico MT....... 77 G 31
Caprara (Monte) IS.... 65 Q 24
Caprarola VT....... 57 P 18
Caprauna CN...... 35 J 5
Caprera (Isola) OT ... 109 D 10
Caprese
Michelangelo AR.... 45 L 17
Capri (Isola di) NA.... 74 F 24
Capri Leone ME... 100M 26
Capriana TN....... 12 D 16
Capriata d'Orba AL... 28 H 8
Capricchia RI....... 59 O 22
Capriccioli OT..... 109 D 10
Caprile AR........ 45 K 18
Caprile PS........ 46 L 20
Caprile BL........ 12 C 17
Caprile / Gfrill
(vicino a Merano) BZ.. 3 C 15
Capriate S. Gervasio BG. 21 F 10
Capriati a Volturno CE. 65 R 24
Caprino Veronese VR.. 23 F 14
Caprino PG........ 51 M 18
Caprioli SA....... 76 G 27
Capriolo BS....... 22 F 11
Capriva del Friuli GO... 17 E 22
Capro (il) BZ....... 3 B 15
Caprolace (Lago di) LT. 63 R 20
Capua CE........ 69 D 24
Capugnano BO...... 39 J 14
Capurso BA....... 73 D 32
Caraffa del Bianco RC.. 91M 30
Caraffa di Catanzaro CZ. 88 K 31
Caraglio CN....... 34 I 4
Caragna SV....... 35 I 6
Caramagna Ligure IM . 35 K 5
Caramagna
Piemonte CN...... 27 H 5
Caramanico Terme PE . 60 P 23
Caramola (Monte) PZ... 77 G 30
Caramolo (Monte) CS.. 85 H 30
Carana OT........ 109 E 9
Carangiaro (Monte) EN. 104 O 24
Caranna BR....... 80 E 34
Carano LT........ 63 R 20
Carano TN........ 12 D 16
Caranza SP........ 37 I 10
Carapelle Calvisio AQ.. 59 P 23
Carapelle (Torrente) FG. 71 D 28
Carapellotto FG..... 71 D 28
Carasco GE........ 37 I 10
Carassai AP....... 53M 23
Carate Brianza MI ... 21 F 9
Carate Urio CO..... 9 E 9
Caravaggio BG..... 21 F 10
Caravate (Passo di) NU. 115 G 9
Caravino TO....... 19 F 5
Caravius (Monte is) CI. 118 J 8
Caravonica IM...... 35 K 5
Carbognano VT..... 58 P 19
Carbonara al Ticino PV. 21 G 9
Carbonara (Capo) CA. 119 J 10
Carbonara di Bari BA . 73 D 32
Carbonara di Po MN... 31 G 15
Carbonara (Golfo di) CA. 119 J 10
Carbonara (Pizzo) PA... 99 N 24
Carbonara TN....... 11 E 15
Carbone PZ........ 77 G 30
Carbone (Monte) CN... 34 J 4
Carbonesca PG..... 51 M 19
Carbonia CI........ 118 J 7
Carbonin /
Schluderbach BZ.... 4 C 18
Carcaci (Monte) PA... 98 N 22

Carcaciotto (Borgata) PA. 98 N 22
Carcare SV........ 36 I 6
Carcari EN........ 100 O 26
Carceri PD........ 24 G 16
Carceri
(Eremo delle) PG.... 51M 19
Carchiti RM........ 63 Q 20
Carcina BS........ 22 F 12
Carcoforo VC....... 7 E 6
Carda AR........ 44 L 17
Cardaxius CA...... 119 I 9
Carde CN........ 27 H 4
Cardedu OG....... 117 H 10
Cardella PS....... 45 L 19
Cardeto RC........ 90M 29
Cardeto Sud RC.... 90M 29
Cardezza VB....... 8 D 6
Cardina (Monte) CA... 119 I 10
Cardinala MN...... 31 G 15
Cardinale CZ....... 88 L 31
Cardinale CE...... 69 D 24
Cardito FR........ 64 R 23
Cardito NA........ 69 E 24
Carè Alto (Monte) TN.. 11 D 13
Careggine LU...... 38 J 12
Carena (Punta) NA... 74 F 24
Carennio LC....... 21 E 10
Careri RC........ 91M 30
Caresana TS....... 17 F 23
Caresana VC....... 20 G 7
Caresanablot VC.... 20 F 7
Careser (Lago del) TN.. 11 C 14
Carestiato (Rifugio) BL. 12 D 18
Carezza al Lago /
Karersee BZ....... 12 C 16
Carezzano AL...... 28 H 8
Carfalo PI........ 43 L 14
Carfizzi KR........ 87 J 32
Cargeghe SS....... 110 E 7
Caria VV........ 88 L 29
Cariati (Masseria) BA.. 72 D 30
Cariati Marina CS.... 87 I 32
Carife AV........ 71 D 27
Carige GR........ 56 O 16
Cariglio CS........ 86 I 30
Carignano BS...... 66 C 27
Carignano PR...... 30 H 12
Carignano PS...... 46 K 20
Carignano TO...... 27 H 5
Carini PA........ 97M 21
Carini (Golfo di) PA... 97M 21
Carinola CE........ 69 D 23
Carisasca PC....... 29 H 9
Carisio VC........ 19 F 6
Carisolo TN....... 11 D 14
Cariusi (Monte) SA.... 76 G 28
Carlantino FG...... 66 C 26
Carlazzo CO....... 9 D 9
Carlentini SR...... 105 P 27
Carlino UD........ 16 E 21
Carlo Magno
(Campo) TN....... 11 D 14
Carloforte CI....... 120 J 6
Carlopoli CZ....... 86 J 31
Carmagnola TO..... 27 H 5
Carmelia (Piani in) RC. 90M 29
Carmerlona RA..... 41 I 18
Carmiano LE....... 81 F 36
Carmignanello PO.... 39 K 15
Carmignano PO..... 39 K 15
Carmignano PD..... 32 G 16
Carmignano
di Brenta PD........ 24 F 17
Carmine VB....... 8 D 8
Carmine CN....... 27 I 5
Carmo (Monte) GE ... 29 I 9
Carmo (Monte) SV... 35 J 6
Carnago VA....... 20 E 8
Carnaio (Colle del) FO . 40 K 17
Carnaiola PG....... 51 N 18
Carnara (Monte) PZ... 77 G 31
Carnello FR........ 64 Q 22
Carnia UD........ 14 C 19
Carnia (Località) UD... 14 C 21
Carnizza (Sella) UD... 15 C 21
Carobbio PR....... 30 I 12
Carolei CS........ 86 J 30
Carona BG........ 10 D 11
Carona SO........ 10 D 12
Caronia ME....... 100M 25
Caronno Pertusella VA. 21 F 9
Caronte (Terme) CZ... 88 K 30
Carosino TA....... 79 F 34
Carovigno BR...... 80 E 34
Carovilli IS........ 65 Q 24
Carpana PR....... 29 I 11
Carpaneto
Piacentino PC...... 30 H 11
Carpani LI........ 48 N 12
Carpanzano CS..... 86 J 30

A B C D E F G H I J K L M N O P Q R S T U V W X Y Z

Carpari TA............. 80 E 33
Carpasio IM........... 35 K 5
Carpe SV............ 35 J 6
Carpegna PS.......... 45 K 19
Carpegna (Monte) PS.. 41 K 18
Carpen BL............. 12 E 17
Carpenedolo BS....... 22 F 13
Carpeneto AL......... 28 H 7
Carpi MO............. 31 H 14
Carpi VR............ 32 G 16
Carpi (Rifugio) BL..... 4 C 18
Carpiano MI.......... 21 F 9
Carpignano
  Salentino LE........ 83 G 37
Carpignano Sesia NO... 20 F 7
Carpina PG........... 45 L 19
Carpinelli (Passo) LU... 38 J 12
Carpinello FO......... 41 J 18
Carpineta BO......... 39 J 15
Carpineti RE.......... 38 I 13
Carpineto
  delle Nora PE....... 60 O 23
Carpineto Romano RM. 63 R 21
Carpineto Sinello CH .. 61 P 25
Carpini PG........... 45 L 19
Carpino FG........... 67 B 29
Carpinone IS.......... 65 R 24
Carrara MS........... 38 J 12
Carré VI.............. 24 E 16
Carrega Ligure AL..... 29 I 9
Carretto SV........... 35 I 6
Carriero (Serra) PZ.... 71 E 29
Carrito AQ............ 60 P 23
Carro SP .... 37 J 10
Carrodano SP .... 37 J 10
Carrosio AL.......... 28 I 8
Carrù CN............ 27 I 5
Carruba CT........... 101 N 27
Carruba Nuova PA.... 97 N 21
Carrubba (Monte) SR. 105 P 27
Carsoli AQ........... 59 P 21
Carsulae TR.......... 58 O 19
Cartasegna AL........ 29 I 9
Cartigliano VI .... 24 E 17
Cartoceto (vicino a
  Calcinelli) PS....... 46 K 20
Cartoceto (vicino ad
  Isola di Fano) PS.... 46 L 20
Cartosio AL .... 28 I 7
Cartura PD........... 24 G 17
Carugate MI.......... 21 F 10
Carunchio CH........ 65 Q 25
Caruso (Forca) AQ.... 59 P 23
Caruso (Monte) PZ.... 71 E 29
Carve BL............. 13 D 18
Carvico BG........... 21 E 10
Casa Castalda PG..... 51 M 19
Casa della Marina CA. 119 J 10
Casa Matti PV .... 29 H 9
Casa Riva Lunga GO... 17 E 22
Casabella AG......... 99 O 23
Casabona KR......... 87 J 32
Casacalenda CB...... 65 Q 26
Casacanditella CH... 60 P 24
Casacorba TV........ 24 F 18
Casagiove CE........ 69 D 24
Casaglia PI........... 49 L 13
Casaglia BS.......... 22 F 12
Casaglia FE.......... 32 H 16
Casaglia (Colla di) FI... 40 J 16
Casal Borsetti RA..... 33 I 18
Casal Cermelli AL..... 28 H 7
Casal di Principe CE... 69 D 24
Casal Palocco RM..... 62 Q 19
Casal Sabini BA....... 73 E 31
Casalsottano SA...... 75 G 27
Casal Velino SA....... 75 G 27
Casalabate LE........ 81 F 36
Casalanguida CH..... 61 P 25
Casalappi Ruschi LI.... 49 M 14
Casalàttico FR........ 64 R 23
Casalbarbato PR...... 30 H 12
Casalbellotto CR...... 30 H 13
Casalbordino CH...... 61 P 25
Casalbore AV......... 70 D 27
Casalborgone TO..... 19 G 5
Casalbuono SA....... 76 G 29
Casalbusone AL....... 29 I 9
Casalbuttano
  ed Uniti CR......... 22 G 11
Casalcassinese FR.... 64 R 23
Casalciprano CB...... 65 R 25
Casalduni BN......... 65 S 26
Casale RA............ 40 J 17
Casale MN........... 31 G 14
Casale Cinelli VT...... 57 P 17
Casale Corte Cerro VB.. 8 E 7
Casale Cremasco CR... 21 F 11
Casale delle Palme LT.. 63 R 20
Casale di Pari GR..... 50 M 15
Casale di Scodosia PD. 24 G 16
Casale Marittimo PI... 49 M 13

Casale Monferrato AL.. 28 G 7
Casale Monferrato
  (Rifugio) AO......... 7 E 5
Casale sul Sile TV...... 25 F 18
Casalecchio
  dei Conti BO .... 40 I 16
Casalecchio di Reno BO. 39 I 15
Casaleggio PC........ 29 H 10
Casaleggio Novara NO. 20 F 7
Casaleone VR........ 23 G 15
Casaletto VT......... 57 P 18
Casaletto Ceredano CR. 21 G 10
Casaletto di Sopra CR.. 22 F 11
Casaletto
  Spartano SA........ 76 G 28
Casalfiumanese BO.... 40 J 16
Casalgiordana PA..... 99 N 24
Casalgrande RE....... 31 I 14
Casalgrasso CN....... 27 H 4
Casali FI............. 40 J 16
Casalicchio AG....... 99 O 23
Casaliggio PC........ 29 G 10
Casalina MS.......... 38 I 11
Casalincontrada CH... 60 P 24
Casalini BR.......... 80 E 34
Casalino AR.......... 44 K 17
Casalino NO.......... 20 F 7
Casalmaggiore CR.... 30 H 13
Casalmaiocco LO..... 21 F 10
Casalmorano CR...... 22 G 11
Casalmoro MN....... 22 G 13
Casalnoceto AL....... 28 H 8
Casalnuovo RC....... 91 M 29
Casalnuovo
  di Napoli NA .... 69 E 25
Casalnuovo
  Monterotaro FG..... 66 C 27
Casaloldo MN........ 22 G 13
Casalone (Poggio) SI .. 49 M 15
Casalotti RM......... 62 Q 19
Casalpoglio MN....... 22 G 13
Casalpusterlengo LO .. 21 G 10
Casalromano MN..... 22 G 13
Casalserugo PD....... 24 G 17
Casalta PG........... 51 N 19
Casaltone PR......... 30 H 13
Casaluce CE.......... 69 D 24
Casaluna PG......... 52 M 20
Casalvecchio
  di Puglia FG........ 66 C 27
Casalvecchio Siculo ME. 90 N 27
Casalvieri FR......... 64 R 23
Casalvolone NO...... 20 F 7
Casamaina AQ....... 59 P 22
Casamari
  (Abbazia di) FR..... 64 Q 22
Casamassima BA..... 73 E 32
Casamicciola Terme NA. 74 E 23
Casanova RI.......... 58 O 20
Casanova AV......... 70 D 26
Casanova dell'Alpe FO. 40 K 17
Casanova Elvo VC.... 20 F 6
Casanova Lerrone SV... 35 J 6
Casanova Lonati PV... 29 G 9
Casape RM........... 63 Q 20
Casaprota RI......... 58 P 20
Casaraccio
  (Stagno di) SS....... 110 E 6
Casarano LE.......... 83 G 36
Casargo LC........... 9 D 10
Casarsa della Delizia PN. 13 E 20
Casasco Ligure GE.... 37 J 10
Casasco d'Intelvi CO... 9 E 9
Casaselvatica PR..... 30 I 12
Casateia / Gasteig BZ.. 3 B 16
Casatenovo LC....... 21 E 9
Casatico MN......... 31 G 13
Casatisma PV........ 29 G 9
Casazza BG.......... 22 E 11
Case Perrone TA...... 78 F 32
Case Orsolina BL..... 5 C 19
Case Simini LE........ 81 F 36
Casei Gerola PV...... 28 G 8
Caselette TO......... 27 G 4
Casella SP .... 37 J 11
Casella GE........... 28 I 8
Casella TV............ 24 E 17
Caselle CS............ 85 H 31

Caselle TV............. 24 E 17
Caselle VR............ 24 G 16
Caselle VI............ 24 G 16
Caselle in Pittari SA.... 76 G 28
Caselle Landi LO...... 30 G 11
Caselle Lurani LO..... 21 G 10
Caselle Torinese TO.... 19 G 4
Casemurate RA....... 41 J 18
Casenove PG......... 52 N 20
Casenovole GR....... 50 M 15
Casentini (Rifugio) LU . 39 J 13
Casentino AQ........ 59 P 22
Casenuove AN....... 47 L 22
Casera di Fuori BZ..... 3 B 14
Casera Losa UD....... 5 C 20
Casere BL............. 12 E 17
Casere / Kasern BZ .... 4 A 18
Caserta CE........... 69 D 25
Caserta Vecchia CE.... 69 D 25
Casette RI............ 58 O 20
Casette d'Ete AP...... 53 M 23
Casevecchie PG...... 51 N 20
Casi CE.............. 69 D 24
Casier TV............ 25 F 18
Casies (Valle di) /
  Gsies BZ............ 4 B 18
Casigliano TR........ 51 N 19
Casignana RC........ 91 M 30
Casina RE............ 30 I 13
Casina (Cima la) SO.... 2 C 12
Casinalbo MO........ 31 I 14
Casine AN........... 46 L 21
Casinina PS.......... 41 K 19
Casirate d'Adda BG... 21 F 10
Caslino d'Erba CO.... 21 E 9
Casnate CO.......... 21 E 9
Casnigo BG.......... 22 E 11
Casola Canina RA..... 40 J 16
Casola in Lunigiana MS. 38 J 12
Casola Valsenio RA.... 40 J 16
Casole d'Elsa SI....... 49 L 15
Casoli CH............ 60 P 24
Casoli VL............ 38 K 12
Casoli RE............ 31 H 14
Casoli TE............ 60 O 23
Cason di Lanza
  (Passo) UD......... 14 C 21
Casoni GE............ 29 I 9
Casoni RE............ 31 H 14
Casorate Primo PV .... 21 G 9
Casorate Sempione VA. 20 E 8
Casorezzo MI........ 20 F 8
Casoria NA........... 69 E 24
Casorzo AT.......... 28 G 7
Casotto CN........... 35 J 5
Caspano SO.......... 9 D 10
Casperia RI.......... 58 O 20
Caspoggio SO........ 10 D 11
Cassana (Pizzo) SO.... 2 C 12
Cassano AV.......... 70 D 26
Cassano allo Ionio CS.. 85 H 30
Cassano d'Adda MI.... 21 F 10
Cassano delle Murge BA. 73 E 32
Cassano Irpino AV..... 70 E 27
Cassano Magnago VA. 20 E 8
Cassano Spinola AL ... 28 H 8
Cassano Valcuvia VA... 8 E 8
Cassaro SR........... 105 P 26
Cassella RO.......... 33 H 19
Cassano AN.......... 46 L 21
Cassibile SR.......... 105 Q 27
Cassibile (Fiume) SR... 105 Q 27
Cassina de' Pecchi MI.. 21 F 10
Cassinasco AT........ 28 H 6
Cassine AL........... 28 H 7
Cassinelle AL......... 28 I 7
Cassinetta
  di Lugagnano MI.... 20 F 8
Cassino FR........... 64 R 23
Cassino RI........... 52 N 21
Casso PN............ 13 D 18
Cassolnovo PV....... 20 F 8
Castagna CZ......... 86 J 31
Castagna (Punta) ME.. 94 L 26
Castagna (Serra) CS... 85 I 31
Castagnaro VR....... 32 G 16
Castagneto Carducci LI. 49 M 13
Castagneto Po TO..... 19 G 5
Castagnito CN........ 27 H 6
Castagnola (il) FI...... 40 K 16
Castagno d'Andrea (il) FI. 40 K 16
Castagnola PG....... 51 N 19
Castagnola
  Monferrato AT....... 28 H 6
Castagnole Piemonte TO. 27 H 4
Castagnole delle Lanze AT. 27 H 6
Castana CS........... 85 H 31

Casteddu
  (Monte su) SS.......111 I 8
Casteggio PV......... 29 G 9
Castegnato BS........ 22 F 12
Castel Baronia AV..... 71 D 27
Castel Bolognese RA .. 40 J 17
Castel Campagnano CE. 70 D 25
Castel Castagna TE.... 59 O 23
Castel Castagnaio AR... 40 K 16
Castel Cellesi VT...... 57 O 18
Castel d'Aiano BO..... 39 J 15
Castel d'Ario MN...... 23 G 14
Castel d'Azzano VR.... 23 F 14
Castel de' Britti BO.... 40 I 16
Castel del Bosco PI.... 43 L 14
Castel del Giudice IS... 65 Q 24
Castel del Monte BA... 72 D 30
Castel del Monte AQ... 60 O 23
Castel del Piano SI..... 50 N 16
Castel del Piano PG.... 51 M 18
Castel del Rio BO...... 40 J 16
Castel dell'Alpi BO..... 39 J 15
Castel dell'Aquila TR... 58 O 19
Castel di Casio BO..... 39 J 15
Castel di Fiori TR...... 51 N 18
Castel di Ieri AQ....... 60 P 23
Castel di Iudica CT.... 104 O 25
Castel di Lucio ME..... 99 N 24
Castel di Sangro AQ... 64 Q 24
Castel di Sasso CE.... 69 D 24
Castel Focognano AR.. 44 L 17
Castel Fraiano CH..... 65 Q 25
Castel Frentano CH.... 60 P 25
Castel Gandolfo RM... 62 Q 19
Castel Ginnetti LT..... 63 R 20
Castel Giòrgio TR..... 50 N 17
Castel Giuliano RM.... 57 P 18
Castel Goffredo MN... 22 G 13
Castel Guelfo
  di Bologna BO...... 40 I 17
Castel Lagopesole PZ.. 71 E 29
Castel Madama RM.... 58 Q 20
Castel Maggiore BO... 32 I 16
Castel Morrone CE.... 69 D 25
Castel Porziano RM... 62 Q 19
Castel Rigone PG..... 51 M 18
Castel Ritaldi PG...... 51 N 20
Castel Rocchero AT... 28 H 7
Castel S. Giovanni PG.. 52 N 21
Castel S. Giovanni PC... 29 G 10
Castel S. Elia VT...... 58 P 19
Castel S. Gimignano SI. 43 L 15
Castel S. Giorgio SA... 70 E 26
Castel S. Giovanni (vicino a
  Spoleto) PG........ 51 N 20
Castel S. Lorenzo SA.. 76 F 27
Castel Sta Maria MC... 52 M 21
Castel Sta Maria PG... 52 N 21
Castel S. Niccolò AR... 44 K 17
Castel S. Pietro MC.... 52 M 21
Castel S. Pietro Terme BO. 40 I 16
Castel S. Venanzo MC.. 52 M 21
Castel S. Vincenzo IS... 64 R 24
Castel Seprio VA...... 20 E 8
Castel Venzago BS.... 23 F 13
Castel Viscardo TR.... 50 N 18
Castel Vittorio IM..... 35 K 4
Castel Volturno CE.... 69 D 23
Castelbaldo PD....... 32 G 16
Castelbello /
  Kastelbell BZ........ 3 C 14
Castelbianco SV...... 35 J 6
Castelbottaccio CB.... 65 Q 26
Castelbuono PA...... 99 N 24
Castelcanafurone PC... 29 H 10
Castelcerino VR...... 23 F 15
Castelceriolo AL...... 28 H 8
Castelchiodato RM.... 58 P 20
Castelcivita SA....... 76 F 27
Castelcivita
  (Grotta di) SA....... 76 F 27
Castelcovati BS....... 22 F 11
Castelcucco TV....... 24 E 17
Casteldaccia PA...... 98 M 22
Casteldarne /
  Ehrenburg BZ....... 4 B 17
Casteldelci PS........ 45 K 18
Casteldelmonte TR.... 51 N 19
Casteldidone CR...... 30 G 13
Casteldimezzo PS..... 46 K 20
Casteldoria
  (Terme di) SS....... 111 E 8
Castelfalfi FI.......... 43 L 14
Castelferrato AN...... 47 L 22
Castelferro AL........ 28 H 7
Castelfidardo AN..... 47 L 22
Castelfiorentino FI..... 43 L 14
Castelfondo TN....... 3 C 15

Castelforte LT......... 64 S 23
Castelfranci AV....... 70 E 27
Castelfranco
  di Sopra AR........ 44 L 16
Castelfranco Emilia MO. 31 I 15
Castelfranco
  in Miscano BN...... 70 D 27
Castelfranco Veneto TV. 24 E 17
Castelgomberto VI.... 24 F 16
Castelgrande PZ...... 71 E 28
Castelguglielmo RO... 32 G 16
Castelguidone CH.... 65 Q 25
Castellabate SA...... 75 G 26
Castellaccio (Monte) PA. 97 M 21
Castellaccio di Fratacchia
  (Monte) PA......... 97 N 20
Castellace RC......... 90 M 29
Castellafiume AQ..... 59 Q 21
Castell'Alfero AT...... 27 H 6
Castellalto TE........ 53 N 23
Castellammare
  (Golfo di) TP........ 97 M 20
Castellammare
  del Golfo TP........ 97 M 20
Castellammare
  di Stabia NA........ 74 E 25
Castellamonte TO.... 19 F 5
Castellana (Grotte di) BA. 73 E 33
Castellana Grotte BA .. 73 E 33
Castellana Sicula PA .. 99 N 24
Castellaneta TA...... 78 F 32
Castellaneta Marina TA. 78 F 32
Castellano TE........ 53 N 22
Castellanza VA....... 20 O 10
Castell'Apertole VC... 19 G 6
Castellarano RE...... 31 I 14
Castellaro IM......... 35 K 5
Castellaro MO........ 39 J 14
Castellaro PR......... 30 H 11
Castellaro PV......... 29 H 9
Castellaro Lagusello MN. 23 F 13
Castell'Arquato PC.... 30 H 11
Castell'Azzara SI...... 50 N 17
Castellazzo Bormida AL. 28 H 7
Castellazzo
  (Monte) ME........ 100 N 26
Castelleone CR....... 22 G 11
Castelleone PC....... 29 G 10
Castelleone di Suasa AN. 46 L 20
Castelletto BS........ 22 G 12
Castelletto PC........ 30 H 11
Castelletto Busca CN .. 26 I 4
Castelletto Cervo BI ... 20 F 6
Castelletto
  di Brenzone VR...... 23 E 14
Castelletto Molina AT.. 28 H 7
Castelletto
  Monferrato AL...... 28 G 7
Castelletto Po PV..... 29 G 9
Castelletto
  sopra Ticino NO..... 20 E 7
Castelli TE........... 59 O 23
Castelli Calepio BG.... 22 F 11
Castelli (Monte) ME... 100 N 25
Castelli Romani RM.... 62 Q 19
Castellina in Chianti SI. 44 L 15
Castellina Marittima PI. 43 L 13
Castellina Scalo SI.... 43 L 15
Castellina PR......... 30 H 12
Castellinaldo CN...... 27 H 6
Castellino
  del Biferno CB...... 65 Q 26
Castellino Tanaro CN .. 35 I 5
Castelliri FR.......... 64 Q 22
Castello (Canale) FG... 71 D 29
Castello (Monte) LI.... 48 M 11
Castello
  (Spiaggia del) FG.... 67 B 30
Castello BS.......... 22 F 13
Castello SP .... 37 J 10
Castello (Cima di) SO... 9 D 11
Castello d'Agogna PV.. 20 G 8
Castello d'Argile BO... 32 H 15
Castello dell'Acqua SO. 10 D 12
Castello di Annone AT.. 28 H 6
Castello di Cisterna NA. 70 E 25
Castello di Godego TV. 24 E 17
Castello di Lago AN.... 51 N 19
Castello di Serravalle BO. 39 I 15
Castello Inici TP...... 97 N 20
Castello Lavazzo BL... 13 D 18
Castello Molina
  di Fiemme TN...... 12 D 16
Castello Tesino TN.... 12 D 16
Castellonalto TR...... 58 O 20
Castellonchio PR..... 30 I 12
Castellonorato LT..... 64 S 23
Castell'Ottieri GR..... 50 N 17

Castellucchio MN...... 31 G 13
Castelluccio MO...... 39 J 14
Castelluccio PG....... 52 N 21
Castelluccio SR....... 105 Q 26
Castelluccio
  Cosentino SA........ 76 F 28
Castelluccio dei Sauri FG. 71 D 28
Castelluccio
  (Monte) AG........ 103 O 23
Castelluccio-
  Superiore PZ....... 85 G 29
Castelluccio
  Valmaggiore FG..... 71 C 27
Castelluzzo TP....... 97 M 20
Castelluzzo
  (Masseria) BR....... 79 F 34
Castelmagno CN..... 34 I 3
Castelmassa RO...... 32 G 15
Castelmauro CB...... 65 Q 26
Castelmenardo RI.... 59 P 21
Castelmezzano PZ.... 77 F 30
Castelmola ME....... 90 N 27
Castelmonte UD...... 15 D 22
Castelnovetto PV..... 20 G 7
Castelnovo PC........ 29 H 10
Castelnovo Bariano RO. 31 G 15
Castelnovo di Sotto RE. 31 H 13
Castelnovo ne' Monti RE. 38 I 13
Castelnuovo AQ...... 59 P 22
Castelnuovo MN..... 22 G 13
Castelnuovo PD...... 24 F 17
Castelnuovo PS...... 41 K 19
Castelnuovo TN...... 12 D 16
Castelnuovo
  al Volturno IS....... 64 R 24
Castelnuovo
  Berardenga SI...... 50 L 16
Castelnuovo
  Bocca d'Adda LO... 30 G 11
Castelnuovo Bormida AL. 28 H 7
Castelnuovo Calcea AT. 28 H 6
Castelnuovo Cilento SA. 76 G 27
Castelnuovo
  dei Sabbioni AR..... 44 L 16
Castelnuovo
  del Friuli PN....... 14 D 20
Castelnuovo
  del Garda VR....... 23 F 14
Castelnuovo della
  Misericordia LI...... 42 L 13
Castelnuovo
  dell'Abate SI........ 50 N 16
Castelnuovo d'Elsa FI.. 43 L 14
Castelnuovo di Ceva CN. 35 I 6
Castelnuovo
  di Conza SA........ 71 E 27
Castelnuovo di Farfa RI. 58 P 20
Castelnuovo di
  Garfagnana LU...... 38 J 13
Castelnuovo
  di Porto RM........ 58 P 19
Castelnuovo di
  Val di Cecina PI..... 49 M 14
Castelnuovo
  Don Bosco AT...... 27 G 5
Castelnuovo Fogliani PC. 30 H 11
Castelnuovo Magra SP. 38 J 12
Castelnuovo Nigra TO. 19 F 5
Castelnuovo
  Rangone MO....... 31 I 14
Castelnuovo Scrivia AL. 28 H 8
Castelnuovo
  Vomano TE......... 60 O 23
Castelpagano BN..... 65 R 26
Castelpetroso IS...... 65 R 25
Castelpizzuto IS...... 65 R 24
Castelplanio AN...... 46 L 21
Castelpoggio MS..... 38 J 12
Castelponzone CR.... 30 G 12
Castelpoto BN........ 70 D 26
Castelraimondo MC... 52 M 21
Castelromano IS...... 65 R 24
Castelrotto /
  Kastelruth BZ....... 3 C 16
Castelsantangelo
  sul Nera MC........ 52 N 21
Castelsaraceno PZ.... 77 G 29
Castelsardo SS....... 108 E 8
Castelsavino (Monte) AR. 45 K 17
Castelsilano KR....... 87 J 32
Castelspina AL....... 28 H 7
Casteltermini AG..... 98 O 22
Casteltodino TR...... 51 O 19
Castelvecchio /
  Altenburg BZ........ 11 C 15
Castelvecchio PT..... 39 K 14
Castelvecchio VI...... 23 F 15

Castelvecchio Calvisio AQ ... 59 P 23
Castelvecchio di Rocca Barbena SV ... 35 J 6
Castelvecchio Pascoli LU ... 38 J 13
Castelvecchio Subequo AQ ... 60 P 23
Castelvenere BN ... 70 D 25
Castelverde CR ... 22 G 11
Castelvero VR ... 23 F 15
Castelverrino IS ... 65 Q 25
Castelvetere in Val Fortore BN ... 66 C 26
Castelvetere sul Calore AV ... 70 E 26
Castelvetrano TP ... 97 N 20
Castelvetro di Modena MO ... 31 I 14
Castelvetro Piacentino PC ... 30 G 11
Castelvisconti CR ... 22 G 11
Castenaso BO ... 32 I 16
Castenedolo BS ... 22 F 12
Casterno MI ... 20 F 8
Castiadas CA ... 119 J 10
Castiglion Fibocchi AR ... 44 L 17
Castiglion Fiorentino AR ... 50 L 17
Castiglioncello LI ... 42 L 13
Castiglioncello Bandini GR ... 50 N 16
Castiglioncello del Trinoro SI ... 50 N 17
Castiglione AN ... 52 M 20
Castiglione IS ... 65 Q 24
Castiglione LE ... 83 H 37
Castiglione PG ... 51 M 19
Castiglione a Casauria PE ... 60 P 23
Castiglione Chiavarese GE ... 37 J 10
Castiglione Cosentino CS ... 86 I 29
Castiglione d'Adda LO ... 21 G 11
Castiglione dei Pepoli BO ... 39 J 15
Castiglione del Bosco SI ... 50 M 16
Castiglione del Genovesi SA ... 75 E 26
Castiglione del Lago PG ... 51 M 18
Castiglione della Pescaia GR ... 49 N 14
Castiglione della Valle PG ... 51 M 18
Castiglione delle Stiviere MN ... 22 F 13
Castiglione di Garfagnana LU ... 38 J 13
Castiglione di Ravenna RA ... 41 J 18
Castiglione di Sicilia CT ... 101 N 27
Castiglione d'Intelvi CO ... 9 E 9
Castiglione d'Orcia SI ... 50 M 16
Castiglione Falletto CN ... 27 I 5
Castiglione in Teverina VT ... 57 O 18
Castiglione Mantovano MN ... 23 G 14
Castiglione Maritimo CZ ... 88 K 30
Castiglione Messer Marino CH ... 65 Q 25
Castiglione Messer Raimondo TE ... 60 O 23
Castiglione Olona VA ... 20 E 8
Castiglione Tinella CN ... 27 H 6
Castiglioni AN ... 46 L 21
Castignano AP ... 53 N 22
Castilenti TE ... 60 O 23
Castino CN ... 27 I 6
Castion Veronese VR ... 23 F 14
Castione PC ... 29 H 11
Castione TV ... 24 E 17
Castione Andevenno SO ... 10 D 11
Castione de Baratti PR ... 30 I 13
Castione della Presolana BG ... 10 E 12
Castione Marchesi PR ... 30 H 12
Castions PN ... 13 E 20
Castions di Strada UD ... 16 E 21
Casto BS ... 22 E 12
Castorano AP ... 53 N 23
Castrezzato BS ... 22 F 11
Castri di Lecce LE ... 83 G 36
Castrignano de' Greci LE ... 83 G 36
Castrignano del Capo LE ... 83 H 37
Castro BG ... 22 E 12
Castro LE ... 83 G 37
Castro dei Volsci FR ... 64 R 22
Castro Marina LE ... 83 G 37
Castro (Portella) EN ... 99 O 24
Castro (Rocche del) ME ... 100 M 26

Castro S. Martino FI ... 40 J 15
Castrocaro Terme FO ... 40 J 17
Castrocielo FR ... 64 R 23
Castrocucco PZ ... 84 H 29
Castrocucco di Maratea PZ ... 84 H 29
Castrofilippo AG ... 103 O 23
Castrolibero CS ... 86 J 30
Castroncello AR ... 50 M 17
Castronno VA ... 20 E 8
Castronuovo di San Andrea PZ ... 77 G 30
Castronuovo di Sicilia PA ... 98 N 22
Castropignano CB ... 65 R 25
Castroreale ME ... 101 M 27
Castroreale Terme ME ... 101 M 27
Castroregio CS ... 78 H 31
Castrovillari CS ... 85 H 30
Casumaro MO ... 32 H 16
Casuzze RG ... 106 Q 25
Cataeggio SO ... 9 D 10
Cataforio RC ... 90 M 29
Cataio PD ... 24 G 17
Catalano (Isola) OR ... 114 H 6
Catania CT ... 101 O 27
Catania (Golfo di) CT ... 105 O 27
Catania (Piana di) CT ... 104 O 26
Catania-Fontanarossa (Aeroporto di) CT ... 105 O 27
Catanzaro CZ ... 89 K 31
Catanzaro Lido CZ ... 89 K 31
Catena Costiera CS ... 86 I 29
Catenaia (Alpe di) AR ... 45 L 17
Catenanuova EN ... 100 O 26
Catignano PE ... 60 O 23
Catinaccio / Rosengarten BZ ... 4 C 16
Catirina (Punta) NU ... 113 F 10
Catobagli AN ... 46 L 20
Catolivier TO ... 26 G 2
Catona RC ... 90 M 28
Catria (Monte) PS ... 46 L 20
Cattaragna PC ... 29 I 10
Cattolica RN ... 41 K 20
Cattolica Eraclea AG ... 102 O 22
Catullo (Grotte di) BS ... 23 F 13
Catuso (Monte) PA ... 99 N 23
Cau (Monte) SS ... 110 E 7
Caulonia RC ... 88 L 31
Caulonia (vicino a Monasterace) RC ... 89 L 31
Cauria / Gfrill (vicino a Salorno) BZ ... 11 D 15
Cautano BN ... 70 D 25
Cava d'Aliga RG ... 106 Q 34
Cava de' Tirreni SA ... 75 E 26
Cava Manara PV ... 29 G 9
Cava (Monte) RI ... 59 P 21
Cava Tigozzi CR ... 30 G 11
Cavacurta LO ... 21 G 11
Cavadonna SR ... 105 P 27
Cavaglià BI ... 19 F 6
Cavaglietto NO ... 20 F 7
Cavaglio d'Agogna NO ... 20 F 7
Cavaion Veronese VR ... 23 F 14
Cavalese TN ... 12 D 16
Cavallano BZ ... 11 D 15
Cavallerizzo CS ... 85 I 30
Cavallerleone CN ... 27 H 4
Cavallermaggiore CN ... 27 H 5
Cavalli (Lago dei) VB ... 7 D 6
Cavallina FI ... 39 K 15
Cavallino LE ... 81 G 36
Cavallino VE ... 16 F 19
Cavallino (Monte) / Großer-Kinigat BZ ... 5 B 19
Cavallirio NO ... 20 F 7
Cavallo (Monte) FR ... 64 R 23
Cavallo (Monte) GR ... 56 O 16
Cavallo (Monte) MC ... 52 N 20
Cavallo (Monte) BZ ... 3 B 16
Cavallo (Monte) PN ... 13 D 19
Cavallo (Monte) UD ... 15 C 21
Cavallone (Grotta del) CH ... 60 P 24
Cavalo VR ... 23 F 14
Cavanella d'Adige VE ... 33 G 18
Cavanella di Vara SP ... 38 J 11
Cavanella Po RO ... 33 G 18
Cavargna CO ... 9 D 9
Cavargna (Val) CO ... 9 D 9
Cavaria VA ... 20 E 8
Cavarzano PO ... 39 J 15
Cavarzere VE ... 33 G 18
Cavaso del Tomba TV ... 12 E 17
Cavasso Nuovo PN ... 13 D 20
Cavatore AL ... 28 I 7
Cavazzale VI ... 24 F 16
Cavazzo (Lago di) UD ... 14 D 21

Cavazzo Carnico UD ... 14 C 21
Cavazzona MO ... 31 I 15
Cave RM ... 63 Q 20
Cave del Predil UD ... 15 C 22
Cavedago TN ... 11 D 15
Cavedine TN ... 11 E 14
Cavedine (Lago di) TN ... 11 E 14
Cavenago d'Adda LO ... 21 G 10
Cavenago di Brianza MI ... 21 F 10
Cavernago BG ... 22 F 11
Cavezzo MO ... 31 H 15
Cavi GE ... 37 J 10
Cavo LI ... 48 N 13
Cavo (Monte) RM ... 63 Q 20
Cavogna (Monte) PG ... 52 N 20
Cavola RE ... 39 I 13
Cavoli LI ... 48 N 12
Cavoli (Isola dei) CA ... 119 J 10
Cavone MT ... 78 F 31
Cavour TO ... 26 H 4
Cavour (Canale) VC ... 19 G 6
Cavrari VI ... 24 E 16
Cavrasto TN ... 11 D 14
Cavriago RE ... 31 H 13
Cavriana MN ... 23 F 13
Cavriè TV ... 25 E 19
Cavriglia AR ... 44 L 16
Cazoli (Punta di) VB ... 8 C 7
Cazzago S. Martino BS ... 22 F 12
Cazzano di Tramigna VR ... 23 F 15
Ceccano FR ... 63 R 21
Cecchignola RM ... 62 Q 19
Cecchina RM ... 62 Q 19
Cecchini di Pasiano PN ... 13 E 19
Cece (Cima di) TN ... 12 D 17
Cecima PV ... 29 H 9
Cecina LI ... 48 M 13
Cecina PT ... 39 K 14
Cecina (Campo) MS ... 38 J 12
Cecina (Fiume) SI ... 49 M 15
Cecita (Lago di) CS ... 86 I 31
Cedegolo BS ... 10 D 13
Cedra RE ... 38 I 12
Cedrino NU ... 117 F 10
Cedrino (Lago del) NU ... 117 G 10
Cefalà Diana PA ... 99 N 22
Cefalicchio BA ... 72 D 30
Cefalo (Monte) LT ... 68 S 22
Cefalù PA ... 99 M 24
Ceggia VE ... 16 E 19
Ceglie del Campo BA ... 73 D 32
Ceglie Messapica BR ... 80 F 34
Cegliolo AR ... 50 M 17
Cei (Lago di) TN ... 11 E 15
Celano AQ ... 59 P 22
Celenza sul Trigno CH ... 65 Q 25
Celenza Valfortore FG ... 66 C 26
Cella FO ... 41 J 19
Cella RE ... 31 H 13
Cella Dati CR ... 30 G 12
Cellamare BA ... 73 D 32
Cellara CS ... 86 J 31
Cellarengo AT ... 27 H 5
Cellatica BS ... 22 F 12
Celle PT ... 39 K 14
Celle RA ... 40 J 17
Celle di Bulgheria SA ... 76 G 28
Celle di Macra CN ... 26 I 3
Celle di S. Vito FG ... 71 D 27
Celle (le) AR ... 50 M 17
Celle Ligure SV ... 36 I 7
Celle sul Rigo SI ... 50 N 17
Cellena GR ... 50 N 16
Celleno VT ... 57 O 18
Cellere VT ... 57 O 17
Cellina PN ... 13 D 19
Cellina (Val) PN ... 13 D 19
Cellino Attanasio TE ... 60 O 23
Cellino S. Marco BR ... 79 F 35
Celone FG ... 71 C 27
Celpenchio PV ... 20 G 7
Cembra TN ... 11 D 15
Cembra (Val di) TN ... 11 D 15
Cenadi CZ ... 88 K 31
Cenaia PI ... 43 L 13
Cenate LE ... 83 G 36
Cenate di Sotto BG ... 22 E 11
Cencenighe Agordino BL ... 12 C 17
Cene BG ... 22 E 11
Ceneselli RO ... 32 G 16
Cenesi SV ... 35 J 6
Cengio (Pizzo) SO ... 9 D 10
Cengio SV ... 35 I 6
Cengio (Monte) VI ... 24 E 16
Cengles BZ ... 2 C 13
Cennina AR ... 44 L 16

Ceno PR ... 29 I 10
Cenova IM ... 35 K 6
Centa S. Nicolò TN ... 11 E 15
Centallo CN ... 27 I 4
Centaurino (Monte) SA ... 76 G 28
Cento BO ... 32 I 16
Cento Croci (Passo di) SP ... 37 I 10
Cento FE ... 31 H 15
Centocelle RM ... 62 Q 19
Centoforche (Colle di) FO ... 40 J 17
Centoia AR ... 50 M 17
Centola SA ... 76 G 27
Centovera PC ... 29 H 11
Centuripe EN ... 100 O 26
Cepagatti PE ... 60 O 24
Cepletischis UD ... 15 D 22
Ceppaloni BN ... 70 D 26
Ceppo di Rocca Sta Maria TE ... 52 N 22
Ceppo (Monte) IM ... 35 K 5
Ceppo Morelli VB ... 7 E 6
Ceprano FR ... 64 R 22
Ceraino VR ... 23 F 14
Cerami EN ... 100 N 25
Cerami (Fiume) EN ... 100 N 25
Ceramida RC ... 90 M 29
Ceranesi GE ... 28 I 8
Cerano NO ... 20 F 8
Cerasa PS ... 46 K 21
Cerasi RC ... 90 M 29
Cerasia (Monte) RC ... 91 M 30
Ceraso SA ... 76 G 27
Ceraso (Capo) SS ... 113 E 10
Ceraso (Murgia del) BA ... 72 E 31
Cerasolo RN ... 41 K 19
Cerasuolo IS ... 64 R 24
Cerbaia FI ... 43 K 15
Cerboli (Isola) LI ... 49 N 13
Cercemaggiore CB ... 65 R 26
Cerceto PR ... 29 I 11
Cercena (Passo) TN ... 11 C 14
Cercenasco TO ... 27 H 4
Cercepiccola CB ... 65 R 25
Cerchiara di Calabria CS ... 85 H 31
Cerchio AQ ... 59 P 22
Cercivento UD ... 5 C 20
Cercola NA ... 69 E 25
Cerda PA ... 99 N 23
Cerdomare RI ... 58 P 20
Cerea VR ... 23 G 15
Cereda (Passo di) TN ... 12 D 17
Cereglio BO ... 39 J 15
Ceregnano RO ... 32 G 17
Cerenzia KR ... 87 J 32
Ceres TO ... 18 G 4
Ceresara MN ... 23 G 13
Cereschiatis (Sella di) UD ... 15 C 21
Cereseto AL ... 28 G 6
Cereseto PR ... 29 I 11
Cereso (Lago di) TO ... 18 F 3
Ceresole Alba CN ... 27 H 5
Ceresole Reale TO ... 18 F 3
Cerete-Alto BG ... 10 E 11
Cerete-Basso BG ... 10 E 11
Cerfone AR ... 45 L 18
Cergnago PV ... 20 G 8
Cerignale PC ... 29 H 10
Cerignola FG ... 72 D 29
Cerisano CS ... 86 J 30
Cerlongo MN ... 23 G 13
Cermenate CO ... 21 E 9
Cermignano TE ... 60 O 23
Cermone AQ ... 59 O 21
Cernobbio CO ... 21 E 9
Cernusco sul Naviglio MI ... 21 F 9
Cerqueto (vicino a Gualdo Tadino) PG ... 51 M 20
Cerqueto (vicino a Marsciano) PG ... 51 N 18
Cerratina PE ... 60 O 24
Cerrè RE ... 38 I 13
Cerredolo RE ... 39 I 13
Cerreto AV ... 71 D 27
Cerreto IS ... 65 Q 24
Cerreto CS ... 85 I 29
Cerreto (Passo del) MS ... 38 J 12
Cerreto Alpi RE ... 38 I 12
Cerreto d'Esi AN ... 52 M 20
Cerreto di Spoleto PG ... 52 N 20
Cerreto Grue AL ... 28 H 8
Cerreto Guidi FI ... 43 K 14
Cerreto Langhe CN ... 27 I 6
Cerreto Laziale RM ... 63 Q 20
Cerreto (Monte) NA ... 75 E 25
Cerreto Sannita BN ... 65 S 25

Cerrina Monferrato AL ... 27 G 6
Cerrione BI ... 19 F 6
Cerrisi CZ ... 86 J 31
Cerrito BR ... 79 F 35
Cerro VA ... 8 E 7
Cerro (Forca di) PG ... 52 N 20
Cerro al Lambro MI ... 21 G 10
Cerro al Volturno IS ... 64 R 24
Cerro (Passo del) PC ... 29 H 10
Cerro Tanaro AT ... 28 H 7
Cerro Veronese VR ... 23 F 15
Cerrone (Monte) PG ... 45 L 19
Cersosimo PZ ... 77 G 31
Certaldo FI ... 43 L 15
Certosa di Pesio CN ... 35 J 4
Cerusulo (Monte) SA ... 76 F 28
Cerva CZ ... 87 J 32
Cervandone (Monte) VB ... 8 D 6
Cervara MS ... 38 I 11
Cervara PR ... 29 H 11
Cervara di Roma RM ... 59 Q 21
Cervarese Sta Croce PD ... 24 F 17
Cervere CN ... 27 I 5
Cervesina PV ... 29 G 9
Cerveteri RM ... 62 Q 18
Cervi (Monte dei) PA ... 99 N 23
Cervia RA ... 41 J 19
Cervialto (Monte) AV ... 71 E 27
Cervicati CS ... 85 I 30
Cervignano del Friuli UD ... 17 E 21
Cervignasco CN ... 27 H 4
Cervina (Punta) / Hirzerspitze BZ ... 3 B 15
Cervinara AV ... 70 D 25
Cervino CE ... 70 D 25
Cervino (Monte) / Matterhorn AO ... 7 G 8
Cervo IM ... 35 K 6
Cervo (Pizzo) PA ... 98 M 22
Cervo (Torrente) BI ... 19 E 5
Cervognano SI ... 50 M 17
Cerzeto CS ... 85 I 30
Cesa CE ... 69 E 24
Cesacastina TE ... 59 O 22
Cesana Torinese TO ... 26 H 2
Cesana (Forca di) PG ... 52 N 21
Cesano AN ... 46 K 21
Cesano Boscone MI ... 21 F 9
Cesano (Fiume) PS ... 46 K 21
Cesano (Scolo) RO ... 32 G 17
Cesano Maderno MI ... 21 F 9
Cesaproba AQ ... 59 O 21
Cesara VB ... 8 E 7
Cesarò ME ... 100 N 26
Cesarolo VE ... 16 E 21
Cesclans UD ... 14 C 21
Cese AQ ... 59 P 22
Cese PG ... 52 N 20
Ceselli PG ... 52 N 20
Cesena FO ... 41 J 19
Cesenatico FO ... 41 J 19
Ceserano MS ... 38 J 12
Cesi AQ ... 59 P 22
Cesi TR ... 58 O 19
Cesiomaggiore BL ... 12 D 17
Cesole MN ... 31 G 13
Cessalto TV ... 16 E 19
Cessaniti VV ... 88 L 30
Cessapalombo MC ... 52 M 21
Cessuta (Sella) SA ... 77 G 29
Cesuna VI ... 24 E 16
Cetara SA ... 75 F 26
Cetica AR ... 44 K 16
Cetinale SI ... 49 M 15
Ceto BS ... 10 D 13
Cetona SI ... 50 N 17
Cetona (Monte) SI ... 50 N 17
Cetraro CS ... 85 I 29
Ceva CN ... 35 I 6
Cevedale (Monte) SO ... 11 C 13
Cevo BS ... 10 D 13
Chabodey AO ... 26 I 2
Challand-St. Anselme AO ... 19 E 5
Chambave AO ... 19 E 4
Chambeyron (Brec de) CN ... 26 I 2
Chamois AO ... 7 E 4

Champdepraz AO ... 19 E 4
Champoluc AO ... 7 E 5
Champorcher AO ... 19 F 4
Chanavey AO ... 18 F 3
Chardonney AO ... 19 F 4
Charvensod AO ... 18 E 3
Château des Dames AO ... 7 E 4
Châtelair AO ... 6 E 3
Châtillon AO ... 19 E 4
Chécrouit AO ... 6 E 2
Cheradi (Isole) TA ... 78 F 33
Cherasco CN ... 27 I 5
Cheremule SS ... 111 F 8
Cherio BG ... 22 E 11
Chero PC ... 30 H 11
Chero (Torrente) PC ... 30 H 11
Chia VT ... 58 O 18
Chialamberto TO ... 18 F 4
Chiampo VI ... 23 F 15
Chiampo (Torrente) VI ... 23 F 15
Chiana (Canale Maestro della) AR ... 50 M 17
Chiana (Val di) AR ... 50 L 17
Chianacce AR ... 50 M 17
Chianale CN ... 26 I 2
Chianca BA ... 72 D 30
Chianca (Isola la) FG ... 67 B 30
Chianca (Torre) LE ... 81 F 36
Chianche AV ... 70 D 26
Chianciano SI ... 50 M 17
Chianciano Terme SI ... 50 M 17
Chiani TR ... 51 N 18
Chianni PI ... 43 L 13
Chianti SI ... 44 L 15
Chianti (Monti del) SI ... 44 L 16
Chianzutan (Sella) UD ... 14 C 20
Chiappa (Punta) GE ... 37 J 9
Chiappera CN ... 26 I 2
Chiappi CN ... 34 I 3
Chiappo (Monte) PC ... 29 H 9
Chiaramonte Gulfi RG ... 104 P 26
Chiaramonti SS ... 111 E 8
Chiarano TV ... 16 E 19
Chiaravalle AN ... 46 L 21
Chiaravalle Centrale CZ ... 88 K 31
Chiaravalle della Colomba PC ... 30 H 11
Chiaravalle Milanese MI ... 21 F 9
Chiareggio SO ... 10 D 11
Chiarescons (Monte) UD ... 13 C 19
Chiari BS ... 22 F 11
Chiaromonte PZ ... 77 G 30
Chiarso UD ... 5 C 21
Chiáscio PG ... 46 L 20
Chiaserna PS ... 46 L 20
Chiassa AR ... 45 L 17
Chiatona TA ... 78 F 33
Chiauci IS ... 65 Q 25
Chiavano PG ... 52 O 21
Chiavano (Forca di) PG ... 52 N 21
Chiavari GE ... 37 J 9
Chiavenna SO ... 9 D 10
Chiavenna (Rifugio) SO ... 9 C 10
Chiavenna (Torrente) PN ... 30 H 11
Chiavenna Landi PC ... 30 G 11
Chiaverano TO ... 19 F 5
Chibbò (Monte) PA ... 99 O 23
Chieffo (Masseria) FG ... 71 D 28
Chienes / Kiens BZ ... 4 B 17
Chienti MC ... 52 M 20
Chieri TO ... 27 G 5
Chies d'Alpago BL ... 13 D 19
Chiesa BL ... 13 C 18
Chiesa VB ... 8 C 7
Chiesa in Valmalenco SO ... 10 D 11
Chiesa Nuova BL ... 12 E 17
Chiesa Nuova TP ... 97 M 19
Chiesanuova FI ... 43 K 15
Chiesanuova RA ... 32 I 17
Chiesanuova di S. Vito MC ... 46 L 21
Chiese BS ... 22 F 13
Chiesina Uzzanese PT ... 39 K 14
Chiesino AR ... 44 L 17
Chiesuol del Fosso FE ... 32 H 16
Chiesuola RA ... 41 I 18
Chieti CH ... 60 O 24
Chieuti FG ... 66 B 27
Chieve CR ... 21 F 10
Chievolis PN ... 13 D 20
Chignolo Po PV ... 29 G 10
Chilivani SS ... 111 F 8
Chioggia VE ... 25 G 18
Chioggia (Porto di) VE ... 25 G 18
Chiomonte TO ... 18 G 2
Chions PN ... 13 E 20
Chiotas (Digo del) CN ... 34 J 4
Chiozzola PR ... 30 H 13

Chirignago VE........ 25 F 18
Chisola TO........... 27 H 4
Chisone TO.......... 26 H 3
Chisone (Valle del) TO. 26 G 2
Chitignano AR...... 45 L 17
Chiuduno BG........ 22 F 11
Chiulano PC......... 29 H 10
Chiunzi (Valico di) SA.. 75 E 25
Chiuppano VI....... 24 E 16
Chiuro SO........... 10 D 11
Chiusa BZ........... 3 B 16
Chiusa RC........... 88 M 30
Chiusa di Pesio CN... 35 J 5
Chiusa / Klausen BZ.. 3 C 16
Chiusa Sclafani PA.... 97 N 21
Chiusaforte UD...... 15 C 21
Chiusanico IM....... 35 K 5
Chiusano
  di S. Domenico AV... 70 E 26
Chiusavecchia IM.... 35 K 5
Chiusdino SI........ 49 M 15
Chiusella TO........ 19 F 5
Chiusi (Lago di) SI.... 50 M 17
Chiusi SI........... 50 M 17
Chiusi della Verna AR.. 45 K 17
Chiusi Scalo SI...... 50 M 17
Chiusola SP......... 37 I 11
Chivasso TO........ 19 G 5
Chizzola TN........ 23 E 14
Chorio RC.......... 90 N 29
Ciaculli PA......... 98 M 22
Ciagola (Monte) CS.. 84 H 29
Cialancia (Punta) TO.. 26 H 3
Ciampie TN......... 12 C 17
Ciampino RM....... 62 Q 19
Ciamprisco CE...... 69 D 24
Cianciana AG....... 102 O 22
Ciane (Fonte) SR.... 105 P 27
Ciano MO.......... 39 I 15
Ciano TV........... 24 E 18
Ciano d'Enza RE.... 30 I 13
Ciarforòn TO....... 18 F 3
Ciaudon (Testa) CN... 35 J 4
Ciavolo TP......... 96 N 19
Cibiana (Passo) BL... 13 C 18
Cibiana di Cadore BL.. 13 C 18
Cibottola PG........ 51 N 18
Cicagna GE......... 37 I 9
Cicala CZ........... 86 J 31
Ciccalento (Ponte di) FG. 67 C 28
Ciccia (Monte) ME... 90 M 28
Cicciano NA........ 70 E 25
Cicerale SA......... 75 F 27
Cicese RO.......... 32 G 17
Cichero GE......... 37 I 9
Ciciliano RM........ 63 Q 20
Ciclopi (Riviera dei) CT. 101 O 27
Cicogna VB......... 8 D 7
Cicognara MN...... 30 H 13
Cicogni PC......... 29 H 10
Cicognolo CR....... 30 G 12
Cicolano RI......... 59 P 21
Ciconicco UD....... 14 D 21
Cigliano FI......... 40 K 16
Cigliano VC........ 19 G 6
Cignana (Lago di) AO.. 7 E 4
Cignano BS......... 22 F 12
Cigno CB........... 66 B 26
Cignone CR......... 22 G 11
Cigole BS.......... 22 G 12
Cilavegna PV....... 20 G 8
Cilento SA.......... 75 F 27
Cima Fiammante
  (Rifugio) BZ........ 3 B 15
Cima Gogna BL...... 5 C 19
Cima Tre Scarperi BZ.. 4 C 18
Cimabanche BL..... 4 C 18
Cimadolmo TV..... 25 E 19
Cimaferle AL....... 28 I 7
Cimasappada BL.... 5 C 20
Cime Nere /
  Hintere Schwärze BZ. 3 B 14
Cimego TN.......... 11 E 13
Cimetta (Colle) FR... 63 Q 22
Cimina RC.......... 91 M 30
Ciminarella
  (Masseria) BA...... 72 D 30
Cimini (Monti) VT... 57 O 18
Ciminna PA......... 98 N 22
Cimino (Masseria) BA.. 73 E 32
Cimino (Monte) VT... 57 O 18
Cimiti (Capo) KR..... 87 K 33
Cimitile NA......... 70 E 25
Cimolais PN........ 13 D 19
Cimoliana PN....... 13 D 19
Cimone (Monte) MO.. 39 J 14
Cimpello PN........ 13 E 20
Cinecitta RM........ 62 Q 19
Cineto Romano RM.. 58 P 20
Cinghio PR......... 30 H 12
Cingia de' Botti CR.. 30 G 12
Cingoli MC......... 46 L 21

Cinigiano GR........ 50 N 16
Ciniselo Balsamo MI.. 21 F 9
Cinisi PA........... 97 M 21
Cino SO............ 9 D 10
Cinquale MS........ 38 K 12
Cinque Croci (Passo) TN. 12 D 16
Cinque Denti (Cala) TP. 96 Q 18
Cinque Terre SP..... 37 J 11
Cinquefrondi RC.... 88 L 30
Cinquemiglia
  (Piano della) AQ.... 64 Q 23
Cinte Tesino TN..... 12 D 16
Cinto Caomaggiore VE. 16 E 20
Cinto Euganeo PD... 24 G 16
Cintoia FI.......... 44 L 16
Cintolese PT........ 39 K 14
Cinzano CN......... 27 H 5
Cinzano TO......... 27 G 5
Cioccaro AT......... 28 G 6
Ciociaria FR........ 63 Q 21
Ciola FC........... 41 K 18
Ciommarino FG..... 71 D 28
Ciorlano CE........ 65 R 24
Cipollaro
  (Galleria del) LU.... 38 J 12
Cipressi PE......... 60 O 24
Cirami (Monte) AG... 97 O 21
Circello BN......... 65 R 26
Circeo (Cap) LT...... 68 S 21
Circeo (Monte) LT... 68 S 21
Circeo (Parco
  Nazionale del) LT... 63 R 21
Cirella CS.......... 84 H 29
Cirella RC.......... 91 M 30
Cirella (Isola di) CS... 84 H 29
Cirella (Punta di) CS.. 84 H 29
Cirello RC.......... 88 L 29
Ciricilla CZ......... 86 J 31
Cirié TO........... 19 G 4
Cirié (Rifugio) TO.... 18 G 3
Ciriegia (Colle di) CN.. 34 J 3
Ciriga (Punta) RG.... 107 Q 26
Cirigliano MT....... 77 F 30
Cirò KR............ 87 I 33
Cirò Marina KR...... 87 I 33
Cisa (Passo della) PR.. 38 I 11
Cisano VR.......... 23 F 14
Cisano Bergamasco BG. 21 F 10
Cisano sul Neva SV.. 35 J 6
Cisigliana MS....... 38 J 12
Cislago VA......... 21 F 8
Cisliano MI......... 21 F 8
Cismon TN......... 12 D 16
Cismon del Grappa VI. 12 E 17
Cismon (Monte) BL... 12 E 17
Cison di Valmarino TV. 13 E 18
Cispiri OR.......... 115 G 8
Cissone CN......... 27 I 6
Cistella (Monte) VB... 8 D 6
Cisterna UD........ 14 D 20
Cisterna d'Asti AT... 27 H 6
Cisterna di Latina LT.. 63 R 20
Cisternino BR....... 80 E 34
Citelli (Rifugio) CT... 100 N 27
Citeriore PE........ 60 P 23
Citerna PR......... 30 I 12
Citerna PG......... 45 L 18
Citerna (Monte) FI... 39 J 15
Città della Pieve PG.. 50 N 18
Città di Castello PG... 45 L 18
Città di Milano
  (Rifugio) BZ....... 2 C 13
Città di Novara
  (Rifugio) VB....... 7 D 6
Città S. Angelo PE... 60 O 24
Cittadella PD....... 24 F 17
Cittadella del Capo CS. 84 I 29
Cittaducale RI....... 58 O 20
Cittanova MO...... 31 I 14
Cittanova RC....... 88 L 30
Cittareale RI........ 59 O 21
Cittiglio VA........ 8 E 7
Citulo (Masseria) BA.. 72 D 30
Ciuchesu OT........ 109 D 9
Ciuffenna AR....... 44 L 16
Civago RE.......... 38 J 13
Civate LC.......... 21 E 10
Civé PD............ 25 G 18
Civenna CO........ 9 E 9
Civezza IM......... 35 K 6
Civezzano TN....... 11 D 15
Civiasco VC........ 20 E 6
Cividale del Friuli UD.. 15 D 22
Cividale Mantovano MN. 30 G 13
Cividate al Piano BG.. 22 F 11
Cividate Camuno BS.. 10 E 12
Civiello (Masseria) PZ.. 72 E 29
Civita CS.......... 85 H 30
Civita PG.......... 52 N 21
Civita VT.......... 57 O 18

Civita (Forca di) PG.... 52 N 21
Civita Castellana VT.. 58 P 19
Civita d'Antino AQ.... 64 Q 22
Civitacampomarano CB. 65 Q 26
Civitaluparella CH.... 60 Q 24
Civitanova Alta MC... 53 M 23
Civitanova del Sannio IS. 65 Q 25
Civitanova Marche MC. 53 M 23
Civitaquana PE...... 60 P 23
Civitaretenga AQ.... 59 P 23
Civitate (Ponte di) FG.. 66 B 27
Civitatomassa AQ.... 59 O 21
Civitavecchia FR..... 64 R 22
Civitavecchia RM.... 57 P 17
Civitella (Monte) GR.. 50 N 17
Civitella (Monte) AR.. 45 L 18
Civitella Alfedena AQ.. 64 Q 23
Civitella Casanova PE.. 60 O 23
Civitella Cesi VT..... 57 P 18
Civitella d'Agliano VT. 57 O 18
Civitella del Lago TR.. 51 N 18
Civitella del Tronto TE. 53 N 23
Civitella di Romagna FO. 40 J 17
Civitella
  in Val di Chiana AR.. 44 L 17
Civitella Licinio BN... 65 S 25
Civitella Marittima GR. 50 N 15
Civitella Messer
  Raimondo CH..... 60 P 24
Civitella Ranieri PG... 51 M 19
Civitella Roveto AQ... 64 Q 22
Civitella S. Paolo RM.. 58 P 19
Civo SO............ 9 D 10
Civorio FO.......... 41 K 18
Cixerri CI.......... 118 J 7
Cizzago BS......... 22 F 11
Cizzolo MN......... 31 G 14
Claino-Osteno CO... 9 D 9
Clapier (Monte) CN... 34 J 4
Classe (Pineta di) RA.. 41 I 18
Claut PN........... 13 D 19
Clautana (Forcella) PN. 13 D 19
Clauzetto PN....... 14 D 20
Clavière TO........ 26 H 2
Cles TN............ 11 C 15
Cleulis UD.......... 5 C 20
Climiti (Monti) SR.... 105 P 27
Cliternia Nuova CB... 66 B 27
Clitunno (Fonti del) PG. 52 N 20
Clitunno (Tempio di) PG. 52 N 20
Clivio VA.......... 8 E 8
Clusane sul Lago BS.. 22 F 12
Clusio BZ.......... 2 B 13
Clusone BG........ 10 E 11
Coazze TO......... 26 G 3
Cozzolo AT......... 27 H 6
Coca (Pizzo di) BG... 10 D 12
Coccaglio BS....... 22 F 11
Coccanile FE........ 32 H 17
Coccau UD.......... 15 C 22
Coccia (Poggio di) VT.. 57 P 18
Coccolia RA........ 41 J 18
Cocconato AT....... 27 G 6
Coccorino VV....... 88 L 29
Coccovello (Monte) PZ. 76 G 29
Coco (Monte del) TP.. 97 N 20
Cocquio Trevisago VA.. 8 E 8
Cocullo AQ......... 60 P 23
Cocumola LE........ 83 G 37
Cocuzza (Monte) RC.. 90 M 29
Cocuzzo (Monte) CS.. 86 J 30
Cocuzzo (Monte) SA.. 76 G 28
Coda Cavallo
  (Capo) OT......... 113 E 11
Coda (Rifugio) BI.... 19 F 5
Codaruina SS........ 111 E 8
Codelago o
  Devero (Lago) VB.... 8 C 6
Codevigo PD....... 25 G 18
Codevilla PV........ 29 H 9
Codigoro FE........ 33 H 18
Codisotto RE........ 31 H 14
Codogne TV........ 13 E 19
Codogno LO........ 29 G 11
Codonfuri RC....... 90 N 29
Codroipo UD........ 16 E 20
Codrongianos SS.... 111 F 8
Codula di Sisine OG.. 117 G 10
Codula di Luna OG... 117 G 10
Coeli Aula FI........ 43 K 15
Cofano (Golfo del) TP. 97 M 20
Cofano (Monte) TP... 97 M 20
Coggina (Genna) OG. 117 G 10
Cogghias OT........ 111 E 9
Coghinas (Fiume) SS. 111 E 8
Coghinas
  (Lago del) OT...... 111 E 9

Coglians (Monte) /
  Hohe Warte UD.... 5 C 20
Cogliate MI......... 21 F 9
Cogne AO.......... 18 F 4
Cogne (Val di) AO.... 18 F 3
Cogoleto GE........ 36 I 7
Cogoli NU.......... 113 F 10
Cogollo del Cengio VI. 24 E 16
Cogolo TN.......... 11 C 14
Cogozzo MN........ 30 H 13
Cogruzzo RE........ 31 H 13
Col Collon (Rifugio) AO. 7 E 4
Col di Prà BL........ 12 D 17
Colà VR............ 23 F 14
Colazza NO......... 20 E 7
Colbertaldo TV...... 12 E 18
Colbordolo PS....... 41 K 20
Colbu (Lu) OT....... 111 E 9
Colcavagno AT...... 27 G 6
Colcellalto AR....... 45 K 18
Colcerasa MC....... 52 M 21
Coldrano / Goldrain BZ. 3 C 14
Coleazzo (Monte) BS.. 10 D 13
Coler TN........... 11 C 14
Colere BG.......... 10 E 12
Colfelice FR........ 64 R 22
Colfiorito PG........ 52 M 20
Colfosco TV........ 25 E 18
Coli PC............ 29 H 10
Colico LC.......... 9 D 10
Colla ME........... 100 M 26
Colla (Monte) CT.... 100 N 26
Colla (Monte sa) OG.. 119 H 10
Colla (Passo) PR..... 29 I 11
Colla (Passo la) PZ... 76 G 29
Collagna RE........ 38 I 12
Collalbo / Klobenstein BZ. 3 C 16
Collalto SI.......... 49 L 15
Collalto UD......... 14 D 21
Collalto / Hochgall BZ.. 4 B 18
Collalto Sabino RI.... 59 P 21
Collalunga (Cima di) CN. 34 J 3
Collamato AN....... 52 M 20
Collarmele AQ...... 59 P 22
Collatoni MC........ 52 N 20
Collazzone PG...... 51 N 19
Colle PN........... 13 D 20
Colle AQ........... 59 O 21
Colle AP........... 52 N 21
Colle Alto FR........ 64 R 22
Colle / Bichl BZ..... 3 B 15
Colle Croce PG...... 52 M 20
Colle d'Anchise CB... 65 R 25
Colle di Tora RI...... 58 P 20
Colle di Val d'Elsa SI.. 43 L 15
Colle di Villa /
  Bauernkohlern BZ... 3 C 16
Colle Don Bosco
  (Santuario) AT..... 27 G 6
Colle Isarco /
  Gossensaß BZ..... 3 B 16
Colle-Lupo GR...... 56 O 16
Colle S. Lorenzo PG.. 51 N 20
Colle S. Magno FR... 64 R 23
Colle Sta Lucia BL... 12 C 18
Colle S. Marco AP.... 53 N 22
Colle Sannita BN.... 65 R 26
Colle Umberto TV.... 13 E 19
Collebaldo PG....... 51 N 18
Collebarucci FI...... 40 K 15
Collebeato BS....... 22 F 12
Collebrincioni AQ.... 59 O 22
Collecchio PR....... 30 H 13
Collecorvino PE..... 60 O 24
Colledara TE........ 59 O 23
Colledimacine CH.... 60 P 24
Colledimezzo CH.... 65 Q 25
Colledoro TE........ 60 O 23
Colleferro RM....... 63 Q 21
Collegiove RI........ 59 P 21
Collegno TO........ 27 G 4
Collelongo AQ...... 64 Q 22
Collelungo TR....... 51 N 18
Collelungo (Torre) GR. 55 O 15
Collemancio PG..... 51 N 19
Collemeto LE........ 83 G 36
Collemincio PG...... 51 M 20
Colleoli PG......... 43 L 14
Collepardo FR....... 63 Q 22
Collepasso LE....... 83 G 36
Collepepe PG....... 51 N 19
Collepietra / Steinegg BZ. 3 C 16
Collepietro AQ...... 60 P 23
Colleretta (Punta) NU. 111 F 9
Collesalvetti LI...... 42 L 13
Collesano PA........ 99 N 23
Collesanto MC...... 52 M 21

Collesecco TR....... 51 N 19
Collesecco PG....... 51 N 19
Collestatte Piano TR.. 58 O 20
Collestrada PG...... 51 M 19
Colletorto CB....... 66 B 26
Collevalenza PG..... 51 N 19
Collevecchio RI...... 58 O 19
Colli a Volturno IS... 64 R 24
Colli del Tronto AP... 53 N 23
Colli di Montebove AQ. 59 P 21
Colli Euganei PD.... 24 G 17
Colli sul Velino RI.... 58 O 20
Colliano SA......... 76 E 27
Collina AN.......... 46 L 21
Collina LU.......... 43 K 13
Collina UD.......... 5 C 20
Collina (Passo della) PT. 39 J 14
Collinas VS......... 118 I 8
Colline Metallifere PI.. 49 M 14
Collinello FO........ 41 J 18
Collio BS........... 22 E 13
Collobiano BI....... 20 E 6
Colloredo di
  Monte Albano UD... 14 D 21
Colloredo di Prato UD. 14 D 21
Colma di Monbarone BI. 19 F 5
Colma la VB........ 20 E 6
Colmurano MC...... 52 M 22
Colobraro MT....... 77 G 31
Cologna FE......... 32 H 17
Cologna TE......... 53 N 23
Cologna Spiaggia TE.. 53 N 23
Cologna Veneta VR.. 24 G 16
Cologne FE......... 32 I 17
Cologne RE......... 38 I 12
Cologno al Serio BG.. 21 F 11
Cologno Monzese MI.. 21 F 9
Colognola ai Colli VR. 23 F 15
Colognora (vicino
  a Diecimo) LU...... 38 K 13
Colognora (vicino a
  Villa Basilica) LU.... 39 K 13
Colombaia FE....... 32 H 17
Colombara (Secca) PA. 92 K 21
Colombardo
  (Colle del) TO...... 18 G 3
Colombare BS....... 23 F 13
Colombata (Isola) TP.. 96 M 19
Colombine (Monte) BS. 22 E 13
Colombo (Monte) TO.. 19 F 4
Colonna RM........ 63 Q 20
Colonna (Capo) KR... 87 J 33
Colonna di Grillo SI.. 50 M 16
Colonnata FI........ 39 K 15
Colonnata (Cave di) MS. 38 J 12
Colonne
  (Punta delle) CI.... 120 J 6
Colonnella TE....... 53 N 23
Colonnetta TR....... 51 N 18
Coloretta MS........ 37 I 11
Colorno PR......... 30 H 13
Colosimi CS......... 86 J 31
Colostrai (Stagno di) CA. 119 I 10
Colpalombo PG..... 51 M 19
Colpetrazzo PG...... 51 N 19
Coltano PI.......... 42 L 13
Coltaro PR.......... 30 H 12
Comabbio VA....... 20 E 8
Comabbio (Lago di) VA. 20 E 8
Comacchio FE....... 33 H 18
Comacchio (Valli di) FE. 32 H 17
Comano CH......... 60 P 24
Comano MS......... 38 J 12
Comano Terme TN... 11 D 14
Comazzo LO........ 21 F 10
Combai TV.......... 13 E 18
Combolo (Monte) SO.. 10 D 12
Comeglians UD...... 5 C 20
Comelico Superiore BL. 5 C 19
Comercio VV........ 88 L 29
Comero (Monte) FO.. 40 K 18
Comezzano-Cizzago BS. 22 F 11
Comino CH......... 60 P 24
Comino (Capo) NU... 113 F 11
Comiso RG......... 104 Q 25
Comitini AG........ 103 O 22
Commessaggio MN... 31 G 13
Commezzadura TN... 11 D 14
Communitore
  (Monte) AP........ 52 N 21
Como CO........... 21 E 9
Como (Lago di) LC... 9 E 9
Como (Rifugio) CO... 9 D 9
Compiano AQ....... 60 P 23
Comporta (Punta) NU. 111 F 9
Compiano RE........ 30 I 13
Compiano PR........ 29 I 10
Compione MS....... 38 J 12
Comun Nuovo BG... 21 F 10
Comuna BI.......... 19 F 6
Comunanza AP...... 52 N 22
Comuneglia SP...... 37 I 10

Comunelli (Lago) CL.. 103 P 24
Cona FE............ 32 H 17
Cona Faiete TE...... 53 N 22
Cona VE............ 24 G 18
Conca RN.......... 41 K 19
Conca Casale IS..... 64 R 24
Conca dei Marini SA.. 75 F 25
Conca di Campania CE. 64 R 23
Conca d'Oro
  (Masseria) TA...... 78 F 32
Conca (Pizzo) PA.... 99 N 23
Concas NU.......... 113 F 10
Concerviano RI...... 58 P 20
Concesio BS........ 22 F 12
Concessa RC........ 90 M 28
Conche PD.......... 25 G 18
Conco VI........... 24 E 16
Concordia Sagittaria VE. 16 E 20
Concordia
  sulla Secchia MO... 31 H 14
Concorezzo MI...... 21 F 10
Condino TN......... 11 E 13
Condofuri Marina RC.. 90 N 29
Condove TO........ 18 G 3
Condrò ME......... 90 M 27
Conegliano TV...... 13 E 18
Cónero (Monte) AN... 47 L 22
Confienza PV....... 20 G 7
Confinale (Monte) SO.. 10 C 13
Confinale (Passo) SO.. 10 D 11
Conflenti CZ........ 86 J 30
Coniale FI.......... 40 J 16
Conigli (Isola dei) AG. 102 U 19
Coniolo BS......... 22 F 11
Consandolo FE...... 32 I 17
Conscenti GE....... 37 I 10
Conselice RA........ 32 I 17
Conselve PD........ 24 G 17
Consolazione
  (Convento) FG..... 71 D 28
Consuma FI......... 44 K 16
Consuma
  (Passo della) AR.... 44 K 16
Contane FE......... 32 H 18
Contarina RO....... 33 G 18
Conte di Noia
  (Masseria) FG...... 71 D 29
Conte (Porto) SS..... 110 F 6
Contessa RioMnero SR. 104 P 26
Contessa Entellina PA. 97 N 21
Contessa (Monte) CZ.. 88 K 31
Contessa
  (Punta della) BR.... 81 F 36
Contigliano RI....... 58 O 20
Contignano SI....... 50 N 17
Contrada AV........ 70 E 26
Contrasto
  (Colle del) ME...... 100 N 25
Contrebbia PC...... 29 G 10
Controguerra TE..... 53 N 23
Controne SA........ 76 F 27
Contursi Terme SA... 76 F 27
Conversano BA...... 73 E 33
Conza (Lago di) AV... 71 E 27
Conza (Sella di) SA... 71 E 27
Conza
  della Campania AV.. 71 E 28
Conzano AL........ 28 G 7
Cop di Breguzzo
  (Cima) TN......... 11 D 13
Copanello CZ....... 89 K 31
Copertino LE........ 83 G 36
Copiano PV......... 21 G 9
Coppa PV........... 29 H 9
Coppa Ferrata
  (Monte) FG........ 67 B 29
Coppe di Maltempo
  (Masseria) BA...... 72 D 29
Coppito AQ......... 59 O 22
Coppolo (Monte) BL.. 12 D 17
Coppolo (Monte) MT.. 77 G 31
Corace CZ.......... 86 J 31
Coraci CS.......... 86 J 31
Corallo (Porto) CA... 119 I 10
Corana PV.......... 28 G 8
Corato BA.......... 72 D 31
Corbara SA......... 75 E 25
Corbara (Lago di) TR.. 51 N 18
Corbesassi PV....... 29 H 9
Corbetta MI........ 20 F 8
Corbola RO......... 33 G 18
Corcagnano PR..... 30 H 12
Corchia PR......... 30 I 11
Corciano VT........ 58 O 19
Corciano PG........ 51 M 18
Corcolle RM........ 63 Q 20
Corcrevà RO........ 32 G 18
Corcumello AQ...... 59 P 22

Cordenons *PN*........ 13 E 20
Cordevole *BL*..... 13 D 18
Cordignano *TV*....... 13 E 19
Cordovado *PN* .... 16 E 20
Coredo *TN* .... 11 C 15
Coreggia *BA*.......... 80 E 33
Coreglia Antelminelli *LU*. 39 J 13
Corella *FI*........... 40 K 16
Coreno Ausonio *FR*.... 64 R 23
Corese Terra *RI* .... 58 P 20
Corezzo *AR*.......... 45 K 17
Corfinio *AQ*........ 60 P 23
Corfino *LU* .... 38 J 13
Cori *LT* .... 63 R 20
Coriano *RN*........ 41 K 19
Corigliano *CE* ...... 64 S 23
Corigliano Calabro *CS*. 85 I 31
Corigliano Calabro
   Stazione *CS* ...... 85 I 31
Corigliano d'Otranto *LE*. 83 G 36
Corinaldo *AN*...... 46 L 21
Corio *TO* .... 19 G 4
Corleto *FG* .... 77 D 28
Corleto (Bosco di) *SA*.. 76 F 28
Corleto Monforte *SA* .. 76 F 28
Corleto Perticara *PZ* ... 77 F 30
Corlo (Lago del) *BL*.. 12 E 17
Cormano *MI* .... 21 F 9
Cormons *GO* ...... 17 E 22
Cormor *UD*....... 16 E 21
Cornacchia (Monte) *FG*. 71 C 27
Cornacchia (Monte) *AQ*. 64 Q 22
Cornaget (Monte) *PN*.. 13 D 19
Cornaiano / Girlan *BZ*.. 3 C 15
Cornale *PV*........ 28 G 8
Cornaredo *MI* ..... 21 F 9
Cornate d'Adda *MI*.. 21 F 10
Cornedo Vicentino *VI*.. 24 F 16
Corneliano d'Alba *CN*.. 27 H 5
Cornello (Passo) *PG*... 52 M 20
Cornetto *TN*........ 11 E 15
Cornia *GR*........ 49 M 14
Corniglia *SP*........ 37 J 11
Corniglio *PR* .... 38 I 12
Corniolo *FO* .... 40 K 17
Cornisello (Lago di) *TN*. 11 D 14
Corno *RI* .... 58 O 20
Corno *UD* .... 17 E 21
Corno Bianco *VC* .... 7 E 5
Corno Bianco *BZ* .... 3 B 16
Corno di Rosazzo *UD*.. 17 E 22
Corno Giovine *LO* .. 30 G 11
Corno Grande *TE* .... 59 O 22
Corno (Isola del) *CA*.. 120 J 8
Cornolo *PR*....... 29 I 10
Cornone *FG*......... 66 B 27
Cornour (Punta) *TO*... 26 H 3
Cornovecchio *LO*.. 30 G 11
Cornoviglio (Monte) *SP*. 38 J 11
Cornuda *TV* ...... 24 E 18
Cornus *OR* .... 114 G 7
Corona *SV* .... 36 I 7
Coronella *FE* ...... 32 H 16
Corones (Plan de) /
   Kronplatz *BZ* ..... 4 B 17
Corongiu (Laghi di) *CA*. 119 J 9
Corongiu (Punta) *OG*. 117 H 10
Corpo di Cava *SA*.... 75 E 26
Corpolo *RN* .... 41 J 19
Corra Cherbina
   (Punta) *NU* .... 115 F 9
Corrasi (Punta) *NU*... 117 G 10
Correggio *RE*......... 31 H 14
Correggioli *MN*.... 31 G 15
Correnti
   (Isola delle) *SR*..... 107 Q 27
Correzzola *PD*...... 25 G 18
Corridonia *MC*.... 53 M 22
Corropoli *TE*........ 53 N 23
Corsaglia *CN*....... 35 J 5
Corsaglia (Torrente) *CN*. 35 J 5
Corsano *LE*........ 83 H 37
Corsi (Piano dei) *SV*... 36 J 6
Corsi (Rifugio) *BZ*.... 2 C 14
Corsi (Rifugio) *UD*.... 15 C 22
Corsico *MI* .... 21 F 9
Corsignano (Pieve di) *SI*. 50 M 17
Corso (Portella) *AG*... 103 P 23
Cortaccia s. str. d. vino /
   Kurtatsch a. d.
   Weinstraße *BZ*...... 11 D 15
Cortale *CZ* ...... 88 K 31
Cortandone *AT*..... 27 H 6
Cortazzone *AT* ..... 27 G 6
Corte *BL* .... 13 C 18
Corte *NU*........ 115 G 7
Corte *VC* .... 8 D 6
Corte Brugnatella *PC*. 29 H 10
Corte Centrale *FE*..... 32 H 18
Corte Cerbos
   (Monte) *NU* ...... 115 H 9

Corte de' Cortesi *CR* ... 22 G 12
Corte de' Frati *CR*.... 22 G 12
Corte Falasio *LO*...... 21 G 10
Corte Franca *BS* ... 22 F 11
Corte Porcus *OG* ... 119 H 10
Corte S. Andrea *LO* ... 29 G 10
Corte Vetere (Masseria) *LE*. 79 G 35
Cortellazzo *VE*....... 16 F 20
Cortemaggiore *PC* .... 30 H 11
Cortemaggiore
   (Masseria) *TA*....... 79 F 34
Cortemilia *CN* .... 27 I 6
Cortenedolo *BS*..... 10 D 12
Corteno (Val di) *BS* .. 10 D 12
Corteno Golgi *BS*.... 10 D 12
Cortenova *LC* ...... 9 E 10
Cortenuova *BG*...... 22 F 11
Corteolona *PV* .... 29 G 10
Corticato (Sella del) *SA*. 76 F 28
Corticella *BO*....... 32 I 16
Corticelle Pieve *BS* .... 22 F 12
Cortiglione *AT*....... 28 H 7
Cortigno *PG*......... 52 N 20
Cortile *MO*........ 31 H 14
Cortina d'Ampezzo *BL*. 4 C 18
Cortina s. str. d. Vino /
   Kurtinig *BZ*....... 11 D 15
Cortino *TE* .... 59 O 22
Cortoghiana *CI*..... 118 J 7
Cortona *AR* .... 50 M 17
Corva *PN*........ 13 E 19
Corvara *PE* .... 60 P 23
Corvara in Badia *BZ* .. 4 C 17
Corvara / Rabenstein *BZ*. 3 B 15
Corvaro *RI* .... 59 P 21
Corvi (Monte dei) *AN*. 47 L 22
Corvia *PG* .... 51 N 20
Corviale *RM*....... 62 Q 19
Corvo (Monte) *AQ*... 59 O 22
Corzes / Kortsch *BZ* .. 2 C 14
Cosa *PN*.......... 13 D 19
Cosa Ansedonia *GR*.. 56 O 15
Cosa (Fiume) *FR*..... 63 R 21
Coscerno (Monte) *PG*.. 52 N 20
Coscile *CS*........ 85 H 30
Coseano *UD*....... 14 D 21
Cosentino (Masseria) *CS*. 86 I 31
Cosenza *CS* .... 86 J 30
Cosimo (Pizzo) *PA*. 99 N 24
Cosio Valtellino *SO* .... 9 D 10
Cosoleto *RC*....... 90 M 29
Cossano Belbo *CN*... 27 I 6
Cossato *BI* .... 19 F 6
Cossignano *AP*...... 53 N 23
Cossogno *VB*....... 8 E 7
Cossoine *SS*....... 111 F 8
Costa *BS* .... 23 E 13
Costa *RG*........ 104 Q 25
Costa Amalfitana *SA*.. 75 F 25
Costa de' Nobili *PV* .. 29 G 10
Costa di Rovigo *RO*... 32 G 17
Costa Dorata *OT*..... 113 E 10
Costa Merlata *BR*... 80 E 34
Costa Paradiso *OT*... 109 D 8
Costa Pavesi *PR* .... 30 H 12
Costa Rossa (Brec) *CN*. 35 J 4
Costa S. Abramo *CR* .. 22 G 11
Costa Vescovato *AL*... 28 H 8
Costa Viola *RC*...... 90 M 29
Costa Volpino *BG*... 22 E 12
Costabissara *VI*...... 24 F 16
Costacciaro *PG*..... 46 L 20
Costafontana *GE*... 29 I 9
Costalpino *SI*...... 50 M 15
Costalta *PC*........ 29 H 10
Costalunga *VR* ..... 24 F 15
Costalunga (Passo di) /
   Karerpaß *TN*..... 12 C 16
Costanzana *VC*.... 20 G 7
Coste *VR*......... 23 F 14
Costeggiola *VR*..... 23 F 15
Costermano *VR* .... 23 F 14
Costey *AO*.......... 19 F 5
Costigliole d'Asti *AT* ... 27 H 6
Costigliole Saluzzo *CN*. 27 I 4
Costozza *VI* .... 24 F 16
Cotignola *RA*...... 40 I 17
Cotronei *KR*....... 87 J 32
Cotschen (Monte) *SO*... 2 C 12
Cottanello *RI*....... 58 O 20
Courmayeur *AO*....... 6 E 2
Coviolo *FI*........ 40 J 15
Coviolo *RE*....... 31 H 13
Covo *BG* .... 22 F 11
Coxinas *CA*....... 119 I 9
Cozzana *BA* ...... 73 E 33
Cozzano *PR* ..... 30 I 12
Cozze *BA*........ 73 D 33
Cozzo *PV*......... 20 G 7
Cozzuolo *TV* ...... 13 E 18
Craco *MT* .... 77 F 31
Crana (Pioda di) *VB*.... 8 D 7

Crandola Valsassina *LC*. 9 D 10
Crati *CS*........ 85 I 30
Crava *CN* .... 35 I 5
Cravagliana *VC*...... 8 E 6
Cravanzana *CN*...... 27 I 6
Cravasco *GE*...... 28 I 8
Craveggia *VB*....... 8 D 7
Cravi (Monte) *GE* .... 29 I 9
Crea (Santuario di) *AL*. 28 G 6
Creazzo *VI* .... 24 F 16
Crecchio *CH*....... 60 P 24
Creda *BO*........ 39 J 15
Credaro *BG* .... 22 F 11
Credera Rubbiano *CR*.. 21 G 10
Crema *CR* .... 21 F 11
Cremenaga *VA*...... 8 E 8
Cremeno *LC*....... 9 E 10
Cremia *CO* .... 9 D 9
Cremolino *AL* ...... 28 I 7
Cremona *CR* ...... 30 G 12
Cremona alla Stua
   (Rifugio) *BZ*....... 3 B 15
Cremosano *CR* ..... 21 F 10
Crep (Monte) *TV* ... 13 E 18
Crepaldo *VE*....... 16 F 20
Crescentino *VC*..... 19 G 6
Cresia (Genna 'e) *OG*.. 117 H 10
Cresia (Punta sa) *CA*.. 121 J 9
Crespadoro *VI*...... 23 F 15
Crespano del Grappa *TV*. 24 E 17
Crespellano *BO*..... 31 I 15
Crespiatica *LO*...... 21 F 10
Crespina *PI*........ 43 L 13
Crespino *RO*....... 32 H 17
Crespino del Lamone *FI*. 40 J 16
Crespole *PT* .... 39 K 14
Cressa *NO*........ 20 F 7
Cresta d'Arp *AO* .... 18 E 2
Cresto (Monte) *BI* ... 19 E 5
Creta *PC* .... 29 G 10
Creta Forata (Monte) *UD*. 5 C 20
Creta (Portella) *EN*... 99 N 24
Cretaz *AO* .... 18 F 4
Creti *AR*......... 50 M 17
Creto *GE* .... 29 I 9
Cretone *RM* .... 58 P 20
Crevacuore *BI*...... 20 E 6
Crevalcore *BO*...... 31 H 15
Crevoladossola *VB* ... 8 D 6
Crichi *CZ*........ 89 K 31
Cridola (Monte) *BL* .. 13 C 19
Crispiano *TA* ...... 78 F 33
Crispiero *MC* ..... 52 M 21
Crispiniano (Monte) *FG*. 71 D 27
Crissolo *CN*....... 26 H 3
Cristallo *BL* ...... 4 C 18
Cristo (Monte) *LT*..... 68 S 22
Cristo Re *BA*...... 80 E 33
Croara *BO* .... 40 J 16
Crobus (Monte is) *OG*. 119 I 10
Crocchio *CZ*....... 87 J 32
Crocci *TP*........ 96 M 19
Croccia (Monte la) *MT*. 77 F 30
Crocco (Monte) *VV*... 88 L 30
Croce *RN* .... 41 K 19
Croce (Colle della) *AQ*. 64 Q 23
Croce (Monte) *TN* ... 12 D 16
Croce (Pania della) *LU*. 38 J 12
Croce (Pian della) *FR*.. 63 R 21
Croce (Picco di) /
   Wilde Kreuzspitze *BZ*. 3 B 16
Croce (Portella della) *PA*. 98 N 22
Croce a Veglia *PT*... 39 J 14
Croce
   al Promontario *ME*.. 95 M 27
Croce Arcana (Passo) *PT*. 39 J 14
Croce d'Aune (Passo) *BL*. 12 D 17
Croce dello Scrivano
   (Passo) *PZ*....... 77 F 29
Croce di Magara *CS*.. 86 J 31
Croce di Panaro
   (Passo) *VV*....... 88 L 31
Croce di Raparo *PZ*... 77 G 29
Croce di Serra
   (Monte) *TR*...... 58 O 18
Croce Dominii
   (Passo di) *BS*...... 10 E 13
Croce Ferrata (Passo) *RC*. 88 L 30
Croce Mancina
   (Monte) *ME*.... 100 N 27
Croce Rossa *TO*..... 18 G 3
Crocefieschi *GE* ..... 29 I 9
Crocelle (Passo delle) *PZ*. 71 E 28
Crocera di Barge *CN*.. 26 H 4
Crocetta *TO*...... 27 H 5
Crocetta *BO*....... 40 I 17
Crocetta *RO*....... 32 G 16
Crocetta
   del Montello *TV*.. 24 E 18
Crocetta (Passo) *CS*.. 86 J 30
Crocette
   (Goletto del) *BS* .. 22 E 13

Crocevie *TP*........ 96 M 19
Croci (Monte di) *PG* .. 51 M 19
Croci (Vetta Le) *FI* ... 40 K 16
Croci di Calenzano *FI*.. 39 K 15
Crodo *VB* .... 8 D 6
Crognaleto *TE*....... 59 O 22
Cropalati *CS*....... 87 I 32
Cropani *CZ*........ 89 K 32
Cropani Marina *CZ* ... 89 K 32
Crosa *VC*........ 20 E 6
Crosano *TN* ...... 23 E 14
Crosia *CS*........ 87 I 32
Crostis (Monte) *UD*.... 5 C 20
Crostolo *RE* ...... 31 I 13
Crotone *KR* .... 87 J 33
Crotta d'Adda *CR*.... 30 G 11
Crova *VC*......... 20 G 6
Crozzón di Lares *TN*... 11 D 13
Crucoli *KR*........ 87 I 33
Crucoli Torretta *KR* ... 87 I 33
Cruser *RA* .... 33 I 18
Cruxi (Genna) *OG*... 117 G 10
Cruzitta (Punta) *OT*.. 109 D 8
Cuasso al Monte *VA*... 8 E 8
Cuccaro Monferrato *AL*. 28 G 7
Cuccaro Vetere *SA*.... 76 G 27
Cucchinadorza
   (Lago di) *NU*..... 115 G 9
Cucco (Monte) *PG*.. 46 L 20
Cuccurano *PS* .... 46 K 20
Cuccurdoni Mannu
   (Punta) *CA*...... 118 I 8
Cuccureddu (Monte) *NU*. 115 G 9
Cuccuru 'e Paza *NU* . 116 G 10
Cuceglio *TO*....... 19 G 5
Cuddia *TP*........ 97 N 19
Cuestalta /
   Hoher Trieb *UD*.... 5 C 21
Cuffiano *BN*....... 65 R 26
Cuga *SS*......... 110 F 7
Cuga (Lago) *SS*..... 110 F 7
Cuggiono *MI* ..... 20 F 8
Cuglieri *OR*....... 114 G 7
Cugnana (Punta) *OT*. 109 D 10
Cugnoli *PE* .... 60 P 23
Cuiaru (Monte) *SS*... 111 F 8
Cuma *NA* .... 69 E 24
Cumiana *TO*...... 26 H 4
Cumignano
   sul Naviglio *CR*... 22 F 11
Cuna *SI* .... 50 M 16
Cunardo *VA* .... 8 E 8
Cuneo *CN*........ 35 I 4
Cuorgnè *TO*....... 19 F 4
Cupa *CE*........ 69 D 23
Cupello *CH*....... 61 P 26
Cupetti (Punta) *NU*.. 113 F 10
Cupi *MC*......... 52 M 21
Cupoli *PE* .... 60 O 23
Cupra Marittima *AP*... 53 M 23
Cupramontana *AN*.... 46 L 21
Cura *VT*......... 57 P 18
Curcuris *OR*....... 116 H 8
Curi (Monte sa) *OT* .. 109 E 10
Curiglia *VA* .... 8 D 8
Curinga *CZ*........ 88 K 30
Curino *BI*........ 19 E 6
Curon Venosta / Graun im
   Vinschgau *BZ*..... 2 B 13
Curone *AL* .... 29 H 9
Cursi *LE*......... 83 G 36
Cursolo Orasso *VB*.... 8 D 7
Curtarolo *PD* ..... 24 F 17
Curtatone *MN*..... 31 G 14
Curticelle *SA* ...... 70 E 26
Cusa (Cave di) *TP*.... 97 O 20
Cusago *MI* .... 21 F 9
Cusano *PN*....... 13 E 20
Cusano Milanino *MI*... 21 F 9
Cusano Mutri *BN*.... 65 R 25
Cusercoli *FO* ..... 40 J 18
Cusio *BG*......... 9 E 10
Cusna (Monte) *RE* ... 38 J 13
Cussorgia *CI*...... 118 J 7
Custonaci *TP*...... 97 M 20
Custoza *VR*....... 23 F 14
Cutigliano *PT* ..... 39 J 14
Cutro *KR*......... 87 J 32
Cutrofiano *LE* ..... 83 G 36
Cuvio *VA* .... 8 D 8
Cuzzago *VB* ...... 8 D 7

Dalmine *BG* ..... 21 F 10
Dambel *TN*...... 11 C 15
Danta *BL*........ 5 C 19
Daone *TN* ...... 11 D 13
Daone (Val di) *TN*... 11 D 13
Darfo-Boario Terme *BS*. 10 E 12
Darzo *TN*....... 23 E 13
Dasà *VV*....... 88 L 30

Dattilo *TP*........ 96 N 19
Daunia (Monti della) *FG*. 66 C 27
Davagna *GE*........ 37 I 9
Davoli *CZ* .... 88 L 31
Dazio *SO*........ 9 D 10
De Costanzi *CN*..... 26 I 3
De Gasperi (Rifugio) *UD*. 5 C 20
De Lorenzis
   (Masseria) *BA*...... 72 E 31
Decimomannu *CA*... 118 J 8
Decimoputzu *CA*.... 118 I 8
Decollatura *CZ*..... 86 J 31
Decorata *BN* ...... 70 C 26
Degano *UD* ..... 5 C 20
Dego *SV* .... 36 I 6
Deiva Marina *SP*.... 37 J 10
Del Vecchio
   (Masseria) *TA*..... 78 F 32
Delebio *SO*........ 9 D 10
Delia *CL* .... 103 O 23
Delia (Fiume) *AG* ... 103 P 23
Delianuova *RC* ..... 90 M 29
Deliceto *FG* ...... 71 D 28
Dello *BS*........ 22 F 12
Demo *BS*........ 10 D 13
Demonte *CN* ...... 34 J 3
Denice *AL*........ 28 I 7
Denno *TN*........ 11 D 15
Denore *FE*....... 32 H 17
Dent d'Hérens *AO* ... 7 E 4
Dente del Gigante *AO*. 6 E 2
Denza (Rifugio) *TN* .. 11 D 13
Derby *AO* .... 18 E 3
Dermulo *TN*...... 11 C 15
Dernice *AL* .... 29 H 9
Deruta *PG*....... 51 N 19
Dervio *LC* .... 9 D 9
Desana *VC* .... 20 G 7
Dese *VE* .... 25 F 18
Dese (Fiume) *VE* .... 25 F 18
Desenzano del Garda *BS*. 23 F 13
Desio *MI* .... 21 F 9
Destro *CS* ...... 87 I 32
Desulo *NU* ...... 115 G 9
Desusino (Monte) *CL*. 103 P 24
Deta (Pizzo) *AQ*.... 64 Q 22
Deutschnofen /
   Nova Ponente *BZ*.. 12 C 16
Devero (Val) *VB* .... 8 D 6
Dezzo *BG* ...... 10 E 12
Dezzo (Fiume) *BS* ... 10 E 12
Di Brazza (Rifugio) *UD*. 15 C 20
Di Santo (Masseria) *BA*. 73 E 32
Diacceto *FI*....... 44 K 16
Diamante *CS* ...... 84 H 29
Diano Arentino *IM*... 35 K 6
Diano Castello *IM* ... 35 K 6
Diano d'Alba *CN*.... 27 I 6
Diano Marina *IM* ... 35 K 6
Diano (Vallo di) *SA* .. 76 F 28
Diavolo (Passo del) *AQ*. 64 Q 23
Diavolo (Pizzo del) *BG*. 10 D 11
Dicomano *FI*....... 40 K 16
Dieci (Cima) *BZ*.... 4 C 17
Decimo *LU*...... 38 K 13
Diegaro *FO*...... 41 J 18
Dierico *UD* ...... 5 C 20
Dietro Isola (Porto) *TP*. 96 Q 18
Digerbato *TP*...... 96 N 19
Dignano *UD*...... 14 D 20
Dignini *PC*........ 30 H 11
Diliella (Fattoria) *CL*.. 103 P 24
Diligenza *RG* ...... 104 Q 25
Dimaro *TN* ...... 11 D 14
Dinami *VV* .... 88 L 30
Dino (Isola di) *CS*.... 84 H 29
Dipignano *CS* ..... 86 J 30
Dipilo (Pizzo) *PA* ... 99 N 23
Dirillo *CT* ...... 104 P 25
Dirillo (Lago) *CT* ... 104 P 26
Diso *LE*......... 83 G 37
Disgrazia (Monte) *SO*. 10 D 11
Disueri (Lago) *CL*.. 104 P 24
Dittaino *EN* ..... 100 O 25
Divedro (Val) *VB*.... 8 D 6
Diveria (Fiume) *VB*.... 8 D 6
Divieto *ME*....... 90 M 28
Divignano *NO*..... 20 F 7
Divino Amore
   (Santuario del) *RM*. 62 Q 19
Dobbiaco / Toblach *BZ*. 4 B 18
Dobbiaco (Lago di) *BZ*. 4 B 18
Dobbiaco Nuovo *BZ*.. 4 B 18
Doberdò del Lago *GO*. 17 E 22
Dodici (Cima) *TN* ... 12 E 16
Dogana Nuova *MO*... 39 J 13
Doganaccia *PT* .... 39 J 14
Doganella *LT*...... 63 R 20

Dogaro *MO*....... 31 H 15
Doglia (Monte) *SS*... 110 F 6
Dogliani *CN*....... 27 I 5
Doglio *PG*....... 51 N 18
Dogliola *CH* ...... 61 Q 25
Dogna *UD* .... 15 C 21
Dogna (Torrente) *UD*.. 15 C 22
Dolcè *VR* .... 23 F 14
Dolceacqua *IM*..... 35 K 4
Dolcecanto *BA* .... 72 E 30
Dolcedo *IM* ...... 35 K 5
Dolcedorme (Serra) *PZ*. 85 H 30
Dolegna del Collio *GO*. 15 D 22
Dolent (Monte) *AO*... 6 E 3
Dolianova *CA* .... 119 I 9
Dolo *VE* .... 25 F 18
Dolo (Torrente) *MO*.. 39 J 13
Dolomiti Bellunesi (Parco
   Nazionale delle) *BL*. 12 D 17
Dolzago *LC*....... 21 E 10
Domanico *CS* ..... 86 J 30
Domanins *PN*..... 13 D 20
Domaso *CO* .... 9 D 9
Domegge di Cadore *BL*. 5 C 19
Domegliara *VR*..... 23 F 14
Domelletto *NO*.... 20 E 7
Domenica
   (Città della) *PG*... 51 M 19
Domicella *AV*..... 70 E 25
Domo *AN*....... 46 L 21
Domo di Sasso
   (Poggio) *AR* .... 44 K 16
Domodossola *VB*..... 8 D 6
Domu 'e s'Orcu (Sa) *CA*. 121 J 9
Domus de Maria *CA* .. 121 K 8
Domusnovas *CI* .... 118 J 7
Donada *RO* ...... 33 G 18
Donato *BI*........ 19 F 5
Dondenaz *AO*...... 19 F 4
Dongo *CO* .... 9 D 9
Donigala *OG* .... 117 H 11
Donigala
   Fenughedu *OR*.... 114 H 7
Donna Giacoma
   (Cozzo) *PA* ..... 98 N 22
Donna (Punta sa) *NU*. 113 F 10
Donnafugata *RG* .. 104 Q 25
Donnalucata *RG*... 106 Q 25
Donnas *AO*....... 19 F 5
Donoratico *LI* ... 49 M 13
Donori *CA*....... 119 I 9
Dont *BL*......... 13 C 18
Donzella (Isola della) *RO*. 33 H 19
Doppo (Monte) *BS* .. 22 F 12
Dora Baltea *AO*.... 18 E 3
Dora di Rhêmes *AO*.. 18 F 3
Dora
   di Valgrisanche *AO*. 18 F 3
Dora Riparia *TO* ... 26 H 2
Dordo *BG* .... 21 E 10
Dorgali *NU* .... 117 G 10
Doria *CS* .... 85 H 31
Dorigoni (Rifugio) *TN*.. 2 C 14
Dorio *LC* .... 9 D 9
Dorno *PV* .... 20 G 8
Dorra *GE* .... 37 I 9
Dosimo *CR*...... 22 G 12
Dosolo *MN*....... 31 H 13
Dossena *BG*....... 9 E 11
Dosso *FE* .... 32 H 16
Dosso del Liro *CO* .... 9 D 9
Dosson *TV* ...... 25 F 18
Doues *AO* .... 6 E 3
Dovadola *FO*...... 40 J 17
Dovaru (Monte su) *NU*. 115 G 9
Dovera *CR* .... 21 F 10
Dozza
   (vicino ad Imola) *BO*. 40 I 16
Dragoncello *MN*.... 31 H 15
Dragone *MO*...... 39 J 13
Dragone (Colle del) *PZ*. 85 H 30
Dragonetti *PZ*...... 71 E 29
Dragoni *CE*....... 65 S 24
Drapia *VV*........ 88 L 29
Drei Zinnen / Lavaredo
   (Tre Cime di) *BL* .. 4 C 18
Dreieck-Spitze /
   Triangolo di Riva *BZ*. 4 B 18
Dreiherrnspitze / Tre Signori
   (Picco dei) *BZ*.... 4 A 18
Drena *TN* .... 11 E 14
Drenchia *UD* ..... 15 D 22
Dresano *MI* ...... 21 F 10
Drizzona *CR*...... 30 G 13
Dro *TN*......... 11 E 14
Dronero *CN* ...... 26 I 4
Drosi *RC* .... 88 L 29
Druento *TO* ...... 19 G 4
Druges *AO* .... 19 E 4
Druogno *VB*....... 8 D 7
Drusco *PR*....... 29 I 10

Dualchi **NU** 115 G 8
Duanera la Rocca **FG** 66 C 28
Dubbione **TO** 26 H 3
Dubino **SO** 9 D 10
Duca degli Abruzzi (Rifugio) **AQ** 59 O 22
Duca (Masseria del) **TA** 79 F 34
Duca (Masseria Nuova del) **BA** 72 D 31
Ducato Fabriago **RA** 32 I 17
Duchessa (Lago della) **RI** 59 P 22
Due Carrara **PD** 24 G 17
Due Maestà **RE** 31 I 13
Due Santi (Passo dei) **MS** 37 I 11
Duesanti **PG** 51 N 19
Dueville **VI** 24 F 16
Dufour (Punta) **VB** 7 I 8
Dugenta **BN** 70 D 25
Duglia **CS** 85 I 31
Dugliolo **BO** 32 I 16
Duino-Aurisina **TS** 17 E 22
Dumenza **VA** 8 D 8
Dunarobba **TR** 51 N 19
Duno **VA** 8 E 8
Duomo **BS** 22 F 12
Dura (Cima) **BZ** 4 B 18
Duran (Passo) **BL** 13 D 18
Durazzanino **FO** 41 J 18
Durazzano **BN** 70 D 25
Durnholz / Valdurna **BZ** 3 B 16
Durone (Passo) **TN** 11 D 14
Duronia **CB** 65 R 25

E

Ebba (Scala s') **OR** 115 H 8
Eboli **SA** 75 F 27
Eclause **TO** 26 G 2
Ederas (Piana) **SS** 111 E 8
Edolo **BS** 10 D 12
Ega (Val d') / Eggental **BZ** 3 C 16
Egadi (Isole) **TP** 96 N 18
Eggental / Ega (Val d') **BZ** 3 C 16
Egna **VC** 7 E 6
Egna / Neumarkt **BZ** 11 D 15
Egnazia **BR** 80 E 34
Egola **FI** 43 L 14
Ehrenburg / Casteldarne **BZ** 4 B 17
Eia **PR** 30 H 12
Eianina **CS** 85 H 30
Eira (Passo d') **SO** 2 C 12
Eisack / Isarco **BZ** 3 B 16
Eisacktal / Isarco (Val) **BZ** 3 B 16
Eita **SO** 10 C 12
Elba (Isola d') **LI** 48 N 12
Elcito **MC** 52 M 21
Eleme (S') **OT** 112 E 9
Eleutero **PA** 98 N 22
Elice **PE** 60 O 23
Elicona **ME** 100 M 27
Elini **OG** 117 H 10
Elio (Monte d') **FG** 67 B 28
Elisabetta **AO** 18 E 2
Ellena Soria **CN** 34 J 4
Ellera **SV** 36 I 7
Ellero **CN** 35 J 5
Ello **LC** 21 E 10
Elmas **CA** 119 J 9
Elmo **GR** 50 N 17
Elmo (Monte) **GR** 50 N 17
Elmo (Monte) / Helm **BZ** 5 B 19
Eloro **SR** 107 Q 27
Elsa **FI** 43 L 14
Eltica (Monte la) **OT** 111 E 9
Elva **CN** 26 I 3
Elvo **BI** 19 F 6
Emarèse **AO** 19 E 5
Embrisi (Monte) **RC** 90 M 29
Emilius (Monte) **AO** 18 E 4
Empoli **FI** 43 K 14
Ena 'e Tomes (Sa) **NU** 117 F 10
Enas **OT** 113 E 10
Enciastraia (Monte) **CN** 34 I 2
Endine (Lago di) **BG** 22 E 11
Endine Gaiano **BG** 22 E 11
Enego **VI** 12 E 17
Enego 2000 **VI** 12 E 16
Enemonzo **UD** 14 C 20
Enfola (Capo d') **LI** 48 N 12
Enna **EN** 99 O 24
Enna **BG** 9 E 10
Enneberg / Marebbe **BZ** 4 B 17
Ente **GR** 50 N 16
Entracque **CN** 34 J 4
Entrata (Sella) **RC** 90 M 29
Entrèves **AO** 6 E 2
Envie **CN** 26 H 4
Enza **PR** 38 I 12
Eolie o Lipari (Isole) **ME** 94 L 26
Eores / Afers **BZ** 4 B 17
Epinel **AO** 18 F 3
Episcopia **PZ** 77 G 30
Epitaffio (Masseria) **BA** 72 E 30
Epomeo (Monte) **NA** 74 E 23
Equi Terme **MS** 38 J 12
Era **SO** 9 D 10
Era (Fiume) **PI** 43 L 14
Eraclea **MT** 78 G 32
Eraclea **VE** 16 F 20
Eraclea Mare **VE** 16 F 20
Eraclea Minoa **AG** 102 O 21
Eramo a Marzagaglia (Casino) **BA** 73 E 32
Erba **CO** 21 E 9
Erba (Masseria dell') **BA** 73 E 33
Erbano (Monte) **CE** 65 S 25
Erbavuso **EN** 99 O 24
Erbè **VR** 23 G 14
Erbe (Passo di) **BZ** 4 B 17
Erbea (Monte) **SO** 9 D 10
Erbezzo **VR** 23 F 14
Erbognone **PV** 20 G 8
Erbonne **CO** 9 E 9
Erbusco **BS** 22 F 11
Erchia (Casino d') **BA** 73 E 33
Erchie **BR** 79 F 35
Ercolano **NA** 69 E 25
Ercolano Scavi **NA** 70 E 25
Erei (Monti) **EN** 104 O 24
Eremita (Monte) **SA** 71 E 28
Eremita (Pizzo dell') **CT** 100 N 26
Erice **TP** 96 M 19
Erli **SV** 35 J 6
Ernici (Monti) **FR** 63 Q 21
Erro **SV** 36 I 7
Erto **PN** 13 D 19
Erula **SS** 111 E 8
Erve **LC** 21 E 10
Esanatoglia **MC** 52 M 20
Esaro **CS** 85 I 30
Escalaplano **CA** 119 I 10
Escolca **CA** 119 H 9
Escovedu **OR** 115 H 8
Esenta **BS** 22 F 13
Esine **BS** 10 E 12
Esino **AN** 46 L 20
Esino Lario **LC** 9 E 10
Esperia **FR** 64 R 23
Esporlatu **SS** 115 F 8
Esse **AR** 50 M 17
Este **PD** 24 G 16
Esterzili **CA** 115 H 9
Etna (Cantoniera dell') **CT** 100 N 26
Etna (Monte) **CT** 100 N 26
Etroubles **AO** 6 E 3
Etsch / Adige **BZ** 3 C 15
E.U.R. **RM** 62 Q 19
Eurialo **SR** 105 P 27
Eva (Punta) **CA** 121 K 8
Evançon **AO** 7 E 5
Exilles **TO** 26 G 2

F

Fabbri **PG** 51 N 20
Fabbrica Curone **AL** 29 H 9
Fabbriche **LU** 39 J 13
Fabbriche di Vallico **LU** 38 K 13
Fabbrico **RE** 31 H 14
Fabriano **AN** 52 L 20
Fabrica di Roma **VT** 58 O 18
Fabrizia **VV** 88 L 30
Fabro **TR** 51 N 18
Fabro Scalo **TR** 51 N 18
Facen **BL** 12 D 17
Fadalto **BL** 13 D 19
Fadalto (Sella di) **BL** 13 D 19
Faedis **UD** 15 D 22
Faedo **SO** 10 D 11
Faedo **TN** 11 D 15
Faedo **VI** 24 F 16
Faenza **RA** 40 J 17
Faetano **RSM** 41 K 19
Faeto **FG** 71 D 27
Fagagna **UD** 14 D 21
Faggiano **TA** 79 F 34
Fagnano Alto **AQ** 59 P 22
Fagnano Castello **CS** 85 I 30
Fagnano Olona **VA** 20 E 8
Fagnigola **PN** 13 E 20
Fago del Soldato **CS** 86 I 31
Fai della Paganella **TN** 11 D 15
Faiallo (Passo del) **GE** 36 I 8
Faiano **SA** 75 F 26
Faiatella **SA** 76 G 28
Faicchio **BN** 65 S 25
Faida **TN** 11 D 15
Faidello **MO** 39 J 13
Faiolo **TR** 51 N 18
Faito (Monte) **NA** 74 E 25
Falcade **BL** 12 C 17
Falciano **AR** 45 L 17
Falciano del Massico **CE** 69 D 23
Falconi **AN** 46 L 20
Falcognana **RM** 62 Q 19
Falconara **CL** 103 P 24
Falconara Albanese **CS** 86 J 30
Falconara Marittima **AN** 47 L 22
Falcone **ME** 100 M 27
Falcone (Capo del) **SS** 110 E 6
Falcone (Monte) **TP** 96 N 18
Falcone (Punta) **OT** 109 D 9
Falconiera (Capo) **PA** 92 K 21
Faleria **AP** 52 M 22
Faleria **VT** 58 P 19
Falerii Novi **VT** 58 P 19
Falerna **CZ** 86 J 30
Falerna Marina **CZ** 88 K 30
Falerone **AP** 52 M 22
Falicetto **CN** 27 I 4
Falier (Rifugio) **BL** 12 C 17
Fallascoso **CH** 60 P 24
Faller (Corno di) **VB** 7 E 5
Fallère (Monte) **AO** 18 E 3
Fallo **CH** 65 Q 24
Falmenta **VB** 8 D 7
Faloria (Tondi di) **BL** 4 C 18
Falterona (Monte) **FI** 40 K 17
Faltona **AR** 44 L 17
Faltona **FI** 40 K 16
Falvaterra **FR** 64 R 22
Falzarego (Passo di) **BL** 4 C 18
Falze di Piave **TV** 13 E 18
Falzes / Pfalzen **BZ** 4 B 17
Fana (Corno di) / Toblacher Pfannhorn **BZ** 4 B 18
Fanaco (Lago) **PA** 98 O 22
Fanano **MO** 39 J 14
Fanciullo **RM** 57 P 17
Fane **VR** 23 F 14
Fangacci (Passo) **AR** 40 K 17
Fanghetto **IM** 35 K 4
Fanna **PN** 13 D 20
Fano **PS** 46 K 21
Fano a Corno **TE** 59 O 22
Fano Adriano **TE** 59 O 22
Fantina **ME** 101 M 27
Fantiscritti (Cave di) **MS** 38 J 12
Fantoli (Rifugio) **VB** 8 E 7
Fanzarotta **CL** 103 O 23
Fanzolo **TV** 24 E 17
Fara Filiorum Petri **CH** 60 P 24
Fara Gera d'Adda **BG** 21 F 10
Fara in Sabina **RI** 58 P 20
Fara Novarese **NO** 20 F 7
Fara S. Martino **CH** 60 P 24
Fara Vicentino **VI** 24 E 16
Faraglione (Punta) **TP** 96 N 18
Faraglioni (Isola) **NA** 74 F 24
Fardella **PZ** 77 G 30
Farfa **RI** 58 P 20
Farfa (Abbazia di) **RI** 58 P 20
Farfengo **CR** 22 G 11
Farigliano **CN** 27 I 5
Farindola **PE** 60 O 23
Farini **PC** 29 H 10
Farnese **VT** 57 O 17
Farneta **CS** 77 G 31
Farneta **MO** 39 I 13
Farneta (Abbazia di) **AR** 50 M 17
Farneta di Riccò **MO** 39 I 14
Faro (Capo) **ME** 94 L 26
Faro Superiore **ME** 90 M 28
Faroma (Monte) **AO** 7 E 4
Farra d'Alpago **BL** 13 D 19
Farra di Soligo **TV** 13 E 18
Farro **TV** 13 E 18
Fasana **KR** 87 J 33
Fasana Polesine **RO** 32 G 18
Fasanella **SA** 76 F 27
Fasano **BS** 23 F 13
Fasano **BR** 80 E 34
Fasano **PA** 99 N 24
Fascia **GE** 29 I 9
Fassa (Val di) **TN** 12 C 17
Fassinoro **RI** 58 P 20
Fastello **VT** 57 O 18
Fate (Monte delle) **FR** 63 R 21
Fattoria (Zoo) **PA** 97 M 21
Fau (Pizzo) **ME** 100 N 25
Faugia **PI** 42 L 13
Faule **CN** 27 H 4
Favale di Malvaro **GE** 37 I 9
Favalto (Monte) **PG** 45 L 18
Favara **AG** 103 P 22
Favara (Lago) **AG** 97 O 21
Favazzina **RC** 90 M 29
Faver **TN** 11 D 15
Faverga **BL** 13 D 18
Faverzano **BS** 22 F 12
Favignana **TP** 96 N 18
Favignana (Isola) **TP** 96 N 18
Favogna / Fennberg **BZ** 11 D 15
Favoscuro **ME** 100 N 26
Favria **TO** 19 G 5
Fazzon **TN** 11 D 14
Fedaia (Lago di) **TN** 4 C 17
Fedaia (Passo di) **TN** 4 C 17
Feglino **SV** 36 J 6
Feisoglio **CN** 27 I 6
Felci (Fossa) **ME** 94 L 25
Feldthurns / Velturno **BZ** 4 B 16
Felegara **PR** 30 H 12
Feletto **TO** 19 G 5
Feletto Umberto **UD** 15 D 21
Felina **RE** 38 I 13
Felino **PR** 30 H 12
Felisio **RA** 40 I 17
Felitto **SA** 76 F 27
Felizzano **AL** 28 H 7
Fella **UD** 15 C 22
Fellicarolo **MO** 39 J 14
Felonica **MN** 32 H 16
Feltre **BL** 12 D 17
Fema (Monte) **MC** 52 N 21
Femmina Morta **FI** 40 J 16
Femmina Morta Miraglia (Portella) **ME** 100 N 25
Femminamorta **PT** 39 K 14
Femminamorta (Monte) **KR** 87 J 32
Femminamorta (Monte) **EN** 100 N 25
Femmine (Isola delle) **PA** 97 M 21
Fenaio (Punta del) **GR** 55 O 14
Fener **BL** 12 E 17
Fenestrelle **TO** 26 G 3
Fenigli **PS** 46 L 20
Fenile **PS** 46 K 20
Fenis **AO** 19 E 4
Fennau (Monte) **OG** 117 G 10
Fennberg / Favogna **BZ** 11 D 15
Ferdinandea **RC** 88 L 31
Ferentillo **TR** 58 O 20
Ferentino **FR** 63 Q 21
Ferento **VT** 57 O 18
Feriolo **VB** 8 E 7
Ferla **SR** 104 P 26
Fermignano **PS** 46 K 19
Fermo **AP** 53 M 23
Fernetti **TS** 17 E 23
Ferno **VA** 20 F 8
Feroleto Antico **CZ** 88 K 31
Feroleto della Chiesa **RC** 88 L 30
Ferrandina **MT** 77 F 31
Ferrania **SV** 36 I 6
Ferranti (Masseria) **FG** 71 D 28
Ferrara **FE** 32 H 16
Ferrara di Monte Baldo **VR** 23 E 14
Ferraro **RC** 91 M 30
Ferrato (Capo) **CA** 119 J 10
Ferrera **VC** 8 E 6
Ferrera Erbognone **PV** 28 G 8
Ferrere **AT** 27 H 6
Ferrere **CN** 34 I 2
Ferret (Col du) **AO** 6 E 3
Ferret (Val) **AO** 6 E 3
Ferretto **AR** 50 M 17
Ferricini (Monte) **TP** 97 N 21
Ferriere **PC** 29 I 10
Ferriere (Le) **LT** 63 R 20
Ferro **CS** 78 G 31
Ferro (Canale del) **UD** 15 C 21
Ferro (Capo) **SS** 109 D 10
Ferro di Cavallo **PG** 51 M 19
Ferro (Pizzo del) **SO** 2 C 12
Ferro (Porto) **SS** 110 E 6
Ferrone **FI** 43 L 15
Ferru (Monte) **CA** 119 J 10
Ferru (Monte) **OG** 119 H 10
Ferru (Monte) **OR** 114 G 7
Ferruzzano **RC** 91 M 30
Fersinone **TR** 51 N 18
Fertilia **SS** 110 F 6
Festiona **CN** 34 J 4
Feto (Capo) **TP** 96 O 19
Fetovaia **LI** 48 N 12
Fetovaia (Punta di) **LI** 48 N 12
Feverstein / Montarso **BZ** 3 B 15
Fiamenga **PG** 51 N 19
Fiamignano **RI** 59 P 21
Fianello **RI** 58 O 19
Fiano **FI** 43 L 15
Fiano **LU** 38 K 13
Fiano Romano **RM** 58 P 19
Fiano **TO** 19 G 4
Fiascherino **SP** 38 J 11
Fiaschetti **PN** 13 E 19
Fiastra **MC** 52 M 21
Fiastra (Abbazia di) **MC** 52 M 22
Fiastra (Lago di) **MC** 52 M 21
Fiastra (Torrente) **MC** 52 M 22
Fiastrone **MC** 52 M 21
Fiavé **TN** 11 D 14
Fibreno (Lago) **FR** 64 Q 23
Ficarazzi **PA** 98 M 22
Ficarolo **RO** 32 H 16
Ficarra **ME** 100 M 26
Ficulle **TR** 51 N 18
Ficuzza **PA** 98 N 22
Ficuzza (Bosco della) **PA** 98 N 22
Ficuzza (Fattoria) **CL** 103 P 23
Ficuzza (Fiume) **CT** 104 P 25
Ficuzza (Pizzo) **AG** 99 O 23
Ficuzza (Rocca) **AG** 97 O 21
Fidenza **PR** 30 H 12
Fié allo Sciliar / Völs am Schlern **BZ** 3 C 16
Fiemme (Val di) **TN** 12 D 16
Fiera di Primiero **TN** 12 D 17
Fiera (Monte della) **PA** 97 N 21
Fierozzo **TN** 12 D 15
Fieschi (Basilica dei) **GE** 37 J 10
Fiesco **CR** 22 F 11
Fiesole **FI** 40 K 15
Fiesse **BS** 22 G 12
Fiesso d'Artico **VE** 24 F 18
Fiesso Umbertiano **RO** 32 H 16
Figari (Capo) **SS** 113 E 11
Figino Serenza **CO** 21 E 9
Figline **PO** 39 K 15
Figline Valdarno **FI** 44 L 16
Figline Vegliaturo **CS** 86 J 30
Filadelfia **VV** 88 K 30
Filadonna (Becco di) **TN** 11 E 15
Filaga **PA** 98 N 22
Filandari **VV** 88 L 30
Filattiera **MS** 38 J 11
Filau (Monte) **CA** 121 K 8
Filettino **FR** 63 Q 21
Filetto **AN** 46 L 21
Filetto **AQ** 59 O 22
Filetto **CH** 60 P 24
Filettole **PI** 38 K 13
Filiano **PZ** 71 E 29
Filibertu **SS** 110 E 6
Filicudi (Isola) **ME** 94 L 25
Filicudi Porto **ME** 94 L 25
Filighera **PV** 21 G 9
Filignano **IS** 64 R 24
Filio (Pizzo) **ME** 100 N 25
Filippa **KR** 87 J 32
Filiciano **RM** 58 P 19
Filo **FE** 32 I 17
Filogaso **VV** 88 K 30
Filottrano **AN** 47 L 22
Finale **PA** 99 M 24
Finale di Rero **FE** 32 H 17
Finale Emilia **MO** 32 H 15
Finale Ligure **SV** 36 J 7
Fine **LI** 42 L 13
Finero **VB** 8 D 7
Finestra di Champorcher **AO** 19 F 4
Finestre (Colle delle) **TO** 26 G 3
Fino **PE** 60 O 23
Fino del Monte **BG** 10 E 11
Fino Mornasco **CO** 21 E 9
Finocchio **RM** 62 Q 20
Fioio **RM** 59 Q 21
Fionchi (Monte) **PG** 52 N 20
Fiora **GR** 50 N 16
Fiorana **FE** 32 I 17
Fiorano Modenese **MO** 31 I 14
Fiordimonte **MC** 52 M 21
Fiore **PG** 51 N 19
Fiorentina **BO** 32 I 16
Fiorentino **RSM** 41 K 19
Fiorenzuola d'Arda **PC** 30 H 11
Fiorenzuola di Focara **PS** 46 K 20
Fiori (Montagna di) **TE** 53 N 22
Fiorino **GE** 36 I 8
Firenze **FI** 43 K 15
Firenzuola **FI** 40 J 16
Firenzuola **TR** 51 N 19
Firmo **CS** 85 H 30
Fiscalino (Campo) / Fischleinboden **BZ** 4 C 18
Fisciano **SA** 70 E 26
Fisciolo (Serra) **PZ** 77 G 29
Fisrengo **NO** 20 F 7
Fissa (Posta) **FG** 71 D 28
Fittanze della Sega (Passo) **TN** 23 E 14
Fiuggi **FR** 63 Q 21
Fiumalbo **MO** 39 J 13
Fiumana **FO** 40 J 17
Fiumarella **PZ** 72 E 29
Fiumata **RI** 59 P 21
Fiume **MC** 52 M 21
Fiume (il) **TV** 16 E 19
Fiume Nicà (Punta) **CS** 87 I 33
Fiume Veneto **PN** 13 E 20
Fiumedinisi **ME** 90 M 28
Fiumefreddo Bruzio **CS** 86 J 30
Fiumefreddo di Sicilia **CT** 101 N 27
Fiumenero **BG** 10 D 11
Fiumi Uniti **RA** 41 I 18
Fiumicella **MC** 46 L 22
Fiumicello **UD** 17 E 22
Fiumicello Sta Venere **PZ** 84 H 29
Fiumicino **RM** 62 Q 18
Fiuminata **MC** 52 M 20
Fivizzano **MS** 38 J 12
Flaas / Valas **BZ** 3 C 15
Flagogna **UD** 14 D 20
Flaiban-Pacherini (Rifugio) **UD** 13 C 19
Flaibano **UD** 14 D 20
Flambruzzo **UD** 16 E 21
Flascio **CT** 100 N 26
Flassin **AO** 18 E 3
Flavia (Porto) **CA** 118 J 7
Flavon **TN** 11 D 15
Flegrei (Campi) **NA** 69 E 24
Fleres / Pflersch **BZ** 3 B 16
Fleres (Val di) **BZ** 3 B 16
Fleri **CT** 101 O 27
Flero **BS** 22 F 12
Flores (Genna) **NU** 115 G 9
Floresta **ME** 100 N 26
Floridia **SR** 105 P 27
Florinas **SS** 111 F 7
Floripotena **ME** 90 M 27
Flumendosa **OG** 115 H 10
Flumendosa (Foce del) **CA** 119 I 10
Flumendosa (Lago Alto del) **OG** 117 H 10
Flumendosa (Lago del) **CA** 119 H 9
Flumeri **AV** 71 D 27
Flumignano **UD** 16 E 21
Flumineddu **CA** 119 I 9
Flumineddu (Cagliari e Nuoro) **CA** 119 I 10
Flumineddu **NU** 117 G 10
Fluminese **CI** 118 I 7
Flumini **CA** 119 J 9
Flumini (Rio) **OR** 115 H 9
Fluminimaggiore **CI** 118 I 7
Fluno **BO** 40 I 17
Fobello **VC** 7 E 6
Focà **RC** 88 L 31
Foce **AP** 52 N 21
Foce **TR** 58 O 19
Foce di Varano **FG** 67 B 29
Foce Verde **LT** 63 R 20
Focene **RM** 62 Q 18
Focette **LU** 38 K 12
Fodara Vedla **BZ** 4 C 18
Foén **BL** 12 D 17
Foggia **FG** 66 C 28
Foghe (Punta di) **OR** 114 G 7
Foglia **PS** 41 K 19
Foglianise **BN** 70 D 26
Fogliano **RE** 31 I 13
Fogliano (Lago di) **LT** 63 R 20
Fogliano (Monte) **VT** 57 P 18
Fogliano Redipuglia **GO** 17 E 22
Foglizzo **TO** 19 G 5
Fognano **RA** 40 J 17
Foi di Picerno (Monte li) **PZ** 76 F 29
Foiana / Vollan **BZ** 3 C 15
Foiano della Chiana **AR** 50 M 17
Foiano di Val Fortore **BN** 70 C 26
Folgaria **TN** 11 E 15
Folgarida **TN** 11 D 14
Folignano **AP** 53 N 22
Foligno **PG** 51 N 20
Follerato (Masseria) **TA** 78 F 32
Follina **TV** 13 E 18
Follo **SP** 38 J 11
Follone **CS** 85 I 30
Follonica **GR** 49 N 14
Follonica (Golfo di) **LI** 49 N 13
Folta **PR** 37 I 11
Fombio **LO** 29 G 11
Fondachelli-Fantina **ME** 101 N 27
Fondachello **CT** 101 N 27
Fondi **LT** 64 R 22
Fondi (Lago di) **LT** 63 S 22
Fondi (Lido di) **LT** 63 S 21
Fondiano **RE** 31 I 13
Fondo **TN** 11 C 15
Fondotoce **VB** 8 E 7
Fongara **VI** 23 E 15
Fonni **NU** 115 G 9
Fontainemore **AO** 19 F 5
Fontalcinaldo **GR** 49 M 14

Fontana TV .... 13 E 18
Fontana (Val) SO ...... 10 D 11
Fontana Bianca (Lago di) BZ .... 3 C 14
Fontana di Papa RM .. 62 Q 19
Fontana Fredda PC .... 30 H 11
Fontana Liri Inferiore FR. 64 R 22
Fontana Liri Superiore FR..... 64 R 22
Fontanafratta FR .... 64 Q 22
Fontanafredda PN... 13 E 19
Fontanamare CI .... 118 J 7
Fontanarosa AR .... 70 D 27
Fontane Bianche SR .. 105 Q 27
Fontanefredde / Kaltenbrunn BZ .... 12 D 16
Fontanelice BO.. 40 J 16
Fontanella BG.... 22 F 11
Fontanella FI.... 43 L 14
Fontanella Grazioli MN. 22 G 12
Fontanellato PR.... 30 H 12
Fontanelle CN.... 35 J 4
Fontanelle TE.... 60 O 23
Fontanelle PR.... 30 H 12
Fontanelle TV.... 16 E 19
Fontanelle VI.... 24 E 16
Fontaneto d'Agogna NO. 20 F 7
Fontaneto Po VC.... 19 G 6
Fontanigorda GE.... 29 I 9
Fontanile AT.... 28 H 7
Fontaniva PD.... 24 F 17
Fonte TV.... 24 E 17
Fonte alla Roccia / Trinkstein BZ.... 4 A 18
Fonte Avellana (Eremo di) PS.... 46 L 20
Fonte Cerreto AQ.... 59 O 22
Fonte Colombo (Convento di) RI.... 58 O 20
Fonte Lardina MC.... 52 M 21
Fonte Vetica (Rifugio) TE.... 60 O 23
Fonteblanda GR.... 55 O 15
Fontecchia (Monte) AQ.. 54 Q 23
Fontecchio AQ.... 59 P 22
Fontechiari FR.... 64 Q 23
Fontecorniale PS.... 46 K 20
Fontegreca CE.... 65 R 24
Fonteno BG.... 22 E 12
Fonterutoli SI.... 44 L 15
Fontespina MC.... 47 M 23
Fontevivo PR.... 30 H 12
Fonti (Cima) VI.... 24 E 16
Fontignano PG.... 51 M 18
Fonzaso BL.... 12 D 17
Foppa (Passo di) BS.... 10 D 12
Foppiano VB.... 8 D 7
Foppiano GE.... 29 I 9
Foppolo BG.... 10 D 11
Foradada (Isola) SS... 110 F 6
Forani CN.... 34 J 3
Forano RI.... 58 P 19
Forano(Convento di) MC. 47 L 22
Forbici (Passo di) RE... 38 J 13
Forca di Valle TE.... 59 O 22
Force AP.... 52 N 22
Forcella AL.... 52 N 20
Forcella (Monte) SA.. 76 G 28
Forcella (Passo la) GE.. 37 I 10
Forcella Vallaga (Rifugio) BZ.......... 3 B 16
Forchetta (Valico della) CH.... 64 Q 24
Forcito SR.... 104 P 26
Forcola (Pso di) / Furkel Spitze BZ.... 2 C 13
Forcoli PI.... 43 L 14
Forcuso (Monte) AV.... 71 E 27
Fordongianus OR.... 115 H 8
Forenza PZ.... 72 E 29
Foresta KR.... 87 J 32
Foresta CS.... 87 J 32
Foresta (Convento La) RI.... 58 O 20
Foresta di Burgos SS.. 115 F 8
Foresta (Timpone della) CS.. 85 H 31
Foresto CN.... 27 H 5
Foresto Sparso BG.... 22 E 11
Forgaria nel Friuli UD.. 14 D 20
Foria SA.... 76 G 27
Forino AV.... 70 E 26
Forio NA.... 74 E 23
Forlì FO.... 41 J 18
Forlì del Sannio IS.... 65 Q 24
Forlimpopoli FO.... 41 J 18
Formazza VB.... 8 C 7
Formazza (Val) VB.... 8 C 7
Forme AQ.... 59 P 22
Formeniga TV.... 13 E 18
Formia LT.... 68 S 22

Formica di Burano (Isola) GR . 56 O 15
Formica (Isola) TP .... 96 N 19
Formiche (Punta delle) SR .... 107 Q 27
Formico (Pizzo) BG ... 22 E 11
Formicola CE.... 69 D 24
Formigara CR.... 22 G 11
Formigine MO.... 31 I 14
Formigliana VC.... 20 F 6
Formignana FE.... 32 H 17
Formigosa MN.... 31 G 14
Formole AR.... 45 L 18
Fornace BO.... 39 I 15
Fornace FI.... 40 K 16
Fornacette FI.... 43 L 15
Fornacette PI.... 43 K 13
Fornaci BS.... 22 F 12
Fornaci di Barga LU.... 38 J 13
Fornazzano RA.... 40 J 16
Fornazzo CT.... 101 N 27
Fornelli IS.... 65 R 24
Fornelli SS.... 110 E 6
Forni Avoltri UD.... 5 C 20
Forni di Sopra UD.... 13 C 19
Forni di Sotto UD.... 13 C 20
Forni (i) SO.... 11 C 13
Forni (Vedretta dei) SO. 11 C 13
Fornisono (Masseria) BA..72 E 31
Forno VB.... 8 E 6
Forno MS.... 38 J 12
Forno (Monte) / Ofen UD.... 15 C 23
Forno (Monte del) SO.. 10 C 11
Forno Alpi Graie TO.... 18 F 3
Forno Canavese TO.... 19 G 4
Forno di Zoldo BL.... 13 C 18
Fornoli LU.... 39 J 13
Fornovo di Taro PR.... 30 H 12
Fornovolasco LU.... 38 J 13
Foro CH.... 60 P 24
Forotondo AL.... 29 H 9
Forte Buso (Lago di) TN. 12 D 17
Forte dei Marmi LU.... 38 K 12
Forte di Bibbona LI.... 48 M 13
Forte (Monte) SS.... 110 E 6
Fortezza / Franzensfeste BZ.... 4 B 16
Fortino PZ.... 76 G 29
Fortore BN.... 66 C 26
Fortuna (Passo della) RM.... 63 Q 20
Forza d'Agro ME.... 90 N 27
Foscagno (Monte) SO.. 2 C 12
Foscagno (Passo di) SO.. 2 C 12
Fosciandora LU.... 38 J 13
Fosdinovo MS.... 38 J 12
Fosini SI.... 49 M 14
Fossa AQ.... 59 P 22
Fossa MO.... 31 H 15
Fossa delle Felci (Monte) ME.... 94 L 26
Fossabiuba TV.... 16 E 19
Fossacesia CH.... 61 P 25
Fossacesia Marina CH.. 61 P 25
Fossalon di Grado GO. 17 E 22
Fossalta FE.... 32 H 17
Fossalta MO.... 31 I 14
Fossalta PD.... 24 F 18
Fossalta di Piave VE.. 16 F 19
Fossalta di Portogruaro VE.. 16 E 20
Fossalta Maggiore TV.. 16 E 19
Fossalunga TV.... 24 E 18
Fossano CN.... 27 I 5
Fossanova (Abbazia di) LT.... 63 R 21
Fossanova S. Marco FE. 32 H 16
Fossato (Colle di) AN.. 52 M 20
Fossato di Vico PG.... 52 M 20
Fossato Ionico RC.... 90 M 29
Fossato Serralta CZ.... 87 K 31
Fossazzo (Monte) ME.. 90 M 27
Fossazzo ME.... 95 M 27
Fosse VR.... 23 F 14
Fosse (Monte le) AG.. 102 O 22
Fosso VE.... 24 F 18
Fosso del Lupo (Passo) VV.... 88 K 31
Fossola MS.... 38 J 12
Fossombrone PS.... 46 K 20
Foxi CA.... 119 J 9
Foxi (Porto) CA.... 118 J 9
Foxi Manna (Sa) OG.. 119 H 10
Foza BL.... 12 E 17
Fra (Monte) BS.... 10 E 12
Frabosa Soprana CN... 35 J 5
Frabosa Sottana CN ... 35 J 5
Fraccano PG.... 45 L 18

Fracisco SO.... 9 C 10
Fraforeano UD.... 16 E 20
Fragagnano TA.... 79 F 34
Fragaiolo AR.... 45 L 17
Fragneto (Masseria) TA. 80 F 33
Fragneto l'Abate BN.... 65 S 26
Fragneto Monforte BN.. 65 S 26
Fraigada (Sa) SS.... 111 F 8
Fraine BS.... 22 E 12
Fraine CH.... 65 Q 25
Fraioli FR.... 64 R 22
Frais TO.... 18 G 2
Fraisse TO.... 26 G 2
Fraiteve (Monte) TO... 26 H 2
Fram (Punta) TP.... 96 Q 17
Framura SP.... 37 J 10
Francavilla al Mare CH. 60 O 24
Francavilla Angitola VV.. 88 K 30
Francavilla Bisio AL.... 28 H 8
Francavilla d'Ete AP... 53 M 22
Francavilla di Sicilia ME..101 N 27
Francavilla Fontana BR. 79 F 34
Francavilla in Sinni PZ.. 77 G 30
Francavilla Marittima CS. 85 H 31
Francenigo TV.... 13 E 19
Francesi (Punta di li) OT.109 D 9
Franche (Forcella) BL .. 12 D 18
Franchini AL.... 28 H 7
Francica VV.... 88 L 30
Francofonte SR.... 104 P 26
Francolino FE.... 32 H 16
Francolise CE.... 69 D 24
Franscia SO.... 10 D 11
Franzensfeste / Fortezza BZ.... 4 B 16
Frasassi (Grotte di) AN. 46 L 20
Frasca (Capo della) VS. 114 H 7
Frascarolo PV.... 28 G 8
Frascati RM.... 62 Q 20
Frascineto CS.... 85 H 30
Frassanito LE.... 83 G 37
Frassené BL.... 12 D 17
Frassine GR.... 49 M 14
Frassinelle Polesine RO. 32 H 17
Frassinello Monferrato AL.... 28 G 7
Frassineta BO.... 40 J 16
Frassineti MO.... 39 I 14
Frassineto AR.... 45 L 17
Frassineto (Passo di) AR. 45 K 18
Frassineto Po AL.... 28 G 7
Frassinetto TO.... 19 F 4
Frassino CN.... 26 I 3
Frassino MN.... 31 G 14
Frassinoro MO.... 39 J 13
Frasso Telesino BN.... 70 D 25
Fratta (Fiume) PD.... 32 G 16
Fratta Polesine RO.... 32 G 16
Fratta Todina PG.... 51 N 19
Frattaguida TR.... 51 N 18
Frattamaggiore NA.... 69 E 24
Fratte PD.... 24 F 17
Fratte Rosa PS.... 46 L 20
Fraticciola Selvatica PG. 51 M 19
Frattina PA.... 97 N 21
Frattocchie RM.... 62 Q 19
Frattuccia TR.... 58 O 19
Frattura AQ.... 64 Q 23
Frazzanò ME.... 100 M 26
Fredane AV.... 71 E 27
Freddo P.... 97 N 20
Fregene RM.... 62 Q 18
Fregona TV.... 13 D 19
Freidour (Monte) TO... 26 H 3
Freienfeld / Campo di Trens BZ .. 3 B 16
Frejus (Traforo del) TO. 18 G 2
Fremamorta (Cima di) CN.... 34 J 3
Frentani (Monti dei) CH. 61 Q 25
Fresagrandinaria CH... 61 Q 25
Fresciano AR.... 45 K 18
Fresonara AL.... 28 H 8
Frigento AV.... 71 D 27
Frigintini RG.... 104 Q 26
Frignano CE.... 69 E 24
Frigole LE.... 81 F 36
Frioland (Monte) TO.... 26 H 3
Frisa CH.... 60 P 25
Frise CN.... 34 I 3
Frisolino GE.... 37 J 10
Frodolfo SO.... 10 C 13
Frontale MC.... 46 M 21
Frontale (Monte) PG.. 45 L 19
Fronte (Monte) IM.... 35 J 5
Frontignano MC.... 52 N 21
Frontino PS.... 45 K 19
Frontone PS.... 46 L 20
Froppa (Cimon del) BL.. 4 C 19
Frosini SI.... 49 M 15

Frosinone FR.... 63 R 22
Frosolone IS.... 65 R 25
Frossasco TO.... 26 H 4
Frua (la) VB.... 8 C 7
Frugarolo AL.... 28 H 8
Frugno FG.... 71 D 28
Frusci PZ.... 71 E 29
Frusciu (Monte) SS... 111 F 7
Fubine AL.... 28 H 7
Fucecchio FI.... 43 K 14
Fucecchio (Padule di) PT. 43 K 14
Fucine TN.... 11 D 14
Fucino (Piana del) AQ.. 59 P 22
Fugazzolo PR.... 30 I 12
Fuipiano Valle Imagna BG. 9 E 10
Fulgatore TP.... 97 N 20
Fumaiolo (Monte) FO.. 45 K 18
Fumane VR.... 23 F 14
Fumero SO.... 10 C 13
Fumo (Monte) ME.... 100 M 26
Fumo (Monte) FI.... 45 L 19
Fumo (Monte) BS.... 11 D 13
Fumo (Monte) / Rauchkofel BZ.... 4 A 18
Fumo (Val di) TN.... 11 D 13
Fumone FR.... 63 Q 21
Fundres / Pfunders BZ.. 4 B 17
Fúndres (Val di) BZ.... 4 B 17
Funes / Villnöß BZ.... 4 C 17
Funes (Val di) BZ.... 4 C 17
Funesu (Monte) VS... 118 I 7
Funtana Bona NU.... 117 G 10
Funtana Congiada (Punta) NU.... 115 H 9
Funtaneddas NU.... 115 G 9
Fuorni SA.... 75 F 26
Furci CH.... 61 P 25
Furci Siculo ME.... 90 N 28
Furggen AO.... 7 E 5
Furiano ME.... 100 N 25
Furkel Spitze / Forcola (Pizzo di) BZ .. 2 C 13
Furlo PS.... 46 L 20
Furlo (Gola del) PS.... 46 L 20
Furlo (Passo del) PS.... 46 L 20
Furnari ME.... 101 M 27
Furonis (Perda is) CA... 119 I 10
Furore SA.... 75 F 25
Furtei VS.... 118 I 8
Fusaro (Lago del) NA... 69 E 24
Fuscaldo CS.... 86 I 30
Fusignano RA.... 40 I 17
Fusina VE.... 25 F 18
Fusine SO.... 10 D 11
Fusine (Foresta di) UD.. 15 C 22
Fusine (Laghi di) UD... 15 C 23
Fusine in Valromana UD.. 15 C 22
Fusine Laghi UD.... 15 C 22
Fusino SO.... 10 D 12
Futa (Passo della) FI... 40 J 15
Futani SA.... 76 G 27

G

Gabbiani (Baia dei) FG. 67 B 30
Gabbioneta CR.... 22 G 12
Gabbro LI.... 42 L 13
Gabella AN.... 46 L 21
Gabella Grande KR.... 87 J 33
Gabella Nuova MC.... 52 M 21
Gabelletta VT.... 58 P 18
Gabellino GR.... 49 M 15
Gabiano AL.... 19 G 6
Gabicce Mare PS.... 41 K 20
Gabicce Monte PS.... 41 K 20
Gabiet (Lago) AO.... 7 E 5
Gabria GO.... 17 E 22
Gabutti CN.... 35 I 6
Gaby AO.... 19 E 5
Gadera BZ.... 4 B 17
Gadertal / Badia (Val) BZ. 4 B 17
Gadignano PC.... 29 H 10
Gadir TP.... 96 Q 18
Gadoni NU.... 115 H 9
Gaeta LT.... 68 S 22
Gaeta (Golfo di) CE... 69 D 23
Gaggi ME.... 101 N 27
Gaggiano MI.... 21 F 9
Gaggio Montano BO.. 39 J 14
Gaglianico BI.... 19 F 6
Gagliano UD.... 15 D 22
Gagliano Aterno AQ... 59 P 23
Gagliano Castelferrato EN.... 100 N 25
Gagliano del Capo LE.. 83 H 37
Gagliati CZ.... 88 K 31
Gagliole MC.... 52 M 21
Gaianello MO.... 39 J 14
Gaianico PD.... 24 F 17
Gaiano PR.... 30 H 12

Gaiano SA.... 70 E 26
Gaiarine TV.... 13 E 19
Gaiato MO.... 39 J 14
Gaiba RO.... 32 H 16
Gaibana FE.... 32 H 16
Gaibanella FE.... 32 H 16
Gaifana PG.... 52 M 20
Gainago PR.... 30 H 13
Gaiola CN.... 34 I 4
Gaiole in Chianti SI.... 44 L 16
Gaione PR.... 30 H 12
Gairo OG.... 117 H 10
Gairo (Ruderi di) OG... 117 H 10
Gais BZ.... 4 B 17
Galassi (Rifugio) BL.... 4 C 18
Galati RC.... 91 N 30
Galati Mamertino ME.. 100 M 26
Galati Marina ME.... 90 M 28
Galatina LE.... 83 G 36
Galatone LE.... 83 G 36
Galatro RC.... 88 L 30
Galbiate LC.... 21 E 10
Galciana PO.... 39 K 15
Galeata FO.... 40 K 17
Galeazza BO.... 31 H 15
Galera (Punta) OT.... 109 D 10
Galgagnano LO.... 21 F 10
Galiello (Monte) PA.... 97 N 21
Galiga FI.... 40 K 16
Galisia (Punta di) TO... 18 F 3
Gallarate VA.... 20 F 8
Gallareto AT.... 27 G 6
Gallegione (Pizzo) SO.. 9 C 10
Galleno FI.... 43 K 14
Gallese VT.... 58 O 19
Galli (Li) NA.... 74 F 25
Gallia PV.... 28 G 8
Galliano FI.... 40 J 15
Galliavola PV.... 28 G 8
Gallicano LU.... 38 J 13
Gallicano nel Lazio RM. 63 Q 20
Gallicchio PZ.... 77 G 30
Gallico RC.... 90 M 29
Gallico Marina RC .... 90 M 28
Galliera Veneta PD ... 24 F 17
Gallignano AR.... 22 F 11
Gallinara (Isola) SV ... 35 J 6
Gallinaro FR.... 64 R 23
Gallinaro (Pizzo) di PA. 98 O 22
Gallinazza UD.... 17 E 21
Gallio VI.... 12 E 16
Gallipoli LE.... 83 G 35
Gallitello TP.... 97 N 20
Gallizzi PZ.... 85 G 30
Gallo AQ.... 59 P 21
Gallo CE.... 65 R 24
Gallo PS.... 46 K 20
Gallo (Capo) PA.... 92 M 21
Gallo (Pizzo di) TP.... 97 N 21
Gallo (Lago del) SO.... 2 C 12
Gallodoro ME.... 90 N 27
Galluccio CE.... 64 R 23
Galluzzo FI.... 43 K 15
Gallura OT.... 109 E 9
Galtelli NU.... 117 F 10
Galugnano LE.... 83 G 36
Galzignano Terme PD . 24 G 17
Gamalero AL.... 28 H 7
Gambara BS.... 22 G 12
Gambarana PV.... 28 G 8
Gambarie RC.... 90 M 29
Gambaro PC.... 29 I 10
Gambassi Terme FI.... 43 L 14
Gambatesa CB.... 66 C 26
Gambellara VI.... 24 F 16
Gamberale CH.... 65 Q 24
Gambettola FO.... 41 J 19
Gambolò PV.... 20 G 8
Gambugliano VI.... 24 F 16
Gambulaga FE.... 32 H 17
Gammauta (Lago di) PA. 98 N 22
Gampenjoch / Palade (Passo delle) BZ.... 3 C 15
Ganaceto MO.... 31 H 14
Ganda di Martello BZ.. 2 C 14
Gandellino BG.... 10 E 11
Gandino BG.... 22 E 11
Gangi PA.... 99 N 24
Gangi (Fiume) PA.... 99 N 24
Ganna VA.... 8 E 8
Gannano del Monte MT. 77 G 31
Ganzanano BO.... 40 I 16
Ganzirri ME.... 90 M 28

Garadassi AL.... 29 H 9
Garaguso MT.... 77 F 30
Garaventa GE.... 29 I 9
Garavicchio GR.... 56 O 16
Garbagna AL.... 29 H 8
Garbagna Novarese NO. 20 F 7
Garbagnate Milanese MI. 21 F 9
Garcia CL.... 99 N 23
Garda BS.... 10 D 13
Garda VR.... 23 F 14
Garda (Isola di) BS.... 23 F 13
Garda (Lago di) VR.... 23 F 13
Gardena (Passo di) / Grödner Joch BZ.... 4 C 17
Gardena (Val) / Grödnertal BZ.... 4 C 16
Gardolo TN.... 11 D 15
Gardone Riviera BS.... 23 F 13
Gardone Val Trompia BS. 22 E 12
Garelli (Rifugio) CN.... 35 J 5
Gares BL.... 12 D 17
Garessio CN.... 35 J 5
Garfagnana LU.... 38 J 13
Gargallo MO.... 31 H 14
Gargallo NO.... 20 E 7
Gargano (Promontorio del) FG. 67 B 29
Gargano (Testa del) FG. 67 B 30
Gargazon / Gargazzone BZ.... 3 C 15
Gargazzone / Gargazon BZ.... 3 C 15
Gargnano BS.... 23 E 13
Gargonza AR.... 50 L 17
Gari FR.... 64 R 23
Garibaldi (Casa di) OT. 109 D 10
Garibaldi (Cippo) (Aspromonte) RC... 90 M 29
Garibaldi (Cippo di Anita) RA.. 33 I 18
Garibaldi (Rifugio) BS.. 10 D 13
Gariffi (Pantano) RG.. 107 Q 26
Garigliano CE.... 69 D 23
Gariglione (Monte) CZ. 87 J 31
Garitta Nuova (Testa di) CN.... 26 I 3
Garlasco PV.... 20 G 8
Garlate LC.... 21 E 10
Garlate (Lago di) LC... 21 E 10
Garniga TN.... 11 D 15
Garrufo TE.... 53 N 23
Garza BS.... 22 F 12
Garzeno CO.... 9 D 9
Garzigliana TO.... 26 H 4
Garzirola (Monte) CO.. 9 D 9
Gaspare (Rifugio) AO.. 7 E 5
Gasperina CZ.... 88 K 31
Gassano MS.... 38 J 12
Gassino Torinese TO... 27 G 5
Gasteig / Casateia BZ... 3 B 16
Gatta RE.... 38 I 13
Gattaia FI.... 40 K 16
Gattarella FG.... 67 B 30
Gattatico RE.... 30 H 13
Gatteo a Mare FO.... 41 J 19
Gatteo FO.... 41 J 19
Gattinara VC.... 20 F 7
Gattorna GE.... 37 I 9
Gaudiano PZ.... 72 D 29
Gaudo (Piano del) AV.. 71 E 27
Gavardo BS.... 22 F 13
Gavassa RE.... 31 H 14
Gavasseto RE.... 31 I 14
Gavelli PG.... 52 N 20
Gavello MO.... 31 H 15
Gavello RO.... 32 G 17
Gaverina Terme BG.... 22 E 11
Gavi AL.... 28 H 8
Gavia (Monte) SO.... 10 C 13
Gavia (Passo di) SO.... 10 C 13
Gavignano RM.... 63 Q 21
Gaville AN.... 46 L 20
Gaville FI.... 44 L 16
Gavinana PT.... 39 J 14
Gavirate VA.... 8 E 8
Gavoi NU.... 115 G 9
Gavorrano GR.... 49 N 14
Gazoldo degli Ippoliti MN.. 23 G 13
Gazzaniga BG.... 22 E 11
Gazzano RE.... 38 J 13
Gazzaro RE.... 30 H 13
Gazzo MN.... 23 G 13
Gazzo PD.... 24 F 17
Gazzo Veronese VR.... 31 G 15
Gazzola PC.... 29 H 11
Gazzoli VR.... 23 F 14
Gazzuolo MN.... 31 G 13
Geislerspitze / Odle (le) BZ.... 4 C 17

A B C D E F G H I J K L M N O P Q R S T U V W X Y Z

A B C D E F G H I J K L M N O P Q R S T U V W X Y Z

Gela CL .... 103 P 24
Gela (Fiume) CL .. 104 P 24
Gela (Golfo di) RG .. 103 Q 24
Gelagna Bassa MC.. 52 M 21
Gelas (Cima dei) CN .. 34 J 4
Gelé (Monte) AO ..... 6 E 4
Gello LU............ 38 K 13
Gello PI .... 43 L 13
Gelso ME............ 94 L 26
Gelsomini
  (Costa dei) RC .... 91 N 30
Gemelli (Laghi) BG .... 10 E 11
Gemelli (Monte) FO .... 40 K 17
Gemini LE............ 83 H 36
Gemmano RN........ 41 K 19
Gemona del Friuli UD.. 14 D 21
Gemonio VA .... 8 E 8
Gena BL............ 12 D 18
Genazzano RM....... 63 Q 20
Generoso (Monte) CO .. 9 E 9
Genga AN............ 46 L 20
Genis (Monte) CA ... 119 I 9
Genivolta CR......... 22 F 11
Genna Maria
  (Nuraghe) VS.......118 I 8
Gennargentu
  (Monti del) NU .... 115 G 9
Gennaro (Monte) RM.. 58 P 20
Genola CN .... 27 I 5
Genoni OR........... 115 H 9
Genova GE........... 36 I 8
Genova (Rifugio) BZ.. 4 C 17
Genova (Rifugio) CN... 34 J 3
Genova (Val di) TN ... 11 D 13
Genovese
  (Grotta del) TP... 96 M 18
Gentile (Col) UD ...... 5 C 20
Genuardo (Monte) AG.. 97 N 21
Genuri VS............ 118 H 8
Genzana (Monte) AQ .. 64 Q 23
Genzano di Lucania PZ. 72 E 30
Genzano di Roma RM . 63 Q 20
Genzano (Lago) PZ ... 72 E 30
Genziana (Monte) OG.. 117 G 10
Genzone PV........... 21 G 10
Gera Lario CO .... 9 D 10
Gerace RC........... 91 M 30
Geracello EN.......... 103 O 24
Geraci Siculo PA..... 99 N 24
Gerano RM.......... 63 Q 20
Gerbini CT........... 104 O 26
Gerchia PN........... 14 D 20
Geremeas CA ......119 J 10
Gerenzago PV....... 21 G 10
Gerenzano VA........ 21 F 9
Gerfalco GR......... 49 M 14
Gergei CA............ 119 H 9
Germagnano TO ...... 19 G 4
Germanasca TO...... 26 H 3
Germano CS .... 87 J 32
Germignaga VA ...... 8 E 8
Gerocarne VV........ 88 L 30
Gerola Alta SO .... 9 D 10
Gerosa BG .... 21 E 10
Gerre de Caprioli CR.. 30 G 12
Gerrei CA............ 119 I 9
Gesico CA............ 119 I 9
Gessate MI........... 21 F 10
Gesso CN .... 34 J 3
Gesso ME............ 90 M 28
Gessopalena CH.... 60 P 24
Gesturi VS........... 118 H 8
Gesualdo AV........ 70 D 27
Gesuiti CS........... 86 I 30
Gfrill / Caprile
  (vicino a Merano) BZ.. 3 C 15
Gfrill / Cauria
  (vicino a Salorno) BZ. 11 D 15
Ghedi BS............ 22 F 12
Ghemme NO.......... 20 F 7
Gherardi FE.......... 32 H 17
Gherra (Monte) SS... 111 F 7
Ghertele VI........... 12 E 16
Ghiare PR........... 30 I 11
Ghibullo RA.......... 41 I 18
Ghifetti (Punta) AO ... 7 E 5
Ghiffa VB............ 8 E 7
Ghigo TO .... 26 H 3
Ghilarza OR......... 115 G 8
Ghimbegna (Passo) IM. 35 K 5
Ghirla VA............ 8 E 8
Ghisalba BG......... 22 F 11
Ghisione MN......... 31 G 15
Ghislarengo VC...... 20 F 7
Ghivizzano LU........ 43 J 13
Ghizzano PI.......... 43 L 14
Giacalone PA........ 97 M 21
Giacciano con
  Baruchella RO... 32 G 16
Giacopiane
  (Lago di) GE........ 37 I 10
Giaf (Rifugio) UD ... 13 C 19

Giafaglione
  (Monte) AG........ 102 O 22
Giammaria (Monte) PA. 97 N 21
Giampilieri ME .... 90 M 28
Gianforma RG........ 104 Q 26
Giannetti (Rifugio) SO .. 9 D 10
Giannutri (Isola di) GR.. 55 P 15
Giano (Monte) RI..... 59 O 21
Giano dell'Umbria PG. 51 N 19
Giano Vetusto CE..... 69 D 24
Giara (Sa) CA........ 119 H 9
Giara di Gesturi VS ... 118 H 8
Giardina Gallotti AG.. 102 O 22
Giardinello (vicino a
  Mezzoiuso) PA..... 98 N 22
Giardinello (vicino a
  Montelepre) PA..... 97 M 21
Giardinetto FG........ 71 D 28
Giardini di Gioiosa RC . 88 M 30
Giardini-Naxos ME.... 90 N 27
Giardino (il) GR....... 56 O 16
Giarole AL............ 28 G 7
Giarratana RG........ 104 P 26
Giarre CT............ 101 N 27
Giau (Passo di) BL .... 4 C 18
Giave SS............ 111 F 8
Giaveno TO .... 26 G 4
Giavera del Montello TV. 25 E 18
Giavino (Monte) TO ... 19 F 4
Giazza VR........... 23 F 15
Gizzeria CZ........... 88 K 30
Gizzeria Lido CZ...... 88 K 30
Gibele (Monte) TP.... 96 Q 18
Gibellina (Ruderi di) TP. 97 N 20
Gibilmanna
  (Santuario di) PA ... 99 N 24
Gibilmesi (Monte) PA.. 97 M 21
Gibilrossa PA......... 98 M 22
Gibli (Monte) CL....... 103 P 24
Giffone RC........... 88 L 30
Giffoni Sei Casali SA... 75 F 27
Giffoni Valle Piana SA.. 75 E 26
Gigante (Grotta) TS.... 17 E 23
Giglio (il) FR........ 64 R 22
Giglio (Isola del) GR... 55 O 14
Giglio Castello GR.... 55 O 14
Giglio Porto GR....... 55 O 14
Gignese VB........... 8 E 7
Gignod AO........... 18 E 3
Gilba CN .... 26 I 3
Gilberti (Rifugio) UD... 15 C 22
Gildone CB........... 65 R 26
Gilordino PS .... 46 K 20
Gimigliano CZ........ 88 K 31
Gimillan AO.......... 18 F 4
Ginestra FI........... 43 K 15
Ginestra PZ........ 71 E 29
Ginestra
  degli Schiavoni BN .. 70 D 27
Ginestra (Portella) PA.. 97 N 21
Ginestrelli PZ........ 72 D 29
Ginnircu (Punta) OG.. 117 G 11
Gino (Pizzo di) CO..... 9 D 9
Ginosa TA .... 78 F 32
Ginosa Marina TA .... 78 F 32
Ginostra ME.......... 95 K 27
Giogo Lungo (Rifugio) BZ. 4 A 18
Gioi SA............ 76 G 27
Gioia dei Marsi AQ.... 64 Q 23
Gioia del Colle BA .... 73 E 32
Gioia del Tirreno VV.... 88 L 29
Gioia Sannitica CE.... 65 S 25
Gioia Tauro RC .... 88 L 29
Gioiella PG........... 50 M 17
Gioiosa Ionica RC..... 88 L 30
Gioiosa Marea ME.... 100 M 26
Giordano (Capo) CA.. 118 J 7
Giovà (Passo di) PC.... 29 H 9
Giovagallo MS........ 38 J 11
Giove TR........... 58 O 18
Giove Anxur (Tempio di)
  (Terracina) LT........ 63 S 21
Giove (Monte) VB ..... 8 C 7
Giovecca RA .... 32 I 17
Giovenco AQ......... 60 P 23
Giovenzano PV....... 21 G 9
Gioveretto BZ......... 2 C 14
Gioveretto (Lago di) BZ. 2 C 14
Giovi AR............ 45 L 17
Giovi (Monte) FI...... 40 K 16
Giovi (Passo dei) GE .. 28 I 8
Giovinazzo BA........ 73 D 32
Giovo TN........... 11 D 15
Giovo (Colle del) SV ... 36 I 7
Giovo (Foce a) LU..... 39 J 13
Giovo (Monte) MO.... 39 J 13

Gironico CO........... 21 E 9
Gissi CH............. 61 P 25
Giudicarie (Valli) TN ... 11 E 13
Giuggianello LE ...... 83 G 37
Giugliano
  in Campania NA..... 69 E 24
Giulfo (Monte) EN..... 99 O 24
Giuliana PA .... 97 N 21
Giulianello LT .... 63 Q 20
Giuliano (Lago di) LT.. 63 Q 21
Giuliano PZ.......... 76 E 29
Giuliano di Roma FR... 63 R 21
Giuliano Teatino CH... 60 P 24
Giulianova TE......... 53 N 23
Giulianova Lido TE.... 53 N 23
Giumarra CT.......... 104 O 25
Giumenta (Serra la) SA. 76 G 29
Giuncarico GR........ 49 N 14
Giuncata (Masseria) BA. 72 D 30
Giurazzi (Masseria) AV. 71 E 28
Giurdignano LE .... 83 G 37
Giussago PV .... 21 G 9
Giussago VE.......... 16 E 20
Giussano MI.......... 21 E 9
Giustvalla SV......... 36 I 7
Givoletto TO .... 19 G 4
Gizio AQ............ 60 P 23
Glacier AO .... 6 E 3
Glacier (Monte) AO ... 19 F 4
Gleno (Monte) BG..... 10 D 12
Gleris PN........... 16 E 20
Gliaca ME .... 100 M 26
Glorenza / Glurns BZ .. 2 C 13
Glorie MS........... 38 J 12
Glurns / Glorenza BZ .. 2 C 13
Gnignano MI......... 21 F 9
Gnocca RO.......... 33 H 18
Gnocchetta RO....... 33 H 19
Gnutti (Rifugio) BS .... 10 D 13
Gobbera (Passo di) TN. 12 D 17
Goceano SS......... 115 F 9
Goceano
  (Catena del) SS.....111 F 8
Godega di S. Urbano TV. 13 E 19
Godo RA .... 41 I 18
Godrano PA.......... 98 N 22
Goglio VB........... 8 D 6
Goillet (Lago) AO ..... 7 E 5
Goito MN .... 23 G 14
Gola (Passo di) /
  Klammljoch BZ...... 4 B 18
Golasecca VA........ 20 E 7
Goldrain / Coldrano BZ. 3 C 14
Golfo Aranci OT ...... 109 E 10
Golfo Orosei e del Gennargentu
  (Parco Nazionale) NU. 117 G 10
Gologone
  (Sorgente su) NU ... 117 G 10
Gomagoi BZ .... 2 C 13
Gombio RE.......... 30 I 13
Gombola MO......... 39 I 14
Gonars UD .... 17 E 21
Goni CA .... 119 I 9
Gonnesa CI.......... 118 J 7
Gonnoscodina OR..... 118 H 8
Gonnosfanadiga VS... 118 I 7
Gonnosno OR........ 115 H 8
Gonnostramatza OR... 118 H 8
Gonzaga MN......... 31 H 14
Goraiolo PT .... 39 K 14
Gorasano MS........ 38 I 11
Gordona SO......... 9 D 10
Gorfigliano LU .... 39 J 13
Gorga RM........... 63 R 21
Gorga SA............ 76 G 27
Gorgo al Monticano TV. 16 E 19
Gorgo (Laghetto) AG.. 102 O 21
Gorgofreddo BA...... 80 E 33
Gorgoglione MT....... 77 F 30
Gorgona (Isola di) LI... 42 L 11
Gorgonzola MI....... 21 F 10
Goriano Sicoli AQ..... 60 P 23
Goriano Valli AQ...... 59 P 23
Goricizza UD .... 16 E 20
Gorino FE........... 33 H 19
Gorizia GO........... 17 E 22
Gorla Maggiore VA.... 20 F 8
Gorla Minore VA...... 20 F 8
Gorlago BG.......... 22 E 11
Gornalunga CT....... 104 O 25
Goro FE............ 33 H 18
Gorra SV............ 36 J 6
Gorré CN........... 34 I 4
Gorreto GE........... 29 I 9
Gorruppu (Gola su) OG. 117 G 10
Gorto (Canale di) UD .. 5 C 20

Gorzano MO.......... 31 I 14
Gorzano (Monte) TE... 59 O 22
Gorzegno CN........ 27 I 6
Gorzone (Canale) PD.. 32 G 17
Gosaldo BL.......... 12 D 17
Gossensaß /
  Colle Isarco BZ.... 3 B 16
Gossolengo PC....... 29 G 10
Gottasecca CN ...... 27 I 6
Gottero (Monte) PR ... 37 I 11
Gottolengo BS........ 22 G 12
Governolo MN........ 31 G 14
Govone CN.......... 27 H 6
Govossai (Lago) NU .. 115 G 9
Gozzano NO .... 20 E 7
Grabellu (Punta su) NU. 113 F 10
Gracciano SI......... 50 M 17
Gradara PS.......... 41 K 20
Gradella CR.......... 21 F 10
Gradisca PN......... 14 D 20
Gradisca d'Isonzo GO.. 17 E 22
Gradiscutta UD....... 16 E 20
Gradizza FE........... 32 H 17
Grado GO........... 17 E 22
Grado (Laguna di) GO. 17 E 21
Grado Pineta GO..... 17 E 22
Gradoli VT........... 57 O 17
Graffignana LO....... 21 G 10
Graffignano VT....... 57 O 18
Graglia BI .... 19 F 5
Graglia (Santuario di) BI.19 F 5
Gragnanino PC....... 29 G 10
Gragnano LU......... 39 K 13
Gragnano NA........ 75 E 25
Gragnano
  Trebbiense PC...... 29 G 10
Gragnola MS......... 38 J 12
Graines AO.......... 19 E 5
Gramignazzo PR...... 30 H 12
Grammatica PR....... 38 I 12
Grammichele CT...... 104 P 25
Gramolazzo LU....... 38 J 12
Gran Bagna TO...... 18 G 1
Gran Cratere ME..... 94 L 26
Gran Monte UD ..... 15 D 21
Gran Paradiso AO ... 18 F 3
Gran Paradiso (Parco
  Nazionale del) AO ... 18 F 3
Gran Pilastro /
  Hochfeiler BZ....... 4 B 17
Gran Queyron TO .... 26 H 3
Gran S. Bernardo
  (Colle del) AO ..... 6 E 3
Gran S. Bernardo
  (Traforo del) AO ... 6 E 3
Gran S. Bernardo
  (Valle del) AO...... 6 E 3
Gran S. Pietro AO..... 18 F 4
Gran Sasso d'Italia TE.. 59 O 22
Gran Sasso
  (Parco Naz. del) TE... 59 O 22
Gran Tournalin AO..... 7 E 5
Gran Truc TO .... 26 H 3
Gran Zebru BZ ...... 2 C 13
Grana AT............ 28 G 6
Grana (Torrente) AL... 28 H 7
Grana (Torrente) CN... 34 I 3
Granaglione BO....... 39 J 14
Granano (Monte di) PS. 45 L 19
Granarolo AL......... 28 I 7
Granarolo dell'Emilia BO. 32 I 16
Granarone RO........ 32 G 16
Granaxiu OR .... 115 H 8
Grancona VI.......... 24 F 16
Grand Assaly AO ..... 18 F 2
Grand Eyvia AO ...... 18 F 3
Grand Golliaz AO ..... 6 E 3
Grande PR .... 30 H 12
Grande TP .... 97 N 20
Grande o Imera
  Settentrionale PA.... 99 N 23
Grande Bonifica
  Ferrarese FE........ 33 H 18
Grande (Isola) TP..... 96 N 19
Grande (Lago) TO .... 26 G 4
Grande (Montagna)
  (I. di Pantelleria) TP.. 96 Q 18
Grande
  (Montagna) ME..... 101 N 27
Grande (Montagna) TP. 97 N 20
Grande (Porto) SR.... 105 P 27
Grande (Punta) AG.... 102 U 19
Grande Rochère (la) AO. 6 E 3
Grande Rousse AO ... 18 F 3
Grandola ed Uniti CO.. 9 D 9
Granero (Monte) TO... 26 H 3
Granieri CT.......... 104 P 25
Granieri (Masseria) SR. 105 Q 26

Granieri (Monte) RC ... 88 L 31
Graniti ME .... 101 N 27
Granitola (Punta) TP... 97 O 20
Granozzo NO......... 20 F 7
Grantola VA.......... 8 E 8
Grantorto PD......... 24 F 17
Granze PD .... 32 G 17
Grassano MT........ 77 F 30
Grassina Ponte e Ema FI. 44 K 15
Grassobbio BG....... 21 F 11
Gratosoglio MI....... 21 F 9
Gratteri PA .... 99 N 23
Graun im Vinschgau /
  Curon Venosta BZ .... 2 B 13
Grauno TN.......... 12 D 15
Grauson (Monte) AO .. 18 F 4
Grauzaria UD........ 14 C 21
Gravedona CO .... 9 D 9
Gravellona PV........ 20 G 8
Gravellona Toce VB.... 8 E 7
Gravina di Catania CT.. 101 O 27
Gravina di Laterza TA.. 78 F 32
Gravina di Matera MT.. 73 E 31
Gravina in Puglia BA... 72 E 31
Graziano (Capo) ME... 94 L 25
Grazie (Lago di) MC... 52 M 21
Grazie (Monte le) RM.. 57 P 17
Grazzanise CE........ 69 D 24
Grazzano Badoglio AT. 28 G 6
Grazzano Visconti PC.. 29 H 11
Grecale (Capo) AG.... 102 U 19
Greccio RI........... 58 O 20
Greci AV .... 71 D 27
Greco (Monte) AQ.... 64 Q 23
Greggio VC.......... 20 F 7
Grego (Rifugio) UD ... 15 C 22
Gremiasco AL........ 29 H 9
Gressan AO.......... 18 E 3
Gressoney (Val d') AO.. 19 F 5
Gressoney-la Trinité AO. 7 E 5
Gressoney-St. Jean AO. 19 E 5
Greve FI............ 43 L 15
Greve in Chianti FI.... 44 L 15
Grezzana VR........ 23 F 15
Grezzano FI.......... 40 J 16
Gricuzzo (Monte) CL.. 103 P 24
Gries (Passo di) /
  Griespass VB .... 8 C 7
Grighini (Monte) OR... 115 H 8
Grigna Meridionale LC.. 9 E 10
Grigna Settentrionale LC. 9 E 10
Grignano TS......... 17 E 23
Grignano Polesine RO. 32 G 17
Grignasco NO........ 20 E 7
Grigno TN.......... 12 D 16
Grigno (Torrente) TN .. 12 D 16
Grilli GR............ 49 N 14
Grimaldi CS .... 86 J 30
Grimesi (Torre) TP..... 97 N 20
Grinzane Cavour CN... 27 I 5
Grisenche (Val) AO ... 18 F 3
Grisì PA .... 97 N 21
Grisignano
  di Zocco VI........ 24 F 17
Grisolia CS .... 84 H 29
Grizzana BO......... 39 J 15
Grödner Joch /
  Gardena (Passo di) BZ. 4 C 17
Grödnertal /
  Gardena (Val) BZ ... 4 C 16
Grognardo AL........ 28 I 7
Gromo BG .... 10 E 11
Gromo S. Marino BG... 10 E 11
Gromola SA .... 75 F 26
Grondana PR........ 37 I 10
Grondo CS .... 85 H 30
Grondola MS........ 38 I 11
Grondona AL........ 28 H 8
Grondone PC........ 29 H 10
Grone BG .... 22 E 11
Gronlait TN .... 12 D 16
Gropa (Monte) AL..... 29 H 9
Gropello Cairoli PV.... 21 G 8
Gropello d'Adda MI.... 21 F 10
Gropina AR.......... 44 L 16
Gropparello PC....... 29 H 11
Groppera (Pizzo) SO... 9 C 10
Groppovisdomo PC.... 29 H 11
Gros Passet TO...... 26 H 3
Groscavallo TO....... 18 F 3
Grosina (Valle) SO.... 10 C 12
Grosio SO.......... 10 D 12
Grosotto SO........ 10 D 12
Groß Löffler /
  Lovello (Monte) BZ ... 4 A 17
Großer-Kinigat /
  Cavallino (Monte) BZ. 5 B 19
Grosseto GR......... 49 N 15
Grosseto
  (Formiche di) GR .... 55 O 14

Grosso (Capo)
  (I. Levanzo) TP...... 96 M 19
Grosso (Capo) PA.... 98 M 22
Grosso (Monte) SR ... 105 P 27
Groste (Cima) TN..... 11 D 14
Grottaferrata RM..... 62 Q 20
Grottaglie TA........ 79 F 34
Grottaminarda AV.... 70 D 27
Grottammare AP..... 53 N 23
Grottazza (Punta) ME.. 94 L 26
Grottazzolina AP..... 53 M 22
Grotte AG........... 103 O 23
Grotte di Castro VT... 50 N 17
Grotte Sto Stefano VT. 57 O 18
Grotteria RC......... 88 L 30
Grotti PG........... 52 N 20
Grotti RI............ 58 O 20
Grotti SI............ 50 M 15
Grotticelle (Monte) AG. 103 O 23
Grottole MT......... 77 F 31
Grottolella AV........ 70 E 26
Gruaro VE.......... 16 E 20
Grue AL............ 28 H 8
Gruf (Monte) SO...... 9 D 10
Grugliasco TO........ 27 G 4
Grugua CI........... 118 I 7
Grumello
  Cremonese CR ..... 22 G 11
Grumello del Monte BG. 22 F 11
Grumento Nova PZ.... 77 G 29
Grumentum PZ....... 77 G 29
Grumo Appula BA..... 73 D 32
Grumolo
  delle Abbadesse VI.. 24 F 16
Gruppa CA.......... 119 I 10
Gruppo di Brenta TN .. 11 D 14
Gruppo (Monte) BZ... 4 B 17
Gsies / Casies
  (Valle di) BZ....... 4 B 18
Guà VI............ 24 F 16
Guaceto (Torre) BR... 80 E 35
Guadagnolo RM...... 63 Q 20
Guagnano LE .... 79 F 35
Gualdo AR.......... 44 K 16
Gualdo FE........... 32 H 17
Gualdo FO .... 40 J 18
Gualdo (vicino
  a Sarnano) MC..... 52 M 21
Gualdo
  (vicino a Visso) MC.. 52 N 21
Gualdo (Passo di) MC.. 52 N 21
Gualdo Cattaneo PG... 51 N 19
Gualdo Tadino PG.... 52 M 20
Gualtieri RE .... 31 H 13
Gualtieri Sicaminò ME. 90 M 27
Guamaggiore CA..... 119 I 9
Guanzate CO........ 21 E 9
Guarcino FR......... 63 Q 21
Guarda Ferrarese FE.. 32 H 17
Guarda Veneta RO.... 32 H 17
Guardamiglio LO..... 29 G 11
Guardapasso RM..... 62 R 19
Guardavalle CZ....... 89 L 31
Guardea TR .... 58 O 18
Guardia CT.......... 101 O 27
Guardia (Serra la) CS.. 86 I 31
Guardia dei Mori ...120 J 6
Guardia Lombardi AV.. 71 E 27
Guardia
  (Monte della) CL... 104 P 24
Guardia (Monte La) EN. 99 N 25
Guardia Perticara PZ... 77 F 30
Guardia Piemontese CS. 85 I 30
Guardia Piemontese
  Marina CS......... 85 I 29
Guardia
  Sanframondi BN.... 65 S 25
Guardia Vomano TE... 53 O 23
Guardiagrele CH ..... 60 P 24
Guardialfiera CB...... 65 Q 26
Guardiaregia CB...... 65 R 25
Guardistallo PI....... 49 M 13
Guarene CN......... 27 H 6
Guarenna CH........ 60 P 25
Guasila CA.......... 119 I 9
Guastalla RE........ 31 H 13
Guastice LI.......... 42 L 13
Guazzolo AL........ 28 G 6
Gubbio PG.......... 45 L 19
Gudo Visconti MI..... 21 F 9
Guella (Rifugio) TN ... 23 E 14
Guello CO........... 9 E 9
Guerro MO.......... 39 I 14
Guffone (Monte) FO... 40 K 17
Guglielmo (Monte) BS. 22 E 12
Guglionesi CB........ 66 Q 26
Guidizzolo MN....... 23 G 13
Guidonia RM........ 58 Q 20
Guietta TV.......... 12 E 18
Guiglia MO.......... 39 I 14

Guilmi CH............ 61 Q 25
Guinza PS............ 45 L 18
Gulfi (Santuario di) RG. 104 P 26
Gurlamanna BA .... 72 E 31
Gurro VB............ 8 D 7
Gurue OG............ 117 G 10
Gusana (Lago di) NU. 115 G 9
Guselli PC............ 29 H 11
Guspini VS............ 118 I 7
Gussago BS............ 22 F 12
Gussola CR............ 30 G 13
Gutturu Mannu CA... 118 J 8
Guzzafame LO...... 29 G 10
Guzzini (Monte) CA... 119 H 9
Guzzurra
(Cantoniera) NU .... 113 F 10

H
Hafling / Avelengo BZ.. 3 C 15
Halæsa ME............ 99 M 24
Helbronner (Pointe) AO. 6 E 2
Helm / Elmo (Monte) BZ. 5 B 19
Helvia Ricina MC ...... 52 M 22
Hera Lacinia
(Santuario) KR...... 87 J 33
Herbetet AO............ 18 F 3
Herculanum NA ...... 69 E 25
Hintere Schwärze /
Cime Nere BZ...... 3 B 14
Hintere Seelenkogl / Anime
(Cima delle) BZ...... 3 B 15
Hirzerspitze / Cervina
(Punta) BZ............ 3 B 15
Hochabjoch /Oregone
(Passo dell') UD.... 5 C 20
Hochfeiler /
Gran Pilastro BZ .... 4 B 17
Hochgall / Collalto BZ .. 4 B 18
Hochjoch /
Alto (Giogo) BZ...... 2 B 14
Hochkreuz Spitze /
Altacroce (Monte) BZ. 3 B 15
Hochwilde /
L'Altissima BZ........ 3 B 15
Hohe Geisel /
Rossa (Croda) BL .... 4 C 18
Hohe Warte /
Coglians (Monte) UD . 5 C 20
Hoher Treib /
Cuestalta UD........ 5 C 21
Hoherfirst /
Principe (Monte) BZ .. 3 B 15
Hone AO............ 19 F 5
Hundskehljoch /
Cane (Passo del) BZ... 4 A 18

I
Iacono (Casa) RG .... 104 Q 25
Iacurso CZ .... 88 K 31
Iano FI............ 43 L 14
Iano RE............ 31 I 14
Iato PA............ 97 M 21
Iazzo Vecchio
(Monte) AG............ 102 O 22
Ible (Monti) SR .... 104 P 26
Idice BO............ 40 I 16
Idice (Torrente) BO .... 40 J 16
Idolo (Monte) OG.... 117 H 10
Idro BS............ 22 E 13
Idro (Lago d') BS.... 22 E 13
Iermanata RC ...... 91 N 30
Iesce (Masseria) MT... 73 E 31
Igea Marina RN...... 41 J 19
Iglesias CI............ 118 J 7
Iglesiente CI............ 118 I 7
Igliano CN............ 35 I 6
Igno (Monte) MC .... 52 M 20
Ilbono OG............ 117 H 10
Ilci PG............ 51 N 19
Illasi VR............ 23 F 15
Illasi (Torrente d') VR .. 23 F 15
Illegio UD............ 14 C 21
Illorai SS............ 115 F 9
Imbriaca (Portella) PA .. 98 N 22
Imele AQ............ 59 P 21
Imelle RM............ 58 P 19
Imer TN............ 12 D 17
Imera PA............ 99 N 23
Imera Meridionale PA . 99 N 24
Imola BO............ 40 I 17
Impalata BA............ 80 E 33
Imperatore (Punta) NA 74 E 23
Imperia IM............ 35 K 6
Impiso (Colle d') PZ.. 85 H 30
Impiso (Ponte) PZ.... 85 H 30
Impruneta FI............ 43 K 15
Inacquata (Masseria) FG. 67 C 29
Incaroio (Canale d') UD . 5 C 21
Incisa (Passo della) FO. 41 K 18
Incisa in Val d'Arno FI.. 44 L 16

Incisa Scapaccino AT .. 28 H 7
Incoronata FG............ 71 C 28
Incoronata
(Santuario dell') FG.. 71 C 28
Incudine BS............ 10 D 13
Indicatore AR .... 44 L 17
Indiritto TO............ 26 G 3
Indren (Punta) VC .... 7 E 5
Induno Olona VA...... 8 E 8
Infantino CS............ 87 J 32
Infernaccio
(Gola dell') AP ...... 52 N 21
Infernetto RM............ 62 Q 19
Inferno (Pizzo d') SO... 9 C 10
Inferno (Ponte) SA.... 76 G 28
Infreschi
(Punta degli) SA .... 84 H 28
Ingarano (Passo di) FG. 66 B 28
Ingria TO............ 19 F 4
Ingurtosu VS............ 118 I 7
Innichen / S. Candido BZ. 4 B 18
Intimiano CO............ 21 E 9
Intra VB............ 8 E 7
Intragna VB............ 8 E 7
Introd AO............ 18 E 3
Introdacqua AQ...... 60 P 23
Inverigo CO............ 21 E 9
Inveruno MI............ 20 F 8
Invorio NO............ 20 E 7
Invrea SV............ 36 I 7
Inzago MI............ 21 F 10
Ioanneddu (Punta) NU. 113 F 11
Iolanda di Savoia FE... 32 H 17
Iolo PO............ 39 K 15
Ioppolo Giancaxio AG. 102 O 22
Iorenzo FG............ 71 C 28
Ippari RG............ 104 Q 25
Ippocampo FG...... 67 C 29
Irgoli NU............ 117 F 10
Iria ME............ 100 M 25
Irminio RG............ 104 P 26
Irpinia AV............ 71 D 27
Irsina MT............ 72 E 30
Irveri (Monte) NU...... 117 F 10
Isalle NU............ 117 F 10
Isarco / Eisack BZ...... 3 B 16
Isarco (Val) / Eisacktal BZ. 3 B 16
Isca de sa Mela
(Valico s') NU........ 115 G 9
Isca Marina CZ .... 89 L 31
Isca sullo Ionio CZ.... 89 L 31
Iscala Mola SS............ 110 F 7
Ischia NA............ 74 E 23
Ischia di Castro VT.... 57 O 17
Ischia (Isola d') NA .... 74 E 23
Ischia-Ponte NA ...... 74 E 23
Ischia-Porto NA ...... 74 E 23
Ischitella FG............ 67 B 29
Ischitella Lido CE...... 69 E 24
Iscoba (monte) SS...... 111 E 8
Iseo BS............ 22 F 12
Iseo (Lago d') BS...... 22 E 12
Isera TN............ 11 E 15
Isernia IS............ 65 R 24
Isili CA............ 119 H 9
Iselle VB............ 8 D 6
Isnello PA............ 99 N 24
Isola FO............ 40 K 17
Isola GE............ 29 I 9
Isola SO............ 9 C 9
Isola Bella LT............ 63 R 20
Isola d'Arbia SI...... 50 M 16
Isola d'Asti AT............ 27 H 6
Isola del Cantone GE... 28 I 8
Isola del Gran
Sasso d'Italia TE .... 59 O 22
Isola del Liri FR...... 64 Q 22
Isola della Scala VR... 23 G 15
Isola delle Femmine PA. 97 M 21
Isola di Capo Rizzuto KR. 87 K 33
Isola di Fano PS...... 46 L 20
Isola di Fondra BG..... 10 E 11
Isola di Piano PS...... 46 K 20
Isola Dovarese CR.... 22 G 12
Isola Farnese RM...... 58 P 19
Isola Fossara PG...... 46 L 20
Isola Pescaroli CR.... 30 G 12
Isola Rizza VR............ 23 G 15
Isola Rossa OT........ 108 D 8
Isola S. Antonio AL.... 28 G 8
Isola S. Biagio AP.... 52 N 21
Isola Santa LU............ 38 J 12
Isola Vicentina VI.... 24 F 16
Isolabella TO............ 27 H 5
Isolabona IM............ 35 K 4
Isolaccia SO............ 2 C 12
Isoletta FR............ 64 R 22
Isolona GO............ 17 E 22
Isorella BS............ 22 F 12
Isorno VB............ 8 D 7
Isorno (Valle dell') VB.. 8 D 7
Isonzo GO............ 17 E 22

Ispani SA............ 76 G 28
Ispica RG............ 107 Q 26
Ispica (Cava d') RG.... 107 Q 26
Ispingoli NU............ 117 G 10
Ispra VA............ 20 E 7
Issengo / Issing BZ ..... 4 B 17
Issime AO............ 19 E 5
Issing / Issengo BZ..... 4 B 17
Isso BG............ 22 F 11
Issogne AO............ 19 F 5
Istia d'Ombrone GR ... 49 N 15
Istrago PN............ 14 D 20
Istrana TV............ 25 E 18
Itala ME............ 90 M 28
Itala Marina ME ...... 90 M 28
Italba FE............ 33 H 18
Itri LT............ 64 S 22
Itria (Valle d') TA..... 80 E 34
Ittia (Punta) OT........ 113 E 10
Ittireddu SS............ 111 F 8
Ittiri SS............ 110 F 7
Iudica (Fattoria) SR ... 104 Q 26
Iudica (Monte) CT.... 104 O 25
Iuvanum CH............ 60 P 24
Ivigna (Punta) BZ...... 3 B 15
Ivrea TO............ 19 F 5
Ixi (Monte) CA............ 119 I 9
Izano CR............ 22 F 11
Izzana OT............ 109 E 9

J
Jafferau (Monte) TO ... 26 G 2
Jamiano GO............ 17 E 22
Jannarello (Bivio) CT... 104 O 26
Jaufenpaß / Monte Giovo
(Passo di) BZ ...... 3 B 15
Jelsi CB............ 65 R 26
Jenesien /
S. Genesio Atesino BZ. 3 C 15
Jenne RM............ 63 Q 21
Jerzu OG............ 117 H 10
Jesi AN............ 46 L 21
Jesolo VE............ 16 F 19
Joppolo VV .... 88 L 29
Joux (Colle di) AO .... 19 E 5
Joux (la) AO............ 18 E 2
Judrio UD............ 15 D 22

K
Kalch / Calice BZ ...... 3 B 16
Kaltenbrunn /
Fontanefredde BZ.. 12 D 16
Kaltern a. d. Weinstraße /
Caldaro s. str. d. V. BZ. 11 C 15
Karerpaß / Costalunga
(Passo di) TN ...... 12 C 16
Karersee /
Carezza al Lago BZ .. 12 C 16
Kartibubbo TP...... 97 O 20
Kasern / Casere BZ.... 4 A 18
Kastelbell /
Castelbello BZ...... 3 C 14
Kastelruth /
Castelrotto BZ...... 3 B 16
Kematen / Caminata BZ. 3 B 16
Khamma TP............ 96 Q 18
Kiens / Chienes BZ .... 4 B 17
Klammljoch / Gola
(Passo di) BZ ...... 4 B 18
Klausen / Chiusa BZ ... 3 C 16
Klobenstein / Collalbo BZ. 3 C 16
Knutten-Alm /
Malga dei Dossi BZ... 4 B 18
Kortsch / Corzes BZ... 2 C 14
Kreuzboden /
Plan de Gralba BZ ... 4 C 17
Krimmlertauern /
Tauri (Passo dei) BZ... 4 A 18
Kronio (Monte) AG.... 102 O 21
Kronplatz / Corones
(Plan de) BZ ...... 4 B 17
Kuens / Càines BZ .... 3 B 15
Kurtatsch a. d. Weinstraße /
Cortaccia BZ ...... 11 D 15
Kurtinig a. d. Wein-straße /
Cortina BZ ...... 11 D 15
Kurzras / Maso Corto BZ. 2 B 14

L
La Barcaccia PG ...... 51 M 19
La Berzigala MO...... 39 I 14
La Bottacia RM...... 62 Q 18
La Briglia PO............ 39 K 15
La Caletta CI............ 120 J 6
La Caletta NU............ 113 F 10
La California LI...... 49 M 13
La Cassa TO............ 19 G 4
La Clava BZ............ 3 B 15
La Conia OT............ 109 D 10

La Corte SS............ 110 E 6
La Costa PR............ 30 I 13
La Crocina AR............ 44 L 17
La Crosetta TV ...... 13 D 19
La Crucca SS............ 110 E 7
La Fagosa PZ............ 77 G 30
La Farnesiana RM...... 57 P 17
La Ficaccia OT............ 109 D 9
La Foce SI............ 50 M 17
La Forca AQ............ 59 P 21
La Forca RI............ 59 O 21
La Fossiata CS...... 87 I 31
La Gabellina RE ...... 38 J 12
La Gala ME............ 101 M 27
La Gardenaccia BZ .... 4 C 17
La Giustiniana RM...... 58 Q 19
La Grivola AO............ 18 F 3
La Guardia AQ......... 64 Q 23
La Lama TA............ 79 F 33
La Lima PT............ 39 J 14
La Loggia TO............ 27 H 5
La Maddalena OT...... 109 D 10
La Madonnina FR...... 63 Q 22
La Maina UD............ 5 C 20
La Marchesa FG...... 66 C 27
La Martella MT...... 78 F 31
La Meta FR............ 64 Q 23
La Monna FR............ 63 Q 22
La Montagna MT...... 77 F 30
La Montagna CT...... 104 O 26
La Montagna PA...... 98 N 22
La Montagnola CT.... 100 N 27
La Morra CN............ 27 I 5
La Motticella FG...... 66 C 28
La Muda BL............ 13 D 18
La Muddizza SS...... 108 E 8
La Mula CS............ 85 H 29
La Nurra SS............ 110 F 6
La Palazza AR............ 45 L 18
La Palazzina CE...... 65 R 25
La Pedraia SS............ 110 E 6
La Pescia FG............ 67 C 29
La Petrizia CZ............ 89 K 32
La Picciola SA...... 75 F 26
La Pizzuta PA............ 97 N 21
La Presanella TN...... 11 D 13
La Punta CA............ 120 J 6
La Reale SS............ 108 D 6
La Rocca RE............ 31 H 13
La Rotta GR............ 57 O 17
La Rotta PI............ 43 L 14
La Salute di Livenza VE. 16 F 20
La Santona MO...... 39 J 14
La Scala SI............ 50 M 17
La Sella BZ............ 76 F 29
La Sellata PZ............ 76 F 29
La Selva SI............ 49 M 15
La Serra PI............ 43 L 14
La Serra d'Ivrea TO... 19 F 5
La Serra Lunga PA.... 97 N 21
La Sila CS............ 86 J 31
La Solfatara NA...... 69 E 24
La Spezia SP............ 38 J 11
La Stanga BL............ 13 D 18
La Sterza PI............ 43 L 14
La Strada PR............ 30 I 12
La Taverna AR............ 64 R 22
La Torraccia LI...... 49 M 13
La Torre PS............ 46 K 20
La Trinita SP............ 30 H 11
La Valle / Wengen BZ... 4 C 17
La Valle Agordina BL... 12 D 18
La Varella BZ............ 4 C 17
La Vecchia RE............ 31 I 13
La Verna AR............ 45 K 17
La Verna MO............ 39 I 13
La Villa MC............ 52 M 21
La Villa / Stern BZ...... 4 C 17
Laas / Lasa BZ ...... 2 C 14
Laatsch / Laudes BZ ... 2 B 13
Labante BO............ 39 J 14
Labico RM............ 63 Q 20
Labro RI............ 58 O 20
Lacchiarella MI...... 21 G 9
Laccio GE............ 29 I 9
Lacco Ameno NA...... 74 E 23
Laccu sa Vitella
(Punta) OR............ 115 H 8
Lacedonia AV............ 71 D 28
Laceno (Lago di) AV... 71 E 27
Laces / Latsch BZ...... 3 C 14
Lachelle VC............ 20 G 6
Lacina (Lago di) VV.... 88 L 31
Lacona LI............ 48 N 12
Laconi OR............ 115 H 9
Lada (Perda) CA...... 119 I 10
Ladispoli RM............ 62 Q 18
Laerru SS............ 111 E 8
Laga (Monti della) TE.. 52 O 22
Lagadello PR............ 30 I 11
Laganadi RC............ 90 M 29

Lagarina (Val) TN...... 11 E 15
Lagaro BO............ 39 J 15
Lagastrello (Passo di) MS. 38 I 12
Lagdei PR............ 38 I 12
Laghi VI............ 23 E 15
Laglesie-S. Leopoldo UD. 15 C 22
Laglio CO............ 9 E 9
Lagnasco CN............ 27 I 4
Lago CS............ 86 J 30
Lago TV............ 13 E 18
Lago (Croda da) BL .... 4 C 18
Lago Bianco /
Weißseespitze BZ... 2 B 14
Lago di Valfabbrica PG. 51 M 19
Lago Gelato (Pizzo) VB . 8 D 7
Lagolo TN............ 11 D 15
Lagoni GR............ 49 M 15
Lagoni del Sasso GR... 49 M 14
Lagoni Rossi PI...... 49 M 14
Lagorai (Catena dei) TN. 12 D 16
Lagorai (Lago) TN .... 12 D 16
Lagosanto FE............ 33 H 18
Lagrimone PR............ 30 I 12
Laguna Veneta VE.... 25 G 18
Lagundo / Algund BZ .. 3 B 15
Lagune BO............ 39 I 15
L'Aia TR............ 58 O 19
Laiatico PI............ 43 L 14
Laigueglia SV............ 35 K 6
Lainate MI............ 21 F 9
Laino CO............ 9 E 9
Laino Borgo CS...... 85 H 29
Laino Castello CS.... 85 H 29
Laion / Lajen BZ...... 3 C 16
Laives / Leifers BZ .... 12 C 16
Lajen / Laion BZ...... 3 C 16
Lama BO............ 72 E 31
Lama PG............ 45 L 18
Lama dei Peligni CH .. 60 P 24
Lama di Monchio MO.. 39 J 14
Lama Iesa SA............ 49 M 15
Lama la Noce
(Masseria) BA...... 72 E 31
Lama Mocogno MO... 39 J 14
Lama Polesine RO..... 32 G 17
Lamalunga BA ...... 72 D 29
Lamandia BA............ 80 E 34
Lambrinia PV............ 29 G 10
Lambro CO............ 21 E 9
Lambro SA............ 76 G 27
Lambrugno UD...... 5 C 21
Lamezia Terme CZ.... 88 K 30
Lamole FI............ 44 L 16
Lamon BL............ 12 D 17
Lamone RA............ 40 J 17
Lampedusa AG...... 102 U 19
Lampedusa
(Isola di) AG...... 102 U 19
Lampione (Isola di) AG. 102 U 18
Lamporecchio PT..... 39 K 14
Lamporo VC............ 19 G 6
Lana BZ............ 3 C 15
Lana (Col di) BL...... 4 C 17
Lanaro (Monte) CE.... 65 R 24
Lanciaia PI............ 49 M 14
Lanciano CH............ 60 P 25
Lanciano (Passo) CH... 60 P 24
Landiona NO............ 20 F 7
Landriano PV............ 21 G 9
Landro (Val di) BZ..... 4 C 18
Landshuter Haus
(Rifugio) BZ........ 3 B 16
Langan (Colla di) IM... 35 K 5
Langhe CN............ 27 I 6
Langhirano PR............ 30 I 12
Langosco PV............ 20 G 7
L'Annunciata AV...... 70 D 26
L'Annunziata FG...... 67 C 29
Lanusei OG............ 117 H 10
Lanùvio RM............ 63 Q 20
Lanzada SO............ 10 D 11
Lanzé VI............ 24 F 16
Lanzo d'Intelvi CO.... 9 E 9
Lanzo Torinese TO.... 19 G 4
Lanzone (Pizzo) PA... 98 N 22
Lao CS............ 85 H 29
Laorca LC............ 9 E 10
Lapanu (Monte) CA.... 120 K 8
Lapedona AP............ 53 M 23
Lapio AV............ 70 E 26
Lapio (Lago di) VV..... 88 L 31
Lappach / Lappago BZ . 4 B 17
Lappago / Lappach BZ. 4 B 17
Larcher (Rifugio) TN... 11 C 13
Larciano PT............ 39 K 14
Larderello PI............ 49 M 14
Larderia ME............ 90 M 28

Lardirago PV............ 21 G 9
Lari PI............ 43 L 13
Lariano RM............ 63 Q 20
Larino CB............ 66 B 26
Lasa / Laas BZ ...... 2 C 14
Lasa (Punta di) BZ .... 2 C 14
Lascari PA............ 99 M 23
Lases TN............ 11 D 15
Lasina (Piano) CA...... 119 I 9
Lasino TN............ 11 D 14
Lasnigo CO............ 9 E 9
Lastebasse TN...... 11 E 15
Lastra a Signa FI...... 43 K 15
Lastreto (Abbazia di) PS. 46 L 20
Lat (Piz) BZ ...... 2 B 13
Làtemar BZ ...... 12 C 16
Latera VT............ 57 O 17
Laterina AR............ 44 L 17
Laterza TA............ 78 F 32
Latiano BR............ 79 F 35
Latina LT............ 63 R 20
Latina (Lido di) LT .... 63 R 20
Latina Scalo LT...... 63 R 20
Latisana UD............ 16 E 20
Lato TA............ 78 F 32
Latronico PZ............ 77 G 30
Latsch / Laces BZ...... 3 C 14
Lattari (Monti) SA .... 75 F 25
Lattarico CS............ 85 I 30
Latzfons / Lazfons BZ.. 3 B 16
Laudemio (Lago) PZ... 77 G 29
Laudes / Laatsch BZ... 2 B 13
Laura SA............ 75 F 26
Laura (Serbatoio) AG. 103 P 23
Laurasca (Cima di) VB . 8 D 7
Laureana Cilento SA... 75 G 27
Laureana di Borrello RC. 88 L 30
Laurenzana PZ...... 77 F 29
Laureto FG............ 80 E 34
Lauria PZ............ 77 G 29
Lauriano TO............ 19 G 5
Laurino SA............ 76 F 28
Laurito SA............ 76 G 28
Laurito (Masseria) BR. 79 F 34
Lauro AV............ 70 E 25
Lauro CE............ 69 D 23
Lauro (Monte) SR..... 104 P 26
Lauropoli CS............ 85 H 31
Lauzacco UD............ 17 E 21
Lauzo (Monte) LT..... 64 S 22
Lavachey AO............ 6 E 3
Lavagna LO............ 21 F 10
Lavagna GE............ 37 J 10
Lavagna (Torrente) GE. 37 I 9
Lavaiano PI............ 43 L 13
Lavane (Monte) FI..... 40 K 16
Lavardet (Forcella) BL.. 5 C 19
Lavaredo (Tre Cime di) /
Drei Zinnen BL ...... 4 C 18
Lavariano UD............ 17 E 21
Lavarone TN............ 12 E 15
Lavaze (Passo di) TN... 12 C 16
Lavello PZ............ 71 D 29
Lavena VA............ 8 E 8
Laveno VS............ 10 E 12
Laveno Monbello VA... 8 E 7
Lavenone BS............ 22 E 13
Lavezzola RA............ 32 I 17
Laviano SA............ 71 E 27
Lavinio-Lido di Enea RM. 62 R 19
Lavino BO............ 39 I 15
Lavino di Mezzo BO... 39 I 15
Lavis TN............ 11 D 15
Lavone BS............ 22 E 13

A B C D E F G H I J K L M N O P Q R S T U V W X Y Z

A B C D E F G H I J K L M N O P Q R S T U V W X Y Z

Le Prese SO ....10 C 13
Le Pulci PG ....51 M 19
Le Regine PT ....39 J 14
Le Rocchette GR .....49 N 14
Le Tagliole MO ......39 J 13
Le Tofane BL ....4 C 18
Le Torri FG ....72 D 29
Le Torri PG ....51 N 19
Le Vigne CS ....85 H 30
Le Ville AR...........45 L 18
Le Volte CN......... 35 J 6
Leano (Monte) LT ...63 R 21
Leardo (Monte) PA ..98 N 22
Lebbrosario BA.......73 E 32
Leca SV ....35 J 6
Lecce LE ....81 F 36
Lecce nei Marsi AQ ..64 Q 23
Lecce (Tavoliere di) BR.. 79 F 35
Lecchi SI ....44 L 16
Lecchiore IM ....35 K 5
Leccio FI ....44 K 16
Leccio (Poggio del) GR.. 56 O 15
Leccio (Rio) LU .....39 K 13
Lecco LC ....9 E 10
Lecco (Lago di) LC...9 E 9
Lechaud (Pointe de) AO..18 E 2
Lechère (la) AO...... 7 E 4
Ledra (Canale) UD ...14 D 21
Ledro (Lago di) TN...11 E 14
Ledro (Val di) TN ...11 E 14
Ledu (Pizzo) SO.....9 D 9
Leffe BG.............22 E 11
Legnago PI...........49 M 14
Legnano MI ....20 F 8
Legnaro PD ....24 F 17
Legnone (Monte) SO..9 D 10
Legoli PI ....43 L 14
Legri FI ....39 K 15
Lei NU ....115 G 8
Lei (Lago di) SO.....9 C 10
Lei (Valle di) SO ...9 C 10
Leia VT..............57 O 17
Leifers / Làives BZ..12 C 16
Leini TO.............19 G 5
Leivi GE.............37 I 9
L'Elefante SS........111 E 8
Lella (Masseria) TA..79 F 34
Lelo (Monte) KR.....87 I 32
Lema (Monte) VA.... 8 D 8
Lemene VE...........16 E 20
Lemie TO............18 G 3
Lemina TO...........27 H 4
Lemma CN...........26 I 4
Lemme AL...........28 H 8
Lempa TE............53 N 22
Lena (Punta) ME.....95 K 27
Lendinara RO........32 G 16
Leni VS.............118 I 7
Leni ME.............94 L 26
Lenna BG............9 E 11
Lenno CO ....9 E 9
Leno BS.............22 F 12
Lenola LT............64 R 22
Lenta VC............20 F 7
Lentate sul Seveso MI..21 E 9
Lentiai BL...........12 D 18
Lentigione RE........30 H 13
Lentini SR...........105 P 27
Lentini
  (Serbatoio di) CT...104 P 26
Lentiscosa SA........84 G 28
Lentula PT...........39 J 15
Leo MO ....39 J 14
Leofreni RI..........59 P 21
Leone (Monte) VB.... 7 D 6
Leone (Pizzo del) PA..98 N 22
Leonessa RI..........58 O 20
Leonessa (Sella di) RI..59 O 21
Leonforte EN.........100 O 25
Leoni (Monte) GR....49 N 15
Leontinoi SR.........105 P 27
Leopardi NA..........74 E 25
Lepini (Monti) RM....63 R 20
Leporano TA.........79 F 33
Lequile LE...........81 G 36
Lequio Berria CN.....27 I 6
Lequio Tanaro CN....27 I 5
Lercara Bassa PA.....98 N 22
Lercara Friddi PA....98 N 22
Lerchi PG............45 L 18
Lerma AL............28 I 8
Lerno (Monte) SS....111 F 9
Lesa NO.............20 E 7
Lese CS.............87 I 32
Lesegno CN..........35 I 5
Lesignano de' Bagni PR.. 30 H 12
Lesima (Monte) PC...29 H 9
Lesina FG............66 B 28
Lesina (Lago di) FG..66 B 28
Lesmo MI............21 F 9

Lessini (Monte) VR ...23 E 15
Lessolo TO...........19 F 5
Lestans PN...........14 D 20
Lestizza UD..........16 E 21
Letegge (Monte) MC..52 M 21
Letino CE............65 R 24
Letojanni ME.........90 N 27
Lettere NA...........75 E 25
Lettomanoppello PE..60 P 24
Lettopalena CH.......60 P 24
Levada PD...........24 F 18
Levada TV...........16 E 19
Levane AR...........44 L 16
Levanna TO..........18 F 3
Levante (Riviera di) SP..37 J 9
Levanzo TP..........96 N 19
Levanzo (Isola) TP...96 M 18
Levata CR...........22 G 12
Levate BG...........21 F 10
Leverano LE.........83 G 36
Leverogne AO........18 E 3
Levi-Molinari TO.....18 G 2
Levice CN...........27 I 6
Levico Terme TN.....12 D 15
Levone TO...........19 G 4
Lezzeno CO .... 9 E 9
Liano BS............23 E 13
Liano ME............40 I 16
Liariis UD...........5 C 20
Libbiano PI..........49 M 14
Libeccio (Punta) LI...54 O 12
Libeccio (Punta) TP..96 N 18
Liberi CE............69 D 24
Libertinia CT........100 O 25
Libra (Monte) CT....104 O 25
Librari TA...........79 G 34
Librizzi ME..........100 M 26
Licata AG............103 P 23
Licciana Nardi MS....38 J 12
Licenza RM..........58 P 20
Licodia Eubea CT....104 P 26
Licola Mare NA......69 E 24
Licosa (Isola) SA....75 G 26
Licosa (Monte) SA...75 G 26
Licosa (Punta) SA...75 G 26
Licusati SA..........76 G 28
Lidi Ferraresi FE.....33 H 18
Lido LI.............48 N 13
Lido (Porto di) VE...16 F 19
Lido Adriano RA.....41 I 18
Lido Azzurro TA.....78 F 33
Lido Bruno TA.......80 F 33
Lido Cannatello AG...103 P 22
Lido Cerano BR......81 F 36
Lido degli Estensi FE..33 I 18
Lido degli Scacchi FE..33 H 18
Lido dei Maronti NA..74 E 23
Lido dei Pini RM.....62 R 19
Lido del Sole FG.....67 B 29
Lido del Sole OT.....113 E 10
Lido delle Conchiglie LE..83 G 36
Lido delle Nazioni FE..33 H 18
Lido delle Sirene RM..62 R 19
Lido di Camaiore LU..38 K 12
Lido
  di Campomarino CB..61 Q 27
Lido di Casalbordino CH..61 P 25
Lido
  di Castel Fusano RM..62 Q 18
Lido di Cincinnato RM..62 R 19
Lido di Classe RA....41 J 19
Lido di Dante RA.....41 I 18
Lido di Faro RM.....62 Q 18
Lido di Fermo AP....53 M 23
Lido di Jesolo VE....16 F 19
Lido di Lonato BS....22 F 13
Lido di Metaponto MT..78 F 32
Lido di Noto SR.....105 Q 27
Lido di Ostia RM.....62 Q 18
Lido di Pittulongu OT.. 109 E 10
Lido di Policoro MT...78 G 32
Lido di Pomposa FE..33 H 18
Lido di Portonuovo FG..67 B 30
Lido di Procida NA...74 E 24
Lido di Rivoli FG.....67 C 29
Lido di S. Giuliano TP..96 M 19
Lido di Savio RA.....41 J 19
Lido di Scanzano MT..78 G 32
Lido di Siponto FG...67 C 29
Lido di Spina FE.....33 I 18
Lido di Tarquinia VT..57 P 17
Lido di Torre Mileto FG..66 B 28
Lido di Tortora CS...84 H 29
Lido di Venezia VE...25 F 19
Lido di Volano FE....33 H 18
Lido Gandoli TA.....79 F 33
Lido Marausa TP.....96 N 19
Lido Marini LE......83 H 36
Lido Quarantotto MT..78 G 32

Lido Riccio CH.......60 O 25
Lido S. Angelo CS....87 I 31
Lido Signorino TP....96 N 19
Lido Silvana TA......79 F 34
Lierna LC............9 E 9
Lignana VC..........20 G 7
Lignano (Monte) AR..45 L 17
Lignano Pineta UD...16 F 21
Lignano Riviera UD...16 F 21
Lignano
  Sabbiadoro UD......16 E 21
Ligoncio (Pizzo) SO..9 D 10
Ligosullo UD.........5 C 21
Lillaz AO............18 F 4
Lilianes AO..........19 F 5
Lilliano SI...........43 L 15
Lima LU.............39 J 13
Limatola BN.........70 D 25
Limbadi VV..........88 L 29
Limbara (Monte) OT..111 E 9
Limbara (Passo del) OT.. 111 E 9
Limbiate MI..........21 F 9
Limena PD...........24 F 17
Limentra Inferiore BO..39 J 15
Limes TN............11 E 13
Limidario (Monte) VB..8 D 7
Limina ME...........90 N 27
Limina (Monte) RC...88 L 30
Limite FI............43 K 14
Limito MI............21 F 9
Limo (Passo di) BZ...4 C 18
Limone Piemonte CN..35 J 4
Limone sul Garda BS..23 E 14
Limonetto CN........35 J 4
Limosano CB.........65 Q 25
Limpida (Serra la) CS..84 H 29
Limpiddu OT.........113 E 11
Linaro FO...........41 K 18
Linaro (Capo) RM....57 P 17
Linarolo PV..........21 G 9
Linas (Monte) VS....118 I 7
L'Incontro FI........44 K 16
Lindinuso BR........81 F 36
Linera CT............101 O 27
Lingua ME...........94 L 26
Linguaglossa CT.....101 N 27
Linosa AG...........102 T 20
Linosa (Isola di) AG..102 T 20
Lio Piccolo VE......16 F 19
Lioni AV............71 E 27
Lipari ME...........94 L 26
Lipari (Isola) ME....94 L 26
Lippo (Pizzo) ME....100 N 25
Lipuda KR...........87 I 33
Liro SO.............9 C 10
Lis (Colle del) TO...18 G 4
Lisca Bianca (Isola) ME.. 94 L 27
Liscate MI...........21 F 10
Liscia CH............61 Q 25
Liscia OT............109 D 9
Liscia (Lago della) OT..109 E 9
Lisciano TN..........58 O 20
Lisciano Niccone PG..51 M 18
Liscione (Lago del) CB..65 Q 26
Lisignago TN........11 D 15
Lissone MI...........21 F 9
Lissone (Rifugio) BS..10 D 13
Liternum NA.........69 E 24
Littu Petrosu
  (Punta) OT.........109 E 10
Liuru (Monte) CA....119 J 10
Livenza TV..........13 D 19
Liveri NA............70 E 25
Lividonia (Punta) GR..55 O 15
Livigno SO..........2 C 12
Livigno (Forcola di) SO..10 C 12
Livigno (Valle di) SO..2 C 12
Livo CO.............9 D 9
Livo TN.............11 C 15
Livorno LI...........42 L 12
Livorno Ferraris VC..19 G 6
Lizzanello LE.......81 G 36
Lizzano PT..........39 J 14
Lizzano TA..........79 F 34
Lizzano in
  Belvedere BO......39 J 14
Lizzola BG..........10 D 12
Loano SV............35 J 6
Loazzolo AT.........28 H 6
Lobbi AL............28 H 8
Lobbia Alta TN......11 D 13
Lobbie (Cima delle) CN.. 26 I 3
Lobia VI............24 F 15
Locana TO...........19 F 4

Locana (Valle di) TO..19 F 4
Locate di Triulzi MI...21 F 9
Locati PA............99 N 24
Locatelli (Rifugio) BZ..4 C 18
Loceri OG...........117 H 10
Loco GE.............29 I 9
Locoe NU............116 G 10
Locone BA...........72 E 30
Loconia BA..........72 D 29
Locorotondo BA......80 E 33
Locri RC............91 M 30
Locri Epizefiri RC....91 M 30
Loculi NU...........117 F 10
Lodè NU............113 F 10
Lodi LO.............21 G 10
Lodi Vecchio LO.....21 G 10
Lodignano (Sella di) PR..30 I 12
Lodine NU...........115 G 9
Lodrino BS..........22 E 12
Lodrone TN..........23 E 13
Lograto BS..........22 F 12
Logudoro SS.........111 F 8
Loiano BO...........40 J 15
Loiri OT.............113 E 10
Lomaso TN..........11 D 14
Lomazzo CO.........21 E 9
Lombarda (Colle di) CN..34 J 3
Lombardi VT.........57 P 17
Lombardore TO......19 G 5
Lombriasco TO......27 H 4
Lomello PV..........28 G 8
Lonate Ceppino VA...20 E 8
Lonate Pozzolo VA...20 F 8
Lonato BS...........22 F 13
Loncon VE..........16 E 20
Longa VI............24 E 16
Longa (Serra) SA....76 G 29
Longano IS..........65 R 24
Longara VI..........24 F 16
Longare VI..........24 F 16
Longarini (Pantano) SR..107 Q 27
Longarone BL........13 D 18
Longastrino FE......32 I 18
Longega /
  Zwischenwasser BZ..4 B 17
Longhena BS........22 F 12
Longhi AV...........12 E 15
Longi ME...........100 M 26
Longiano FO........41 J 18
Longiarù / Campill BZ..4 C 17
Longobardi CS.......86 J 30
Longobardi
  Marina CS.........86 J 30
Longobucco CS......85 I 31
Longone al Segrino CO..21 E 9
Longone Sabino RI...58 P 20
Longoni (Rifugio) SO..10 D 11
Longu CA............119 J 9
Lonigo VI...........24 F 16
Loppio TN...........11 E 14
Loreggia PD.........24 F 17
Loreggiola PD.......24 F 17
Lorenzago di Cadore BL..5 C 19
Lorenzana PI........43 L 13
Lorenzatico BO......31 I 15
Loreo RO...........33 G 18
Loretello AN........46 L 20
Loreto AN...........47 L 22
Loreto Aprutino PE...60 O 23
Loria TV............24 E 17
Lorica CS...........86 J 31
Lorio (Monte) SO....10 D 12
Lornano SI..........43 L 15
Loro Ciuffenna AR...44 L 16
Loro Piceno MC.....52 M 22
Losa (Abbasanta) OR..115 G 8
Losciale-Garrappa BA.. 80 E 34
Losine BS...........10 E 12
Lotzorai OG.........117 H 10
Lova VE.............25 G 18
Lovadina TV.........25 E 18
Lovello (Monte) /
  Groß Löffler BZ.....4 A 17
Lovere BG...........22 E 12
Lovero SO...........10 D 12
Loveto BO...........31 I 16
Lozio BS............10 E 12
Lozze (Monte) VI....12 E 16
Lozzo Atestino PD...24 G 16
Lozzo di Cadore BL..5 C 19

Lozzolo VC ....20 F 6
Lu AL ....28 G 7
Lubriano VT.........57 O 18
Lucca LU ....38 K 13
Lucca Sicula AG .....97 O 21
Lucchio LU ....39 J 14
Lucco (Monte) SI....44 L 16
Lucedio VC..........20 G 6
Lucera FG ....66 C 28
Lucignano AR ....50 M 17
Lucignano d'Arbia SI..50 M 16
Lucinico GO.........17 E 22
Lucino CO ....21 E 9
Lucito CB ....65 Q 26
Luco (Monte) AQ....59 O 22
Luco dei Marsi AQ...59 Q 22
Luco (Monte) BZ....3 C 15
Lucolena FI ....44 L 16
Lucoli AQ ....59 P 22
Lucrezia PS.........46 K 20
Lucugnano LE.......83 H 36
Ludu (Genna su) OG..119 H 10
Lüsen / Luson BZ....4 B 17
Lugagnano
  Val d'Arda PC......30 H 11
Lugagnano VR......23 F 14
Lugano (Lago di) VA..8 E 8
Luggerras (Cuccuru) OG..119 I 10
Lugnano PG.........45 L 18
Lugnano in Teverina TR..58 O 18
Lugnola RI..........58 O 19
Lugo RA............40 I 17
Lugo RE............39 I 13
Lugo (Monte) SI.....55 F 18
Lugo VR............23 F 14
Lugo di Vicenza VI..24 E 16
Lugosano AV........70 E 26
Lugugnana VE.......16 E 20
Lugugnano PR.......38 I 12
Luicciana PO........39 J 15
Luino VA............8 E 8
Lula NU............113 F 10
Lumarzo GE.........37 I 9
Lumbaldu SS........111 E 8
Lumezzane BS.......22 F 12
Lumiei UD...........13 C 20
Luminaria (Pizzo) ME..100 N 25
Lumini VR...........23 F 14
Luna (Alpe della) AR..45 L 18
Luna (Cala di) OG...117 G 10
Lunamatrona VS.....118 I 8
Lunano PS..........45 K 19
Lunella (Punta) TO...18 G 3
Lunga (Cala) CI......120 J 7
Lunga (Serra) AQ....64 Q 22
Lungavilla PV........29 G 9
Lunghezza RM.......62 Q 20
Lungo (Lago) LT.....68 S 22
Lungo (Lago) RI.....58 O 20
Lungo (Sasso) BZ....4 C 17
Lungro CS...........85 H 30
Luni SP.............39 J 12
Lunigiana MS........38 J 11
Luogosano AV.......70 E 26
Luogosanto OT......109 D 9
Lupara CB...........65 Q 26
Lupara FG...........72 C 29
Lupara (Masseria) PZ..72 E 29
Lupia VI............24 F 16
Lupicino / Wölfl BZ...12 C 16
Lupo (Portella del) PA..99 N 23
Lupo (Valico di) FG...67 B 30
Lupone (Monte) RM..63 R 20
Lura CO............21 E 9
Lurago d'Erba CO...21 E 9
Lurago Marinone CO..21 E 8
Lurate Caccivio CO...21 E 9
Luras OT............109 E 9
Luretta PC..........29 H 10
Luriano SI..........49 M 15
Lurisia CS...........35 J 5
Luserna TN.........12 E 15
Luserna S. Giovanni TO..26 H 3
Lusevera UD.........15 D 21
Lusia RO............32 G 16
Lusia (Passo di) TN..12 C 17
Lusiana VI..........24 E 16
Lusigliè TO..........19 G 5
Lusignano PI........49 M 14
Lusina SA...........75 G 27
Lusera RE...........31 H 14
Lusurasco PC........30 H 11
Lutago / Luttach BZ..4 B 17
Lutirano FI..........40 J 17
Lutrano TV..........16 E 19
Luttach / Lutago BZ..4 B 17
Luzzara RE..........31 H 14
Luzzi CS............85 I 30
Luzzogno VB........8 E 7
Lys AO.............19 F 5
Lyskamm AO........7 E 5

M

Macaion (Monte) /
  Gantkofel BZ.......3 C 15
Macalube
  (Vulcanelli di) AG...103 O 22
Macari TP...........97 M 20
Maccabei BN........70 D 26
Maccacari VR........31 G 15
Maccagno VA........8 D 8
Maccarese RM.......62 Q 18
Maccarese
  (Bonifica di) RM....62 Q 18
Macchia CT.........101 N 27
Macchia CS.........85 I 31
Macchia
  (Coppa della) FG...67 B 29
Macchia da Sole TE..53 N 22
Macchia di Monte BA..80 E 33
Macchia d'Isernia IS..65 R 24
Macchia Rotonda FG..67 C 29
Macchia Valfortore CB..66 C 26
Macchiagodena IS...65 R 25
Macchialunga
  (Monte) TR.........58 O 20
Macchiareddu CA....118 J 9
Macchiascandona GR..49 N 14
Macchiatorella TE...59 O 22
Macchie PG.........51 M 18
Macchie TR.........58 O 19
Macchina Lagana RC..88 L 30
Macchioni FR.......63 R 22
Macciano SI.........50 M 17
Macciano PG.........51 N 19
Macconi (i) RG......104 Q 25
Macello TO..........26 H 4
Mácera di Morte TE..52 N 22
Macerata MC........52 M 22
Macerata PI.........42 L 13
Macerata Campania CE..69 D 24
Macerata Feltria PS..41 K 19
Macere RM..........63 Q 20
Macereto (Ponte) SI..50 M 15
Macereto
  (Santuario di) MC...52 N 21
Macerino TR........51 N 19
Macerone FO........41 J 19
Maciano PS.........41 K 18
Macina MC..........53 M 22
Macioni (Monte) CA..119 J 10
Maclodio BS.........22 F 12
Macomer NU.........115 G 8
Macra CN...........26 I 3
Macugnaga VB......7 E 5
Maddalena SV.......28 I 7
Maddalena
  (Arcipelago della) OT..109 D 10
Maddalena
  (Colle della) TO.....26 I 2
Maddalena
  (Colle della) CN.....27 G 5
Maddalena (Isola) OT..109 D 10
Maddalena (Monte) BS..22 F 12
Maddalena
  (Monti della) PZ.....76 F 28
Maddalena
  (Penisola della) SR..105 P 27
Maddalena Spiaggia CA..118 J 9
Maddalena CN.......27 I 4
Maddaloni CE.......70 D 25
Madesimo SO.......9 C 10
Madone BG.........21 F 10
Madonna AT........28 H 7
Madonna
  Candelecchia AQ....64 Q 22
Madonna dei Bagni
  (Deruta) PG.........51 N 19
Madonna dei Fornelli BO..39 J 15
Madonna
  dei Miracoli BA.....72 D 30
Madonna dei Monti PG..51 L 19
Madonna del
  Buon Cammino BA..73 E 31
Madonna del
  Buonconsiglio CL....104 P 25
Madonna
  del Carmine SA.....76 F 28
Madonna
  del Carmine TA.....73 F 32
Madonna del Furi PA..97 M 21
Madonna del Ghisallo LC..9 E 9
Madonna del Monte AR..41 J 18
Madonna del Monte PG..52 N 20
Madonna
  del Monte Vivo SA..76 F 28
Madonna
  del Pettoruto CS....85 H 29
Madonna del Piano CT..104 P 25
Madonna del Ponte PS..46 K 21
Madonna del Sasso NO..20 E 7
Madonna della Cava TP..96 N 19
Madonna della Cima PG..46 L 19

Madonna della Civita LT.64 S 22
Madonna della Lanna AQ...... 64 Q 23
Madonna della Libera TP ...... 97 N 20
Madonna della Neve PG. 52 N 21
Madonna della Pace RM. 63 Q 21
Madonna della Quercia VT... 57 O 18
Madonna della Scala BA. 73 E 33
Madonna della Scala (Santuario della) TA.. 78 F 33
Madonna della Stella PZ.77 G 30
Madonna della Valle PG. 51 N 19
Madonna dell'Acero BO .39 J 14
Madonna dell'Acqua PI. 42 K 13
Madonna dell'Alto TP.. 97 N 20
Madonna dell'Ambro AP....... 52 N 21
Madonna dell'Auricola FR.... 63 R 22
Madonna delle Grazie PD.... 24 G 18
Madonna di Baiano PG. 51 N 20
Madonna di Campiglio TN..... 11 D 14
Madonna di Canneto CB...... 65 Q 25
Madonna di Canneto FR. 64 Q 23
Madonna di Costantinopoli SA... 76 F 27
Madonna di Cristo FG. 67 C 28
Madonna di Fatima SS. 111 F 9
Madonna di Gaspreano MC.. 52 M 21
Madonna di Mellitto BA. 73 E 31
Madonna di Monserrato LI..... 48 N 13
Madonna di Novi Velia SA... 76 G 28
Madonna di Pergamo MT...... 77 F 30
Madonna di Piano PS.. 46 L 20
Madonna di Picciano MT....... 72 E 31
Madonna di Pietralba BZ...... 12 C 16
Madonna di Porto Salvo AG... 102 U 19
Madonna di Pugliano PS..... 41 K 19
Madonna di Ripalta FG. 72 D 29
Madonna di S. Luca BO. 40 I 15
Madonna di Senales / Unserfrau BZ....... 3 B 14
Madonna di Sterpeto BA... 72 D 30
Madonna di Stignano (Santuario della) FG. 66 B 28
Madonna di Tirano SO. 10 D 12
Madonna di Viatosto AT. 27 H 6
Madonna di Viggiano PZ. 77 F 29
Madonnino SI........ 50 M 17
Madonnuzza (Portella) PA...... 99 N 24
Madrano TN....... 11 D 15
Mae BL........... 13 D 18
Maenza LT....... 63 R 21
Maerne VE....... 25 F 18
Maestrale (Stagno di) CI. 120 K 7
Maestrello PG...... 51 M 18
Mafalda CB........ 61 Q 26
Maffiotto TO ..... 18 G 3
Magaggiaro (Monte) AG. 97 N 20
Magasa BS....... 23 E 13
Magazzino MO..... 31 I 15
Magazzolo PA...... 98 O 22
Magdeleine (la) AO.... 7 E 4
Magenta MI...... 20 F 8
Maggio LC ..... 9 E 10
Maggio (Monte) PG . 52 M 20
Maggio (Monte) SI .. 44 L 15
Maggiora NO........ 20 F 7
Maggiorasca (Monte)GE. 29 I 10
Maggiore (Isola) (L. Trasimeno) PG.. 51 M 18
Maggiore (Lago) VA... 8 E 7
Maggiore (Monte) CE.. 69 D 24
Maggiore (Monte) GR. 57 O 16
Maggiore (Monte) PG . 52 N 20
Maggiore (Punta) OT. 113 E 10
Maggiore (Serra) MT.. 78 G 31
Magherno PV...... 21 G 9
Magisano CZ..... 87 J 31
Magliano Alfieri CN... 27 H 6
Magliano Alpi CN..... 27 I 5
Magliano de' Marsi AQ. 59 P 22
Magliano di Tenna AP. 53 M 22
Magliano in Toscana GR. 56 O 15
Magliano Romano RM. 58 P 19
Magliano Sabina RI... 58 O 19
Magliano Vetere SA ... 76 F 27

Magliati (Masseria) TA . 78 F 32
Maglie LE .... 83 G 36
Magliolo SV............ 35 J 6
Magnacavallo MN... 31 G 15
Magnago MI....... 20 F 8
Magnano BI....... 19 F 6
Magnano PZ........ 77 G 30
Magnano in Riviera UD. 14 D 21
Magnola (Monte della) AQ... 59 P 22
Magnolini (Rifugio) BG. 10 E 12
Magomadas OR...... 114 G 7
Magra MS........ 38 I 11
Magras TN........ 11 C 14
Magré s. str. d. vino / Magreid BZ....... 11 D 15
Magredis UD...... 15 D 21
Magreglio CO...... 9 E 9
Magré a. d. Weinstraße / Magré BZ....... 11 D 15
Magreta MO..... 31 I 14
Magugnano VT...... 57 O 18
Magusu (Punta) VS... 118 I 7
Mai (Monte) SA...... 70 E 26
Maiano PG....... 51 N 20
Maiano PS....... 41 K 18
Maiano Monti RA..... 40 I 17
Maida CZ......... 88 K 31
Maida Marina CZ.... 88 K 30
Maiella (Montagna della) CH. 60 P 24
Maiella (Parco Nazionale della) CH.. 60 Q 24
Maielletta (la) CH...... 60 P 24
Maierà CS........ 84 H 29
Maierato VV...... 88 K 30
Maiern / Masseria BZ.. 3 B 15
Maiero FE........ 32 H 17
Maiolati Spontini AN .. 46 L 21
Maiolo PC....... 29 H 10
Maiorana (Masseria) BA. 72 E 31
Maiori SA....... 75 F 25
Maiori OT....... 109 E 9
Maiori (Monte) OR.... 118 H 8
Maira (Torrente) CN ... 26 I 3
Maira (Valle) CN..... 26 I 3
Mairago LO....... 21 G 10
Mairano BS........ 22 F 12
Maissana SP...... 37 I 10
Majano UD...... 14 D 21
Mal di Ventre (Isola di) OR....... 114 H 6
Malacalzetta CI..... 118 I 7
Maladecia (Punta) CN.. 34 J 3
Malagnino CR...... 30 G 12
Malagrotta RM...... 62 Q 19
Malaina (Monte) FR... 63 R 21
Malalbergo BO....... 32 H 16
Malamocco VE....... 25 F 18
Malamocco (Porto di) VE. 25 F 18
Malara (Monte) AV.... 71 D 27
Malborghetto UD.... 15 C 22
Malcesine VR...... 23 E 14
Malchina TS....... 17 E 22
Malciaussia TO..... 18 G 3
Malcontenta VE..... 25 F 18
Malegno BS....... 10 E 12
Malenco (Val) SO.... 10 D 11
Maleo LO........ 22 G 11
Malesco VB....... 8 D 7
Maletto CT....... 100 N 26
Malfa ME....... 94 L 26
Malfatano (Capo) CA. 120 K 8
Malga Bissina (Lago di) TN....... 11 D 13
Malga Boazzo (Lago di) TN....... 11 D 13
Malga dei Dossi / Knutten-Alm BZ..... 4 B 18
Malga di Valmaggiore TN... 12 D 16
Malga Fana BZ...... 4 B 16
Malga Movlina TN.... 11 D 14
Malga Prato / Wieser Alm BZ..... 4 A 18
Malga Pudio / Pidig Alm BZ...... 4 B 18
Malga Sadole TN.... 12 D 16
Malgrate SO...... 10 C 12
Malgrate LC...... 9 E 10
Malignano SI....... 49 M 15
Malina UD....... 15 D 21
Malinvern (Testa) CN .. 34 J 3
Malito CS........ 86 J 30
Malles Venosta / Mals BZ. 2 B 13
Mallare VA...... 20 E 8
Màllero SO...... 10 D 11
Malnisio PN....... 13 D 19
Malo VI........... 24 F 16

Malonno BS........ 10 D 12
Malopasseto (Passo) EN. 99 N 24
Malosco TN....... 11 C 15
Malpaga BG....... 22 F 11
Malpaga BS........ 22 F 12
Mals / Malles Venosta BZ. 2 B 13
Maltignano AP...... 53 N 23
Maltignano PG...... 52 N 21
Malu CA........ 118 I 8
Malvagna ME...... 100 N 27
Malvicino AL....... 28 I 7
Malvito CS........ 85 I 30
Malvizza AV....... 70 D 27
Malvizzo (Monte) AG. 103 P 23
Mamiano PR...... 30 H 13
Mammola RC....... 88 L 30
Mamoiada NU....... 115 G 9
Mamone NU....... 113 F 10
Mamusi OT....... 113 E 10
Manacore FG....... 67 B 30
Manara (Punta) GE ... 37 J 10
Manarola SP....... 37 J 11
Mancaliano PG...... 52 N 21
Manchiano CS...... 56 O 16
Mancuso (Monte) CZ.. 86 J 30
Mandanici ME....... 90 M 27
Mandarini (Portella) PA. 99 N 24
Mandas CA....... 119 I 9
Mandatoriccio CS ... 87 I 32
Mandatoriccio-Campana (Stazione di) CS... 87 I 32
Mandela RM...... 58 P 20
Mandello del Lario LC .. 9 E 9
Mandello Vitta NO.... 20 F 7
Mandolossa BS....... 22 F 12
Mandra de Caia (Punta) NU...... 116 G 10
Mandrazzi (Portella) ME...... 101 N 27
Mandria Luci CS...... 85 H 30
Mandriole AL....... 33 H 18
Mandrioli (Passo dei) FO.45 K 17
Mandriolo (Cima) VI... 12 E 16
Mandrogne AL....... 28 H 8
Mandrolisai NU...... 115 G 9
Mandrone (Monte) BS. 11 D 13
Manduria TA....... 79 F 34
Manerba del Garda BS. 23 F 13
Manerbio BS....... 22 F 12
Manfredonia FG...... 67 C 29
Manfredonia (Golfo di) FG...... 67 C 30
Manfredonico (Mussomeli) CL...... 99 O 23
Manfria CL....... 103 P 24
Manganaro (Bivio) PA. 98 N 22
Mangari (Monte) UD .. 15 C 22
Manghen (Passo) TN .. 12 D 16
Mangiante (Portella) PA. 99 N 23
Mangiatoriello (Pizzo) PA...... 98 N 22
Mango CN....... 27 H 6
Mangone CS...... 86 J 30
Maniace (Abbazia di) CT..... 100 N 26
Maniago PN....... 13 D 20
Maniago (Rifugio) PN. 13 D 19
Maniglia (Monte) CN .. 26 I 2
Manna (Passo del) BS . 22 E 13
Mannuad (Est di Teulada) CA...... 121 K 8
Mannu (a Nord di Nuoro) NU....... 115 F 9
Mannu (ad Ovest di Siniscola) NU..... 113 F 10
Mannu (a Sud di Terralba) SS...... 118 I 8
Mannu (Fluminimaggiore) CI.118 I 7
Mannu (vicino a Cuglieri) OR...... 114 G 7
Mannu (vicino a Narcao) CI. 118 J 8
Mannu (vicino ad Ozieri) SS. 111 F 8
Mannu (vicino a Samugheo) OR...... 115 H 8
Mannu (vicino a Santadi) CI. 118 J 8
Mannu (vicino a Sassari) SS...... 110 F 7
Mannu (vicino a Villasor) VS. 118 I 8
Mannu (Capo) OR.... 114 G 7
Mannu (Capo) SS.... 110 E 6
Mannu (Monte) OR... 114 F 7
Mannu della Reale (Porto) SS...... 108 D 6
Manocalza AV...... 70 E 26
Manolino CN....... 35 J 5
Manoppello PE...... 60 P 24
Manoppello Scalo PE. 60 P 24
Mansué TV........ 16 E 19

Manta CN........ 27 I 4
Mantignana PG...... 51 M 18
Mantova MN...... 31 G 14
Manzano UD...... 17 E 22
Manzolino MO...... 31 I 15
Mapello BG........ 21 E 10
Mappa CL........ 99 O 23
Maracalagonis CA.... 119 J 9
Maragnole VI....... 24 E 16
Marana AQ....... 59 O 21
Marane AQ....... 60 P 23
Maranello MO...... 31 I 14
Marano (Laguna di) UD. 16 E 21
Marano (Torrente) RN . 41 K 19
Marano di Napoli NA.. 69 E 24
Marano Equo RM..... 59 Q 21
Marano Lagunare UD.. 16 E 21
Marano Marchesato CS. 86 J 30
Marano Principato CS. 86 J 30
Marano sul Panaro MO. 39 I 14
Marano Ticino NO.... 20 F 7
Marano Valpolicella VR. 23 F 14
Marano Vicentino VI... 24 E 16
Maranola LT....... 64 S 22
Maranza / Meransen BZ. 4 B 16
Maranzana AT....... 28 H 7
Maraone (Isola) TP .. 96 N 19
Marargiu (Capo) NU .. 114 F 7
Marasca (Colle) CB.... 65 Q 25
Maratea CS...... 84 H 29
Maratea (Grotta di) PZ. 84 H 29
Marausa TP....... 96 N 19
Marazzino OT....... 109 D 9
Marcallo MI....... 20 F 8
Marcanzotta TP...... 96 N 19
Marcaria MN....... 31 G 13
Marcato Bianco EN... 103 O 24
Marcato d'Arrigo CL... 99 O 24
Marcatobianco PA.... 99 N 23
Marceddi OR....... 118 H 7
Marceddi (Stagno di) OR...... 118 H 7
Marcedusa CZ...... 87 J 32
Marcelilinara CZ..... 88 K 31
Marcelli AN....... 47 L 22
Marcellina CS...... 84 H 29
Marcellina RM...... 58 P 20
Marcellise VR...... 23 F 15
Marcetelli RI....... 59 P 21
Marcheno BS...... 22 E 12
Marchesa (Masseria la) FG...... 66 B 27
Marchesato KR...... 87 J 32
Marchese (Punta del) LI. 54 O 12
Marchetti (Rifugio) TN. 11 E 14
Marchiazza VC...... 20 F 7
Marchione (Masseria) BA. 73 E 33
Marchioni (Masseria) LE. 79 G 35
Marchirolo VA...... 8 E 8
Marcialla SI....... 44 L 15
Marciana Marina LI... 48 N 12
Marciana LI....... 48 N 12
Marcianise CE...... 69 D 24
Marciano AR....... 44 K 17
Marciano della Chiana AR...... 50 M 17
Marciaso MS...... 38 J 12
Marcignago PV...... 21 G 9
Marcignana FI....... 43 K 14
Marcignano PG...... 45 L 18
Marco TN....... 23 E 15
Marcolano (Monte) AQ. 64 Q 23
Marcon VE....... 25 F 18
Marconi (Mausoleo di G.) BO . 39 I 15
Marconia MT....... 78 F 32
Mardimago RO...... 32 G 17
Mare Grande TA...... 78 F 33
Mare Piccolo TA...... 79 F 33
Mare (Portella di) PA.. 99 N 23
Mare (Val de la) TN ... 11 C 14
Marebbe / Enneberg BZ. 4 B 17
Marebello RN...... 41 J 19
Marecchia (Torrente) LI. 41 K 18
Marechiaro NA...... 69 E 24
Marega VR...... 24 G 16
Maremma GR...... 56 O 15
Maremma (Parco Naturale della) GR... 55 O 15
Marene CN....... 27 I 5
Mareneve CT....... 100 N 27
Marengo CN....... 27 I 6
Marengo MN...... 23 G 14
Mareno di Piave TV... 13 E 19
Marentino TO....... 27 G 5
Maresca PT....... 39 J 14
Maresco AL....... 33 C 18
Mareto PC .... 29 H 10

Marettimo TP .... 96 N 18
Marettimo (Isola) TP.. 96 N 18
Margana (Valle della)PA. 98 N 22
Margarita CN........ 35 I 5
Marghera VE....... 25 F 18
Margherita di Savoia FG. 72 C 30
Margherito Soprano CT. 104 O 25
Margherito Sottano CT.104 O 25
Marghine (Catena di) NU..... 115 G 8
Margi SR....... 104 P 26
Margine di Momigno PT. 39 K 14
Marginetto (Punta) OT. 109 D 10
Marginone LU....... 39 K 14
Margno LC....... 9 D 10
Margone TO...... 18 G 3
Margorabbia VA....... 8 E 8
Marguareis (Punta) CN. 35 J 5
Mari Ermi OR....... 114 H 7
Maria e Franco (Rifugio) BS...... 10 D 13
Maria Luisa (Rifugio) VB. 8 C 7
Maria (Monte) CA .... 119 J 10
Mariana Mantovana MN. 22 G 13
Mariano Comense CO. 21 E 9
Mariano del Friuli GO.. 17 E 22
Marianopoli CL...... 99 O 23
Marigliano NA...... 70 E 25
Marilleva TN...... 11 D 14
Marina VE...... 16 E 20
Marina (Torrente) FI... 39 K 15
Marina dei Ronchi MS. 38 K 12
Marina del Cantone NA. 74 F 25
Marina di Alberese GR. 55 O 15
Marina di Amendolara CS... 85 H 31
Marina di Andora SV .. 35 K 6
Marina di Andrano LE. 83 H 37
Marina di Arbus VS... 118 I 7
Marina di Ascea SA... 76 G 27
Marina di Avola SR... 105 Q 27
Marina di Belmonte CS. 86 J 30
Marina di Belvedere CS. 84 I 29
Marina di Bibbona LI.. 48 M 13
Marina di Camerota SA. 84 G 28
Marina di Campo LI... 48 N 12
Marina di Caronia ME. 100 N 25
Marina di Carrara MS. 38 J 12
Marina di Casal Velino SA... 75 G 27
Marina di Castagneto-Donoratico LI...... 49 M 13
Marina di Caulonia RC. 88 L 31
Marina di Cecina LI.... 48 M 13
Marina di Cetraro CS. 85 I 29
Marina di Chieuti FG.. 66 B 27
Marina di Davoli CZ .. 89 L 31
Marina di Fuscaldo CS. 86 I 30
Marina di Gairo OG... 119 H 11
Marina di Gioia Tauro RC. 88 L 29
Marina di Gioiosa Ionica RC. 91 M 30
Marina di Grosseto GR. 49 N 14
Marina di Lago di Patria CE.. 69 E 24
Marina di Lesina FG .. 66 B 28
Marina di Leuca LE .. 83 H 37
Marina di lu Impostu OT ... 113 E 11
Marina di Mancaversa LE.... 83 H 36
Marina di Maratea PZ.. 84 H 29
Marina di Massa MS .. 38 J 12
Marina di Melilli SR .. 105 P 27
Marina di Minturno LT. 69 D 23
Marina di Modica RG. 106 Q 26
Marina di Montemarciano AN. 46 L 22
Marina di Montenero CB. 61 P 26
Marina di Novaglie LE. 83 H 37
Marina di Orosei NU.. 117 F 11
Marina di Ostuni BR... 80 E 34
Marina di Palma AG .. 103 P 23
Marina di Palmi RC... 88 L 29
Marina di Paola CS ... 86 I 30
Marina di Patti ME.... 100 M 26
Marina di Pescia Romana VT...... 56 O 16
Marina di Pescoluse LE. 83 H 36
Marina di Pietrasanta LU.38 K 12
Marina di Pisa PI...... 42 K 12
Marina di Pisciotta SA . 76 G 27
Marina di Pisticci MT.. 78 F 32
Marina di Pulsano TA.. 79 F 34
Marina di Ragusa RG. 106 Q 26
Marina di Ravenna RA. 33 I 18
Marina di S. Lorenzo RC .90 N 29
Marina di S. Antonio CZ. 89 L 31
Marina di S. Lorenzo RM. 8 R 19
Marina di S. Vito CH .. 60 P 25

Marina di Sorso SS ... 110 E 7
Marina di Strongoli KR. 87 J 33
Marina di Torre del Lago LU . 38 K 12
Marina di Torre Grande OR . 114 H 7
Marina di Varcaturo NA. 69 E 24
Marina di Vasto CH ... 61 P 26
Marina Faleriense AP .. 53 M 23
Marina Grande NA.... 74 F 24
Marina Palmense AP .. 53 M 23
Marina Piccola NA.... 74 F 24
Marina Romea RA..... 33 I 18
Marina Roseto Capo Spulico CS... 85 H 31
Marina Schiavonea CS. 85 I 31
Marina Serra LE .... 83 H 37
Marina Velca VT...... 57 P 17
Marine di Posto Rossi LE. 83 H 36
Marinella TP....... 97 O 20
Marinella VE....... 16 E 21
Marinella di Sarzana SP. 38 J 12
Marinella (Golfo di) OT. 109 D 10
Marinelli (Rifugio) SO.. 10 C 11
Marinelli (Rifugio) UD... 5 C 20
Marineo PA....... 98 N 22
Marineo (Monte) CT... 104 P 26
Marini (Rifugio) PA ... 99 N 24
Marino RM....... 62 Q 19
Marino (Monte) FO.... 40 K 17
Mariotti (Rifugio) PR... 38 I 12
Mariotto BA....... 73 D 31
Maristella SS....... 110 F 6
Marlengo / Marling BZ . 3 C 15
Marlia LU....... 39 K 13
Marliana PT....... 39 K 14
Marling / Marlengo BZ . 3 C 15
Marmagna (Monte) PR. 38 I 11
Marmarole (Gruppo delle) BL .... 4 C 18
Marmilla VS....... 118 H 8
Marmirolo MN...... 23 G 14
Marmitte (Parco delle) SO..... 9 D 10
Marmolada BL...... 12 C 17
Marmontana (Monte) CO. 9 D 9
Marmora CN...... 26 I 3
Marmora (Punta la) OG...... 115 H 9
Marmorata (Isola la) OT.109 D 9
Marmore AO...... 19 E 4
Marmore TR....... 58 O 20
Marmore (Cascata delle) TR ... 58 O 20
Marmorta BO...... 32 I 17
Marmottere (Punta) TO. 18 G 3
Marmuri (Su) OG...... 117 H 10
Marocco TV...... 25 F 18
Marogella (Passo della) BG..... 10 E 11
Maroglio CL....... 104 P 24
Marola RE....... 38 I 13
Marola VI....... 24 F 16
Marone BS....... 22 E 12
Maropati RC....... 88 L 30
Marostica VI....... 24 E 16
Marotta PS....... 46 K 21
Marozzo FE....... 33 H 18
Marradi FI....... 40 J 16
Marrara FE....... 32 H 17
Marro RC....... 88 L 29
Marroggia PG...... 51 N 20
Marsaglia CN...... 27 I 5
Marsaglia PC...... 29 H 10
Marsala TP....... 96 N 19
Marsala (Punta) TP ... 96 N 19
Marsciano PG...... 51 N 19
Marsia AQ....... 59 P 21
Marsiai BL....... 12 D 18
Marsicano (Monte) AQ. 64 Q 23
Marsico Nuovo PZ..... 76 F 29
Marsicovetere PZ..... 77 F 29
Marsiliana GR...... 56 O 16
Marsure PN....... 13 D 19
Marta VT....... 57 O 17
Marta (Fiume) VT..... 57 O 17
Martana (Isola) VT.... 57 O 17
Martani (Monti) PG... 51 N 19
Martano LE....... 83 G 36
Martano (Monte) PG .. 51 N 19
Martell / Martello BZ ... 2 C 14
Martellago VE....... 25 F 18
Martello / Martell BZ ... 2 C 14
Martello (Pizzo) SO..... 9 D 9
Martello (Val) BZ...... 2 C 14
Marti PI....... 43 L 14
Martignacco UD....... 14 D 21
Martignana di Po CR.. 30 G 13
Martignano LE....... 83 G 36

A B C D E F G H I J K L M N O P Q R S T U V W X Y Z

A B C D E F G H I J K L M N O P Q R S T U V W X Y Z

Martignano
  (Lago di) *RM* .... 58 P 18
Martina Franca *TA*.... 80 E 34
Martina Olba *SV*..... 28 I 7
Martinelle *VE*........ 33 G 18
Martinengo *BG*....... 22 F 11
Martinetto *SV*...... 35 J 6
Martinez (Case) *CL* .. 103 O 24
Martiniana Po *CN*.... 26 I 4
Martino (Poggio) *VT*.. 57 O 17
Martinsicuro *TE* .... 53 N 23
Martirano *CZ*........ 86 J 30
Martirano Lombardo *CZ*. 86 J 30
Martis *SS*........... 111 E 8
Martone *RC*......... 88 L 30
Martorano *FO*....... 41 J 18
Maru *ME*........... 100 M 26
Maruggio *TA*....... 79 G 34
Marza *RG*.......... 107 Q 26
Marzabotto *BO*...... 39 I 15
Marzamemi *SR*...... 107 Q 27
Marzano *PV*........ 21 G 9
Marzano Appio *CE*.. 64 S 24
Marzano di Nola *AV* .. 70 E 25
Marzeno *FO*........ 40 J 17
Marzettelle *MN*...... 31 H 14
Marzi *CS*........... 86 J 30
Marzio *VA*.......... 8 E 8
Marzo (Monte) *TO*... 19 F 4
Marzocca *AN*....... 46 K 21
Marzolara *PR*....... 30 I 12
Mas *BL*............ 13 D 18
Masainas *CI*........ 120 J 7
Masarè *BL*.......... 12 C 18
Masarolis *UD*....... 15 D 22
Masate *MI*.......... 21 F 10
Mascali *CT*......... 101 N 27
Mascalucia *CT*...... 100 O 27
Mascari *SS*......... 110 E 7
Maschito *PZ*........ 72 E 29
Maser *TV*........... 24 E 17
Masera *VB*.......... 8 D 6
Maserà di Padova *PD*.. 24 G 17
Maserada sul Piave *TV*. 25 E 18
Masi *PD*............ 32 G 16
Masi di Cavalese *TN*.. 12 D 16
Masi S. Giacomo *FE*... 32 H 17
Masi Torello *FE*...... 32 H 17
Masiennera (Punta) *SS*. 111 F 9
Masino *SO*......... 9 D 10
Masino (Torrente) *SO*.. 9 D 10
Masio *AL*.......... 28 H 7
Maso Corto / Kurzras *BZ*. 2 B 14
Mason Vicentino *VI*.. 24 E 16
Masone *GE*......... 28 I 8
Masone *RE*......... 31 H 12
Massa *MS*.......... 38 J 12
Massa Annunziata *CT*. 100 O 27
Massa d'Albe *AQ*.... 59 P 22
Massa e Cozzile *PT*.. 39 K 14
Massa Fermana *AP*.. 52 M 22
Massa Finalese *MO*... 31 H 15
Massa Fiscaglia *FE*... 32 H 18
Massa Lombarda *RA*.. 40 I 17
Massa Lubrense *NA*.. 74 F 25
Massa Marittima *GR*.. 49 M 14
Massa S. Giorgio *ME*.. 90 M 28
Massaciuccoli *LU*.... 38 K 13
Massaciuccoli
  (Lago di) *LU*...... 38 K 13
Massafra *TA*........ 78 F 33
Massama *OR*........ 114 H 7
Massanzago *PD*..... 24 F 17
Massarella *FI*....... 43 K 14
Massarosa *LU*....... 38 K 13
Massazza *BI*........ 19 F 6
Massello *TO*........ 26 H 3
Massenzatica *FE*..... 33 H 18
Masserano *BI*....... 20 F 6
Masserecci (Poggio) *AR*. 44 L 17
Masseria (Maiern *BZ* .. 3 B 15
Massico (Monte) *CE*.. 69 D 23
Massignano *AP*...... 53 M 23
Massimino *SV*....... 35 J 6
Massino Visconti *NO*.. 20 E 7
Massone (Monte) *VB*... 8 E 7
Mastallone *VC*...... 8 E 6
Mastaun *BZ*........ 3 B 14
Mastixi (Punta su) *NU*. 117 H 11
Masua *CI*........... 120 J 7
Masuccio (Monte) *SO*. 10 D 12
Masullas *OR*........ 118 H 8
Mataiur (Monte) *UD* .. 15 D 22
Matarazzo (Monte) *CL*. 99 O 24
Matarocco *TP*....... 96 N 19
Matelica *MC*........ 52 M 21
Matera *MT*.......... 73 E 31
Materdomini *AV*..... 71 E 27
Matese (Lago del) *CE*.. 65 R 25
Matese (Monti del) *CB*. 65 R 25

Mathi *TO*........... 19 G 4
Matigge *PG*......... 51 N 20
Matine di Latta
  (Masseria le) *BA* ... 72 D 31
Matinella *SA*....... 75 F 27
Matino *LE*.......... 83 G 36
Matraia *LU*......... 39 K 13
Matrice *CB*......... 65 R 26
Mattarana *SP*....... 37 J 10
Mattarello *TN*...... 11 D 15
Matterhorn /
  Cervino (Monte) *AO* .. 7 G 8
Mattie *TO*.......... 18 G 3
Mattina (Monte) *AV* .. 71 E 28
Mattinata *FG*....... 67 B 30
Mattinata (Porto di) *FG*. 67 B 30
Mattinatella *FG*..... 67 B 30
Mattinella *AV*...... 71 E 27
Matto (Monte) *CN*... 34 J 3
Matzaccara *CI*...... 118 J 7
Maucini *SR*......... 107 Q 27
Mauls / Mules *BZ*.... 3 B 16
Mauria (Passo della) *BL*. 5 C 19
Maurin (Colle de) *CN*.. 26 I 2
Mauro (Monte) *CI*.... 65 Q 26
Maxia (Punta) *CI*..... 118 J 8
Mazara del Vallo *TP*... 96 O 19
Mazaro *TP*......... 96 N 19
Mazia / Matsch *BZ*.... 2 B 13
Mazia (Val di) *BZ*.... 2 B 13
Mazzangrugno *AN*... 46 L 21
Mazzano Romano *RM*. 58 P 19
Mazzarà S. Andrea *ME*. 101 M 27
Mazzarino *CL*....... 103 P 24
Mazzarino
  (Castello di) *CL*.... 103 P 24
Mazzarrone *CT*...... 90 N 27
Mazzarrone
  (Poggio) *CT*....... 104 P 25
Mazzè *TO*.......... 19 G 5
Mazzi *PI*........... 41 K 18
Mazzorno *RO*....... 33 G 18
Mazzo di Valtellina *SO*. 10 D 12
Mazzola *PI*......... 43 L 14
Mazzin *TN*......... 4 C 17
Meana di Susa *TO*... 18 G 3
Meana Sardo *NU*.... 115 H 9
Meano *TN*.......... 11 D 15
Meano *BL*.......... 12 D 18
Mecca *TO*.......... 18 G 4
Meda *MI*........... 21 F 9
Meda *VI*............ 24 E 16
Medaris (Monte) *SS*... 111 F 9
Medaro (Pizzo) *VB*.... 8 D 7
Medau (Genna 'e) *OG*. 115 H 10
Medau Zirimilis
  (Lago di) *CA*....... 118 J 8
Mede *PV*........... 28 G 8
Medea *GO*.......... 17 E 22
Medelana *BO*....... 39 I 15
Medesano *PR*....... 30 H 12
Medeuzza *UD*....... 17 E 22
Mediano *PR*........ 30 I 12
Medicina *BO*........ 40 I 16
Medico (Scoglio del) *PA*. 92 K 21
Mediglia *MI*........ 21 F 9
Mediis *UD*.......... 13 C 20
Mediterraneo (Lido) *TP*. 96 N 19
Medolago *BG*....... 21 E 10
Medole *MN*......... 22 G 13
Medolla *MO*........ 31 H 15
Meduna *PN*......... 13 D 20
Meduna di Livenza *TV*. 16 E 19
Meduno *PN*......... 13 D 20
Megara Hyblaea *SR*... 105 P 27
Meggiano *PG*....... 52 N 20
Megliadino
  S. Fidenzio *PD*..... 24 G 16
Megliadino S. Vitale *PD*. 24 G 16
Meia (Rocca la) *CN*... 34 I 3
Meina *NO*.......... 20 E 7
Mel *BL*............ 13 D 18
Mela *ME*........... 90 M 27
Melag / Melago *BZ*... 2 B 13
Melago / Melag *BZ*... 2 B 13
Melandro *PZ*........ 76 F 28
Melara *RO*.......... 31 G 15
Melas *SS*........... 110 F 7
Meledo *VI*.......... 24 F 16
Meledrio (Val) *TN*.... 11 D 14
Melegnanello *LO*..... 21 G 10
Melegnano *MI*...... 21 F 9
Melendugno *LE*..... 81 G 37
Meleta *GR*.......... 49 M 15
Meleti *LO*.......... 30 G 11
Meleto *SI*.......... 44 L 16

Meletole *RE*........ 31 H 13
Mélezet *TO*......... 18 G 2
Melfa *FR*........... 64 R 22
Melfa (Fiume) *FR*.... 64 R 23
Melfi *PZ*........... 71 E 28
Melia *ME*.......... 90 N 27
Meliccà *RC*......... 90 M 29
Melicucco *RC*....... 88 L 30
Melilli *SR*.......... 105 P 27
Melilli (Casa) *SR*.... 105 P 27
Melisenda *OG*....... 119 I 10
Melissa *KR*......... 87 J 33
Melissano *LE*....... 83 H 36
Melito *VV*.......... 88 L 30
Melito Porto Salvo *RC*. 90 N 29
Melito Irpino *AV*..... 70 D 27
Melito Irpino
  Vecchia *AV*....... 70 D 27
Melizzano *BN*...... 70 D 25
Mella *BS*........... 22 E 12
Melle *CN*........... 26 I 3
Mello *SO*........... 9 D 10
Melogno (Colle di) *SV*. 35 J 6
Meloria (Torre della) *LI*. 42 L 12
Melosa (Colla) *IM*.... 35 K 5
Melpignano *LE*..... 83 G 36
Meltina / Mölten *BZ*.. 3 C 15
Melzo *MI*........... 21 F 10
Mená *VR*........... 32 G 16
Menaggio *CO*....... 9 D 9
Menago *VR*......... 23 G 15
Menarola *SO*....... 9 D 10
Menata *FE*.......... 32 I 18
Menconico *PV*...... 29 H 9
Mendatica *IM*....... 35 J 5
Mendelpaß / Mendola
  (Passo della) *TN*... 11 C 15
Mendicino *CS*....... 86 J 30
Mendola *TP*......... 97 N 20
Mendola
  (Fiume della) *PA*... 98 N 22
Mendola (Passo d.) /
  Mendelpaß *TN*..... 11 C 15
Menegosa (Monte) *PC*. 29 H 11
Menfi *AG*.......... 97 O 20
Menga (Punta) *CA*.... 120 K 7
Mengara *PG*........ 51 M 19
Menotre *PG*......... 52 N 20
Mensa *FO*.......... 41 J 18
Mensanello *SI*...... 43 L 15
Mensano *SI*......... 49 M 15
Menta (Pizzo la) *AG*... 98 O 22
Mentana *RM*........ 58 P 19
Mentorella *RM*...... 63 Q 20
Menzano *AQ*........ 59 O 21
Meolo *VE*.......... 16 F 19
Mera *SO*........... 9 D 10
Meran / Merano *BZ*... 3 C 15
Merano 2000 *BZ*..... 3 B 15
Merano / Meran *BZ*... 3 C 15
Meransen / Maranza *BZ*. 4 B 16
Merate *LC*.......... 21 E 10
Meraviglia (Monte) *PG*. 52 N 21
Mercadante
  (Foresta di) *BA*..... 73 E 32
Mercallo *VA*........ 20 E 8
Mercante (Passo del) *RC*. 88 M 30
Mercantour (Cima di) *CN*. 34 J 3
Mercatale *BO*....... 40 I 16
Mercatale *PS*....... 45 K 19
Mercatale (vicino
  a Cortona) *AR*..... 51 M 18
Mercatale (vicino a
  Montevarchi) *AR*... 44 L 16
Mercatale
  in Val di Pesa *FI*.... 43 L 15
Mercatale (vicino a
  Marsciano) *PG*..... 51 N 18
Mercatello (vicino a
  Montefalco) *PG*..... 51 N 20
Mercatello (Passo del)*PC*. 29 I 10
Mercatello
  sul Metauro *PS*.... 45 L 19
Mercatino Conca *PS*... 45 K 19
Mercato *PR*........ 30 I 12
Mercato *SA*......... 75 E 26
Mercato Cilento *SA*... 75 G 27
Mercato S. Severino *SA*. 70 E 26
Mercato Saraceno *FO*.. 41 K 18
Mercato Vecchio *PS*... 41 K 19
Mercenasco *TO*..... 19 F 5
Merchis *OR*......... 115 G 8
Mercogliano *AV*..... 70 E 26
Mercore *PC*......... 30 H 11
Mercure *CS*......... 85 H 30
Mereto di Tomba *UD*.. 14 D 21
Mergo *AN*.......... 46 L 21
Mergozzo *VB*....... 8 E 7
Mergozzo (Lago di) *VB*. 8 E 7
Merì *ME*........... 95 M 27

Merine *LE*.......... 81 G 36
Merizzo *MS*......... 38 J 11
Merlara *PD*......... 32 G 16
Merlino *LO*......... 21 F 10
Mernicco *GO*....... 15 D 22
Merone *CO*......... 21 E 9
Merse *SI*........... 49 M 15
Mesa *LT*........... 63 R 21
Mesa (Punta sa) *OT*... 111 F 9
Meschio *TV*......... 13 E 19
Mesco (Punta) *SP*.... 37 J 10
Mescolino (Monte) *FO*. 40 K 18
Mesiano *VV*........ 88 L 30
Mesima *VV*......... 88 L 30
Mesoraca *KR*....... 87 J 32
Mesola *FE*.......... 33 H 18
Mesola (Bosco della) *FE*. 33 H 18
Mesoraca *KR*....... 87 J 32
Messignadi *RC*...... 91 M 29
Messina *ME*........ 90 M 28
Messina (Stretto di) *ME*. 90 M 28
Mestre *VE*.......... 25 F 18
Mestrino *PD*........ 24 F 17
Mesu'e Roccas
  (Monte) *OR*....... 114 G 7
Mesule / Möseler *BZ*... 4 B 17
Meta *AQ*........... 63 Q 22
Meta *NA*........... 74 F 25
Meta (Monti della) *AQ*. 64 Q 23
Meta (Serra) *RG*..... 104 Q 26
Metaponto *MT*...... 78 F 32
Metato *PI*.......... 42 K 13
Metato (Poggio) *PI*... 49 L 14
Metauro *PS*........ 46 L 19
Metramo *RC*........ 88 L 30
Mezzalama
  (Rifugio) *AO*...... 7 E 5
Mezzana *PI*........ 42 K 13
Mezzana *TN*........ 11 D 14
Mezzana Bigli *PV*.... 28 G 8
Mezzana (Cima) *TN*... 11 C 14
Mezzana Corti *PV*.... 29 G 9
Mezzana-Frido *PZ*.... 85 H 30
Mezzana Grande
  (Masseria) *FG*...... 66 C 27
Mezzana Rabattone *PV*. 29 G 9
Mezzana-Salice *PZ* ... 85 H 30
Mezzane *BS*........ 22 E 12
Mezzane (Torrente) *VR*. 23 F 15
Mezzane di Sotto *VR* .. 23 F 15
Mezzanego *GE*...... 37 I 10
Mezzanino *PV*...... 29 G 9
Mezzanino *LO*...... 30 G 11
Mezzano *TN*........ 12 D 17
Mezzano *RA*........ 41 I 18
Mezzano
  (Valle del) *FE*...... 32 H 17
Mezzano
  (Lago di) *VT*....... 57 O 17
Mezzano Scotti *PC* ... 29 H 10
Mezzano Superiore *PR*. 30 H 13
Mezzaselva *VI*...... 12 E 16
Mezzaselva /
  Mittewald *BZ*...... 3 B 16
Mezzocampo *KR*..... 87 J 32
Mezzocanale *BL*..... 13 D 18
Mezzocorona *TN*.... 11 D 15
Mezzogoro *FE*...... 33 H 18
Mezzoiuso *PA*....... 98 N 22
Mezzola (Lago di) *SO*.. 9 D 10
Mezzolago *TN*...... 11 E 14
Mezzolara *BO*....... 32 I 16
Mezzolombardo *TN*... 11 D 15
Mezzomerico *NO*.... 20 F 7

Migliarino S. Rossore i
  Massaciuccoli
  (Parco Naturale) *PI*... 42 K 12
Migliaro *FE*......... 32 H 17
Miglierica *CZ*....... 88 K 31
Miglionico *MT*....... 77 F 31
Mignagola *TV*....... 25 E 18
Mignanego *GE*...... 28 I 8
Mignano (Lago di) *PC*. 30 H 11
Mignano
  Monte Lungo *CE* ... 64 R 23
Mignone *VT*........ 57 P 17
Milano *MI*.......... 21 F 9
Milano-Linate
  (Aeroporto di) *MI*... 21 F 9
Milano-Malpensa
  (Aeroporto di) *VA*... 20 F 8
Milano Marittima *RA* .. 41 J 19
Milazzese (Punta) *ME*. 94 L 27
Milazzo *ME*........ 95 M 27
Milazzo (Capo di) *ME*. 95 M 27
Milazzo (Golfo di) *ME*. 95 M 27
Milena *CL*.......... 103 O 23
Mileto *VV*.......... 88 L 30
Miletto (Monte) *IS*.... 65 R 25
Mili S. Pietro *ME*.... 90 M 28
Milia *GR*........... 49 M 14
Milianni *ME*........ 99 M 24
Milici *ME*.......... 101 M 27
Milicia *PA*.......... 98 N 22
Milione (Portella) *AG* . 102 O 22
Milis *OR*........... 114 G 7
Militello in Val
  di Catania *CT*...... 104 P 26
Militello Rosmarino *ME*. 100 M 26
Millesimo *SV*....... 35 I 6
Milo *CT*............ 101 N 27
Milzano *BS*......... 22 G 12
Mimola *AQ*......... 64 Q 23
Mincio *MN*......... 23 F 14
Mineo *CT*.......... 104 P 26
Minerbe *VR*......... 24 G 16
Minerbio *BO*........ 32 I 16
Minerva (Monte) *SS*... 110 F 7
Minervino di Lecce *LE*. 83 G 37
Minervino Murge *BA*.. 72 D 30
Mingardo *SA*....... 76 G 28
Minniminni (Monte) *CA*. 119 J 10
Minore *SS*.......... 111 F 9
Minori *SA*.......... 75 F 25
Minozzo *RE*........ 38 I 13
Minturnæ *LT*....... 69 D 23
Minturno *LT*........ 69 D 23
Minucciano *LU*..... 38 J 12
Miogliola *SV*........ 28 I 7
Mione *UD*.......... 5 C 20
Mira *VE*............ 25 F 18
Mirabella *VI*........ 24 E 16
Mirabella Eclano *AV*.. 70 D 26
Mirabella Imbaccari *CT*. 104 P 25
Mirabella (Pizzo) *PA*... 97 M 21
Mirabello *FE*........ 32 H 16
Mirabello Monferrato *AL*. 28 G 7
Mirabello Sannitico *CB*. 65 R 26
Miradolo Terme *PV*... 21 G 10
Miralago (Passo di) *CE*. 65 R 25
Miramare *RN*....... 41 J 19
Miramare *TS*........ 17 E 23
Miranda *IS*......... 65 R 24
Mirandola *MO*...... 31 H 15
Mirano *VE*.......... 25 F 18
Mirasole *MI*........ 21 F 9
Miratoio *PS*........ 45 K 18
Miravidi (Monte) *AO*.. 18 E 2
Miroglio *CN*........ 35 J 5
Mirra (Monte sa) *CA*... 118 J 8
Mirto *ME*.......... 100 M 26
Mirto Crosia *CS*..... 87 I 32
Mis *BL*............ 13 D 18
Mis *TN*............ 12 D 17
Mis (Canale del) *BL*... 12 D 17
Mis (Lago del) *BL*.... 12 D 18
Misa *AN*........... 46 L 21
Misano Adriatico *RN*.. 41 K 20
Misano
  di Gera d'Adda *BG*.. 21 F 10
Misano Monte *RN*.... 41 K 19
Miscano *AV*......... 71 D 27
Misciano *AR*........ 45 L 17
Misegna *MT*........ 77 F 30
Miseno *NA*......... 69 E 24
Miseno (Capo) *NA*.... 69 E 24
Misericordia *AR*..... 50 L 17
Miserin (Lago) *AO*.... 19 F 4
Misilbesi (Portella) *AG*. 97 O 20
Misilmeri *PA*........ 98 M 22
Misinto *MI*......... 21 F 9
Missaglia *LC*........ 21 E 10
Missanello *PZ*....... 77 G 30
Misserio *ME*........ 90 N 27
Missian / Missiano *BZ*.. 3 C 15

Missiano *PG*........ 51 M 18
Missiano / Missian *BZ*.. 3 C 15
Misterbianco *CT*..... 100 O 27
Mistras (Stagno di) *OR*. 114 H 7
Mistretta *ME*....... 99 N 25
Misurina *BL*........ 4 C 18
Misurina (Lago di) *BL*.. 4 C 18
Mittertal /
  Val di Mezzo *BZ* ... 3 B 16
Mittewald /
  Mezzaselva *BZ*.... 3 B 16
Mizofato *CS*........ 85 I 31
Mizzole *VR*......... 23 F 15
Mocasina *BS*........ 22 F 13
Mocchie *TO*........ 18 G 3
Moccone *CS*........ 86 I 31
Moda (Pizzo della) *ME*. 90 M 28
Modditzi (Punta sa) *CA*. 119 I 10
Modena *MO*........ 31 I 14
Modesti (Masseria) *BA*. 72 E 31
Modica *RG*......... 106 Q 26
Modica (Villa) *RG*.... 107 Q 26
Modigliana *FO*...... 40 J 17
Modione *TP*......... 97 O 20
Modolena *RE*....... 31 I 13
Modolo *OR*......... 114 G 7
Modolo *BS*......... 73 D 32
Mölten / Meltina *BZ*... 3 C 15
Moena *TN*.......... 12 C 16
Möseler / Mesule *BZ*... 4 B 17
Moggio *LC*......... 9 E 10
Moggio Udinese *UD*... 14 C 21
Moggiona *AR*....... 44 K 17
Moglia *MN*......... 31 H 14
Mogliano *MC*....... 52 M 22
Mogliano Veneto *TV*... 25 F 18
Mogorella *OR*....... 115 H 8
Mogoro *OR*......... 118 H 8
Mogoro (Rio) *OR*..... 118 H 8
Moi (Col de) *TV*...... 13 D 18
Moiano *BN*......... 70 D 25
Moiano *NA*......... 74 F 25
Moiazza (Monte) *BL*... 12 C 18
Moie *AN*........... 46 L 21
Moimacco *UD*....... 15 D 22
Moio (Monte) *SA*..... 76 E 28
Moio Alcantara *ME*... 100 N 27
Moio della Civitella *SA*. 76 G 27
Moiola *CN*.......... 34 J 4
Mola di Bari *BA*..... 73 D 33
Molara (Isola) *OT*.... 113 E 11
Molare *AL*.......... 28 I 7
Molaro *RC*......... 90 N 29
Molassana *GE*...... 36 I 8
Molazzana *LU*....... 38 J 13
Molella *LT*.......... 68 S 21
Molentina *OG*....... 117 G 10
Molfetta *BA*........ 73 D 31
Molfetta (Pulo di) *BA* . 73 D 31
Molina *PG*.......... 52 M 20
Molina *TN*.......... 12 D 16
Molina Aterno *AQ*.... 60 P 23
Molina di Ledro *TN*... 11 E 14
Molinaccio *RA*...... 41 I 18
Molinara *BN*........ 70 D 26
Molinatico (Monte) *MS*. 38 I 11
Molinazzo *PC*....... 29 H 10
Molinella *BO*....... 32 I 17
Molinetto *BS*........ 22 F 13
Molini *AL*.......... 28 I 8
Molini *VI*........... 23 E 15
Molini di Triora *IM*.... 35 K 5
Molini di Tures /
  Mühlen *BZ*........ 4 B 17
Molino dei Torti *AL*... 28 G 8
Molino del Piano *FI*... 40 K 16
Molino di Bascio *PS*... 45 K 18
Molise *CB*.......... 65 R 25
Moliterno *PZ*........ 77 G 29
Molla (Capo) *SS*..... 108 D 6
Molleone *PS*........ 46 L 20
Molli *SI*............ 49 M 15
Mollia *VC*.......... 19 E 6
Mollières *TO*........ 26 H 2
Mollo *FR*........... 64 Q 23
Molochio *RC*........ 91 M 30
Molteno *LC*......... 21 E 9
Moltrasio *CO*....... 9 E 9
Molvena *VI*......... 24 E 16
Molveno *TN*........ 11 D 14
Molveno (Lago di) *TN*. 11 D 14
Mombaldone *AT*..... 28 I 6
Mombarcaro *CN*..... 27 I 6
Mombaroccio *PS*.... 46 K 20
Mombaruzzo *AT*..... 28 H 7
Mombasiglio *CN*..... 35 I 5
Mombello Monferrato *AL*. 28 G 6
Mombercelli *AT*..... 28 H 6
Momo *NO*.......... 20 F 7
Mompantero *TO*..... 18 G 3

Mompiano *BS*........ 22 F 12
Monaci (Isole) *SS* ..... 109 D 10
Monaci (Lago di) *LT*.. 63 R 20
Monaci (Masseria) *TA*.. 73 E 33
Monacilioni *CB*..... 65 R 26
Monacizzo *TA* .... 79 G 34
Monaco Cappelli
   (Masseria) *FG*... 66 C 28
Monaco (Monte) *TP*.. 97 M 20
Monale *AT* .... 27 H 6
Monasterace *RC*.. 89 L 31
Monasterace Marina *RC*. 89 L 31
Monasteri *SR* ..... 105 P 27
Monastero *MC*....... 52 M 21
Monastero Bormida *AT*. 28 I 6
Monastero di Vasco *CN*. 35 I 5
Monasterolo *CR*.... 22 G 12
Monasterolo
   del Castello *BG*..... 22 E 11
Monasterolo
   di Savigliano *CN*..... 27 H 4
Monastier di Treviso *TV*. 16 F 19
Monastir *CA*....... 119 I 9
Monate (Lago di) *VA*.. 20 E 8
Monbello di Torino *TO*. 27 G 5
Moncalieri *TO*....... 27 G 5
Moncalvo *AT* .... 28 G 6
Moncenisio *TO*...... 18 G 2
Monchio *MO*......... 39 I 13
Monchio delle Corti *PR*. 38 I 12
Moncioni *AR*........ 44 L 16
Monclassico *TN* ...... 11 C 14
Moncolombone *TO* ... 19 G 4
Moncrivello *VC*....... 19 G 5
Moncucco Torinese *AT*. 27 G 5
Mondaino *RN* .... 41 K 20
Mondalavia *CN*...... 27 H 4
Mondanica-Viola *RA*.. 40 I 17
Mondavio *PS*......... 46 K 20
Mondello *RN* .... 41 K 20
Mondole (Monte) *CN*.. 35 J 5
Mondolfo *PS*........ 46 K 21
Mondovì *CN* .... 35 I 5
Mondragone *CE*.... 69 D 23
Mondrone *TO*......... 18 G 3
Monega (Monte) *IM*... 35 J 5
Moneglia *GE* .... 37 J 10
Mónesi di Triora *IM*... 35 J 5
Monesiglio *CN* ...... 27 I 6
Monestirolo *FE*...... 32 H 17
Moneta *OT*......... 109 D 10
Monfalcon
   di Montanaia *PN* .... 13 C 19
Monfalcone *GO* .... 17 E 22
Monferrato *AT*...... 27 H 5
Monforte d'Alba *CN*... 27 I 5
Monforte S. Giorgio *ME*. 90 M 28
Monfret (Cima) *TO* ... 18 F 3
Mongardino *AT* ...... 27 H 6
Mongardino *BO*...... 39 I 15
Mongerati *PA* ...... 99 N 23
Monghidoro *BO*...... 40 J 15
Mongia *CN*.......... 35 I 5
Mongiana *VV* .... 88 L 30
Mongiardino Ligure *AL*. 29 I 9
Mongioia *CN*........ 26 I 2
Mongioie (Monte) *CN* . 35 J 5
Mongiuffi *ME* ...... 90 N 27
Mongrando *BI* ...... 19 F 6
Monguelfo / Welsberg *BZ*. 4 B 18
Moniga del Garda *BS*.. 23 F 13
Monna Casale
   (Monte) *FR*........ 64 R 23
Monno *BS*......... 10 D 13
Monopoli *BA*....... 80 E 33
Monreale *VS* ....118 I 8
Monreale *PA* ...... 97 M 21
Monreale
   (Castellaccio di) *PA* .. 97 M 21
Monrupino *TS*...... 17 E 23
Monsampietro
   Morico *AP*........ 53 M 22
Monsampolo
   di Tronto *AP*.... 53 N 23
Monsano *AN*...... 46 L 21
Monselice *PD*.... 24 G 17
Monserrato *CA*......119 J 9
Monsignore
   (Casino di) *BA*... 72 D 31
Monsola *CN*......... 27 I 4
Monsole *VE* ...... 25 G 18
Monsummano
   Terme *PT*..... 39 K 14
Monta *CN* .... 27 H 5
Montabone *AT*.... 28 H 7
Montacuto *AL*..... 29 H 9
Montacuto *AN* .... 47 L 22
Montafia *AT* ...... 27 G 6
Montagnano *CB*... 65 R 26
Montagna *AR* .... 45 L 18
Montagna *CS* .... 84 H 29
Montagna (Cozzo) *AG*. 103 P 23

Montagna Grande *AQ* . 64 Q 23
Montagna / Montan *BZ*. 12 D 15
Montagnana *FI*....... 43 K 15
Montagnana *PD*...... 24 G 16
Montagnano *AR*....... 50 L 17
Montagnareale *ME*... 100 M 26
Montagnola *AQ* ..... 64 Q 23
Montagnola (Monte) *SI*. 49 M 15
Montagnone (il) *AV*... 71 E 27
Montaguto *AV* ...... 71 D 27
Montaione *FI*........ 43 L 14
Montalbano *BR* .... 80 E 34
Montalbano *RN* ..... 41 J 19
Montalbano
   Elicona *ME* .... 100 M 27
Montalbano *FE*...... 32 H 16
Montalbano Ionico *MT*. 78 G 31
Montalbo *PC*.......... 29 H 10
Montalcinello *SI*...... 49 M 15
Montalcino *SI*....... 50 M 16
Montaldeo *AL*....... 28 H 8
Montaldo di Cosola *AL*. 29 H 9
Montaldo di Mondovì *CN*. 35 J 5
Montaldo Roero *CN* ... 27 H 5
Montaldo Scarampi *AT*. 28 H 6
Montale *SP*........ 37 J 10
Montale *MO* .... 31 I 14
Montale *PT*........ 39 K 15
Montalenghe *TO* ... 19 G 5
Montalfoglio *PS*..... 46 L 20
Montali *PG*........ 51 M 18
Montallegro *AG* ... 102 O 22
Montaltino *BA* ..... 72 D 30
Montaltino *FG* ..... 67 C 29
Montalto *FO* ...... 41 K 18
Montalto *IS* .... 65 Q 24
Montalto *RE*....... 31 I 13
Montalto (Monte) *RC*.. 90 M 29
Montalto di Castro *VT*. 57 O 16
Montalto di Marche *AP*. 53 N 22
Montalto Marina *VT*... 57 P 16
Montalto Dora *TO*.... 19 F 5
Montalto Ligure *IM*... 35 K 5
Montalto Pavese *PV*... 29 H 9
Montalto Uffugo *CS*... 86 I 30
Montan / Montagna *BZ*. 12 D 15
Montanara *MN*...... 31 G 14
Montanari *RA* ...... 41 J 18
Montanaro *CE*..... 69 D 24
Montanaro *PC*...... 30 H 11
Montanaro *TO* ..... 19 G 5
Montanaso
   Lombardo *LO* ..... 21 F 10
Montanello (Pizzo) *PA*. 97 M 21
Montanera *CN* ..... 27 I 4
Montano Antilia *SA*... 76 G 28
Montaperto *AG* .... 102 P 22
Montaquila *IS* ..... 64 R 24
Montardone *MO* .... 39 I 14
Montarso /
   Feverstein *BZ*...... 3 B 15
Montasio (Jòf di) *UD*... 15 C 22
Montasola *RI* ...... 58 O 20
Montata *RE* .... 30 I 13
Montauro *CZ*...... 88 K 31
Montazzoli *CH* ..... 61 Q 25
Monte Amiata *SI* .... 50 N 16
Monte Antico *GR* .... 50 N 16
Monte Bianco *AO* .... 6 E 2
Monte Bianco
   (Traforo del) *AO* ... 6 E 2
Monte Buono *PG*.... 51 M 18
Monte Calderaro *BO*... 40 I 16
Monte Casale
   (Convento di) *AR* .... 45 L 18
Monte Castello
   di Vibio *PG*...... 51 N 19
Monte Catone *BO* ... 40 I 16
Monte Cavallo *MC*... 52 N 20
Monte Cerignone *PS*... 41 K 19
Monte Codruzzo *FO*... 41 J 18
Monte Corona *PG*... 51 M 19
Monte Cotugno
   (Lago di) *PZ*..... 77 G 31
Monte Croce *TN*..... 12 D 17
Monte Croce Carnico (Passo
   di) / Plöckenpaß *UD*.. 5 C 20
Monte Croce
   di Comelico (Passo di) /
   Kreuzbergpass *BL*.... 5 C 19
Monte Cucco *GR* ..... 50 N 15
Monte d'Accoddi *SS*... 110 E 7
Monte del Lago *PG*... 51 M 18
Monte di Malo *VI*..... 24 F 16
Monte di Procida *NA*.. 69 E 24
Monte Domenico *GE*... 37 J 10
Monte Falterona,
   Campigna e delle Foreste
   Casentinesi *AR* ...... 40 K 17
Monte Giberto *AP*..... 53 M 22

Monte Giovo (Passo di) /
   Jaufenpaß *BZ* .... 3 B 15
Monte Grande *LT*..... 64 S 22
Monte Gridolfo *RN* ... 41 K 20
Monte Grimano *PS* ... 41 K 19
Monte Isola *BS* ...... 22 E 12
Monte Lattaia *GR*.... 49 N 15
Monte Livata *RM* ..... 63 Q 21
Monte Maria
   (Abbazia di) *BZ*..... 2 B 13
Monte Mario *RM*...... 62 Q 19
Monte Martello *PS*.... 46 L 20
Monte Melino *PG*.... 51 M 18
Monte Nai *CA* ...... 119 J 10
Monte Nero (Rif.) *TO*.. 26 H 2
Monte Nieddu *CA*....118 J 8
Monte Ombraro *MO*... 39 I 15
Monte Orsello *MO*.... 39 I 14
Monte Paganuccio *PS*. 46 L 20
Monte Petrosu *OT*....113 E 10
Monte Porzio *PS* .... 46 K 21
Monte
   Porzio Catone *RM*... 63 Q 20
Monte Pranu
   (Lago di) *CI*........118 J 7
Monte Rinaldo *AP*.... 53 M 22
Monte Roberto *AN*.... 46 L 21
Monte Romano *VT*.... 57 P 17
Monte Rosa *AO*........ 7 E 5
Monte Rota /
   Radsberg *BZ*....... 4 B 18
Monte Sacro *RM* ..... 62 Q 19
Monte S. Angelo *FG*... 67 B 29
Monte S. Biagio *LT*... 63 R 22
Monte S. Giacomo *SA* . 76 F 28
Monte S. Giovanni *BO*. 39 I 15
Monte S. Giovanni
   Campano *FR* ...... 64 R 22
Monte S. Giovanni
   in Sabina *RI* ...... 58 P 20
Monte S. Giusto *MC*... 53 M 22
Monte Sta Maria
   Tiberina *PG* ...... 45 L 18
Monte Ste Marie *SI*... 50 M 16
Monte S. Martino *MC*.. 52 M 22
Monte S. Pietrangeli *AP*. 53 M 22
Monte S. Pietro *BO* ... 39 I 15
Monte S. Pietro /
   Petersberg *BZ*...... 12 C 16
Monte S. Savino *AR*... 50 M 17
Monte S. Vito *AN* .... 46 L 21
Monte S. Vito *PG* .... 52 N 20
Monte Santu
   (Capo di) *NU* ..... 117 G 11
Monte Scuro
   (Valico di) *CS*..... 86 I 31
Monte Senario
   (Convento di) *FI* .... 40 K 16
Monte Sirai *CI*......118 J 7
Monte
   Sopra Rondine *AR*... 44 L 17
Monte Terlago *TN* .... 11 D 15
Monte Urano *AP* .... 53 M 23
Monte Vergine
   (Santuario di) *AV* .... 70 E 26
Monte
   Vidon Combatte *AP* . 53 M 22
Monte
   Vidon Corrado *AP* ... 52 M 22
Montea *CS* .... 85 I 29
Monteacuto
   delle Alpi *BO* ..... 39 J 14
Monteacuto Ragazza *BO*. 39 J 15
Monteacuto Vallese *BO*. 39 J 15
Monteaperta *UD* ..... 15 D 21
Monteaperti *SI*...... 50 M 16
Montebamboli *GR* ... 49 M 15
Montebaranzone *MO*.. 39 I 14
Montebello *RN*...... 41 K 19
Montebello *PS* ..... 46 K 20
Montebello *VT*..... 57 P 17
Montebello
   della Battaglia *PV*.... 29 G 9
Montebello
   di Bertona *PE*...... 60 O 23
Montebello Ionico *RC*.. 90 N 29
Montebello
   sul Sangro *CH* ..... 60 Q 24
Montebelluna *TV* ..... 24 E 18
Montebenichi *AR*...... 44 L 16
Montebibico *PG*..... 58 O 20
Montebonello *MO*.... 39 I 14
Montebruno *GE*...... 29 I 9
Montebufo *PG*...... 52 N 21
Montebuono *RI*...... 58 O 19
Montebuono
   Alppato *GR*...... 50 N 16
Montecagnano *SI*..... 49 M 15
Montecagno *RE*...... 38 J 13
Montecalvello *VT*.... 57 O 18
Montecalvo in Foglia *PS*. 41 K 19

Montecalvo Irpino *AV*. 70 D 27
Montecalvo Versiggia *PV*. 29 H 9
Montecampano *TR*... 58 O 19
Montecanepino *MC* ... 47 L 22
Montecarelli *FI*...... 39 J 15
Montecarlo *LU* ..... 39 K 14
Montecarlo
   (Convento) *AR*...... 44 L 16
Montecarotto *AN*..... 46 L 21
Montecarulli *SI*..... 43 L 14
Montecassino
   (Abbazia di) *FR*.... 64 R 23
Montecassiano *MC*... 47 L 22
Montecastelli *MC*..... 51 L 18
Montecastelli Pisano *PI*. 49 M 14
Montecastello *AL*.... 28 H 8
Montecastrilli *TR*.... 58 O 19
Montecatini Alto *PT*... 39 K 14
Montecatini Terme *PT*. 39 K 14
Montecatini
   Val di Cecina *PI*... 43 L 14
Montecchia
   di Crosara *VR*...... 23 F 15
Montecchio *AR*..... 50 M 17
Montecchio *PG*...... 51 M 20
Montecchio *PS*...... 41 K 20
Montecchio *TR*..... 58 O 18
Montecchio Emilia *RE*. 30 H 13
Montecchio
   Maggiore *VI*...... 24 F 16
Montecchio
   Precalcino *VI*...... 24 F 16
Montecelio *RM*...... 58 P 20
Montecerboli *PI*..... 49 M 14
Montecerreto *MO*.... 39 I 14
Montechiaro *AG*.... 103 P 23
Montechiaro d'Asti *AT*. 27 G 6
Montechiaro Piana *AL*. 28 I 7
Montechiarugolo *PR*.. 30 H 13
Monteciccardo *PS*.... 46 K 20
Montecilfone *CB*..... 65 Q 26
Montecompatri *RM* ... 63 Q 20
Montecontieri *SI*..... 50 M 16
Montecopiolo *PS*..... 41 K 19
Montecorice *SA* .... 75 G 26
Montecoronaro
   (Valico di) *FO*..... 45 K 18
Montecorvino
   Pugliano *SA* ..... 75 E 26
Montecorvino
   Rovella *SA* ...... 75 E 26
Montecosaro *MC*.... 53 M 22
Montecreto *MO* ...... 39 J 14
Montecristo
   (Formica di) *LI*..... 54 O 12
Montecristo (Isola di) *LI*. 54 O 12
Montecuccoli *FI*...... 39 J 15
Montedale *PS*...... 45 L 18
Montedinove *AP* .... 53 N 22
Montedoro *CL*...... 103 O 23
Montefalcone *AV* ... 70 E 26
Montefalco *PG* ..... 51 N 19
Montefalcone *AP*.... 43 K 14
Montefalcone
   Appennino *AP* ... 52 N 22
Montefalcone
   di Val Fortore *BN* ... 70 D 27
Montefalcone
   nel Sannio *CB* ... 65 Q 25
Montefano *MC* ..... 47 L 22
Montefegatesi *LU* ... 39 J 13
Montefelcino *PS*..... 46 K 20
Montefeltro *PS*...... 41 K 18
Monteferrante *CH*.... 60 Q 25
Montefiascone *VT*.... 57 O 18
Montefino *TE* ...... 60 O 23
Montefiore dell'Aso *AP*. 53 M 23
Montefiorentino
   (Convento di) *PS* ... 45 K 19
Montefiorino *MO*..... 39 I 13
Monteflavio *RM*.... 58 P 20
Montefollonico *SI*.... 50 M 17
Monteforte Cilento *SA*. 76 F 27
Monteforte d'Alpone *VR*. 23 F 15
Monteforte Irpino *AV*.. 70 E 26
Montefortino *AP*..... 52 N 22
Montefosca *UD*..... 15 D 22
Montefoscoli *PI*..... 43 L 14
Montefranco *TR*.... 58 O 20
Montefredane *AV*. 70 E 26
Montefredente *BO*... 39 J 15
Montefusco *AV*..... 70 D 26
Montegabbione *TR*... 51 N 18
Montegaldella *VI*..... 24 F 17
Montegaldella *VI*..... 24 F 17
Montegallo *PS*..... 46 K 20
Montegelli *FO*...... 41 K 18
Montegemoli *PI*..... 49 M 14

Montegiordano *CS* .... 78 G 31
Montegiordano
   Marina *CS*....... 78 G 31
Montegiorgio *AP*.... 53 M 22
Montegiove *TR*..... 51 N 18
Montegiovi *AR* ..... 45 L 17
Montegiovi *GR* .... 50 N 16
Montegonzi *AR* .... 44 L 16
Montegranaro *AP*... 53 M 22
Montegrassano *CS*... 85 I 30
Montegrazie *IM* .... 35 K 5
Montegrino
   Valtravaglia *VA*...... 8 E 8
Montegroppo *PR*.... 37 I 11
Montegrosso *AT*... 27 H 6
Montegrosso *BA* ... 72 D 30
Montegrosso d'Asti *AT*. 28 H 6
Montegrotto Terme *PD*. 24 F 17
Monteguidi *SI*...... 49 M 15
Monteguiduccio *PS*... 46 K 20
Monteiasi *TA* ...... 79 F 34
Montelabate *PG*..... 51 M 19
Montelabbate *PS*.... 46 K 20
Montelabreve *AR*.... 45 K 18
Montelago *AN* .... 46 L 20
Montelaguardia *CT*.... 100 N 26
Montelanico *RM* ... 63 R 21
Montelapiano *CH*.... 61 Q 25
Monteleone *PV* ..... 21 G 10
Monteleone
   di Fermo *AP*...... 53 M 22
Monteleone
   di Puglia *FG* ..... 71 D 27
Monteleone
   di Spoleto *PG* ... 58 O 20
Monteleone
   d'Orvieto *TR*.... 51 N 18
Monteleone
   Rocca Doria *SS* .... 110 F 7
Monteleone Sabino *RI*. 58 P 20
Montelepre *PA* ..... 97 M 21
Monteleto *PG*...... 45 L 19
Montelibretti *RM*.... 58 P 20
Montelicciano *PS*.... 41 K 19
Montella *AV*...... 70 E 27
Montello (il) *TV*..... 25 E 18
Montelongo *CB*.... 66 B 26
Montelparo *AP*...... 53 M 22
Monteluco *PG*...... 52 N 20
Montelupo
   Fiorentino *FI* ..... 43 K 15
Montelupone *MC* ... 47 L 22
Montemaggio *PS*..... 41 K 19
Montemaggiore (vicino
   a Monteaperta) *UD*... 15 D 22
Montemaggiore (vicino
   a Savogna) *UD* ..... 15 D 22
Montemaggiore
   al Metauro *PS* ..... 46 K 20
Montemaggiore
   Belsito *PA* ...... 99 N 23
Montemagno *AT*.... 28 H 6
Montemale di Cuneo *CN*. 26 I 4
Montemarano *AV* ... 70 E 26
Montemarcello *SP*.... 38 J 11
Montemarciano *AN*... 46 L 21
Montemartano *PG* ... 51 N 19
Montemarzino *AL*.... 28 H 8
Montemassi *GR* .... 49 N 15
Montemerano *GR* ... 56 O 16
Montemesola *TA* .... 79 F 34
Montemignaio *AR*.... 44 K 16
Montemiletto *AV*.... 70 D 26
Montemilone *PZ* .... 72 D 29
Montemitro *CB*..... 65 Q 25
Montemonaco *AP*.... 52 N 21
Montemurlo *PO*..... 39 K 15
Montemurro *PZ*.... 77 G 29
Montenero *CS*..... 87 J 31
Montenero *FG* .... 67 B 29
Montenero *AN* .... 50 N 16
Montenero *LI* ..... 42 L 13
Montenero *PG* .... 51 N 19
Montenero *SA* .... 75 E 27
Montenero
   di Bisaccia *CB* ... 61 Q 26
Montenero
   (Portella di) *PA* ... 99 N 24
Montenero Sabino *RI*. 58 P 20
Montenero
   Val Cocchiara *IS* ... 64 Q 24
Montenerodomo *CH*.. 61 P 25
Monteodorisio *CH*... 61 P 25
Monteortone *PD*..... 24 F 17
Montepagano *TE*...... 53 N 23
Montepaone *CZ*....... 88 K 31

Montepaone Lido *CZ*.. 89 K 31
Monteparano *TA* ..... 79 F 34
Montepastore *BO* ... 39 I 15
Montepescali *GR*.... 49 N 15
Montepescini *SI*..... 50 M 16
Montepiano *PO* ..... 39 J 15
Monteponi *CI*........118 J 7
Monteponi (Lago) *CI*.. 118 I 7
Monteprandone *AP*.. 53 N 23
Montepulciano *SI*.... 50 M 17
Montepulciano
   (Lago di) *SI*..... 50 M 17
Montepulciano
   Stazione *SI*...... 50 M 17
Monterado *AN*..... 46 K 21
Monterappoli *FI*..... 43 K 14
Monterchi *AR* ..... 45 L 18
Montereale *AQ*..... 59 O 21
Montereale *FO*..... 41 J 18
Montereale
   Valcellina *PN* ..... 13 D 19
Montereggi *FI*...... 40 K 16
Montereggio *MS* .... 38 J 11
Monterenzio *BO*.... 40 J 16
Monteriggioni *SI*..... 43 L 15
Monteroduni *IS* ... 65 R 24
Monterolo *PS* ..... 46 L 20
Monteroni d'Arbia *SI* .. 50 M 16
Monteroni di Lecce *LE*. 81 G 36
Monterosi *VT* ..... 58 P 18
Monterosi (Lago di) *VT*. 58 P 18
Monterosso *AN* .... 46 L 20
Monterosso *BZ*.... 3 B 14
Monterosso al Mare *SP*. 37 J 10
Monterosso Almo *RG*. 104 P 26
Monterosso Calabro *VV*. 88 K 30
Monterosso Grana *CN*. 34 I 3
Monterotondo *RM* ... 58 P 19
Monterotondo
   Marittimo *GR*.... 49 M 14
Monterotondo Scalo *RM*. 58 P 19
Monterubbiano *AP*.... 53 M 23
Monterubiaglio *TR* ... 51 N 18
Monteruga
   (Masseria) *LE* .... 79 F 35
Montesano
   Salentino *LE*..... 83 H 36
Montesano sulla
   Marcellana *SA* .... 76 G 29
Montesanto
   di Lussari *UD* ..... 15 C 22
Montesarchio *BN*.... 70 D 25
Montesardo *LE* .... 83 H 37
Montescaglioso *MT* ... 78 F 32
Montescano *PV* ..... 29 G 9
Montescudaio *PI*..... 49 M 13
Montescudo *RN*.... 41 K 19
Montese *MO* ...... 39 J 14
Montesegale *PV* .... 29 H 9
Montesicuro *AN*.... 47 L 22
Montesilvano Marina *PE*. 60 O 24
Montesoffio *PS*..... 45 K 19
Montesoro *VV*....... 88 K 30
Montespertoli *FI*.... 43 L 15
Montespluga *SO*..... 9 C 9
Montespluga
   (Lago di) *SO*..... 9 C 10
Monteti *GR* .... 56 O 16
Monteu Roero *CN*.... 27 H 5
Montevaca (Passo di) *PR*. 29 I 10
Montevago *AG*..... 97 N 20
Montevarchi *AR*..... 44 L 16
Montevecchio *VS* ...118 I 7
Monteveglio *BO* .... 39 I 15
Monteventano *PC*.... 29 H 10
Monteverde *AV* .... 71 D 28
Monteverdi
   Marittimo *PI*..... 49 M 14
Montevettolini *PT*.... 39 K 14
Monteviale *VI*....... 24 F 16
Montevitozzo *GR*.... 50 N 17
Montezemolo *CN*.... 35 I 6
Monti *OT*..........112 E 9
Monti *SI*.......... 44 L 16
Monti *TO*......... 18 G 4
Monti Sibillini (Parco
   Nazionale dei) *AP*.. 52 N 21
Montiano *AR*...... 41 J 18
Montiano *GR*...... 55 O 15
Monticano *TV*...... 16 E 19
Monticchiello *SI*.... 50 M 17
Monticchio *AQ*..... 59 P 22
Monticchio (Laghi di) *PZ*. 71 E 28
Monticchio Bagni *PZ*.. 71 E 28
Monticelli *FR* ...... 64 R 22
Monticelli d'Ongina *PC*. 30 G 11
Monticelli Pavese *PV* .. 29 G 10
Monticelli Terme *PR*... 30 H 13
Monticello *LC* ..... 21 E 9
Monticello *SO* .... 50 N 16
Monticello *PC* .... 29 H 10
Montichiari *BS* .... 22 F 13

140

Monticiano SI 49 M 15
Montieri GR 49 M 15
Montiglio AT 27 G 6
Montignano AN 46 K 21
Montignoso MS 38 J 12
Montingegnoli SI 49 M 15
Montioni LI 49 M 14
Montirone BS 22 F 12
Montisi SI 50 M 16
Montjovet AO 19 E 5
Montjovet (Castello) AO 19 E 4
Montodine CR 21 G 11
Montoggio GE 29 I 9
Montone PG 45 L 18
Montone TE 53 N 23
Montone (Fiume) FO 40 J 17
Montone (Monte) BZ 4 B 18
Montoni-Vecchio AG 99 N 23
Montopoli di Sabina RI 58 P 20
Montopoli
in Val d'Arno PI 43 K 14
Montorfano CO 21 E 9
Montorgiali GR 50 N 15
Montorio GR 50 N 17
Montorio VR 23 F 15
Montorio al Vomano TE 59 O 22
Montorio
nei Frentani CB 66 B 26
Montorio Romano RM 58 P 20
Montoro AN 47 L 22
Montoro Inferiore AV 70 E 26
Montorsaio GR 49 N 15
Mont'Orso
(Galleria di) LT 63 R 21
Montorso Vicentino VI 24 F 16
Montoso CN 26 H 3
Montottone AP 53 M 22
Montovolo BO 39 J 15
Montresta OR 114 F 7
Montù Beccaria PV 29 G 9
Monvalle VA 8 E 7
Monveso di Forzo AO 18 F 4
Monza MI 21 F 9
Monzambano MN 23 F 14
Monzone MS 38 J 12
Monzoni TN 12 C 17
Monzuno BO 39 J 15
Moos / S. Giuseppe BZ 4 B 19
Moos in Passeier /
Moso in Passiria BZ 3 B 15
Morano Calabro CS 85 H 30
Morano sul Po AL 20 G 7
Moraro GO 17 E 22
Morasco (Lago di) VB 8 C 7
Morazzone VA 20 E 8
Morbegno SO 9 D 10
Morbello AL 28 I 7
Morcella PG 51 N 18
Morciano di Leuca LE 83 H 36
Morciano
di Romagna RN 41 K 19
Morcone BN 65 R 25
Mordano BO 40 I 17
Morea (Masseria) BA 73 E 33
Morello EN 99 O 24
Morello (Monte) FI 39 K 15
Morena PG 45 L 19
Morena RM 62 Q 19
Morengo BG 21 F 11
Moreri ME 100 M 27
Mores SS 111 F 8
Moresco AP 53 M 23
Moretta CN 27 H 4
Morfasso PC 29 H 11
Morgantina EN 104 O 25
Morgex AO 18 E 3
Morgonaz AO 18 E 4
Morgongiori OR 115 H 8
Mori TN 11 E 14
Moria PS 45 L 19
Moriago
della Battaglia TV 13 E 18
Moricone RM 58 P 20
Morigerati SA 76 G 28
Morimondo MI 20 F 8
Morino AQ 64 Q 22
Morleschio PG 51 M 19
Morlupo RM 58 P 19
Mormanno CS 85 H 29
Mornago VA 20 E 8
Mornese AL 28 I 8
Mornico Losana PV 29 G 9
Moro CH 60 P 25
Moro (Monte) RI 59 P 21
Moro (Monte) OT 109 D 10
Moro (Passo di Monte) VB 7 E 5
Moro (Sasso) SO 10 D 11
Morolo FR 63 R 21
Morone (Colle) VV 88 L 30
Moronico RA 40 J 17
Morozzo CN 35 I 5
Morra PG 45 L 18
Morra De Sanctis AV 71 E 27
Morra (Monte) RM 58 P 20
Morrano Nuovo TR 51 N 18
Morre TR 51 N 19
Morrea (Forchetta) AQ 64 Q 22
Morrice TE 52 N 22
Morro d'Alba AN 46 L 21
Morro d'Oro TE 53 O 23
Morro (Monte del) ME 100 N 26
Morro Reatino RI 58 O 20
Morrone
(Montagne del) PE 60 P 23
Morrone (Monte) AQ 60 P 23
Morrone del Sannio CB 65 Q 26
Morrovalle MC 53 M 22
Morsano
al Tagliamento PN 16 E 20
Morsasco AL 28 I 7
Mortara PV 20 G 8
Mortegliano UD 16 E 21
Mortelle ME 90 M 28
Morter BZ 3 C 14
Morterone LC 9 E 10
Mortizza PC 29 G 11
Mortizzuolo MO 31 H 15
Morto (Lago) TV 13 D 18
Morto di Primaro FE 32 H 16
Morto
(Portella del) CL 99 O 24
Mortola Inferiore IM 35 K 4
Mortorio (Isola) OT 109 D 10
Moscazzano CR 21 G 11
Moschella FG 72 D 29
Moscheta FI 40 J 16
Moschiano AV 70 E 25
Moschin (Col) VI 12 E 17
Mosciano S. Angelo TE 53 N 23
Moscufo PE 60 O 24
Mosio MN 30 G 13
Moso in Passiria /
Moos in Passeier BZ 3 B 15
Mosorrofa RC 90 M 29
Mossa GO 17 E 22
Mosso Sta Maria BI 19 F 6
Mosson VI 24 E 16
Mostri (Parco dei) VT 57 O 18
Motticella RC 91 M 30
Mòtola (Monte) SA 76 F 28
Motta MO 31 H 14
Motta VI 24 F 16
Motta Baluffi CR 30 G 12
Motta Camastra ME 101 N 27
Motta d'Affermo ME 99 N 24
Motta de Conti VC 20 G 7
Motta di Livenza TV 16 E 19
Motta Montecorvino FG 66 C 27
Motta S. Anastasia CT 100 O 26
Motta S. Giovanni RC 90 M 29
Motta Sta Lucia CZ 86 J 30
Motta Visconti MI 21 G 8
Mottafollone CS 85 I 30
Mottalciata BI 20 F 6
Mottarone VB 8 E 7
Mottaziana PC 29 G 10
Motteggiana MN 31 G 14
Mottola TA 78 F 33
Mottorra NU 117 G 10
Mozia TP 96 N 19
Mozzagrogna CH 61 P 25
Mozzanica BG 21 F 11
Mozzate CO 20 E 8
Mozzecane VR 23 G 14
Muccia MC 52 M 21
Mucone CS 85 I 30
Mucone (Lago di) CS 86 I 31
Mucrone (Monte) BI 19 F 5
Mühlbach /
Rio di Pusteria BZ 4 B 16
Mühlbach /
Riomolino BZ 4 B 17
Mühlen /
Molini di Tures BZ 4 B 17
Mühlwald /
Selva dei Molini BZ 4 B 17
Mugello (Autodromo
Internazionale del) FI 40 K 16
Muggia TS 17 F 23
Muggia (Baia di) TS 17 F 23
Muglia EN 100 O 26
Mugnai BL 12 D 17
Mugnano PG 51 M 18
Mugnano
del Cardinale AV 70 E 25
Mugnano di Napoli NA 69 E 24
Mugnano
in Teverina VT 58 O 18
Mugnone FI 40 K 15
Mugnone (Punta) TP 96 N 18
Mulargia CA 119 H 9
Mulargia (Lago di) CA 119 I 9
Mulazzano LO 21 F 10
Mulazzano PR 30 I 12
Mulazzo MS 38 J 11
Mules / Mauls BZ 3 B 16
Mulinello EN 104 O 25
Mulino
di Arzachena OT 109 D 10
Multeddu SS 111 E 8
Mumullonis
(Punta) VS 118 I 7
Muntiggioni OT 108 E 8
Mura BS 22 E 13
Muraglione
(Passo del) FI 40 K 16
Murano VE 25 F 19
Muravera CA 119 I 10
Murazzano CN 27 I 6
Murci GR 50 N 16
Murello CN 27 H 4
Murera CA 119 H 9
Muretto (Passo del) SO 10 C 11
Murgetta BA 72 E 31
Muri (Necropoli di li) OT 109 D 9
Murialdo SV 35 J 6
Muris UD 14 D 20
Murisengo AL 27 G 6
Murittu (Punta) NU 117 F 10
Murlo SI 50 M 16
Muro Leccese LE 83 G 37
Muro Lucano PZ 71 E 28
Muros SS 110 E 7
Murro
di Porco (Capo) SR 105 P 28
Murta Maria OT 113 E 10
Murtazzolu NU 115 G 8
Musano TV 25 E 18
Muscletto UD 16 E 21
Musei CI 118 J 8
Musellaro PE 60 P 23
Musi UD 15 D 21
Musignano VA 8 D 8
Musignano VT 57 O 17
Musile di Piave VE 16 F 19
Musone MC 46 L 21
Mussolente VI 24 E 17
Mussomeli CL 99 O 23
Muta (Lago di) BZ 2 B 13
Mutignano TE 60 O 24
Mutria (Monte) BN 65 R 25
Muxarello AG 102 O 22
Muzza (Canale) MI 21 F 10
Muzza S. Angelo LO 21 G 10
Muzzana
del Turgnano UD 16 E 21

N

Nago TN 11 E 14
Nai (Monte) CA 119 J 10
Naia PG 51 N 19
Nalles / Nals BZ 3 C 15
Nals / Nalles BZ 3 C 15
Nambino (Monte) TN 11 D 14
Nanno TN 11 D 15
Nanto VI 24 F 16
Napola TP 96 N 19
Napoli NA 69 E 24
Napoli-Capodichino
(Aeroporto) NA 69 E 24
Napoli (Golfo di) NA 69 E 24
Narba (Monte) CA 119 I 10
Narbolia OR 114 G 7
Narcao CI 118 J 8
Narcao (Monte) CI 118 J 7
Nardis (Cascata di) TN 11 D 14
Nardo LE 83 G 36
Nardodipace VV 88 L 31
Nardodipace Vecchio VV 88 L 31
Naregno LI 48 N 13
Narni TR 58 O 19
Narni Scalo TR 58 O 19
Naro AG 103 P 23
Naro (Fiume) AG 103 P 23
Naro (Portella di) AG 103 P 23
Narzole CN 27 I 5
Nasino SV 35 J 6
Naso ME 100 M 26
Naso (Fiume di) ME 100 M 26
Naßfeld-Paß / Pramollo
(Passo di) UD 15 C 21
Natile Nuovo RC 91 M 30
Natisone UD 15 D 22
Naturno / Naturns BZ 3 C 15
Naturns / Naturno BZ 3 C 15
Natz / Naz BZ 4 B 17
Nava IM 35 J 5
Nava (Colle di) IM 35 J 5
Navacchio PI 42 K 13
Nave BS 22 F 12
Nave (Monte La) CT 100 N 26
Nave S. Felice TN 11 D 15
Navelli AQ 60 P 23
Navene VR 23 E 14
Navene (Bocca di) VR 23 E 14
Navicello MO 31 H 14
Navone (Monte) EN 104 O 24
Naxos ME 90 N 27
Naz / Natz BZ 4 B 17
Nazzano RM 58 P 19
Nazzano PV 29 H 9
Nebbiano AN 46 L 20
Nebbiuno NO 20 E 7
Nebida CI 118 J 7
Nebin (Monte) CN 26 I 3
Nebius (Monte) CN 34 I 3
Nebrodi ME 100 N 25
Negra (Punta) SS 108 E 6
Negrar VR 23 F 14
Neirone GE 37 I 9
Neive CN 27 H 6
Nembro BG 22 E 11
Nemi RM 63 Q 20
Nemi (Lago di) RM 63 Q 20
Nemoli PZ 77 G 29
Neoneli OR 115 G 8
Nepi VT 58 P 19
Nera PG 52 N 20
Nera (Croda) BZ 4 B 18
Nera (Punta) AO 19 F 4
Nera (Punta) LI 48 N 12
Nera (Punta) NU 117 F 11
Nerbisci PG 45 L 19
Nercone
(Monte su) OG 117 G 10
Nereto TE 53 N 23
Nerina (Val) PG 52 N 20
Nero (Capo) IM 35 K 5
Nero (Monte) CT 100 N 27
Nero (Sasso) SO 10 D 11
Nero (Sasso) /
Schwarzenstein BZ 4 A 17
Nerola RM 58 P 20
Nerone (Monte) PS 45 L 19
Nervesa d. Battaglia TV 25 E 18
Nervi GE 37 I 9
Nervia (Torrente) IM 35 K 4
Nervia (Val) IM 35 K 4
Nerviano MI 21 F 8
Nery (Monte) AO 19 E 5
Nespoledo UD 16 E 21
Nespolo RI 59 P 21
Nesso CO 9 E 9
Nestore (vicino a
Marsciano) PG 51 N 18
Nestore
(vicino a Trestina) PG 45 L 18
Neto CS 87 J 31
Netro BI 19 F 5
Nettuno RM 62 R 19
Nettuno (Grotta di) SS 110 F 6
Neumarkt / Egna BZ 11 D 15
Neurateis /
Rattisio Nuovo BZ 3 B 14
Neustift / Novacella BZ 4 B 16
Neva (Torrente) SV 35 J 6
Neva (Val) SV 35 J 6
Nevea (Passo di) UD 15 C 22
Nevegal BL 13 D 18
Néves (Lago di) BZ 4 B 17
Neviano LE 83 G 36
Neviano de' Rossi PR 30 I 12
Neviano degli Arduini PR 30 I 12
Neviera (Serra la) PZ 77 F 29
Nevola AN 46 L 21
Niardo BS 10 E 13
Nibbia NO 20 F 7
Nibbiaia LI 42 L 13
Nibbiano PC 29 H 10
Nicà CS 87 I 32
Nica (I. di Pantelleria) TP 96 Q 17
Nicastro CZ 88 K 30
Niccioleta GR 49 M 14
Niccone PG 51 M 18
Niccone (Torrente) PG 51 M 18
Nichelino TO 27 H 4
Nicola Bove (Monte) CA 119 J 10
Nicola (Monte) FG 67 B 30
Nicoletti (Lago) EN 99 O 24
Nicolosi CT 100 O 27
Nicorvo PV 20 G 8
Nicosia EN 100 N 25
Nicotera VV 88 L 29
Nicotera Marina VV 88 L 29
Nieddu (Monte) OT 113 E 10
Nieddu di Ottana
(Monte) NU 115 G 9
Niederdorf /
Villabassa BZ 4 B 18
Niel AO 19 E 5
Niella Belbo CN 27 I 6
Niella Tanaro CN 35 I 5
Nigra (Passo) BZ 3 C 16
Nimis UD 15 D 21
Ninfa LT 63 R 20
Niovole PT 39 K 14
Nirano MO 31 I 14
Niscemi CL 104 P 25
Nisida (Isola di) NA 69 E 24
Nissoria EN 100 O 25
Niviano PC 29 H 10
Niviere (Pizzo dello) TP 97 M 20
Nivolet (Colle del) TO 18 F 3
Nizza di Sicilia ME 90 N 28
Nizza Monferrato AT 28 H 7
Noale VE 25 F 18
Noasca TO 18 F 3
Nocara CS 78 G 31
Nocchi LU 38 K 13
Nocciano PE 60 O 23
Noce PZ 77 G 29
Noce TN 11 C 14
Nocelleto CE 69 D 24
Nocera Inferiore SA 75 E 25
Nocera Superiore SA 75 E 26
Nocera Terinese CZ 86 J 30
Nocera Umbra PG 52 M 20
Noceto PR 30 H 12
Noci BA 73 E 33
Nociara EN 104 O 24
Nociazzi PA 99 N 24
Nociglia LE 83 G 36
Noepoli PZ 77 G 30
Nogara VR 23 G 15
Nogarè TV 24 E 18
Nogaro UD 17 E 21
Nogarole Rocca VR 23 G 14
Nogarole Vicentino VI 23 F 15
Nogheredo PN 13 D 19
Nogna PG 45 L 19
Noha LE 83 G 36
Noicattaro BA 73 D 32
Nola NA 70 E 25
Nole TO 19 G 4
Noli SV 36 J 7
Noli (Capo di) SV 36 J 7
Nomi TN 11 E 15
Non (Val di) TN 11 D 15
Nona BG 10 D 12
Nonantola MO 31 H 15
None TO 27 H 4
Nongruella UD 15 D 21
Nonio VB 8 E 7
Nora CA 121 J 9
Noragugume NU 115 G 8
Norba LT 63 R 20
Norbello OR 115 G 8
Norchia VT 57 P 17
Norcia PG 52 N 21
Nordio-Deffar (Rif.) UD 15 C 22
Norge Polesine RO 33 G 18
Norma LT 63 R 20
Nortiddi NU 113 F 10
Nosate MI 20 F 8
Nosedole MN 31 G 14
Nostra Signora de
Cabu Abbas SS 111 F 8
Nostra Signora
della Solitudine NU 116 G 10
Nostra Signora
di Bonaria SS 111 E 8
Nostra Signora
di Castro OT 111 E 9
Nostra Signora
di Gonari NU 115 G 9
Nostra Signora
di Monserrato NU 117 G 10
Nostra Signora
di Montallegro GE 37 I 9
Notaresco TE 53 O 23
Noto SR 105 Q 27
Noto (Golfo di) SR 107 Q 27
Noto Antica SR 105 Q 27
Notteri (Stagno) CA 119 J 10
Nova Levante /
Welschnofen BZ 12 C 16
Nova Milanese MI 21 F 9
Nova Ponente /
Deutschnofen BZ 12 C 16
Nova Siri MT 78 G 31
Nova Siri Marina MT 78 G 31
Novacella / Neustift BZ 4 B 16
Novafeltria PS 41 K 18
Novale VI 23 F 15
Novale / Rauth BZ 12 C 16
Novaledo TN 12 D 16
Novalesa TO 18 G 3
Novara NO 20 F 7
Novara di Sicilia ME 101 M 27
Novate Mezzola SO 9 D 10
Novate Milanese MI 21 F 9
Nove VI 24 E 17
Novegigola MS 38 J 11
Noveglia PR 29 I 11
Novegno (Monte) VI 24 E 15
Novellara RE 31 H 14
Novello CN 27 I 5
Noventa di Piave VE 16 F 19
Noventa Padovana PD 24 F 17
Noventa Vicentina VI 24 G 16
Novi di Modena MO 31 H 14
Novi Ligure AL 28 H 8
Novi Velia SA 76 G 27
Noviglio MI 21 F 9
Novoli LE 81 F 36
Nozza BS 22 E 13
Nozzano LU 38 K 13
Nubia TP 96 N 19
Nuccio TP 96 N 19
Nucetto CN 35 I 6
Nuchis OT 109 E 9
Nudo (Col) PN 13 D 19
Nughedu di S. Nicolò SS 111 F 9
Nughedu
Sta Vittoria OR 115 G 8
Nugola LI 42 L 13
Nule SS 111 F 9
Nulvi SS 111 E 8
Numana AN 47 L 22
Nunziata CT 101 N 27
Nuoro NU 115 G 9
Nuova Bisaccia AV 71 D 28
Nuova Olonio SO 9 D 10
Nuovo (Ponte) FG 71 D 28
Nuracciolu (Punta) VS 118 I 7
Nurachi OR 114 H 7
Nuradeo OR 114 G 7
Nuraghi (Valle dei) SS 111 F 8
Nuragus CA 115 H 9
Nurallao CA 115 H 9
Nuraminis CA 118 I 9
Nuraxi (Su)
(Barumini) VS 118 H 8
Nuraxi de Mesu
(Valico) CA 120 K 8
Nuraxi Figus CI 118 J 7
Nure PC 29 H 11
Nureci OR 115 H 8
Nuria (Monte) RI 59 O 21
Nurri CA 119 H 9
Nurri (Cantoniera di) CA 119 H 9
Nus AO 19 E 4
Nuschele (Monte) NU 115 F 9
Nusco AV 71 E 27
Nusenna SI 44 L 16
Nuvolato MN 31 G 15
Nuvolau (Rifugio) BL 4 C 18
Nuvolento BS 22 F 13
Nuvolera BS 22 F 13
Nuxis CI 118 J 8

O

Ober Wielenbach /
Vila di Sopra BZ 4 B 17
Oberbozen /
Soprabolzano BZ 3 C 16
Obereggen /
S. Floriano BZ 12 C 16
Obolo PC 29 H 10
Oca RO 33 H 18
Occhieppo BI 19 F 6
Occhiobello RO 32 H 16
Occhione (Punta) OT 109 D 10
Occhito (Lago di) FG 66 C 26
Occimiano AL 28 G 7
Oclini (Passo di) BZ 12 C 16
Ocre AQ 59 P 22
Ocre RI 58 O 20
Ocre (Monte) AQ 59 P 22
Odalengo Grande AL 27 G 6
Oderzo TV 16 E 19
Odle (le) /
Geislerspitze BZ 4 C 17
Odolo BS 22 F 13
Oes SS 111 F 8
Ofanto AV 71 E 28
Ofanto (Foce dell') FG 72 C 30
Ofen / Forno
(Monte) UD 15 C 23
Ofena AQ 60 P 23
Offagna AN 47 L 22
Offanengo CR 21 F 11
Offida AP 53 N 23
Offlaga BS 22 F 12
Oggia (Colle di) IM 35 K 5
Oggiono LC 21 E 10
Ogliastra OG 117 H 10
Ogliastra
(Isola dell') NU 117 H 11
Ogliastro Cilento SA 75 F 27
Ogliastro (Lago di) EN 104 O 25
Ogliastro Marina SA 75 G 26
Oglio BS 10 D 13
Ogliolo BS 10 D 12
Ogna (Monte) SA 76 E 28
Ognina SR 105 Q 27
Ognina (Capo) SR 105 Q 27
Ognio GE 37 I 9
Ognissanti BA 73 D 32
Oisternig (Monte) UD 15 C 22

A B C D E F G H I J K L M N O P Q R S T U V W X Y Z

Ola NU............ 115 G 9
Olang / Valdaora BZ.. 4 B 18
Olbia OT............ 109 E 10
Olbia (Golfo di) SS.. 109 E 10
Olbicella AL........ 28 I 7
Olcenengo VC........ 20 F 6
Olcio LC............ 9 E 9
Olda BG............ 9 E 10
Oleggio NO........ 20 F 7
Oleggio Castello NO.. 20 E 7
Oleis UD........ 15 D 22
Olengo NO............ 20 F 7
Olevano di Lomellina PV. 20 G 8
Olevano Romano RM.. 63 Q 21
Olevano sul Tusciano SA 75 F 27
Olgiasca LC........ 9 D 9
Olgiata RM........ 58 P 19
Olgiate Comasco CO.. 21 E 8
Olgiate Molgora LC... 21 E 10
Olgiate Olona VA.... 20 F 8
Olginate LC........ 21 E 10
Olia (Monte) OT..... 112 E 10
Olia Speciosa CA.. 119 J 10
Oliena NU............ 117 G 10
Oliena (Rio d') NU.. 116 G 10
Olinie (Monte) OG... 117 G 10
Olivadi CZ............ 88 K 31
Olivarella ME........ 95 M 27
Oliveri ME............ 100 M 27
Oliveto RC............ 90 M 29
Oliveto AR........ 44 L 17
Oliveto BO........ 39 I 15
Oliveto (Masseria) BA.. 72 E 30
Oliveto Citra SA... 76 E 27
Oliveto Lario LC.... 9 E 9
Oliveto Lucano MT... 77 F 30
Oliveto Maggiore
 (Abbazia di Monte) SI. 50 M 16
Olivetta IM............ 34 K 4
Olivieri (Masseria) BA.. 72 E 31
Olivo EN............ 104 O 24
Olivo (Ponte) CL... 104 P 24
Olivola MS........ 38 J 12
Ollastra Simaxis OR.. 115 H 8
Olle TN............ 12 D 16
Ollolai NU............ 115 G 9
Ollomont AO........ 6 E 3
Olmedo SS............ 110 F 7
Olmeneta CR........ 22 G 12
Olmi PT............ 39 K 14
Olmi (Monte degli) BZ.. 3 C 14
Olmo AR........ 44 L 17
Olmo FI............ 40 K 16
Olmo RE............ 30 H 13
Olmo SO............ 9 C 10
Olmo TV............ 24 E 17
Olmo VI............ 24 F 16
Olmo al Brembo BG.. 9 E 10
Olmo Gentile AT... 28 I 6
Olona VA............ 20 E 8
Olonia MI............ 21 F 9
Olpeta VT............ 57 O 17
Oltre il Colle BG.. 10 E 11
Oltre Vara SP........ 37 J 11
Olza PC............ 30 G 11
Olzai NU............ 115 G 9
Ombrone (vicino a
 Grosseto) SI........ 50 M 16
Ombrone(vicino a
 Pistoia) PT........ 39 K 14
Ome BS............ 22 F 12
Omegna VB............ 8 E 7
Omignano SA........ 75 G 27
Omignano Scalo SA.. 75 G 27
Omodeo (Lago) OR... 115 G 8
Onamarra (Punta) OG. 113 F 10
Onani NU............ 113 F 10
Onano VT............ 50 N 17
Onara PD............ 24 F 17
Oncino TO............ 26 H 3
Oneglia IM............ 35 K 6
Ongaro VI............ 24 E 15
Ongina PR............ 30 H 12
Onifai NU............ 117 F 10
Oniferi NU............ 115 G 9
Onigo di Piave TV... 12 E 17
Onno LC............ 9 E 9
Onzo SV............ 35 J 6
Opera MI............ 21 F 9
Opi AQ............ 64 Q 23
Opicina TS............ 17 E 23
Oppeano VR............ 23 G 15
Oppido Lucano PZ... 72 E 29
Oppido Mamertina RC. 91 M 29
Oppio (Passo di) PT.. 39 J 14
Ora / Auer BZ... 12 C 15
Orani NU............ 115 G 9
Orasso VB............ 8 D 7
Oratino CB............ 65 R 25
Orba AL............ 28 H 7
Orbai (Monte) CA.... 121 J 8

Orbassano TO........ 27 G 4
Orbetello GR........ 55 O 15
Orbetello
 (Laguna di) GR.... 55 O 15
Orbetello Scalo GR.... 55 O 15
Orcenico Inferiore PN.. 13 E 20
Orcia SI............ 50 N 16
Orciano di Pesaro PS.. 46 K 20
Orciano Pisano PI.. 42 L 13
Orciatico PI........ 43 L 14
Orco TO............ 18 F 3
Ordini (Monte) CA.... 119 I 10
Ordona FG............ 71 D 28
Orecchiella LU........ 38 J 13
Oregone (Passo d.) /
 Hochalpljoch UD.... 5 C 20
Orentano PI............ 43 K 13
Orezzoli PC............ 29 I 10
Organio VI............ 24 F 16
Ornano UD............ 16 D 21
Orgosolo NU............ 116 G 10
Oria BR............ 79 F 34
Oria CO............ 9 D 9
Oriago VE............ 25 F 18
Oricola AQ............ 59 P 21
Origgio VA............ 21 F 9
Orimini (Masseria) (vicino a
 Martina Franca) TA.. 80 E 33
Orimini (Masseria) (vicino a
 S. Simone) TA... 79 F 33
Orino VA............ 8 E 8
Orio al Serio BG.. 21 E 11
Orio Litta LO........ 29 G 10
Oriolo CS............ 77 G 31
Oriolo PV............ 29 G 9
Oriolo PG............ 52 N 20
Oriolo Romano VT.. 57 P 18
Oristano OR............ 114 H 7
Oristano (Golfo di) OR. 114 H 7
Orlando (Capo d') ME. 100 M 26
Ormea CN............ 35 J 5
Ormelle TV............ 16 E 19
Ornaro RI............ 58 P 20
Ornavasso VB........ 8 E 7
Orneta AV............ 71 D 27
Ornica BG............ 9 E 10
Oro (Conca d') PA... 97 M 21
Oro (Monte d') PA.. 99 N 23
Oro (S') CA........ 119 I 10
Orolo VI............ 24 F 16
Oronaye (Monte) CN. 26 I 2
Oropa BI............ 19 F 5
Orosei NU............ 117 F 11
Orosei (Golfo di) NU.. 117 G 11
Orotelli NU............ 115 G 9
Orotelli (Serra d') SS.. 115 F 9
Orri (Monte) CA.... 118 J 8
Orria SA............ 75 G 27
Orrido di S. Anna VB.. 8 D 8
Orriola (Monte) OT... 111 E 9
Orroli CA............ 119 H 9
Orru (Cuccuru) CA... 119 I 9
Orsago VT............ 13 E 19
Orsaiola PS............ 45 L 19
Orsara di Puglia FG.. 71 D 27
Orsaria UD............ 15 D 22
Orsetti (Monte) TA... 73 E 33
Orsia AO............ 7 E 5
Orsiera (Monte) TO... 26 G 3
Orso (Capo d') SA... 75 F 26
Orso (Capo d') OT... 109 D 10
Orso (Colle dell') IS.. 65 R 25
Orsogna CH............ 60 P 24
Orta PE............ 60 P 24
Orta di Atella CE.... 69 E 24
Orta (Lago d') NO.. 20 E 7
Orta Nova FG............ 71 D 29
Orta S. Giulio NO... 20 E 7
Ortacesus CA............ 119 I 9
Orte VT............ 58 O 19
Ortelle LE............ 83 G 37
Ortezzano AP............ 53 M 22
Orti RC............ 90 M 29
Orticelli RO............ 32 G 18
Ortigara (Monte) VI... 12 D 16
Ortignano-Raggiolo AR. 44 K 17
Ortimino FI............ 43 L 15
Ortisei / St. Ulrich BZ.. 4 C 17
Ortler / Ortles BZ..... 2 C 13
Ortles / Ortler BZ...... 2 C 13
Ortobene (Monte) NU. 116 G 10
Ortonovo SP............ 38 J 12
Ortovero SV............ 35 J 6
Ortuabis (Valico) NU.. 115 H 9
Ortucchio AQ............ 64 Q 22
Ortueri NU............ 115 G 8
Orune NU............ 116 F 10
Orvieto TR............ 51 N 18
Orvinio RI............ 58 P 20

Orzano UD............ 15 D 22
Orzinuovi BS........ 22 F 11
Orzivecchi BS........ 22 F 11
Osasco TO............ 26 H 4
Osasio TO............ 27 H 4
Oscasale CR............ 22 G 11
Oscata AV............ 71 D 27
Oschiri OT............ 111 E 9
Oschiri (Rio di) OT... 111 E 9
Osento AV............ 71 E 28
Osento CH............ 61 P 25
Osidda NU............ 111 F 9
Osiglia SV............ 35 J 6
Osiglietta (Lago di) SV. 35 J 6
Osilo SS............ 111 E 8
Osimo AN............ 47 L 22
Osimo Stazione AN... 47 L 22
Osini-Nuovo OG....... 117 H 10
Osini-Vecchio OG..... 117 H 10
Osio Sotto BG........ 21 F 10
Oslavia GO............ 17 E 22
Osnago LC............ 21 E 10
Osoppo UD............ 14 D 21
Ospedaletti IM........ 35 K 5
Ospedaletto LO...... 21 G 10
Ospedaletto FO...... 41 K 18
Ospedaletto RN........ 41 K 19
Ospedaletto TR...... 51 N 18
Ospedaletto TN...... 12 D 16
Ospedaletto TV...... 25 F 18
Ospedaletto UD...... 14 D 21
Ospedaletto
 d'Alpinolo AV........ 70 E 26
Ospedaletto
 Euganeo PD........ 24 G 16
Ospedalicchio PG.. 51 M 19
Ospitale FE............ 32 H 16
Ospitale MO............ 39 J 14
Ospitale di Cadore BL. 13 D 18
Ospitaletto BS........ 22 F 12
Ospitaletto MN........ 31 G 13
Ospitaletto MO........ 39 I 14
Ospitalmonacale FE... 32 H 17
Ossago Lodigiano LO.. 21 G 10
Ossalengo CR........ 22 G 12
Ossegna SP............ 37 I 10
Osservanza SI........ 50 L 16
Ossi SS............ 110 E 7
Ossola (Val d') VB..... 8 D 6
Ossolaro CR............ 22 G 11
Ossona MI............ 20 F 8
Ossuccio CO............ 9 E 9
Ostana CN............ 26 H 3
Ostellato FE............ 32 H 17
Osteria del Gatto PG.. 51 M 20
Osteria dell'Osa RM... 63 Q 20
Osteria di Morano RC.. 61 P 25
Osteria Grande BO.. 40 I 16
Osteria Nuova RM.... 58 P 18
Osterianova MC...... 47 L 22
Ostia Antica RM...... 62 Q 18
Ostia Parmense PR.. 30 I 11
Ostiano CR............ 22 G 12
Ostiglia MN............ 31 G 15
Ostigliano SA........ 75 G 27
Ostra AN............ 46 L 21
Ostra Vetere AN...... 46 L 21
Ostuni BR............ 80 E 34
Oten (Valle d') BL...... 4 C 18
Otranto LE............ 83 G 37
Otranto (Capo d') LE... 83 G 37
Otricoli TR............ 58 O 19
Ottana NU............ 115 G 9
Ottati SA............ 76 F 27
Ottava SS............ 110 E 7
Ottavia RM............ 62 Q 19
Ottaviano NA........ 70 E 25
Ottiglio AL............ 28 G 7
Ottiolu (Punta d') NU.. 113 E 11
Ottobiano PV............ 20 G 8
Ottone PC............ 29 I 10
Oulx TO............ 26 G 2
Ovada AL............ 28 I 7
Ovaro UD............ 5 C 20
Oviglio AL............ 28 H 7
Ovindoli AQ............ 59 P 22
Ovo (Torre dell') TA... 79 G 34
Ovodda NU............ 115 G 9
Oyace AO............ 6 E 4
Ozegna TO............ 19 G 5
Ozein AO............ 18 E 3
Ozieri SS............ 111 F 9
Ozzano dell'Emilia BO. 40 I 16
Ozzano Monferrato AL. 28 G 7
Ozzano Taro PR........ 30 H 12
Ozzero MI............ 20 F 8

P

Pabillonis VS............ 118 I 8
Pace ME............ 90 M 28
Pace del Mela ME...... 90 M 27

Paceco TP............ 96 N 19
Pacengo VR............ 23 F 14
Pacentro AQ............ 60 P 23
Pachino SR............ 107 Q 27
Paciano PG............ 51 M 18
Padenghe sul Garda BS. 22 F 13
Padergnone TN...... 11 D 14
Paderno BL............ 12 D 18
Paderno d'Adda LC.. 21 E 10
Paderno del Grappa TV. 24 E 17
Paderno di Ponzano TV. 25 E 18
Paderno Dugnano MI. 21 F 9
Paderno Ponchielli CR. 22 G 11
Padiglione AN........ 47 L 22
Padiglione (Bosco di) LT. 62 R 19
Padola BL............ 5 C 19
Pàdola (Val) BL...... 5 C 19
Padova PD............ 24 F 17
Padova (Rifugio) BL... 13 C 19
Padria SS............ 115 F 7
Padriciano TS........ 17 F 23
Padru OT............ 113 E 10
Padru (Monte) OT.... 109 D 9
Padula SA............ 76 F 28
Padule PG............ 51 M 19
Padule BO............ 31 I 15
Paduli BN............ 70 D 26
Paduli (Lago) MS... 38 I 12
Padule TV............ 25 F 18
Paesana CN............ 26 H 3
Paese TV............ 25 E 18
Paestum SA............ 75 F 27
Paestum Antica SA... 75 F 27
Paganella (Monte) TN.. 11 D 15
Pagani SA............ 75 E 25
Paganica AQ............ 59 O 22
Pagano (Monte) AQ... 65 Q 24
Paganuccio (Monte) PS. 46 K 20
Pagazzano BG........ 21 F 11
Paghera BS............ 10 D 13
Paglia VT............ 50 N 17
Paglia
 (Portella della) PA.. 97 M 21
Pagliara ME............ 90 N 28
Pagliare AP............ 53 N 23
Pagliarelle KR........ 87 J 32
Pagliaroli TE............ 59 O 22
Pagliarone (Monte) FG. 71 C 27
Paglieres CN............ 26 I 3
Pagliericcio AR........ 44 K 17
Pagliosa (Isola sa) NU. 114 F 7
Pagnacco UD............ 14 D 21
Pagnano TV............ 24 E 17
Pagno CN............ 26 I 4
Pagnona LC............ 9 D 10
Pago Veiano BN...... 70 D 26
Pai VR............ 23 F 14
Paidorzu (Monte) SS.. 111 F 9
Paisco BS............ 10 D 12
Paisco (Valle) BS...... 10 D 12
Paladina BG............ 21 E 10
Paladini CS............ 87 I 32
Palagano MO............ 39 J 13
Palagianello TA........ 78 F 32
Palagiano TA............ 78 F 33
Palagonia (Masseria)BR. 80 F 34
Palagonia CT............ 104 P 26
Palai (Punta) NU...... 115 F 8
Palaia PI............ 43 L 14
Palanuda (Monte) CS.. 85 H 30
Palanzano PR........ 38 I 12
Palanzone (Monte) CO.. 9 E 9
Palata CB............ 65 Q 26
Palata Pepoli BO....... 31 H 15
Palau OT............ 109 D 10
Palavas (Monte) TO... 26 H 2
Palazzello CS........ 85 I 30
Palazzago BG........ 21 E 10
Palazzelli SR............ 104 O 26
Palazzetto SI........ 49 M 15
Palazzine Sta Maria MT. 77 F 30
Palazzo AN............ 46 L 20
Palazzo LI............ 48 N 13
Palazzo MC............ 52 M 20
Palazzo PG............ 51 M 19
Palazzo d'Ascoli FG.... 71 D 28
Palazzo del Pero AR... 45 L 17
Palazzo Foscarini
 (Mira) VE............ 24 F 18
Palazzo S. Gervasio PZ. 72 E 29
Palazzolo Acreide SR.. 104 P 26
Palazzolo dello Stella UD. 16 E 21
Palazzolo sull'Oglio BS. 22 F 11
Palazzolo Vercellese VC. 20 G 6
Palazzone SI........ 50 N 17
Palazzuolo AR........ 44 L 16

Palazzuolo sul Senio FI. 40 J 16
Palena CH............ 60 Q 24
Paleparto (Monte) CS.. 85 I 31
Palermiti CZ............ 88 K 31
Palermo PA............ 98 M 22
Palermo (Golfo di) PA.. 98 M 22
Palermo (Portella) PA.. 99 O 23
Palermo-Punta Raisi
 (Aeroporto di) PA.... 97 M 21
Palese BA............ 73 D 32
Palestrina RM........ 63 Q 20
Palestro PV............ 20 G 7
Paliano FR............ 63 Q 21
Palidano MN............ 31 H 14
Palidoro RM............ 62 Q 18
Palinuro SA............ 84 G 27
Palinuro (Capo) SA.... 84 G 27
Palizi RC............ 91 N 29
Palizzi Marina RC...... 91 N 29
Palla Palla CS........ 87 J 32
Pallagorio KR........ 87 J 32
Pallanfre CN............ 34 J 4
Pallanza VB........ 8 E 7
Pallare SV............ 36 J 6
Pallareta (Monte) PZ.. 77 G 30
Pallerone MS........ 38 J 12
Pallosu (Cala su) OR.. 114 G 7
Palma TP............ 96 N 19
Palma (Fiume) AG.. 103 P 23
Palma Campania NA.. 70 E 25
Palma
 di Montechiaro AG. 103 P 23
Palmadula SS........ 110 E 6
Palmaiola (Isola) LI... 48 N 13
Palmanova UD........ 17 E 21
Palmaria (Isola) SP.... 38 J 11
Palmariggi LE........ 83 G 37
Palmarini (Masseria) BR. 79 F 35
Palmas CI............ 118 J 7
Palmas (Golfo di) CA.. 120 J 7
Palmas (Rio) CI........ 118 J 7
Palmas Arborea OR... 114 H 7
Palmavera SS........ 110 F 6
Palme
 (Masseria delle) TA.. 78 F 32
Palmi RC............ 88 L 29
Palmiano AP............ 52 N 22
Palmieri (Rifugio) BL... 4 C 18
Palmoli CH............ 61 Q 25
Palmori FG............ 66 C 26
Palmschoss / Plancios BZ. 4 B 17
Palo RM............ 62 Q 18
Palo SV............ 28 I 7
Palo del Colle BA..... 73 D 32
Palombaio BA........ 73 D 31
Palombara TE........ 60 O 23
Palombara Sabina RM. 58 P 20
Palombaro CH........ 60 P 24
Palomonte SA........ 76 F 27
Palosco BG............ 22 F 11
Palù VR............ 23 G 15
Palù (Cima) TN...... 11 D 14
Palù (Lago) SO........ 10 D 11
Palu (Pizzo) SO...... 10 D 11
Palù del Fersina TN... 12 D 16
Paludi CS............ 87 I 32
Palus San Marco BL.... 4 C 18
Paluzza UD............ 5 C 21
Pan di Zucchero CI... 118 I 7
Panarea (Isola) ME.... 94 L 27
Panaro MO............ 39 I 14
Panarotta TN............ 12 D 16
Pancalieri TO............ 27 H 4
Pancarana PV............ 29 G 9
Panchià TN............ 12 D 16
Pancole GR............ 50 N 15
Pancole SI............ 43 L 15
Pandino CR............ 21 F 10
Pandoro (Masseria) TA. 78 E 33
Panettieri CS........ 86 J 31
Paneveggio TN........ 12 D 17
Panfresco (Masseria) BA. 73 D 31
Panicale PG............ 51 M 18
Panicarola PG........ 51 M 18
Panicocoli VV........ 88 K 30
Pannarano BN........ 70 D 26
Panni FG............ 71 D 27
Panocchia PR........ 30 H 12
Pantaleo CI............ 118 J 8
Pantalica
 (Necropoli di) SR... 105 P 27
Pantalla PG............ 51 N 19
Pantanelle
 (Passo delle) CL.... 104 P 25
Pantasina IM............ 35 K 5
Pantelleria (Isola di) TP. 96 Q 17
Pantelleria TP............ 96 Q 17
Pantianicco UD........ 16 D 21

Pantigliate MI........ 21 F 10
Panzano FI............ 44 L 15
Panzano (Golfo di) GO. 17 E 22
Panzano Bagni GO.... 17 E 22
Paola CS............ 86 I 30
Paolillo (Masseria) FG.. 71 D 29
Paolini TP............ 96 N 19
Paolisi BN............ 70 D 25
Papa (Monte del) PZ... 77 G 29
Papanice KR............ 87 J 33
Paparotti UD............ 15 D 21
Papasidero CS........ 84 H 29
Papiano AR............ 40 K 17
Papiano PG............ 51 N 19
Papola-Casale
 (Aeroporto di) BR.... 81 F 35
Papozze RO............ 32 H 18
Parabiago MI........ 20 F 8
Parabita LE............ 83 G 36
Paradiso BR............ 81 F 35
Paradiso (Costa) OT... 109 D 8
Paraggi GE............ 37 J 9
Paramont (Monte) AO. 18 E 3
Paranesi TE............ 53 N 22
Paranzello (Punta) AG. 102 T 20
Paras (Is) CA............ 116 H 9
Parasacco PV............ 20 G 8
Paratico BS............ 22 F 11
Paravati VV............ 88 L 30
Parcines / Partschins BZ. 3 B 15
Parco dei Monaci
 (Masseria) MT...... 78 F 31
Pardu Atzei VS........ 118 I 7
Parenti CS............ 86 J 31
Parete CE............ 69 E 24
Parghelia VV............ 88 K 29
Pari GR............ 50 M 15
Pariana LU............ 39 K 13
Paringianu CI........ 118 J 7
Parisa (Masseria) FG... 66 C 27
Parisi (Casa) EN........ 104 O 25
Parma PR............ 30 H 12
Parma (Torrente) PR... 30 I 12
Parmetta PR............ 30 H 13
Parnacciano PG........ 45 L 18
Parodi Ligure AL...... 28 H 8
Parola PR............ 30 H 12
Parola (Torrente) PR... 30 H 12
Paroldo CN............ 35 I 6
Paroletta PR............ 30 H 12
Parona PV............ 20 G 8
Parona di Valpolicella VR. 23 F 14
Parrana-S. Giusto LI... 42 L 13
Parrana-S. Martino LI.. 42 L 13
Parrano TR............ 51 N 18
Parredis (Monte) CA... 119 I 10
Parrino (Punta) TP.... 96 N 19
Parrino (Serre del) PA.. 97 N 21
Partanna PA............ 97 M 21
Partanna TP............ 97 N 20
Partinico PA............ 97 M 21
Partschins / Parcines BZ. 3 B 15
Parzanica BG............ 22 E 12
Pascarosa BR............ 80 E 34
Pasian di Prato UD.... 14 D 21
Pasiano
 di Pordenone PN.... 13 E 20
Paspardo BS............ 10 D 13
Pasquali AP............ 30 H 12
Passaggio PG........ 51 M 19
Passaggio d'Assisi PG.. 51 M 19
Passante
 (Serbatoio del) CZ... 86 J 31
Passarella VE............ 16 F 19
Passariano UD........ 16 E 21
Passatore CN............ 27 I 4
Passeiertal /
 Passiria (Val) BZ... 3 B 15
Passerano AT............ 27 G 6
Passero (Capo) SR... 107 Q 27
Passignano FI........ 43 L 15
Passignano sul
 Trasimeno PG........ 51 M 18
Passirana BS............ 22 F 12
Passiria (Val) /
 Passeiertal BZ... 3 B 15
Passirio BZ............ 3 B 15
Passo VB............ 8 D 7
Passo Corese RI...... 58 P 19
Passo
 di Croce Domini BS.. 10 E 13
Passo di Mirabella AV.. 70 D 27
Passo di Treia MC... 52 M 21
Passo d'Orta FG...... 71 D 29
Passo Oscuro RM..... 62 Q 18
Passo S. Angelo MC... 52 M 22
Passons UD............ 14 D 21
Passopisciaro CT...... 100 N 27
Pastena FR............ 64 R 22
Pastena IS............ 65 R 24

A
B
C
D
E
F
G
H
I
J
K
L
M
N
O
P
Q
R
S
T
U
V
W
X
Y
Z

Pastena (Grotte di) *FR* . 64 R 22
Pastorano *CE* .... 69 D 24
Pastorello *PR* .... 30 I 12
Pastrengo *VR* .. 23 F 14
Pasturana *AL* .... 28 H 8
Pasturo *LC* .... 9 E 10
Pasubio *TN* .... 23 E 15
Pasubio (Ossario) *VI* .. 23 E 15
Paternò *CT* .... 100 O 26
Paterno *PZ* .... 76 F 29
Paterno *AQ* .... 59 P 22
Paterno *MC* .... 52 M 21
Paterno Calabro *CS* .. 86 J 30
Paternopoli *AV* ...... 70 E 27
Patigno *MS* .... 37 I 11
Patino (Monte) *PG* ... 52 N 21
Patria (Lago di) *NA* .. 69 E 24
Patrica *FR* .... 63 R 21
Pattada *SS* .... 111 F 9
Patti *ME* .... 100 M 26
Patti (Golfo di) *ME* ... 94 M 27
Patù *LE* .... 83 H 37
Pau *OR* .... 115 H 8
Pauceris Mannu
  (Monte is) *CA* ...... 118 J 8
Paularo *UD* .... 5 C 21
Paularo (Monte) *UD* ... 5 C 21
Pauli Arbarei *VS* ...... 118 I 8
Paulilatino *OR* .... 115 G 8
Paullo *MI* .... 21 F 10
Pauloni (Serra) *OT* ... 109 D 9
Paupisi *BN* .... 70 D 25
Pavarolo *TO* .... 27 G 5
Pavia *PV* .... 21 G 9
Pavia (Certosa di) *PV* .. 21 G 9
Pavia di Udine *UD* ... 17 E 21
Pavione (Monte) *BL* .. 12 D 17
Pavona *RM* .... 62 Q 19
Pavone *SI* .... 49 M 14
Pavone Canavese *TO* .. 19 F 5
Pavone del Mella *BS* ... 22 G 12
Pavullo nel Frignano *MO*. 39 I 14
Pazzano *MO* .... 39 I 14
Pazzano *RC* .... 88 L 31
Pazzon *VR* .... 23 F 14
Peccioli *PI* .... 43 L 14
Pecetto di Valenza *AL*.. 28 G 8
Pecetto Torinese *TO* ... 27 G 5
Pecora *GR* .... 49 M 14
Pecora (Capo) *VS* ..... 118 I 7
Pecorara *PC* .... 29 H 10
Pecoraro (Monte) *VV* .. 88 L 31
Pecorile *RE* .... 30 I 13
Pecorini *ME* .... 94 L 25
Pecorone *PZ* .... 77 G 29
Pedace *CS* .... 86 J 31
Pedagaggi *SR* .... 104 P 26
Pedalino *RG* .... 104 P 25
Pedara *CT* .... 101 O 27
Pedaso *AP* .... 53 M 23
Pedavena *BL* .... 12 D 17
Pedemonte *GE* ...... 28 I 8
Pedemonte *VR* ...... 23 F 14
Pederiva *VI* .... 24 F 16
Pederoa *BZ* .... 4 C 17
Pederobba *TV* ...... 12 E 17
Pedescala *VI* .... 24 E 16
Pedesina *SO* .... 9 D 10
Pediano *BO* .... 40 J 17
Pedicino (Monte) *FR* .. 64 Q 22
Pedivigliano *CS* ...... 86 J 30
Pedra Ettori *SS* ...... 110 F 7
Pedrabianca (Sa) *OT*.. 113 F 10
Pedraces /
  Pedratsches *BZ*...... 4 C 17
Pedralunga (Monte) *SS*. 111 F 9
Pedratsches /
  Pedraces *BZ*......... 4 C 17
Pegli *GE*......... 36 I 8
Peglia (Monte) *TR* ... 51 N 18
Peglio *PS*......... 45 K 19
Peglio *PS*......... 76 G 28
Pegognaga *MN* ...... 31 H 14
Pegolotte *VE*......... 24 G 18
Peio *TN*......... 11 C 14
Peio Terme *TN*....... 11 C 13
Pelagatta (Passo) *TN*.. 23 E 15
Pelagie (Isole) *AG*... 102
Pelago *FI*......... 44 K 16
Pelau *OG*......... 117 H 10
Pelizzone
  (Passo del) *PC* ... 29 H 11
Pellarini (Rifugio) *UD* .. 15 C 22
Pellaro *RC*......... 90 M 28
Pellaro (Punta di) *RC*.. 90 M 28
Pellecchia (Monte) *RM*. 58 P 20
Pellegrina *RC*......... 90 M 29
Pellegrina *VR* .... 23 F 14
Pellegrino *ME* ...... 90 M 28
Pellegrino
  (Cozzo del) *CS*.. 85 H 30
Pellegrino (Monte) *PA*. 98 M 22

Pellegrino Parmense *PR*. 30 H 11
Peller (Monte) *TN*..... 11 D 14
Pellestrina *VE* .... 25 G 18
Pellezzano *SA* .... 75 E 26
Pellice *TO* .... 26 H 3
Pellizzano *TN*......... 11 D 14
Pelmo (Monte) *BL* .... 13 C 18
Peloritani (Monti) *ME*.. 90 M 27
Peloro (Capo) *ME*..... 90 M 28
Pelosa
  (Spiaggia della) *SS*. 108 E 6
Pelugo *TN*......... 11 D 14
Pelvo d'Elva *CN*..... 26 I 3
Pendenza *RI* .... 59 O 21
Pènegal (Monte) *BZ* .. 11 C 15
Penice (Monte) *PC*..... 29 H 9
Penice (Passo del) *PC* .. 29 H 9
Penna (Lago della) *AR*. 44 L 17
Penna (Monte) *AR*.... 45 K 17
Penna (Monte) *PG*.... 52 M 20
Penna (Punta di) *CH*... 61 P 26
Penna Alta *AR*........ 44 L 16
Penna in Teverina *TR*.. 58 O 19
Penna (Monte) *PR* .... 29 I 10
Penna S. Andrea *TE*... 60 O 23
Penna S. Giovanni *MC*. 52 M 22
Pennabilli *PS*......... 41 K 18
Pennadomo *CH* ...... 60 P 24
Pennapiedimonte *CH* .. 60 P 24
Penne *PE*......... 60 O 23
Penne (Forca di) *AQ* .. 60 P 23
Penne (Lago di) *PE* ... 60 O 23
Penne (Punta) *BR*..... 81 E 35
Pennes / Pens *BZ*..... 3 B 16
Pennes (Passo di) /
  Penserjoch *BZ*...... 3 B 16
Penna (Val di) *BZ*.... 3 B 16
Pennino (Monte) *MC* .. 52 M 20
Pens / Pennes *BZ*..... 3 B 16
Penserjoch / Pennes
  (Passo di) *BZ*...... 3 B 16
Penta *SA*......... 70 E 26
Pentedattilo *RC* ..... 90 N 29
Pentema *GE*......... 29 I 9
Pentone *CZ* .... 87 K 31
Peonis *UD*......... 14 D 21
Peralba (Monte) *BL*... 5 C 20
Perano *CH* .... 60 P 25
Perarolo *VI*......... 24 F 16
Perarolo di Cadore *BL*. 13 C 19
Perca / Percha *BZ*.... 4 B 17
Percha / Perca *BZ*.... 4 B 17
Percile *RM* .... 58 P 20
Percoto *UD*......... 17 E 21
Perdaia (Monte) *CA*... 120 K 8
Perda Liana
  (Monte) *OG* ...... 117 H 10
Perdaxius *UD*......... 118 J 7
Perdifumo *SA* ...... 75 G 27
Perdonig / Predonico *BZ*. 3 C 15
Pereta *GR*......... 56 O 15
Pereto *AQ*......... 59 P 21
Perfugas *SS* .... 111 E 8
Pergine Valdarno *AR*... 44 L 17
Pergine Valsugana *TN* . 11 D 15
Pergola *PS*......... 46 L 20
Pergola *PZ*......... 76 F 29
Pergusa *EN*......... 99 O 24
Pergusa (Lago di) *EN*. 104 O 24
Peri *VR*......... 23 F 14
Periasc *AO*......... 7 E 5
Perignano *PI*......... 43 L 13
Perinaldo *IM*......... 35 K 5
Perino *PC*......... 29 H 10
Perito *SA*......... 75 G 27
Perletto *CN*......... 27 I 6
Perloz *AO*......... 19 F 5
Pernate *NO*......... 20 F 8
Pernocari *VV*......... 88 L 30
Pernumia *PD*......... 24 G 17
Pero (Golfo) *SS* ...... 109 D 10
Pero *MI*......... 21 F 9
Pero *SV*......... 36 I 7
Perolla *GR*......... 49 M 14
Perosa Argentina *TO* .. 26 H 3
Perotti *PC*......... 29 I 10
Peroulaz *AO*......... 18 E 3
Perrero *TO*......... 26 H 3
Perrone (Sella del) *CB*. 65 R 25
Persano *SA*......... 75 F 27
Persi *AH*......... 28 H 8
Persico *CR*......... 22 G 12

Persignano *AR* .... 44 L 16
Pertegada *UD*......... 16 E 21
Pertengo *VC*......... 20 G 7
Pertica Alta *BS* ...... 22 E 13
Pertica Bassa *BS* ..... 22 E 13
Perticano *PG*......... 46 L 20
Perticara *PS*......... 41 K 18
Pertosa *SA*......... 76 F 28
Pertosa (Grotta di) *SA*. 76 F 28
Pertusa (Portella) *ME*. 101 N 27
Pertusillo
  (Lago del) *PZ*...... 77 G 29
Pertuso *PC*......... 29 I 10
Perugia *PG*......... 51 M 19
Pesa *FI*......... 43 K 15
Pesaris *UD*......... 5 C 20
Pesarina (Val) *UD* .... 5 C 20
Pesaro *PS*......... 46 K 20
Pescaglia *LU*......... 38 K 13
Pescantina *VR*......... 23 F 14
Pescara (Fiume) *PE*... 60 P 23
Pescara *PE*......... 60 O 24
Pescarella (Masseria) *BA*. 72 E 30
Pescarolo ed Uniti *CR*.. 22 G 12
Pescasseroli *AQ* ..... 64 Q 23
Pesche *IS*......... 65 R 24
Peschici *FG*......... 67 B 30
Peschiera *MT*......... 77 F 31
Peschiera Borromeo *MI*. 21 F 9
Peschiera del Garda *VR*. 23 F 14
Pescia *PG*......... 52 N 21
Pescia *PT*......... 39 K 14
Pescia (Torrente) *PT* .. 39 K 14
Pescia Fiorentina *GR*... 56 O 16
Pescia Romana *VT*.... 56 O 16
Pescina *AQ*......... 59 P 22
Pescina *FI*......... 39 K 15
Pesco Sannita *BN*..... 70 D 26
Pescocostanzo *AQ*.... 64 Q 24
Pescolanciano *IS*..... 65 Q 25
Pescomaggiore *AQ*.... 59 O 22
Pescopagano *PZ* ..... 71 E 28
Pescopennataro *IS* ... 65 Q 24
Pescorocchiano *RI*.... 59 P 21
Pescosansonesco *PE* .. 60 P 23
Pescosolido *FR*....... 64 Q 22
Pescul *BL*......... 12 C 18
Peseggia *TV*......... 25 F 18
Pesek *TS*......... 17 F 23
Pesio *CN*......... 35 J 5
Pesipe *CZ*......... 88 K 31
Pessinetto *TO* ...... 18 G 4
Pessola *PR*......... 30 I 11
Pessola (Torrente) *PR*.. 30 I 11
Pessus *CI*......... 118 J 7
Petacciato *CB*......... 61 P 26
Petacciato Marina *CB*.. 61 P 26
Petano (Monte) *TR* ... 58 O 20
Petersberg / Monte
  S. Pietro *BZ*......... 12 C 16
Petilia Policastro *KR*.... 87 J 32
Petina *SA*......... 76 F 28
Petralia Soprana *PA*... 99 N 24
Petralia Sottana *PA*.... 99 N 24
Petralla Salto *RI* ..... 59 P 21
Petrarca (Rifugio) *BZ*... 3 B 15
Petrella (Monte) *LT* ... 64 S 23
Petrella Guidi *PS*...... 41 K 18
Petrella Liri *AQ*...... 59 P 21
Petrella Massana *AR*... 45 K 18
Petrella Tifernina *CB*.... 65 Q 26
Petrelle *PG*......... 51 L 18
Petriano *PS*......... 46 K 20
Petricci *GR*......... 50 N 16
Petrignacola *PR*...... 30 I 12
Petrignano *PG*....... 51 M 19
Petrignano di Lago *PG*. 50 M 17
Petriolo *MC*......... 52 M 22
Petritoli *AP*......... 53 M 22
Petrizzi *CZ*......... 88 K 31
Petrognano
  (vicino a Certaldo) *FI*. 43 L 15
Petrognano
  (vicino a Certaldo) *FI*. 40 K 16
Petrolo *SI*......... 50 M 17
Petrona *CZ*......... 87 J 32
Petronà (Masseria) *BA*. 73 E 32
Petroso (Monte) *AQ* .. 64 Q 23
Petrulli (Masseria) *FG*.. 66 C 27
Petruro (Villaggio di)
  (Mottola) *TA*......... 78 F 33
Pettenasco *NO*....... 20 E 7
Pettinascura (Monte) *CS*. 87 J 31
Pettineo *ME*......... 99 N 24
Pettino *PG*......... 52 N 20
Pettoranello
  del Molise *IS* ...... 65 R 24
Pettorano sul Gizio *AQ*. 60 Q 23
Pettorazza Grimani *RO*. 32 G 17
Peveragno *CN*......... 35 J 4

Pezza (Piano di) *AQ*.... 59 P 22
Pezzana *VC*......... 20 G 7
Pezzano *SA*......... 75 E 26
Pezzazze *BS*......... 22 E 12
Pezze di Greco *BR*.... 80 E 34
Pezzo *BS*......... 11 D 13
Pezzolo *ME*......... 90 M 28
Pfalzen / Falzes *BZ*... 4 B 17
Pfatten / Vadena *BZ*.. 12 C 15
Pfelders / Plan *BZ* ... 3 B 15
Pfitscherjoch / Vizze
  (Passo di) *BZ* ...... 4 B 16
Pflersch / Fleres *BZ*... 3 B 16
Pflerscher Tribulaun /
  Tribuláun *BZ*....... 3 B 16
Pfunders / Fundres *BZ*. 4 B 17
Pia Camuno *BS*...... 22 E 12
Piacenza *PC*......... 29 G 11
Piacenza d'Adige *PD*... 32 G 16
Piadena *CR*......... 30 G 13
Piagge *PS*......... 46 K 20
Piaggia *PG*......... 52 N 20
Piaggine *SA*......... 76 F 28
Piaggio di Valmara *VB*.. 8 D 8
Piamprato *TO* ...... 19 F 4
Piancastagna *AL* ..... 28 I 7
Pian Castagna *AL*..... 28 I 7
Pian d'Alma *GR*...... 49 N 14
Pian d'Audi *TO* ..... 19 G 4
Pian de Valli *RI*...... 58 O 20
Pian del Falco *MO* ... 39 J 14
Pian del Leone
  (Lago) *PA*......... 98 N 22
Pian del Re *CN*...... 26 H 3
Pian del Ratti *GE* .... 37 I 9
Pian del Voglio *BO*.... 39 J 15
Pian dell'Osteria *BL*.... 13 D 19
Pian delle Betulle *LC*... 9 D 10
Pian delle Fugazze
  (Passo) *TN*......... 23 E 15
Pian di Barca *SP* ..... 37 J 11
Pian di Marte *PG* .... 51 M 18
Pian di Molino *PS*..... 45 L 19
Pian di Morrano *GR*... 57 O 16
Pian di Novello *PT*.... 39 J 14
Pian di Sco *AR*...... 44 L 16
Pian di Venola *BO* ... 39 I 15
Pian Gelassa *TO* .... 26 G 3
Pian Munè *CN*....... 26 I 3
Pian Palu (Lago di) *BS*. 10 D 13
Piana *CB*......... 65 R 25
Piana *PG*......... 50 M 18
Piana (Masseria la) *MT*. 77 F 31
Piana Caruso *CS*..... 85 I 31
Piana Crixia *SV* ..... 28 I 6
Piana degli Albanesi *PA*. 97 M 21
Piana degli Albanesi
  (Lago di) *PA*....... 97 N 21
Piana
  di Monte Verna *CE*.. 69 D 25
Piana (Isola) *CI* ..... 120 J 6
Piana (Isola)
  (vicino ad Alghero) *SS*. 110 F 6
Piana (Isola)
  (vicino a Stintino) *SS*. 110 E 6
Pianaccio *BO*......... 39 J 14
Pianazze (Passo delle) *PR*. 29 I 10
Piancaldoli *FI*......... 40 J 16
Piancastagnaio *SI*..... 50 N 17
Piancavallo *PN* ...... 13 D 19
Pianche *CN*......... 34 J 3
Piancogno *BS*......... 10 E 12
Piandelagotti *MO* .... 38 J 13
Piandimeleto *PS*...... 45 K 19
Piane di Falerone *AP*... 52 M 22
Piane di Mocogno *MO*. 39 J 14
Piane (le) *VC* ...... 8 E 6
Pianedda
  (Masseria) *OT* ..... 113 E 10
Pianella *PE*......... 60 O 24
Pianella *SI*......... 50 L 16
Pianello *PA*......... 99 N 24
Pianello *AN*......... 46 L 21
Pianello *PG*......... 51 M 19
Pianello del Lario *CO*.. 9 D 9
Pianello Val Tidone *PC*. 29 H 10
Pianengo *CR*......... 21 F 11
Pianetto *FO*......... 40 K 17
Pianetto
  (Portella del) *PA*... 98 M 22
Pianezza *TO*......... 27 G 4
Pianezze *TV*......... 12 E 18
Pianfei *CN*......... 35 J 5
Piangipane *RA*....... 41 I 18
Piani di Artavaggio *LC*.. 9 E 10
Piani Resinelli *LC*..... 9 E 10
Pianico *BG*......... 22 E 12
Pianiga *VE*......... 24 F 18
Piano *AT*......... 27 H 6
Piano *PS*......... 45 L 19
Piano *RO*......... 33 H 18
Piano d'Arta *UD* .... 5 C 21

Piano dei Peri *PZ* .... 84 G 29
Piano del Cansiglio *BL*. 13 D 19
Piano del Monaco
  (Masseria) *BA*..... 72 D 30
Piano della Limina *RC* . 88 L 30
Piano delle Fonti *CH*... 60 P 24
Piano di Pieve *PG* .... 51 M 19
Piano di Sorrento *NA* .. 74 F 25
Piano Laceno *AV* ..... 71 E 27
Piano Maggiore *TE* ... 53 N 22
Pianoconte *ME*....... 94 L 26
Pianola *AQ*......... 59 P 22
Pianopantano *AV*..... 70 D 26
Pianopoli *CZ*......... 88 K 31
Pianoro *BO*......... 40 I 16
Pianosa (Isola) *LI* .... 54 O 12
Pianosa *LI*......... 54 O 12
Pianosinatico *PT* ..... 39 J 14
Pianottoli
  Caldarello *CI*...... 120 K 8
Piansano *VT*......... 57 O 17
Piantedo *SO*......... 9 D 10
Piantonia *PR*......... 30 I 12
Pianura *NA*......... 69 E 24
Piasco *CN*......... 26 I 4
Piateda Alta *SO*....... 10 D 11
Piave *BL*......... 5 C 19
Piave Vecchia
  (Porto di) *VE*...... 16 F 19
Piavola *FO*......... 41 J 18
Piavon *TV*......... 16 E 19
Piazza *SI*......... 44 L 15
Piazza *SI*......... 35 I 5
Piazza *PR*......... 30 H 13
Piazza al Serchio *LU* .. 38 J 12
Piazza Armerina *EN*... 104 O 25
Piazza Brembana *BG* .. 9 E 11
Piazza di Brancoli *LU*.. 39 K 13
Piazzatorre *BG* ..... 9 E 11
Piazze *SI*......... 50 N 17
Piazzi (Cima de) *SO* ... 10 C 12
Piazzo *GE*......... 29 I 9
Piazzola sul Brenta *PD*. 24 F 17
Picchetta *NO*......... 20 F 8
Picciano *PE*......... 60 O 23
Piccilli *CE*......... 64 R 24
Piccione *PG*......... 51 M 19
Picco (Forcella dei) /
  Birnlücke *BZ*....... 4 A 18
Piccoli *PC*......... 29 H 10
Piccoli (Masseria) *TA*.. 73 E 33
Piccolo (Corno) *TE*.... 59 O 22
Piccolo (Lago) *TO*.... 26 G 4
Piccolo S. Bernardo
  (Colle del) *AO*..... 18 E 2
Picentini (Monti) *SA* .. 70 E 26
Picentino *SA* ...... 70 E 26
Picerno *PZ*......... 76 F 28
Picinisco *FR*......... 64 R 23
Pico *FR*......... 64 R 22
Picognola (Monte) *PG*. 46 L 19
Pideura *RA*......... 40 J 17
Pidig Alm /
  Malga Pudio *BZ* ... 4 B 18
Pidocchio
  (Masseria il) *FG*... 71 D 28
Pie di Moggio *RI*...... 58 O 20
Pie di Via *PR*......... 30 H 11
Piedicavallo *BI*....... 19 E 5
Piediluco *TR*......... 58 O 20
Piediluco (Lago di) *TR*. 58 O 20
Piedimonte *FI*......... 40 J 16
Piedimonte Alta *FR*.... 64 R 23
Piedimonte Etneo *CT*. 101 N 27
Piedimonte
  Massicano *CE* ..... 69 D 23
Piedimonte Matese *CE*. 65 R 25
Piedimonte
  S. Germano *FR* .... 64 R 23
Piedimulera *VB*....... 8 D 6
Piedipaterno *PG* ..... 52 N 20
Piediripa *MC*......... 52 M 22
Piedivalle *PG*......... 52 N 21
Piegaio *AR*......... 51 L 18
Piegaro *PG*......... 51 N 18
Piegolelle *SA*......... 75 E 26
Pielungo *PN*......... 14 D 20
Pienza *SI*......... 50 M 17
Pierabec *UD*......... 5 C 20
Pieranica *CR*......... 21 F 10
Pierantonio *PG*....... 51 M 19
Pierfaone (Monte) *PZ*. 76 F 29
Pieris *GO*......... 17 E 22
Pietole *MN*......... 31 G 14
Pietra (Torre) *FG*..... 67 C 30
Pietra Bismantova *RE*. 38 I 13
Pietra de' Giorgi *PV* ... 29 G 9
Pietra dell'Uso *FO* ... 41 K 18
Pietra Grande *TN*..... 11 D 14
Pietra Ligure *SV* .... 36 J 6
Pietra Marazzi *AL*..... 28 H 8
Pietra Spada
  (Passo di) *VV*..... 88 L 31
Pietrabbondante *IS*.... 65 Q 25

Pietrabruna *IM*....... 35 K 5
Pietrabuona *PT*....... 39 K 14
Pietracamela *TE* ..... 59 O 22
Pietracatella *CB* ..... 66 C 26
Pietracupa *CB*......... 65 Q 25
Pietracuta *PS*......... 41 K 19
Pietradefusi *AV*....... 70 D 26
Pietrafaccia *GE*....... 28 I 8
Pietraferrazzana *CH* ... 60 Q 25
Pietrafitta *CS*......... 86 J 31
Pietrafitta *PG*......... 51 N 18
Pietrafitta *SI*......... 44 L 15
Pietragalla *PZ*......... 72 E 29
Pietragavina *PV*....... 29 H 9
Pietraia *AR*......... 50 M 17
Pietraia *PG*......... 51 M 18
Pietralacroce *AN* ..... 47 L 22
Pietraliscia (Serra) *CT*. 104 P 25
Pietralunga *PG*....... 45 L 19
Pietralunga (Villa) *EN*. 100 N 25
Pietramala *FI*......... 40 J 16
Pietramelara *CE* ..... 65 S 24
Pietramelina *PG*...... 51 M 19
Pietramonte-corvino *FG*. 66 C 27
Pietramurata *TN*....... 11 D 14
Pietranico *PE*......... 60 P 23
Pietransieri *AQ*....... 64 Q 24
Pietrapaola *CS* ...... 87 I 32
Pietrapaola
  (Stazione di) *CS*... 87 I 32
Pietrapazza *FO* ...... 40 K 17
Pietrapennata *RC* .... 91 N 30
Pietrapertosa *PZ* ..... 77 F 30
Pietraperzia *EN*...... 103 O 24
Pietraporzio *CN*...... 34 I 3
Pietraroia *BN*......... 65 R 25
Pietrarossa *CT*....... 104 P 25
Pietrarossa
  (Serbatoio di) *CT*... 104 O 25
Pietrarùbbia *PS*....... 45 K 19
Pietrasanta *LU*....... 38 K 12
Pietrasecca *AQ*....... 59 P 21
Pietrastornina *AV*.... 70 E 26
Pietravairano *CE*..... 65 S 24
Pietravecchia
  (Monte) *IM*....... 35 K 4
Pietre Nere (Punta) *FG*. 66 B 28
Pietrelcina *BN*....... 70 D 26
Pietretagliate *TP* .... 96 N 19
Pietri *AV*......... 71 E 27
Pietroso (Monte) *PA*.. 97 N 21
Pieve *BS*......... 23 E 14
Pieve a Nievole *PT*.... 39 K 14
Pieve a Salti *SI*...... 50 M 16
Pieve al Toppo *AR*.... 44 L 17
Pieve Albignola *PV*.... 28 G 8
Pieve d'Alpago *BL* ... 13 D 19
Pieve del Cairo *PV*... 28 G 8
Pieve del Pino *BO*.... 40 I 16
Pieve della Rosa *PG*... 45 L 18
Pieve di Bono *TN* ... 11 E 13
Pieve di Cadore *BL* ... 13 C 19
Pieve di Cagna *PS*... 45 K 19
Pieve di Cento *BO*.... 32 H 15
Pieve di Chio *AR*..... 50 L 17
Pieve di Compito *LU*.. 43 K 13
Pieve
  di Compresseto *PG*. 51 M 20
Pieve di Coriano *MN*.. 31 G 15
Pieve di Gusaliggio *PR*. 30 I 11
Pieve di Livinallongo *BL*. 4 C 17
Pieve di Marebbe /
  Plaiken *BZ*......... 4 B 17
Pieve di Monti *MS* ... 38 J 12
Pieve di Rigutino *AR*... 45 L 17
Pieve di Soligo *TV* ... 13 E 18
Pieve di Teco *IM* .... 35 J 5
Pieve d'Olmi *CR*..... 30 G 12
Pieve Emanuele *MI* ... 21 F 9
Pieve Fosciana *LU* ... 38 J 13
Pieve Ligure *GE* .... 37 I 9
Pieve Porto Morone *PV*. 29 G 10
Pieve S. Giacomo *CR*.. 30 G 12
Pieve S. Giovanni *AR*.. 44 L 17
Pieve S. Nicolò *PG* ... 51 M 19
Pieve S. Vicenzo *RE*.. 38 I 12
Pieve Sto Stefano *AR*.. 45 K 18
Pieve Tesino *TN* ..... 12 D 16
Pieve Torina *MC* ..... 52 M 21
Pieve Trebbio *MO* ... 39 I 14
Pieve Vecchia *AR*..... 50 M 17
Pieve Vergonte *VB*.... 8 D 6
Pievebovigliana *MC* .. 52 M 21
Pievefavera
  (Lago di) *MC* ..... 52 M 21
Pieveottoville *PR* .... 30 G 12
Pievepelago *MO*...... 39 J 13
Pievescola *SI*......... 49 M 15
Pievetta *CN*......... 35 J 6

Pievetta e
  Bosco Tosca **PC**...... 29 G 10
Pigazzano **PC** .... 29 H 10
Piglio **FR** .... 63 Q 21
Pigna **IM** .... 35 K 4
Pignataro Interamna **FR**. 64 R 23
Pignataro Maggiore **CE**. 69 D 24
Pignola **PZ** .... 76 F 29
Pignone **SP**.............. 37 J 11
Pigra **CO** .... 9 E 9
Pila **AO**.................. 18 E 3
Pila **PG** .... 51 M 18
Pila **RO**................. 33 H 19
Pila (La) **LI**.............. 48 N 12
Pilastrello **FE** .... 32 H 15
Pilastrello **PR** .... 30 H 13
Pilastri **FE** .... 31 H 15
Pilastrino **BO**........... 39 I 15
Pilastro **MN**............. 31 G 13
Pilastro **PR** .... 30 H 12
Pilato (Monte) **PZ**....... 77 F 29
Pillaz **AO** .... 19 F 5
Pilli (Fattoria) **OR** ...... 114 G 7
Pillonis (Is) **CI**.......... 120 K 7
Pilo (Stagno di) **SS**...... 110 E 6
Pilosu (Monte) **SS**...... 111 E 8
Pilzone **BS**.............. 22 E 12
Pimentel **CA**............. 119 I 9
Piminoro **RC**............ 91 M 30
Pinarella **RA** .... 41 J 19
Pinarolo Po **PV** .... 29 G 9
Pinasca **TO** .... 26 H 3
Pincara **RO**.............. 32 H 16
Pinerolo **TO**............. 26 H 3
Pineta Grande **CE**....... 69 D 24
Pineta Mare **CE**....... 69 E 23
Pineto **TE**............... 60 O 24
Pineto (Bosco il) **TA**... 78 F 32
Piniteddu (Monte) **CT**. 100 N 27
Pino Grande **KR** ...... 87 J 32
Pino Lago Maggiore **VA**. 8 D 8
Pino (Porto) **CI**....... 120 K 7
Pino Torinese **TO** ...... 27 G 5
Pinocchio **AN**........... 47 L 22
Pinu (Monte) **OT**..... 109 E 10
Pinzano
  al Tagliamento **PN**.. 14 D 20
Pinzolo **TN**.............. 11 D 14
Pio XI (Rifugio) **BZ** ..... 2 B 14
Piobbico **PS** .... 45 L 19
Piobesi Torinese **TO** .... 27 H 4
Piode **VC**................ 19 E 6
Pioltello **MI**.............. 21 F 9
Pioltone (Pizzo) **VB** ..... 7 D 6
Piombino **LI**............. 48 N 13
Piombino (Canale di) **LI**. 48 N 13
Piombino Dese **PD** ..... 24 F 17
Piombino (Monte) **PA**.. 99 N 24
Piombo (Cala) **CA**..... 120 K 7
Piona (Abbazia di) **LC**... 9 D 9
Pione **PR** .... 29 I 10
Pioppa **MO**.............. 31 H 14
Pioppi **SA** .... 75 G 27
Pioppo **PA**............... 97 M 21
Pioraco **MC**.............. 52 M 20
Piosina **PG** .... 45 L 18
Piossasco **TO**............ 27 H 4
Piovà Massaia **AT**....... 27 G 6
Piovacqua (Masseria) **TA**. 80 F 33
Piove di Sacco **PD** ..... 24 G 18
Piovene Rocchette **VI**.. 24 E 16
Piovera **AL** .... 28 H 8
Pioverna **LC** .... 9 E 10
Piozzano **PC**............. 29 H 10
Piozzo **CN**............... 27 I 5
Pira (Cala) **CA**........ 119 J 10
Pira 'e Onni
  (Cantoniera) **OG**.... 116 G 10
Piraino **ME** .... 100 M 26
Piramide Vincent **VC**... 7 E 5
Piras **OT**............... 113 F 10
Pirazzolu **OT**........ 109 D 10
Piretto **CS** .... 85 I 30
Piroi (Monte su) **CA**... 119 I 10
Pirri **CA**................ 119 J 9
Pisa **PI** .... 42 K 13
Pisa (Certosa di) **PI**... 42 K 13
Pisa-Galileo Galilei
  (Aeroporto) **PI**....... 42 K 13
Pisanino (Monte) **LU**.. 38 J 12
Pisano **NO**.............. 20 E 7
Pisano (Monte) **LU**... 42 K 13
Pisanu Mele
  (Monte) **NU** .... 115 G 9
Piscicelli
  (Masseria) **FG**... 66 B 27
Piscina **TO**............. 26 H 4
Piscinasvicino
  a Guspini **VS**....... 118 I 7

Piscinas
  (vicino a Santadi) **CI**. 118 J 8
Piscinella (Masseria) **TA**. 73 E 33
Pisciotta **SA** .... 76 G 27
Piscopio **VV** .... 88 L 30
Piscu **CA** .... 119 I 9
Pisignano **RA**........... 41 J 18
Pisoniano **RM** .... 63 Q 20
Pisogne **BS**.............. 22 E 12
Pisterzo **LT** .... 63 R 21
Pisticci **MT** .... 78 F 31
Pisticci Scalo **MT**...... 78 F 31
Pistoia **PT** .... 39 K 14
Pistone (Monte) **SP**... 37 J 10
Pistrino **PG**............. 45 L 18
Pisucerbu
  (Brancu 'e) **OG**..... 117 G 10
Piteccio **PT**............. 39 J 14
Piteglio **PT** .... 39 J 14
Pitecchio **AN**........... 46 L 20
Pitigliano **GR**........... 57 O 16
Pitigliano **PG**........... 45 L 18
Pitino **MC**.............. 52 M 21
Pittada (Monte) **OR**.. 114 F 7
Pittu (Monte) **SS**...... 111 E 8
Pitursiddo (Cozzo) **CL**. 99 O 23
Pitziu **OR**.............. 115 G 8
Piubega **MN**............ 23 G 13
Piumazzo **MO** .... 31 I 15
Piuro **SO** .... 9 D 10
Pizzale **PV** .... 29 G 9
Pizziferro (Masseria) **TA**. 78 F 33
Pizzighettone **CR**....... 22 G 11
Pizzillo (Monte) **CT**... 100 N 27
Pizzini-Frattola (Rif.) **SO**. 11 C 13
Pizzo **VV** .... 88 K 30
Pizzo Alto (Rifugio) **LC**.. 9 D 10
Pizzo (Torre del) **LE**... 83 H 35
Pizzoc (Monte) **TV**... 13 D 19
Pizzocco (Monte) **BL**.. 12 D 18
Pizzocorno **PV**.......... 29 H 9
Pizzoferrato **CH**........ 65 Q 24
Pizzoferro
  Monsignore **TA**..... 73 E 32
Pizzolato **TP**............ 96 N 19
Pizzoli **AQ** .... 59 O 21
Pizzolungo **TP**.......... 96 M 19
Pizzone **IS**.............. 64 Q 24
Pizzoni **VV** .... 88 L 30
Pizzuto (Monte) **RI**... 58 O 20
Placanica **RC** .... 88 L 31
Place Moulin
  (Lago di) **AO**........... 7 E 4
Plaesano **RC**............ 88 L 30
Plätzwiesen /
  Prato Piazza **BZ**..... 4 C 18
Plaia (Capo) **PA**...... 99 M 23
Plaia (Lido di) **CT** ..... 105 O 27
Plaiken /
  Pieve di Marebbe **BZ**. 4 B 17
Plampincieux **AO**....... 6 E 2
Plan / Pfelders **BZ** ..... 3 B 15
Plan (Val di) **BZ**...... 3 B 15
Plan de Gralba /
  Kreuzboden **BZ**..... 4 C 17
Planaval (vicino
  a Courmayeur) **AO**... 18 E 3
Planaval (vicino
  a Leverogne) **AO**... 18 E 3
Planca di Sotto /
  Unterplanken **BZ**... 4 B 18
Plancios / Palmschoss **BZ**. 4 B 17
Planeil / Planol **BZ** ..... 2 B 13
Planol / Planeil **BZ**... 2 B 13
Plassas (Las) **VS**...... 118 H 8
Plataci **CS** .... 85 H 31
Platamona Lido **SS** .... 110 E 7
Platani **AG**.............. 98 N 23
Platania **CZ**.......... 86 J 30
Plateau Rosa **AO**...... 7 E 5
Platì **RC** .... 91 M 30
Platischis **UD** .... 15 C 22
Plauris (Monte) **UD** .. 14 C 21
Plaus **BZ** .... 3 C 15
Playa Grande **RG** .. 106 Q 25
Plesio **CO**............... 9 D 9
Ploaghe **SS**........... 111 F 8
Plodio **SV** .... 35 I 6
Plöckenpaß / Monte Croce
  Carnico (Passo di) **UD**. 5 C 20
Plose (Cima di) /
  Plose Bühel **BZ** ..... 4 B 17
Plugna **UD** .... 5 C 20
Po **CN**................. 26 H 3
Po Bandino **PG** .... 50 M 17
Po della Donzella
  o di Gnocca **FE**... 33 H 18
Po della Pila **RO**...... 33 H 19
Po della Pila
  (Bocche del) **RO**... 33 H 19
Po delle Tolle **RO** ..... 33 H 19

Po delle Tolle
  (Bocca del) **RO**...... 33 H 19
Po di Gnocca
  (Bocche del) **RO** .... 33 H 19
Po di Goro **RO**..... 33 H 18
Po di Goro
  (Bocca del) **RO**.... 33 H 19
Po di Levante **RO**.... 33 G 18
Po di Levante
  (Foce del) **RO**.... 33 G 19
Po di Maistra **RO**..... 33 H 19
Po di Maistra
  (Foce del) **RO**.... 33 G 19
Po di Venezia **RO**..... 33 H 19
Po di Volano **FE**..... 32 H 17
Pocapaglia **CN** .... 27 H 5
Pocenia **UD** .... 16 E 21
Pocol **BL** .... 4 C 18
Podenzana **MS** .... 38 J 11
Podenzano **PC** .... 29 H 11
Poderia **SA** .... 76 G 28
Poetto **CA**............ 119 J 9
Poffabro **PN** .... 13 D 20
Pofi **FR** .... 64 R 22
Poggetto **BO** .... 32 H 16
Poggi del Sasso **GR**... 50 N 15
Poggiardo **LE**......... 83 G 37
Poggibonsi **SI**......... 43 L 15
Poggio **BO** .... 40 I 16
Poggio **LI** .... 48 N 12
Poggio **LU**............ 38 J 13
Poggio **MC**............ 52 M 20
Poggio a Caiano **PO**... 39 K 15
Poggio alla Croce **FI**.. 44 L 16
Poggio alle Mura **SI**... 50 N 16
Poggio Aquilone **TR**... 51 N 18
Poggio Berni **RN**...... 41 J 19
Poggio Buco **GR**...... 57 O 16
Poggio Bustone **RI**... 58 O 20
Poggio Cancelli **AQ**... 59 O 21
Poggio Catino **RI**... 58 P 20
Poggio Cinolfo **AQ**... 59 P 21
Poggio d'Acona **AR**... 45 L 17
Poggio d'Api **AP**... 52 N 21
Poggio Filippo **AQ**... 59 P 22
Poggio Imperiale **FG**.. 66 B 28
Poggio Imperiale **FI**... 43 K 15
Poggio Mirteto **RI**... 58 P 20
Poggio Moiano **RI**... 58 P 20
Poggio Montone **TR**... 51 N 18
Poggio Murella **GR**... 50 N 16
Poggio Nativo **RI** ..... 58 P 20
Poggio Picenze **AQ**... 59 P 22
Poggio Primocaso **PG**. 52 N 20
Poggio Renatico **FE**... 32 H 16
Poggio Rusco **MN** ... 31 H 15
Poggio S. Polo **SI**... 44 L 16
Poggio S. Lorenzo **RI**. 58 P 20
Poggio S. Marcello **AN**. 46 L 21
Poggio S. Romualdo **AN**. 46 L 21
Poggio S. Vicino **MC**... 46 L 21
Poggio Sannita **IS**... 65 Q 25
Poggiodomo **PG**... 52 N 20
Poggioferro **GR**...... 50 N 16
Poggiofiorito **CH**... 60 P 24
Poggiola **AR**............ 44 L 17
Poggiomarino **NA** ... 70 E 25
Poggiomoretto **TE**... 53 N 23
Poggioreale **TP**...... 97 N 21
Poggioreale
  (Ruderi di) **TP**..... 97 N 21
Poggiorsini **BA**... 72 E 30
Poggiridenti **SO**... 10 D 11
Pognana Lario **CO**... 9 E 9
Pognano **BG**... 21 F 10
Pogno **NO**............. 20 E 7
Poiana Maggiore **VI**.. 24 G 16
Poira (Portella di) **PA**. 97 N 21
Poirino **TO**.............. 27 H 5
Polaveno **BS**... 22 F 12
Polcanto **FI**............ 40 K 16
Polcenigo **PN**... 13 D 19
Polenta **FO**............. 41 J 18
Polentes **BL**............ 13 D 18
Poleo **VI**............... 24 E 15
Polesella **RO**........... 32 H 17
Polesine (Isola di) **RO**. 33 H 19
Polesine (Località) **MN**. 31 H 14
Polesine Camerini **RO**. 33 H 19
Polesine Parmense **PR**. 30 G 12
Poli **RM** .... 63 Q 20
Policastro (Golfo di) **SA**. 84 G 28
Policastro
  Bussentino **SA**... 76 G 28
Policoro **MT** .... 78 G 32
Polignano **PC**... 30 G 11
Polignano a Mare **BA**.. 73 E 33
Polinago **MO**........... 39 I 14
Polino **TR** .... 58 O 20

Polino (Monte) **EN**.... 103 O 24
Polistena **RC**............ 88 L 30
Polizzello **CL** .... 99 O 23
Polizzi Generosa **PA** ... 99 N 23
Polizzo (Monte) **TP**... 97 N 20
Polla **SA** .... 76 F 28
Pollara **ME** .... 94 L 26
Pollastra **AL** .... 28 H 8
Pollena-Trocchia **NA**... 70 E 25
Pollenza **MC**........... 52 M 22
Pollenzo **CN**............ 27 H 5
Pollica **SA** .... 75 G 27
Pollina **PA** .... 99 N 24
Pollina (Fiume) **PA**... 99 N 24
Pollinara **CS** .... 85 H 31
Pollino **CS** .... 85 H 30
Pollino (Monte) **PZ**... 85 H 30
Pollino (Parco
  Nazionale di) **PZ**... 85 G 30
Pollone **BI**............... 19 F 5
Polluce (Masseria) **FG**.. 67 C 28
Pollutri **CH** .... 61 P 25
Polonghera **CN**......... 27 H 4
Polpenazze
  del Garda **BS** ..... 22 F 13
Polpet **BL** .... 13 D 18
Polsa **TN** .... 23 E 14
Polsi (Santuario di) **RC**. 91 M 29
Poltu Quatu **OT**... 109 D 10
Poludnig (Monte) **UD**.. 15 C 22
Polvano **AR** .... 45 L 18
Polveraia **GR** .... 50 N 15
Polveraia (Punta) **LI**.. 48 N 12
Polveraia **PD** .... 24 G 17
Polverello **ME** .... 100 N 26
Polverigi **AN**............ 47 L 22
Polverina **AP** .... 52 N 22
Polverina **MC**........... 52 M 21
Polverina (Lago di) **MC**. 52 M 21
Polvese (Isola) **PG**... 51 M 18
Polvica Tramonti **SA**.. 75 E 25
Poma (Lago) **PA**... 97 N 21
Poma (Passo di) **BZ**... 4 C 17
Pomaia **PI** .... 43 L 13
Pomarance **PI** .... 49 M 14
Pomarico **MT**........... 78 F 31
Pomaro Monferrato **AL**. 28 G 7
Pombia **NO**............. 20 F 7
Pometo **PV**............. 29 H 9
Pomezia **RM**............ 62 Q 19
Pomiere (Monte) **ME**.. 100 N 25
Pomigliano d'Arco **NA**. 70 E 25
Pomino **FI**............... 40 K 16
Pomone **BL** .... 13 D 18
Pomonte **GR** .... 56 O 16
Pomonte **LI**............. 48 N 12
Pompagnano **PG**... 51 N 20
Pompei **NA**............. 75 E 25
Pompei Scavi **NA**... 74 E 25
Pompeiana **IM** .... 35 K 5
Pompiano **BS** .... 22 F 11
Pomponesco **MN**... 31 H 13
Pomposa
  (Abbazia di) **FE** ... 33 H 18
Pompu **OR** .... 118 H 8
Pomonte **PR**... 29 I 10
Poncarale **BS**........... 22 F 12
Ponente (Capo) **AG**.. 102 U 19
Ponente (Riviera di) **IM**. 36 K 6
Ponsacco **PI** .... 43 L 13
Ponsano **PI** .... 43 L 14
Ponso **PD** .... 24 G 16
Pont **AO**................. 18 F 3
Pont Canavese **TO**... 19 F 4
Pont-St. Martin **AO**... 19 F 5
Pontassieve **FI**... 44 K 16
Pontboset **AO**... 19 F 5
Ponte **TP**................ 96 N 19
Ponte **UD**............... 14 C 21
Ponte **BN**............... 70 D 26
Ponte **CE**............... 64 S 23
Ponte Rizzoli **BO**... 40 I 16
Ponte a Cappiano **FI**.. 43 K 14
Ponte a Egola **PI**... 43 K 14
Ponte a Elsa **PI**... 43 K 14
Ponte a Moriano **LU**.. 39 K 13
Ponte agli Stolli **FI**... 44 L 16
Ponte Arche **TN**... 11 D 14
Ponte Barizzo **SA**... 75 F 27
Ponte Biferchia **BN**... 70 D 25
Ponte Buggianese **PT**. 39 K 14
Ponte Buriano **AR**... 44 L 17
Ponte Caffaro **BS** ... 23 E 13
Ponte Cappuccini **PS**.. 41 K 19
Ponte Centesimo **PG**. 51 M 20
Ponte d. Valle **FI**... 40 J 17
Ponte d'Arbia **SI**... 50 M 16
Ponte d'Assi **PG**... 51 M 19
Ponte della Venturina **PT**. 39 J 14
Ponte dell'Olio **PC**... 29 H 10
Ponte di Barbarano **VI**. 24 F 16
Ponte di Brenta **PD**... 24 F 17

Ponte di Ferro **PG**..... 51 N 19
Ponte di Ghiaccio
  (Passo) **BZ**......... 4 B 17
Ponte di Legno **BS**.... 10 D 13
Ponte di Masino **FI** ... 43 K 14
Ponte di Nava **CN**..... 35 J 5
Ponte di Piave **TV**.... 16 E 19
Ponte di Samone **MO**. 39 I 14
Ponte di Turbigo **NO**.. 20 F 8
Ponte di Verzuno **BO**. 39 J 15
Ponte Erro **AL** .... 28 I 7
Ponte Ete **AP** .... 53 M 23
Ponte Felcino **PG**... 51 M 19
Ponte Fontanelle
  (Lago di) **PG** ..... 77 F 29
Ponte Galeria **RM**... 62 Q 19
Ponte Gardena /
  Waidbruck **BZ**... 3 C 16
Ponte in Valtellina **SO**. 10 D 11
Ponte Lambro **CO**... 21 E 9
Ponte Ludovico **IM**... 35 K 4
Ponte Marmora **CN**... 26 I 3
Ponte Messa **PS**... 41 K 18
Ponte nelle Alpi **BL**... 13 D 18
Ponte Nizza **PV**... 29 H 9
Ponte Nossa **BG**... 10 E 11
Ponte Nova /
  Birchabruck **BZ**... 12 C 16
Ponte Nuovo **MC**... 52 N 21
Ponte Nuovo **PG**... 51 M 19
Ponte Nuovo **PT**... 39 K 14
Ponte Pattoli **PG**... 51 M 19
Ponte Rio **AN**... 46 K 21
Ponte Ronca **BO**... 31 I 15
Ponte Samoggia **BO**.. 31 I 15
Ponte S. Giovanni **PG**.. 51 M 19
Ponte S. Marco **BS**... 22 F 13
Ponte S. Nicolò **PD**... 24 F 17
Ponte S. Pellegrino **MO**. 31 H 15
Ponte S. Pietro **BG**... 21 E 10
Ponte Taro **PR**... 30 H 12
Ponte 13 Archi **FG**... 66 C 26
Ponte Tresa **VA**... 8 E 8
Pontebba **UD** .... 15 C 21
Pontecagnano **SA**... 75 F 26
Pontecasale **PD**... 25 G 17
Pontecchio Polesine **RO**. 32 G 17
Ponteceno
  (vicino
  a Bedonia) **PR**... 29 I 10
Pontechianale **CN**... 26 I 3
Pontechiusita **MC**... 52 N 20
Pontecorvo **FR**... 64 R 23
Pontecurone **AL**... 28 H 8
Pontedassio **IM**... 35 K 6
Pontedazzo **PS**... 46 L 19
Pontedecimo **GE**... 28 I 8
Pontedera **PI**... 43 L 13
Ponteginori **PI**... 49 L 14
Pontegrande **CZ**... 89 K 31
Pontegrande **VB**... 7 E 6
Pontegrosso **PR**... 30 H 11
Pontenure **PC**... 30 H 11
Pontepetri **PT**... 39 J 14
Ponteranica **BG**... 21 E 11
Ponteranica (Pizzo) **BG**. 9 D 10
Pontericcioli **PS**... 46 L 19
Ponterio **AR**... 44 L 17
Pontestrambo **PR**... 37 I 10
Pontestura **AL**... 20 G 7
Pontevico **BS**... 22 G 12
Pontey **AO**... 19 E 4
Ponti **AL**... 28 I 7
Ponti di Spagna **FE**... 32 H 16
Ponti sul Mincio **MN**.. 23 F 14
Ponticelli **BO**... 40 J 16
Ponticelli **RI**... 58 P 20
Ponticello / Brückele **BZ**. 4 B 18
Ponticino /
  Bundschen **BZ**... 3 C 16
Pontida **BG**... 21 E 10
Pontinia **LT**... 63 R 21
Pontinvrea **SV**... 36 I 7
Pontirolo Nuovo **BG**... 21 F 10
Pontoglio **BS**... 22 F 11
Pontorme **FI**... 43 K 14
Pontremoli **MS**... 38 I 11
Ponzalla **FI**... 40 J 16
Ponzano **TE**... 53 N 23
Ponzano di Fermo **AP**. 53 M 22
Ponzano Monferrato **AL**. 28 G 6
Ponzano Romano **RM** . 58 P 19

Ponzano Veneto **TV** ... 25 E 18
Ponze **PG** .... 52 N 20
Ponzone **BI**............... 19 F 6
Ponzone **AL**............. 28 I 7
Popelli **RC**............... 88 L 31
Popiglio **PT**.............. 39 J 14
Popoli **PE** .... 60 P 23
Poppi **AR**................ 44 K 17
Porano **TR**............... 51 N 18
Porassey **AO**............ 18 E 2
Porcari **LU**.............. 39 K 13
Porcellengo **TV**......... 25 E 18
Porchette (Foce di) **LU**. 38 J 13
Porchia **AP**.............. 53 N 22
Porchiano **AP**.......... 53 N 22
Porchiano **TR**.......... 58 O 19
Porcia **PN** .... 13 E 19
Porciano **AR**............ 40 K 17
Porcile (Monte) **SP**... 37 I 10
Porco (Ponte del) **FG**.. 66 B 27
Pordenone **PN** .... 13 E 20
Pordenone (Rifugio) **PN**. 13 C 19
Pordoi (Passo) **BL**... 4 C 17
Poreta S. Giacomo **PG**. 52 N 20
Porlezza **CO**............. 9 D 9
Pornassio **IM** .... 35 J 5
Pornello **TR** .... 51 N 18
Poro (Monte) **VV** ..... 88 L 29
Porotto-Cassana **FE**... 32 H 16
Porpetto **UD**............ 17 E 21
Porretta Terme **BO**... 39 J 14
Porri (Isola dei) **SS**... 110 E 6
Porro **BZ**................ 4 B 17
Porro (Rifugio) **SO**... 10 D 11
Portacomaro **AT**... 28 H 6
Portalbera **PV**... 29 G 9
Portaria **TR**... 58 O 19
Portatore **LT**... 63 S 21
Porte **TO**... 26 H 3
Portegrandi **VE**... 16 F 19
Portella **EN**... 100 N 25
Portella (Passo di) **GE**.. 29 I 9
Portese **BS**... 23 F 13
Porticelle Soprane **CT**. 100 N 26
Porticello **PA**... 98 M 22
Porticello-Sta Trada **RC**. 90 M 29
Portici **NA**... 69 E 25
Portico di Caserta **CE**.. 69 D 24
Portico di Romagna **FO**. 40 J 17
Portigliola **RC**... 91 M 30
Portiglione **GR**... 49 N 14
Portile **MO**... 31 I 14
Portio **SV**... 36 J 7
Portiolo **MN**... 31 G 14
Portis **UD**... 14 C 21
Portisco **OT**... 109 D 10
Portixeddu **CI**... 118 I 7
Porto **PG**... 50 M 17
Porto Alabe **OR**... 114 G 7
Porto Azzurro **LI**... 48 N 13
Porto Badino **LT**... 63 S 21
Porto Badisco **LE**... 83 G 37
Porto Botte **CI**... 120 J 7
Porto Botte
  (Stagno di) **CA**... 120 J 7
Porto Ceresio **VA**... 8 E 8
Porto Cervo **OT**... 109 D 10
Porto Cesareo **LE**... 79 G 35
Porto Conte **SS**... 110 F 6
Porto Corsini **RA**... 33 I 18
Porto d'Ascoli **AP**... 53 N 23
Porto di Falconera **VE**. 16 F 20
Porto di Levante **ME**.. 94 L 26
Porto di Maratea **PZ**... 84 H 29
Porto di Ponente **ME**.. 94 L 26
Porto di Vasto **CH**... 61 P 26
Porto Empedocle **AG**. 102 P 22
Porto Ercole **GR**... 55 O 15
Porto Fuori **RA**... 41 I 18
Porto Garibaldi **FE**... 33 H 18
Porto Istana **OT**... 113 E 10
Porto Levante **RO**... 33 G 19
Porto Mandriola **OR**.. 114 G 7
Porto Mantovano **MN**. 23 G 14
Porto Marghera **VE**... 25 F 18
Porto Maurizio **IM**... 35 K 6
Porto Nogaro **UD**... 17 E 21
Porto Palma **VS**... 118 H 7
Porto Palo **AG**... 97 O 20
Porto Pino **CI**... 120 K 7
Porto
  Potenza Picena **MC**. 47 L 23
Porto Pozzo **OT**... 109 D 9
Porto Raphael **OT**... 109 D 10
Porto Recanati **MC**... 47 L 22
Porto Rotondo **OT**... 109 D 10
Porto S. Paolo **OT**... 113 E 10
Porto S. Elpidio **AP**... 53 M 23
Porto S. Giorgio **AP**... 53 M 23
Porto
  Sta Margherita **VE**. 16 F 20

A B C D E F G H I J K L M N O P Q R S T U V W X Y Z

Porto Sto Stefano GR .. 55 O 15
Porto Tolle RO .... 33 H 18
Porto Torres SS ...... 110 E 7
Porto Tricase LE .... 83 H 37
Porto Valtravaglia VA ... 8 E 8
Porto Viro RO .... 33 G 18
Portobello di Gallura OT .109 D 9
Portobuffolé TV ... 13 E 19
Portocannone CB ... 66 B 27
Portoferraio LI ... 48 N 12
Portofino GE ...... 37 J 9
Portofino
 (Penisola di) GE ... 37 J 9
Portofino Vetta GE .. 37 J 9
Portogreco FG ... 67 B 30
Portogruaro VE ... 16 E 20
Portole AR 51M 18
Portomaggiore FE ... 32 H 17
Portonovo AN .... 47 L 22
Portonovo BO ... 32 I 17
Portopalo di Capo
 Passero SR ... 107 Q 27
Portoscuso CI ... 118 J 7
Portovenere SP ... 38 J 11
Portoverrara FE ... 32 H 17
Portovesme CI ... 118 J 7
Porziano PG ... 51M 19
Posada NU ... 113 F 11
Posada (Fiume di) NU. 113 F 11
Posada (Lago di) NU .. 113 F 11
Poscante BG ... 21 E 11
Posillesi TP ... 97 N 20
Posillipo NA ... 69 E 24
Posina VI ... 23 E 15
Positano SA ... 74 F 25
Possagno TV ... 12 E 17
Possidente PZ ... 71 E 29
Posta RI ... 59 O 21
Posta Fibreno FR ... 64 Q 23
Postal / Burgstall BZ ... 3 C 15
Postalesio SO ... 10 D 11
Postiglione SA ... 76 F 27
Postioma TV ... 25 E 18
Postua VC ... 20 E 6
Potame CS ... 86 J 30
Potenza PZ ... 76 F 29
Potenza
 (Macerata) MC ... 52M 21
Potenza Picena MC ... 47 L 22
Poti (Alpe di) AR ... 45 L 17
Pottu Codinu
 (Necropoli di) SS... 110 F 7
Pove del Grappa VI... 24 E 17
Povegliano TV ... 25 E 18
Povegliano Veronese VR. 23 F 14
Poverella CS ... 86 J 31
Poverello (Monte) ME . 90M 28
Poviglio RE ... 31 H 13
Povolaro VI ... 24 F 16
Povoletto UD ... 15 D 21
Poza CE ... 64 S 24
Pozza MO ... 31 I 14
Pozza di Fassa TN... 12 C 17
Pozzaglia Sabino RI ... 58 P 20
Pozzaglio ed Uniti CR.. 22 G 12
Pozzale FI ... 43 K 14
Pozzallo RG ... 107 Q 26
Pozzella (Torre) BR ... 80 E 35
Pozzengo AL ... 28 G 6
Pozzilli IS ... 64 R 24
Pozzillo CT ... 101 O 27
Pozzillo (Lago) EN ... 100 O 25
Pozzillo (Monte) AG . 103 P 23
Pozzo AL ... 27 G 6
Pozzo AR ... 50M 17
Pozzo Guacito BR ... 80 E 34
Pozzo Salerno TA ... 80 F 34
Pozzo S. Nicola SS ... 110 E 6
Pozzo Terraneo FG ... 71 D 29
Pozzo (vicino a
 Pasiano di P) PN... 16 E 19
Pozzo (vicino
 a Provesano) PN.... 14 D 20
Pozzol-Groppo AL ... 29 H 9
Pozzolengo BS ... 23 F 13
Pozzoleone VI ... 24 F 17
Pozzolo MN ... 23 G 14
Pozzolo Formigaro AL . 28 H 8
Pozzomaggiore SS ... 115 F 7
Pozzoni (Monte) RI ... 52 O 21
Pozzonovo PD ... 24 G 17
Pozzuoli NA ... 69 E 24
Pozzuolo PG ... 50M 17
Pozzuolo del Friuli UD. 17 E 21
Pozzuolo Martesana MI.. 21 F 10
Prà GE ... 36 I 8
Pra Campo SO.... 10 D 12
Pracchia PT ... 39 J 14
Pracchiola MS ... 38 I 11
Prad am Stilfserjoch /
 Prato allo Stelvio BZ .. 2 C 13
Prada VR ... 23 E 14

Pradalunga BG........ 22 E 11
Pradamano UD........ 15 D 21
Pradarena (Passo di) LU. 38 J 12
Prade TN............ 12 D 17
Pradello MN.......... 31 G 14
Pradeltorno TO....... 26 H 3
Pradidali (Rifugio) TN.. 12 D 17
Pradielis UD.......... 15 D 21
Pradipozzo VE......... 16 E 20
Pradleves CN.......... 34 I 3
Pradovera PC......... 29 H 10
Pragelato TO......... 26 G 2
Praglia GE........... 28 I 8
Praglia (Abbazia di) PD. 24 F 17
Prags / Braies BZ ..... 4 B 18
Pragser Wildsee /
 Braies (Lago di) BZ... 4 B 18
Praia a Mare CS....... 84 H 29
Praia a Mare TA....... 80 F 33
Praiano SA .... 75 F 25
Prainito (il) SR ..... 105 Q 26
Pralboino BS.......... 22 G 12
Prali TO .... 26 H 3
Pralungo BI .... 19 F 6
Pramaera OG......... 117 H 10
Pramaggiore VE....... 16 E 20
Pramaggiore
 (Monte) PN......... 13 C 19
Pramollo (Passo di) /
 Naßfeld-Paß UD..... 15 C 21
Pramper (Cima di) BL.. 13 D 18
Pramperet (Rifugio) BL. 13 D 18
Pranello PR .... 30 I 12
Prano (Monte) LU ... 38 K 13
Pranolz BL .... 13 D 18
Pranzo TN........... 11 E 14
Pranu Mutteddu CA ... 119 I 9
Prarayer AO.......... 7 E 4
Prascorsano TO ...... 19 F 4
Prastondu TO .... 19 F 4
Prata AV .... 70 E 26
Prata CN............ 49M 14
Prata Camportaccio SO.. 9 D 10
Prata d'Ansidonia AQ.. 59 P 22
Prata di Pordenone PN .. 13 E 19
Prata Sannita CE...... 65 R 24
Pratella CE .... 65 R 24
Pratello (Monte) AQ .. 64 Q 23
Prateria RC.......... 88 L 30
Prati (i) TR........... 58 O 20
Prati di Tivo TE...... 59 O 22
Prati / Wiesen BZ..... 3 B 16
Pratica di Mare RM ... 62 R 19
Pratieghi AR.......... 45 K 18
Prato PO .... 39 K 15
Prato GE .... 37 I 10
Prato RE .... 31 H 14
Prato TR .... 51 N 18
Prato (Monte) LU ... 38 J 13
Prato (Tempa del) SA . 76 F 27
Prato alla Drava /
 Winnebach BZ...... 4 B 19
Prato all'Isarco /
 Blumau BZ .... 3 C 16
Prato allo Stelvio / Prad am
 Stilser-joch BZ .... 2 C 13
Prato Carnico UD..... 5 C 20
Prato di Campoli FR .. 64 Q 22
Prato Nevoso CN..... 35 J 5
Prato Perillo SA...... 76 F 28
Prato Piazza /
 Plätzwiesen BZ...... 4 C 18
Prato Ranieri GR..... 49 N 14
Prato Selva TE....... 59 O 22
Prato Sopralacroce GE. 37 I 10
Pratobello NU........ 115 G 9
Pratobotrile TO...... 18 G 3
Pratola Peligna AQ... 60 P 23
Pratola Serra AV...... 70 E 26
Pratolino FI .... 40 K 15
Pratomagno AR ..... 44 K 16
Pratomedici MS ..... 38 J 12
Pratorsi PT .... 39 J 14
Pratovecchio AR..... 44 K 17
Pravisdomini PN...... 16 E 20
Pray BI .... 20 E 6
Praz AO............. 7 E 4
Pré de Bar AO ...... 6 E 3
Pré-St. Didier AO .... 18 E 2
Precenicco UD .... 16 E 21
Preci PG............. 52 N 21
Preda Rossa SO........ 9 D 11
Preda (Val) AQ...... 59 O 22
Predappio FO .... 40 J 17
Predappio Alta FO.... 40 J 17
Predazzo TN .... 12 D 16

Predel / Predil
 (Passo del) UD...... 15 C 22
Prediera RE .... 31 I 13
Predil (Lago del) UD... 15 C 22
Predil (Passo del) /
 Predel UD.......... 15 C 22
Predoi / Prettau BZ.... 4 A 18
Predoi (Pizzo Rosso di) /
 Rötspitze BZ .... 4 A 18
Predonico / Perdonig BZ. 3 C 15
Predore BG.......... 22 E 12
Predosa AL.......... 28 H 7
Preganziol TV .... 25 F 18
Preggio PG........... 51M 18
Preglia VB........... 8 D 7
Pregnana Milanese MI. 21 F 9
Preit CN............. 26 I 3
Prelà IM............ 35 K 5
Prelerna PR .... 30 I 11
Premana LC .... 9 D 10
Premariacco UD...... 15 D 22
Premeno VB .... 8 E 7
Premia VB........... 8 D 7
Premilcuore FO ..... 40 K 17
Premosello VB ...... 8 D 7
Prena (Monte) TE.... 59 O 23
Prenestini (Monti) RM . 63 Q 20
Preola (Lago di) TP.... 96 O 19
Preone UD........... 14 C 20
Prepotto UD .... 15 D 22
Presa (Isola la) OT..... 109 D 10
Presanella (Cima) TN .. 11 D 13
Presciano RM .... 63 R 20
Preseglie BS.......... 22 E 13
Preselle GR.......... 49 N 15
Presenzano CE ...... 64 R 24
Presicce LE.......... 83 H 36
Presolana
 (Passo della) BG ... 10 E 12
Presolana
 (Pizzo della) BG..... 10 E 12
Pressana VR.......... 24 G 16
Presta (Forca di) AP... 52 N 21
Prestianni CL .... 103 O 24
Prestone SO.......... 9 C 10
Preta CE............ 64 S 24
Pretara TE........... 59 O 22
Pretare AP........... 52 N 21
Preti (Cima dei) PN ... 13 C 19
Pretoro CH .... 60 P 24
Prettau / Predoi BZ.... 4 A 18
Prevalle BS........... 22 F 13
Prezza AQ........... 60 P 23
Priabona VI .... 24 F 16
Priatu OT............ 109 E 9
Priero CN............ 35 I 6
Prignano Cilento SA .. 75 G 27
Prignano
 sulla Secchia MO ... 39 I 14
Prima Porta RM ...... 58 P 19
Primaluna LC .... 9 E 10
Primero (Bocca di) GO. 17 E 22
Primolano VI .... 12 E 17
Primolo SO.......... 10 D 11
Principe (Monte) /
 Hoherfirst BZ........ 3 B 15
Principina a Mare GR.. 49 N 15
Priocca d'Alba CN .... 27 H 6
Priola CN............ 35 J 6
Priola (Punta di) PA... 98 M 22
Priolo Gargallo SR... 105 P 27
Priora (Monte) AP.... 52 N 21
Prisdarella RC .... 88 L 31
Priverno LT.......... 63 R 21
Prizzi PA .... 98 N 22
Prizzi (Lago di) PA .... 98 N 22
Procchio LI.......... 48 N 12
Proceno VT.......... 50 N 17
Procida NA.......... 74 E 24
Procida (Canale di) NA. 69 E 24
Procida (Isola di) NA.. 74 E 24
Prodo TR............ 51 N 18
Progno VR........... 23 F 14
Promano PG......... 45 L 18
Propata GE.......... 29 I 9
Prosciutto (Punta) LE . 79 G 35
Prosecco TS.......... 17 E 23
Prossedi LT.......... 63 R 21
Provaglio d'Iseo BS... 22 F 12
Provaglio Val Sabbia BS. 22 E 13
Provagna BL .... 13 D 18
Provazzano PR ...... 30 I 13
Proveis / Pròves BZ... 3 C 15
Pròves / Proveis BZ... 3 C 15
Provesano PN........ 14 D 20
Provonda TO......... 26 G 3
Provvidenti CB ...... 65 Q 26
Prudenzini (Rifugio) BS. 10 D 13
Prun VR............. 23 F 14

Pruna (Punta sa) NU... 117 G 10
Pruna (Sa) NU .... 115 G 9
Prunella RC .... 90 N 29
Prunetta PT .... 39 J 14
Prunetto CN.......... 27 I 6
Pruno LU .... 38 J 12
Pruno (Poggio al) PI .. 49M 14
Pucciarelli PG 51M 18
Pudiano BS .... 22 F 12
Puegnago sul Garda BS. 22 F 13
Puez (Rifugio) BZ..... 4 C 17
Puglianello BN ...... 70 D 25
Pugnochiuso FG ..... 67 B 30
Puia PN .... 13 E 19
Puianello RE .... 31 I 13
Pula CA .... 121 J 9
Pula (Capo di) CA.... 121 J 9
Pulfero UD .... 15 D 22
Pulicciano AR .... 44 L 16
Pullir BL .... 12 D 17
Pulsano TA .... 79 F 34
Pulsano
 (Santuario di) FG ... 67 B 29
Pumenengo BG ...... 22 F 11
Punta Ala SA......... 49 N 14
Punta Braccetto RG.. 106 Q 25
Punta del Lago VT.... 57 P 18
Punta Gennarta
 (Lago) CI............ 118 I 7
Punta Marina RA .... 41 I 18
Punta Sabbioni VE ... 16 F 19
Punta Secca RG...... 106 Q 25
Puntalazzo CT....... 101 N 27
Puntazza (Capo) TP... 97M 20
Puos d'Alpago BL.... 13 D 18
Pura (Passo di) UD.... 13 C 20
Puranno (Monte) PG.. 52 N 20
Purgatorio TP........ 97M 20
Pusiano CO .... 21 E 9
Pusiano (Lago di) LC... 21 E 9
Pusteria (Val) BZ..... 4 B 17
Putia (Sass de) BZ .... 4 C 17
Putifigari SS......... 110 F 7
Putignano BA .... 73 E 33
Putignano (Grotta di) BA. 73 E 33
Putzu Idu OR........ 114 G 7
Puzzillo (Monte) AQ .. 59 P 22

Quaderna BO .... 32 I 16
Quaderni VR .... 23 G 14
Quadri CH........... 65 Q 24
Quadro (Pizzo) SO.... 9 C 9
Quaglietta AV .... 71 E 27
Quaglio RG .... 104 P 25
Quáira (Lago di) BZ... 3 C 14
Qualiano NA .... 69 E 24
Qualso UD .... 15 D 21
Quara RE............ 38 I 13
Quaranta SI .... 50 N 16
Quarantoli MO....... 31 H 15
Quargnento AL....... 28 H 7
Quarna VB .... 8 E 7
Quarnan (Rifugio) UD . 14 D 21
Quarona VC .... 20 E 6
Quarrata PT .... 39 K 14
Quarta (Serra del) CT.. 100 N 26
Quartaia SI .... 43 L 15
Quartesana FE....... 32 H 17
Quartiere Paolo VI TA.. 79 F 33
Quarto FO .... 41 K 18
Quarto NA .... 69 E 24
Quarto PC........... 29 G 11
Quarto (Lago di) FO .. 41 K 18
Quarto d'Altino VE ... 25 F 19
Quarto Inferiore AT... 28 H 6
Quarto Inferiore BO .. 32 I 16
Quartu (Golfo di) CA.. 119 J 9
Quartu S. Elena CA ... 119 J 9
Quartucciu CA ...... 119 J 9
Quasano BA......... 73 E 31
Quattordio AL....... 28 H 7
Quattro Castella RE... 30 I 13
Quattrocase MN...... 31 H 15
Quattropani ME ..... 94 L 26
Quattrostrade GR.... 55 O 15
Quattroventi CE ..... 65 R 24
Querce al Pino SI 50M 17
Quercegrossa SI ..... 44 L 15
Querceta LU......... 38 K 12
Quercia del Monaco
 (Passo della) FR.... 64 R 22
Quercianella LI....... 42 L 13
Querciola BO........ 39 J 14
Quero BL............ 12 E 17
Quezzi GE........... 36 I 8
Quiesa LU .... 38 K 13
Quiliano SV .... 36 J 7
Quincinetto TO...... 19 F 5
Quindici AV .... 70 E 25

Quingentole MN ..... 31 G 15
Quinto al Mare GE.... 36 I 8
5}o Alpini (Rifugio) SO.. 2 C 13
Quinto di Treviso TV.. 25 F 18
Quinto di Valpantena VR. 23 F 15
Quinto Vercellese VC.. 20 F 7
Quinto Vicentino VI .. 24 F 16
Quinzano d'Oglio BS .. 22 G 12
Quirra CA .... 119 I 10
Quirra (Isola di) CA... 119 I 10
Quirra (Rio de) OG.... 119 H 10
Quistello MN........ 31 G 14

Rabbi TN............ 11 C 14
Rabbi (Fiume) FO..... 40 K 17
Rabbi (Val di) TN .... 11 C 14
Rabbini PC........... 29 H 11
Rabenstein / Corvara BZ. 3 B 15
Racale LE .... 83 H 36
Racalmuto AG....... 103 O 23
Raccolana
 (Canale di) UD...... 15 C 22
Racconigi CN........ 27 H 5
Raccuja ME.......... 100M 26
Racines / Ratschings BZ. 3 B 16
Racines (Val di) BZ.... 3 B 15
Radda in Chianti SI ... 44 L 16
Raddusa CT .... 104 O 25
Radein / Redagno BZ.. 12 C 16
Radi SI 50M 16
Radici (Passo delle) LU. 38 J 13
Radicofani SI .... 50 N 17
Radicondoli SI....... 49M 15
Radogna FG......... 71 D 28
Radsberg /
 Monte Rota BZ ..... 4 B 18
Raffadali AG......... 102 O 22
Ragada TN .... 11 D 13
Ragagna CT.......... 100 O 26
Raganello CS .... 85 H 30
Ragazzola PR........ 30 G 12
Raggiolo
 (Ortignano-) AR .... 44 K 17
Ragola (Monte) PR ... 29 I 10
Ragoli TN .... 11 D 14
Ragusa RG.......... 104 Q 26
Raia (Monte) SA ..... 75 E 26
Raialunga (Monte) SA . 76 G 28
Raiamagra (Monte) AV. 71 E 27
Raiano AQ .... 60 P 23
Rain in Taufers /
 Riva di Tures BZ .... 4 B 18
Raisi (Punta) PA 97M 21
Raisigerbi (Capo) PA.. 99M 24
Raldon VR .... 23 F 15
Ram (Capo) PA 97M 21
Rama (Capo) PA 97M 21
Ramacca CT......... 104 O 26
Ramaceto (Monte) GE. 37 I 9
Ramière (Punta) TO... 26 H 2
Ramilia (Case) CL .... 103 O 23
Ramiseto RE .... 38 I 12
Ramon TN .... 24 E 17
Ramponio CO .... 9 E 9
Ramundo CS .... 87 J 31
Rancale PG.......... 51M 19
Ranchio FO .... 41 K 18
Rancia
 (Castello della) MC... 52M 22
Rancio Valcuvia VA .. 8 E 8
Ranco AR .... 45 L 18
Ranco VA .... 20 E 7
Randazzo CT........ 100 N 26
Rangona FE......... 32 H 16
Ranica BG........... 21 E 11
Ranzanico BG....... 22 E 11
Ranzano PR .... 38 I 12
Ranzo IM........... 35 J 6
Ranzo TN .... 11 D 14
Ranzola (Colle di) AO.. 19 E 5
Rapagnano AP 53M 22
Rapallo GE.......... 37 I 9
Raparo (Monte) PZ ... 77 G 29
Rapegna MC .... 52 N 21
Rapino CH .... 60 P 24
Rapolano Terme SI ... 50M 16
Rapolla PZ .... 71 E 28
Rapone PZ .... 71 E 28
Rasciasa BZ .... 4 C 16
Rascino (Lago) RI..... 59 O 21
Rasenna MC......... 52 N 20
Rasiglia PG .... 52 N 20
Rasocolmo (Capo) ME. 90M 28
Raspollino
 (Padule di) GR...... 49 N 15
Rassa VC .... 19 E 6
Rassina AR .... 44 L 17
Rastrello
 (Valico del) SP....... 37 J 11

Rasu (Monte) OG..... 119 I 10
Rasu (Monte) SS...... 115 F 9
Rasun-Anterselva /
 Rasen-Antholz BZ.... 4 B 18
Rasura SO........... 9 D 10
Raticosa (Passo della) FI. 40 J 16
Ratschings / Racines BZ. 3 B 16
Rattisio Nuovo /
 Neurateis BZ........ 3 B 14
Ratzes / Razzes BZ.... 3 C 16
Rauchkofel / Fumo
 (Monte) BZ......... 4 A 18
Rauscedo PN .... 13 D 20
Rauth / Novale BZ.... 12 C 16
Rava (Cimon) TN ..... 12 D 16
Ravadese PR .... 30 H 13
Ravagnese RC........ 90M 28
Ravalle FE........... 32 H 16
Ravanusa AG........ 103 P 23
Ravarano PR .... 30 I 12
Ravari (Bocca di) BO... 39 J 15
Ravarino MO........ 31 H 15
Ravascletto UD ...... 5 C 20
Ravello SA .... 75 F 25
Ravenna RA .... 41 I 18
Raveo UD .... 14 C 20
Ravi GR .... 49 N 14
Ravina TN .... 11 D 15
Raviscanina CE ..... 65 R 24
Razzà RC........... 91 N 30
Razzes / Ratzes BZ.... 3 C 16
Razzoli (Isola) SS..... 109 D 10
Razzuolo FI .... 40 J 16
Re (Serra del) CT..... 100 N 26
Re PV .... 29 G 9
Rea (Canale) BR..... 79 F 35
Reale (Canale) BR.... 79 F 35
Reale (Rada della) SS . 108 D 6
Realmonte AG....... 102 P 22
Reatini (Monti) RI.... 58 O 20
Rebeccu SS .... 115 F 8
Recanati MC........ 47 L 22
Recattivo (Portella) PA. 99 O 24
Recchio PR.......... 30 H 12
Recco GE........... 37 I 9
Recoaro Mille VI..... 23 E 15
Recoaro Terme VI ... 23 E 15
Recola MT.......... 78 G 31
Recovato MO........ 31 I 15
Reda RA .... 40 J 17
Redagno / Radein BZ.. 12 C 16
Redasco (Cime) SO ... 10 C 12
Redavalle PV .... 29 G 9
Redebus (Passo) TN .. 12 D 15
Redena FE .... 31 H 15
Redi Castello
 (Monte) TN........ 10 D 13
Redipuglia GO ...... 17 E 22
Redona PN.......... 13 D 20
Redondesco MN .... 30 G 13
Redone BS.......... 23 F 13
Refavaie TN .... 12 D 16
Refrancore AT ...... 28 H 7
Refrontolo TV ...... 13 E 18
Regalbuto EN ...... 100 O 25
Regalgioffoli PA ..... 98 N 22
Reggello FI.......... 44 K 16
Reggio di Calabria RC . 90M 28
Reggio nell'Emilia RE.. 31 H 13
Reggiolo RE .... 31 H 14
Regi Lagni NA ...... 70 E 25
Regina CS .... 85 I 30
Regina Elena
 (Canale) NO .... 20 F 7
Regnano MS .... 38 J 12
Regona CR.......... 22 G 11
Rei (Costa) CA....... 119 J 10
Reino BN........... 65 S 26
Reinswald /
 S. Martino BZ....... 3 B 16
Reischach /
 Riscone BZ......... 4 B 17
Reit (Cresta di) SO.... 2 C 13
Reitano ME.......... 99 N 25
Religione (Punta) RG . 106 Q 26
Remanzacco UD..... 15 D 21
Remedello Sopra BS.. 22 G 13
Remedello Sotto BS... 22 G 13
Remondò PV........ 20 G 8
Renaio LU.......... 39 J 13
Renate MI.......... 21 F 9
Renazzo FE......... 32 H 15
Rendale VI .... 12 E 16
Rende CS .... 86 J 30
Rendena (Valle) TN .. 11 D 14
Rendina (Lago di) PZ . 71 D 29
Rendinara AQ....... 64 Q 22
Renna (Monte) RG.... 106 Q 26

Renna (Monte) SR 105 Q 26
Renno MO 39 J 14
Reno PT 39 J 14
Reno VA 8 E 7
Reno (Foce del) RA 33 I 18
Reno Finalese MO 32 H 15
Renòn (Corno di) BZ 3 C 16
Renon / Ritten BZ 3 C 16
Reppia GE 37 I 10
Resana TV 24 F 17
Rescaldina MI 20 F 8
Resceto MS 38 J 12
Reschen / Resia BZ 2 B 13
Reschenpaß / Resia (Passo di) BZ 2 B 13
Reschensee / Resia (Lago di) BZ 2 B 13
Resettum (Monte) PN 13 D 19
Resia UD 15 C 21
Resia / Reschen BZ 2 B 13
Resia (Lago di) / Reschensee BZ 2 B 13
Resia (Passo di) / Reschenpaß BZ 2 B 13
Resia (Valle di) UD 15 C 21
Resiutta UD 15 C 21
Rest (Forcola di Monte) PN 13 C 20
Resta GR 49 N 14
Restinco (Masseria) BR 80 F 35
Resuttano CL 99 N 24
Resuttano CL 99 N 24
Retorbido PV 29 H 9
Revello CN 26 I 4
Reventino (Monte) CZ 86 J 30
Revere MN 31 G 15
Revine TV 13 D 18
Revò TN 11 C 15
Rezzanello PC 29 H 10
Rezzato BS 22 F 12
Rezzo IM 35 J 5
Rezzoaglio GE 29 I 10
Rhêmes-Notre Dame AO 18 F 3
Rhêmes-St. Georges AO 18 F 3
Rhêmes (Val di) AO 18 F 3
Rho MI 21 F 9
Riace RC 88 L 31
Riace Marina RC 89 L 31
Rialto SV 36 J 6
Riano RM 58 P 19
Riardo CE 65 S 24
Ribera AG 102 O 21
Ribolla GR 49 N 15
Ribordone TO 19 F 4
Ricadi VV 88 L 29
Ricaldone AL 28 H 7
Ricavo SI 43 L 15
Riccardina BO 32 I 16
Riccia CB 65 R 26
Riccio AR 50 M 18
Riccione RN 41 J 19
Riccò del Golfo di Spezia SP 38 J 11
Riccovolto MO 39 J 13
Ricengo CR 21 F 11
Ricetto RI 59 P 21
Ricigliano SA 76 E 28
Ridanna / Ridnaun BZ 3 B 15
Ridanna (Val) BZ 3 B 15
Ridnaun / Ridanna BZ 3 B 15
Ridotti (i) AQ 64 Q 22
Ridracoli FO 40 K 17
Ridracoli (Lago di) FO 40 K 17
Rienza BZ 4 B 17
Riepenspitze / Ripa (Monte) BZ 4 B 18
Ries (Vedrette di) / Rieserfernegruppe BZ 4 B 18
Riese Pio X TV 24 E 17
Riesi CL 103 P 24
Rieti RI 58 O 20
Rifreddo PZ 77 F 29
Rifredo FI 40 J 16
Rigali PG 52 M 20
Righetto (Passo del) MS 38 I 11
Rigiurfo Grande (Case) CL 104 P 25
Riglio PC 29 H 11
Riglio (Torrente) PC 30 G 11
Riglione-Oratoio PI 42 K 13
Rignano Flaminio RM 58 P 19
Rignano Garganico FG 67 B 28
Rignano sull'Arno FI 44 K 16
Rigo (Ponte del) SI 50 N 17
Rigolato UD 5 C 20
Rigoli PI 42 K 13
Rigolizia SR 104 Q 26
Rigomagno SI 50 M 17
Rigoso PR 38 I 12
Rigutino AR 45 L 17
Rilievo TP 96 N 19
Rima VC 7 E 6
Rimagna PR 38 I 12
Rimasco VC 7 E 6
Rimella VC 8 E 6
Rimendiello PZ 77 G 29
Rimini RN 41 J 19
Riminino VT 57 O 16
Rimiti ME 90 N 27
Rinalda (Torre) LE 81 F 36
Rinella ME 94 L 26
Rino BS 10 D 13
Rio di Lagundo / Aschbach BZ 3 C 15
Rio di Pusteria / Mühlbach BZ 4 B 16
Rio (il) RM 63 R 21
Rio Marina LI 48 N 13
Rio nell'Elba LI 48 N 13
Rio Saliceto RE 31 H 14
Rio Secco FO 40 J 17
Riobianco / Weißenbach (vicino a Campo Tures) BZ 4 B 17
Riobianco / Weißenbach (vicino a Pennes) BZ 3 B 16
Riofreddo SV 35 J 6
Riofreddo FO 41 K 18
Riofreddo RM 59 P 21
Riofreddo UD 15 C 22
Riola BO 39 J 15
Riola Sardo OR 114 H 7
Riolo MO 31 I 15
Riolo Terme RA 40 J 17
Riolunato MO 39 J 13
Riomaggiore SP 37 J 11
Riomolino / Mühlbach BZ 4 B 17
Riomurtas CI 118 J 8
Rionero in Vulture PZ 71 E 29
Rionero Sannitico IS 65 Q 24
Riosecco PG 45 L 18
Riotorto LI 49 N 14
Rioveggio BO 39 J 15
Ripa TO 26 H 2
Ripa AQ 59 P 22
Ripa PG 51 M 19
Ripa d'Orcia SI 50 M 16
Ripa (Monte) / Riepenspitze BZ 4 B 18
Ripa Sottile (Lago di) RI 58 O 20
Ripa Teatina CH 60 O 24
Ripaberarda AP 53 N 22
Ripabottoni CB 65 Q 26
Ripacandida PZ 71 E 29
Ripaldina PV 29 G 10
Ripalimosano CB 65 R 25
Ripalta FG 66 B 27
Ripalta Arpina CR 21 G 11
Ripalta Cremasca CR 21 G 11
Ripalti (Punta dei) LI 48 N 13
Ripalvella TR 51 N 18
Ripapersico FE 32 H 17
Riparbella PI 43 L 13
Ripatransone AP 53 N 23
Ripe AN 46 K 21
Ripe PS 41 K 20
Ripe TE 53 N 22
Ripe S. Ginesio MC 52 M 22
Ripi FR 64 R 22
Ripoli AR 45 L 18
Riposa (la) TO 18 G 3
Riposto CT 101 N 27
Risano UD 17 E 21
Riscone / Reischach BZ 4 B 17
Risicone CT 104 P 26
Rispescia GR 49 N 15
Ristola (Punta) LE 83 H 37
Rittana CN 34 I 4
Ritten / Renon BZ 3 C 16
Riva PC 29 H 10
Riva TO 26 H 4
Riva (Valle di) BZ 4 A 17
Riva degli Etruschi LI 49 M 13
Riva dei Tarquini VT 57 P 16
Riva dei Tessali TA 78 F 32
Riva del Garda TN 11 E 14
Riva del Sole GR 49 N 14
Riva di Faggeto CO 9 E 9
Riva di Solto BG 22 E 12
Riva di Tures / Rain in Taufers BZ 4 B 18
Riva Ligure IM 35 K 5
Riva presso Chieri TO 27 H 5
Riva Trigoso GE 37 J 10
Riva Valdobbia VC 7 E 5
Rivabella LE 83 G 36
Rivabella RN 41 J 19
Rivabella BO 39 I 15
Rivalba TO 27 G 5
Rivalta RE 31 I 13
Rivalta Bormida AL 28 H 7
Rivalta di Torino TO 27 G 4
Rivalta Scrivia AL 28 H 8
Rivalta sul Mincio MN 23 G 14
Rivalta Trebbia PC 29 H 10
Rivamonte Agordino BL 12 D 18
Rivanazzano Terme PV 29 H 9
Rivara MO 31 H 15
Rivara TO 19 F 4
Rivarolo Canavese TO 19 F 5
Rivarolo del Re CR 30 G 13
Rivarolo Ligure GE 36 I 8
Rivarolo Mantovano MN 30 G 13
Rivarone AL 28 H 8
Rivarossa TO 19 G 5
Rivazzurra RN 41 J 19
Rive VC 20 G 7
Rive d'Arcano UD 14 D 21
Rivello PZ 76 G 29
Rivergaro PC 29 H 10
Rivignano UD 16 E 21
Rivis UD 16 D 20
Rivisondoli AQ 64 Q 24
Rivo TR 58 O 19
Rivodutri RI 58 O 20
Rivoli TO 27 G 4
Rivoli Veronese VR 23 F 14
Rivolta d'Adda CR 21 F 10
Rivoltella BS 23 F 13
Rivoltella PV 20 G 7
Rivoschio Pieve FO 41 J 18
Rizzacorno CH 60 P 25
Rizziconi RC 88 L 29
Rizzolo PC 29 H 11
Rizzuto (Capo) KR 89 K 33
Ro Ferrarese FE 32 H 17
Roana VI 12 E 16
Roaschia CN 34 J 4
Roasco SO 10 D 12
Robassomero TO 19 G 4
Robbio PV 20 G 7
Robecco d'Oglio CR 22 G 12
Robecco Pavese PV 29 G 9
Robecco sul Naviglio MI 20 F 8
Robella AT 27 G 6
Roberti (Masseria) BA 73 D 33
Robilante CN 35 J 4
Roboaro AL 28 I 7
Roburent CN 35 J 5
Roca Vecchia LE 81 G 37
Rocca BL 12 E 17
Rocca Canterano RM 63 Q 21
Rocca Corneta BO 39 J 14
Rocca Corneta BO 39 J 14
Rocca d'Arazzo AT 28 H 6
Rocca de' Giorgi PV 29 H 9
Rocca d'Evandro CE 64 R 23
Rocca di Botte AQ 59 P 21
Rocca di Cambio AQ 59 P 22
Rocca di Capri Leone ME 100 M 26
Rocca di Cave RM 63 Q 20
Rocca di Corno RI 59 O 21
Rocca di Mezzo AQ 59 P 22
Rocca di Neto KR 87 J 33
Rocca di Papa RM 63 Q 20
Rocca di Roffeno BO 39 J 15
Rocca Fiorita ME 90 N 27
Rocca Grimalda AL 28 H 7
Rocca Imperiale CS 78 G 31
Rocca Imperiale Marina CS 78 G 31
Rocca Massima LT 63 Q 20
Rocca Pia AQ 64 Q 23
Rocca Pietore BL 12 C 17
Rocca Priora AN 47 L 22
Rocca Priora RM 63 Q 20
Rocca Ricciarda AR 44 L 16
Rocca S. angelo PG 51 M 19
Rocca S. Casciano FO 40 J 17
Rocca S. Felice AV 71 E 27
Rocca San Giovanni CH 61 P 25
Rocca Sta Maria TE 53 N 22
Rocca Sto Stefano RM 63 Q 21
Rocca Sinibalda RI 58 P 20
Rocca Susella PV 29 H 9
Rocca Tunda OR 114 G 7
Roccabascerana AV 70 D 26
Roccabernarda KR 87 J 32
Roccabianca PR 30 G 12
Roccacaramanico PE 60 P 24
Roccacasale AQ 60 P 23
Roccacinquemiglia AQ 64 Q 24
Roccadaspide SA 76 F 27
Roccaferrara PR 38 I 12
Roccafinadamo PE 60 O 23
Roccafluvione AP 52 N 22
Roccaforte del Greco RC 90 M 29
Roccaforte Ligure AL 29 H 9
Roccaforte Mondovì CN 35 J 5
Roccaforzata TA 79 F 34
Roccafranca BS 22 F 11
Roccagiovine RM 58 P 20
Roccagloriosa SA 76 G 28
Roccagorga LT 63 R 21
Roccalbegna GR 50 N 16
Roccalumera ME 90 N 28
Roccalvecce VT 57 O 18
Roccamandolfi IS 65 R 25
Roccamare GR 49 N 14
Roccamena PA 97 N 21
Roccamonfina CE 64 S 23
Roccamontepiano CH 60 P 24
Roccamorice PE 60 P 24
Roccanova PZ 77 G 30
Roccantica RI 58 P 20
Roccapalumba PA 98 N 22
Roccapiemonte SA 70 E 26
Roccaporena PG 52 N 20
Roccarainola NA 70 E 25
Roccaraso AQ 64 Q 24
Roccaravindola IS 64 R 24
Roccaromana CE 65 S 24
Roccarossa (Tempa di) PZ 77 G 29
Roccasalli RI 52 O 21
Roccascalegna CH 60 P 24
Roccasecca FR 64 R 23
Roccasecca dei Volsci LT 63 R 21
Roccasicura IS 65 Q 24
Roccaspinalveti CH 61 Q 25
Roccastrada GR 49 M 15
Roccatamburo PG 52 N 20
Roccatederighi GR 49 M 15
Roccavaldina ME 90 M 28
Roccaverano AT 28 I 6
Roccavione CN 34 J 4
Roccavivara CB 65 Q 25
Roccavivi AQ 64 Q 22
Roccazzo RG 104 P 25
Roccelito (Monte) PA 99 N 23
Roccella CL 103 O 23
Roccella CZ 89 K 31
Roccella Ionica RC 88 M 31
Roccella Valdemone ME 100 N 27
Rocchetta CE 69 D 24
Rocchetta MS 38 J 11
Rocchetta PG 52 N 20
Rocchetta a Volturno IS 64 R 24
Rocchetta TN 11 D 15
Rocchetta Belbo CN 27 I 6
Rocchetta Cairo SV 36 I 6
Rocchetta di Vara SP 37 J 11
Rocchetta Ligure AL 29 H 9
Rocchetta Mattei BO 39 J 15
Rocchetta Nervina IM 35 K 4
Rocchetta Nuova IS 64 R 24
Rocchetta S. Antonio FG 71 D 28
Rocchetta Tanaro AT 28 H 7
Rocchette GR 50 N 16
Rocciamelone TO 18 G 3
Roccoli Lorla (Rifugio) LC 9 D 10
Rochemolles TO 18 G 2
Roddi CN 27 H 5
Roddino CN 27 I 6
Rodeano UD 14 D 21
Rodeneck / Rodengo BZ 4 B 17
Rodengo / Rodeneck BZ 4 B 17
Rodengo-Saiano BS 22 F 12
Rodì ME 101 M 27
Rodi Garganico FG 67 B 29
Rodia ME 90 M 28
Rodigo MN 23 G 13
Rodio SA 76 G 27
Rodoretto TO 26 H 3
Roen (Monte) BZ 11 C 15
Rötspitze / Predoi (Pizzo Rosso di) BZ 4 A 18
Rofrano SA 76 G 28
Roggiano Gravina CS 85 I 30
Roggione (Pizzo) SO 9 D 9
Roghudi RC 90 M 29
Rogio (Canale) LU 43 K 13
Rogliano CS 86 J 30
Roglio PI 43 L 14
Rognano PV 21 G 9
Rogno BG 10 E 12
Rognosa (Punta) TO 26 H 2
Rogolo SO 9 D 10
Roia IM 35 K 4
Roia / Rojen BZ 2 B 13
Roiano TE 53 N 22
Roiate RM 63 Q 21
Roio del Sangro CH 65 Q 25
Roisan AO 18 E 3
Rojen / Roia BZ 2 B 13
Roletto TO 26 H 3
Rolle (Cima di) BZ 3 B 16
Rolle (Passo di) TN 12 D 17
Rolo RE 31 H 14
Roma RM 62 Q 19
Roma-Ciampino (Aeroporto) RM 62 Q 19
Roma-Fiumicino L. da Vinci (Aeroporto) RM 62 Q 18
Romagnano al Monte SA 76 F 28
Romagnano Sesia NO 20 F 7
Romagnese PV 29 H 9
Romana SS 110 F 7
Romanelli (Grotta) LE 83 G 37
Romanengo CR 22 F 11
Romano d'Ezzelino VI 24 E 17
Romano di Lombardia BG 22 F 11
Romans d'Isonzo GO 17 E 22
Rombiolo VV 88 L 29
Rombo (Passo del) / Timmelsjoch BZ 3 B 15
Romena (Castello di) AR 44 K 17
Romena (Pieve di) AR 44 K 17
Romeno TN 11 C 15
Romentino NO 20 F 8
Rometta MS 38 J 12
Rometta ME 90 M 28
Romitello (Santuario del) PA 97 M 21
Ron (Vetta di) SO 10 D 11
Roncà VR 23 F 15
Roncade TV 25 F 19
Roncadelle BS 22 F 12
Roncadelle TV 16 E 19
Roncagli IM 35 K 6
Roncaglia PC 30 G 11
Roncalceci RA 41 I 18
Roncanova VR 31 G 15
Roncarolo PC 30 G 11
Roncastaldo BO 40 J 15
Roncegno TN 12 D 16
Roncello MI 21 F 10
Ronche PN 13 E 19
Ronchi SV 35 J 6
Ronchi TN 12 E 15
Ronchi dei Legionari GO 17 E 22
Ronchi (I) TV 25 E 18
Ronchis (vicino a Latisana) UD 16 E 20
Ronchis (vicino a Udine) UD 15 D 21
Ronciglione VT 57 P 18
Roncitelli AN 46 K 21
Ronco FO 41 J 18
Ronco (Fiume) RA 41 J 18
Ronco all'Adige VR 23 F 15
Ronco Biellese BI 19 F 6
Ronco Campo Canetto PR 30 H 12
Ronco Canavese TO 19 F 4
Ronco Scrivia GE 28 I 8
Roncobello BG 10 E 11
Roncobilaccio BO 39 J 15
Roncoferraro MN 31 G 14
Roncofreddo FO 41 J 18
Roncola BG 21 E 10
Roncole Verdi PR 30 H 12
Roncoleva VR 23 G 14
Roncone TN 11 E 13
Rondanina GE 29 I 9
Rondelli GR 49 N 14
Rondine (Pizzo della) AG 98 O 22
Rondissone TO 19 G 5
Ronsecco VC 20 G 6
Ronta FI 40 J 16
Ronzo Chienis TN 11 E 14
Ronzone TN 11 C 15
Ropola (Passo di) RC 91 M 30
Rora TO 26 H 3
Rore CN 26 I 3
Rosa PN 16 E 20
Rosà VI 24 E 17
Rosa dei Bianchi TO 19 F 4
Rosa Marina BR 80 E 34
Rosali RC 90 M 29
Rosanisco FR 64 R 23
Rosano FI 44 K 16
Rosano RE 38 I 13
Rosapineta RO 33 G 18
Rosario (Santuario del) PA 97 N 21
Rosarno RC 88 L 29
Rosaro MS 38 J 12
Rosasco PV 20 G 7
Rosate MI 21 F 9
Rosazza BI 19 E 5
Rosciano PE 60 P 24
Roscigno-Nuovo SA 76 F 28
Roscigno-Vecchio SA 76 F 28
Rosciolo dei Marsi AQ 59 P 22
Rose CS 86 I 30
Rose (Monte) AG 98 O 22
Rose (Pieve delle) PG 45 L 18
Rose (Timpa delle) SA 76 F 28
Roseg (Pizzo) SO 10 C 11
Roselle GR 49 N 15
Roselle (Località) GR 49 N 15
Roselli FR 64 R 23
Rosello CH 65 Q 25
Rosengarten / Catinaccio BZ 4 C 16
Rosennano SI 44 L 16
Roseto Capo Spulico CS 78 H 31
Roseto degli Abruzzi TE 53 N 24
Roseto Valfortore FG 70 C 27
Rosia SI 49 M 15
Rosignano Marittimo LI 42 L 13
Rosignano Monferrato AL 28 G 7
Rosignano Solvay LI 42 L 13
Rosito KR 87 K 33
Rosola MO 39 J 14
Rosolina RO 33 G 18
Rosolina Mare RO 33 G 18
Rosolini SR 107 Q 26
Rosone TO 18 F 4
Rosora AN 46 L 21
Rossa (Croda) / Hohe Geisel BL 4 C 18
Rossa (Isola) CA 120 K 8
Rossa (Isola) NU 114 G 7
Rossa (Isola) OT 108 D 8
Rossa (Punta) OT 109 D 10
Rossa (Punta) FG 67 B 30
Rossa (Punta) LI 54 P 12
Rossana CN 26 I 4
Rossano CS 87 I 31
Rossano MS 38 J 11
Rossano Stazione CS 87 I 31
Rossano Veneto VI 24 E 17
Rosse (Cuddie) TP 96 Q 17
Rossenna MO 39 I 14
Rossiglione GE 28 I 8
Rosso (Monte) ME 100 N 27
Rossola (Pizzo di) VB 8 D 7
Rossomanno (Monte) EN 104 O 25
Rosta VR 31 G 15
Rota RM 57 P 18
Rota d'Imagna BG 21 E 10
Rota Greca CS 85 I 30
Rotale PZ 76 G 29
Roteglia RE 39 I 14
Rotella AP 53 N 22
Rotella (Monte) AQ 64 Q 24
Rotello CB 66 B 27
Rotonda PZ 85 H 30
Rotondella MT 78 G 31
Rotondella (Monte) CS 78 G 31
Rotondi AV 70 D 25
Rotondo (Monte) SA 76 G 28
Rotondo (Monte) (vicino a Campo Felice) AQ 59 P 22
Rotondo (Monte) (vicino a Scanno) AQ 64 Q 23
Rottanova VE 32 G 18
Rottofreno PC 29 G 10
Rotzo VI 12 E 16
Roure TO 26 H 3
Rovagnate LC 21 E 10
Rovale CS 86 J 31
Rovasenda VC 20 F 6
Rovasenda (Torrente) VC 20 F 6
Rovato BS 22 F 11
Roveda TN 11 D 15
Rovegno GE 29 I 9
Roveleto Landi PC 29 H 10
Rovellasca CO 21 E 9
Rovello Porro CO 21 F 9
Roverbella MN 23 G 14
Roverchiara VR 23 G 15
Rovere AQ 59 P 22
Rovere FO 40 J 17
Roverè della Luna TN 11 D 15
Rovere Veronese VR 23 F 15
Roveredo di Guà VR 24 G 16
Roveredo in Piano PN 13 D 19
Rovereto FE 32 H 17
Rovereto TN 11 E 15
Rovescala PV 29 G 10
Roveto (Pantano) SR 107 Q 27
Rovetta (Val) AQ 64 Q 22
Rovetta BG 10 E 11
Roviasca SV 36 J 7
Rovigliano PG 45 L 18
Rovigo RO 32 G 17
Rovina PR 30 H 11
Rovito CS 86 J 30
Rovittello CT 101 N 27
Rozzano MI 21 F 9
Rua la Cama (Forca) PG 52 N 20
Rua (Monte) PD 24 G 17
Ruazzo (Monte) LT 64 S 22
Rubano PD 24 F 17
Rubbio VI 24 E 16
Rubiana TO 18 G 4
Rubicone FO 41 J 19
Rubiera RE 31 I 14

A B C D E F G H I J K L M N O P Q R S T U V W X Y Z

Rubino (Lago) *TP* ...... 97 N 20
Rubizzano *BO* .... 32 H 16
Rucas *CN* .... 26 H 3
Ruda *UD* .... 17 E 22
Rudiano *BS* .... 22 F 11
Rueglio *TO* .... 19 F 5
Rufeno (Monte) *VT* .. 50 N 17
Ruffano *LE* .... 83 H 36
Ruffi (Monti) *RM* .... 59 Q 20
Ruffia *CN* .... 27 H 4
Rufina *FI* .... 40 K 16
Ruggiano *FG* .... 67 B 29
Rughe (Monte) *SS* .... 115 G 7
Ruia (Isola) *NU* ..... 113 F 11
Ruina *FE* .... 32 H 17
Ruinas *OR* .... 115 H 8
Ruino *PV* .... 29 H 9
Ruiu (Monte) (vicino ad
 Arzachena) *OT* ..... 109 D 10
Ruiu (Monte) (vicino a
 Porto S. Paolo) *OT* .. 113 E 10
Ruiu (Monte) (vicino a
 Villanova Mont.) *SS*. 110 F 7
Rumo *TN* .... 11 C 15
Runzi *RO* .... 32 H 16
Ruocce *AN* .... 46 L 20
Ruoti *PZ* .... 71 E 29
Ruscello *FO* .... 41 K 18
Ruscio *PG* .... 58 O 20
Russi *RA* .... 40 I 18
Russo (Masseria) *FG* .. 67 C 29
Rustico *AN* .... 47 L 22
Rustigazzo *PC* ...... 29 H 11
Ruta *GE* .... 37 I 9
Rutigliano *BA* ...... 73 D 33
Rutino *SA* .... 75 G 27
Ruttars *GO* .... 17 E 22
Ruviano *CE* .... 70 D 25
Ruvo del Monte *PZ* .. 71 E 28
Ruvo di Puglia *BA* .. 72 D 31
Ruvolo (Monte) *CT* .. 100 N 26
Ruzzano *PR* .... 38 I 12

S

S. Anastasia *KR* ...... 87 I 33
S. Angelo *VV* .... 88 L 30
S. Anna *KR* .... 87 J 33
S. Benedetto *VR* .... 23 F 13
S. Clemente *RN* ..... 41 K 19
S. Cono *VV* .... 88 K 30
S. Fiorano *LO* ...... 29 G 11
S. Gabriele *TE* ..... 59 O 22
S. Giacomo
 (Rovereto) *TN* ... 23 E 14
S. Giacomo di Roburent (vicino
 a Frabosa Soprana) *CN*. 35 J 5
S. Giacomo di Teglio *SO*.10 D 12
S. Giovanni *VV* ..... 88 L 30
S. Giuseppe *PO* ..... 39 J 15
S. Giuseppe al lago /
 St. Joseph am See *BZ*. 11 C 15
S. Grato *LO* .... 21 G 10
S. Lorenzo *VB* ...... 8 D 6
S. Martino in Strada *LO*. 21 G 10
S. Nicola (Monte) *CZ*.. 88 L 31
S. Nicolò *VV* .... 88 L 29
S. Onofrio *VV* ...... 88 K 30
S. Paolo d'Argon *BG* .. 22 E 11
S. Pietro *SO* .... 9 D 10
S. Polo *PR* .... 30 H 13
S. Prospero
 sulla Seccia *MO* ... 31 H 15
S. Vigilio *VR* ...... 23 F 14
Sabatini (Monti) *VT* .. 57 P 18
Sabato *AV* .... 70 E 26
Sabaudia *LT* .... 63 S 21
Sabaudia (Lago di) *LT*.. 68 S 21
Sabbia *VC* .... 8 E 6
Sabbia Chiese *BS* .... 22 F 13
Sabbioneta *MN* ..... 30 H 13
Sabbioni *BO* .... 40 J 15
Sabbioni *FE* .... 32 H 17
Sabbucina (Monte) *CL*. 103 O 24
Sabia (Val) *BS* ...... 22 E 13
Sabina (Punta) *SS* .... 108 D 7
Sabini (Monti) *RI* .... 58 P 20
Sabiona (Convento di) *BZ*. 3 C 16
Sabioncello S. Vittore *FE*. 32 H 17
Sacca *MN* .... 23 G 13
Sacca *PR* .... 30 H 13
Saccarello (Monte) *IM*. 35 J 5
Saccione *CB* .... 66 B 27
Saccolongo *PD* ..... 24 F 17
Sacile *PN* .... 13 E 19
Sacra di S. Michele *TO*. 26 G 4
Sacramento
 (Scoglio del) *AG* .. 102 U 19
Sacro (Monte) *FG* ... 67 B 30

Sacro (Monte) *SA* .... 76 G 28
Sacro Monte (Varallo) *VC*. 20 E 6
Sacrofano *RM* ...... 58 P 19
Sadali *CA* .... 115 H 9
Sadali (Rio de) *OG* .. 115 H 9
Sagama *OR* .... 114 G 7
Sagittario *AQ* ...... 60 Q 23
Sagittario (Gole de) *AQ*. 64 Q 23
Sagliano Micca *BI* ... 19 F 6
Sagrado *GO* .... 17 E 22
Sagron-Mis *TN* ..... 12 D 17
Saiano *BS* .... 22 F 12
Sailetto *MN* .... 31 G 14
Sala *AV* .... 70 E 26
Sala *FO* .... 41 J 19
Sala *TR* .... 51 N 18
Sala Baganza *PR* .... 30 H 12
Sala Biellese *BI* .... 19 F 5
Sala Bolognese *BO* .. 31 I 15
Sala Comacina *CO* ... 9 E 9
Sala Consilina *SA* ... 76 F 28
Salamone (Case) *AG* .. 103 O 22
Salamu (Bruncu) *CA* .. 119 I 9
Salandra *MT* .... 77 F 30
Salandrella *MT* ..... 77 F 30
Salaparuta *TP* ...... 97 N 21
Salaparuta
 (Ruderi di) *TP* .... 97 N 20
Salara *RO* .... 32 H 16
Salarno (Lago di) *BS* .. 10 D 13
Salasco *VC* .... 20 G 6
Salassa *TO* .... 19 G 5
Salbertrand *TO* ..... 26 G 2
Salboro *PD* .... 24 F 17
Salcito *CB* .... 65 Q 25
Saldura (Punta) *BZ* .. 2 B 14
Sale *AL* .... 28 H 8
Sale Marasino *BS* ... 22 E 12
Sale S. Giovanni *CN*. 35 I 6
Salemi *TP* .... 97 N 20
Salento *SA* .... 76 G 27
Salerano sul Lambro *LO*. 21 G 10
Salere *AT* .... 28 H 6
Salerno *SA* .... 75 E 26
Salerno (Golfo di) *SA*. 75 F 25
Saletto *PD* .... 24 G 16
Saletto *UD* .... 15 C 22
Saletto di Piave *TV* .. 25 E 19
Salgareda *TV* ...... 16 E 19
Salì Vercellese *VC* .. 20 G 6
Salica *KR* .... 87 J 33
Salice Salentino *LE* .. 81 F 35
Salice Terme *PV* .... 29 H 9
Saliceto *CN* .... 35 I 6
Saliceto Parano *MO* .. 31 I 14
Salici (Monte) *EN* ... 100 N 25
Salici (Punta) *OT* ... 109 E 8
Salina *MN* .... 31 H 13
Salina (Canale della) *ME*. 94 L 26
Salina (Isola) *ME* ... 94 L 26
Salinas (Torre) *CA* .. 119 I 10
Saline *MC* .... 52 M 22
Saline (Cala) *OR* .... 114 G 7
Saline di Volterra *PI*.. 43 L 14
Saline Ioniche *RC* ... 90 N 29
Salinello *TE* .... 53 N 23
Salisano *RI* .... 58 P 20
Salito *CL* .... 103 O 23
Salitto *SA* .... 75 E 27
Salizzole *VR* .... 23 G 15
Salle (la) *AO* ...... 18 E 3
Salle Nuova *PE* .... 60 P 23
Salmenta (Masseria) *LE*. 27 I 5
Salmour *CN* .... 27 I 5
Salò *BS* .... 23 F 13
Salomone (Masseria) *BA*. 72 E 30
Salonetto / Schlaneid *BZ*. 3 C 15
Salorno / Salurn *BZ* .. 11 D 15
Salsa *PA* .... 99 N 24
Salso *EN* .... 100 N 25
Salso o Imera
 Meridionale *EN* .. 103 O 24
Salsola *FG* .... 66 C 27
Salsomaggiore
 Terme *PR* .... 30 H 11
Salsominore *PC* .... 29 I 10
Saltara *PS* .... 46 K 20
Saltaus / Saltusio *BZ*. 3 B 15
Saltino *FI* .... 44 K 16
Salto *MO* .... 39 J 14
Salto di Quirra *CA* .. 119 I 10
Salto (Fiume) *RI* .... 59 P 21
Salto (Lago del) *RI* .. 59 P 21
Saltusio / Saltaus *BZ*. 3 B 15
Saludecio *RN* ...... 41 K 20
Saluggia *VC* .... 19 G 6
Salussola *BI* .... 19 F 6
Saluzzo *CN* .... 27 I 4
Salvarano *RE* ...... 30 I 13

Salvarosa *TV* ...... 24 E 17
Salvaterra *RE* ...... 31 I 14
Salve *LE* .... 83 H 36
Salviano *LI* .... 42 L 13
Salvirola *CR* .... 22 F 11
Salvitelle *SA* ...... 76 F 28
Salza di Pinerolo *TO* .. 26 H 3
Salza Irpina *AV* .... 70 E 26
Salzano *VE* .... 25 F 18
Samarate *VA* ...... 20 F 8
Samassi *VS* .... 118 I 8
Samatzai *CA* .... 118 I 9
Sambiase *CZ* .... 88 K 30
Samboseto *PR* ..... 30 H 12
Sambuca *FI* .... 43 L 15
Sambuca di Sicilia *AG*. 97 O 21
Sambuca (Passo) *FI*.. 40 J 16
Sambuca Pistoiese *PT*. 39 J 15
Sambuceto *CH* ..... 60 O 24
Sambucheto *TR* .... 58 O 20
Sambuchi *PA* ...... 98 N 22
Sambuci *RM* .... 58 Q 20
Sambucina
 (Abbazia della) *CS* .. 85 I 30
Sambuco *CN* .... 34 I 3
Sambuco (Monte) *FG*. 66 C 27
Sambughé *TV* ...... 25 F 18
Sambughetti
 (Monte) *EN* ..... 99 N 25
Sammartini *BO* ..... 31 H 15
Sammichele di Bari *BA*. 73 E 32
Sammommè *PT* .... 39 J 14
Samo *RC* .... 91 M 30
Samoggia *BO* ...... 39 J 15
Samolaco *SO* ...... 9 D 10
Samone *MO* .... 39 I 14
Sampeyre *CN* ...... 26 I 3
Sampierdarena *GE* .. 36 I 8
Sampieri *RG* .... 106 Q 26
Sampieri (Pizzo) *PA*.. 99 N 23
Samugheo *OR* ..... 115 H 8
San Feliciano *PG* .... 51 M 18
San Remo *IM* ...... 35 K 5
S. Adriano *FI* ...... 40 J 16
S. Agapito *IS* ...... 65 R 24
S. Agata *CS* .... 85 I 31
S. Agata *RC* .... 90 M 29
S. Agata (Monte) *EN*.. 100 O 25
S. Agata *FI* .... 40 J 16
S. Agata alle Terrine *AR*. 45 L 18
S. Agata Bolognese *BO*. 31 I 15
S. Agata de' Goti *BN* .. 70 D 25
S. Agata del Bianco *RC*. 91 M 30
S. Agata di Esaro *CS* .. 85 I 29
S. Agata
 di Militello *ME* ... 100 M 25
S. Agata di Puglia *FG* .. 71 D 28
S. Agata Feltria *PS* ... 41 K 18
S. Agata Fossili *AL* ... 28 H 8
S. Agata li Battiati *CT*. 101 O 27
S. Agata
 sui Due Golfi *NA* .. 74 F 25
S. Agata
 sul Santerno *RA* ... 40 I 17
S. Agnello *NA* ...... 74 F 25
S. Agostino *FE* ..... 32 H 16
S. Agrippina
 (Masseria) *EN* .... 99 N 25
S. Albano *PV* ...... 29 H 9
S. Albano Stura *CN* .. 27 I 5
S. Alberto *BO* ...... 32 H 16
S. Alberto *RA* ...... 33 I 18
S. Alberto *TV* ...... 25 F 18
S. Alberto di Butrio
 (Abbazia) *PV* ..... 29 H 9
S. Albino *SI* .... 50 M 17
S. Alessio (Capo) *ME*.. 90 N 28
S. Alessio in
 Aspromonte *RC* ... 90 M 29
S. Alessio Siculo *ME*.. 90 N 28
S. Alfio (Chiesa di) *CT*. 101 O 27
S. Allerona *TR* ..... 51 N 18
S. Ambrogio *MO* ... 31 I 15
S. Ambrogio *VR* ... 99 M 24
S. Ambrogio di Torino *TO*. 26 G 4
S. Ambrogio
 di Valpolicella *VR*.. 23 F 14
S. Ambrogio
 sul Garigliano *FR* .. 64 R 23
S. Ampeglio (Capo) *IM*. 35 K 5
S. Anastasia *NA* .... 70 E 25
S. Anatolia *RG* ..... 52 N 21
S. Anatolia *RI* ..... 59 P 21
S. Anatolia di Narco *PG*. 52 N 20
St. Andrä /
 S. Andrea in Monte *BZ*. 4 B 17
S. Andrea *CA* ...... 119 J 9
S. Andrea *CE* ...... 69 D 24
S. Andrea *FO* ...... 41 J 18

S. Andrea *IS* .... 65 Q 25
S. Andrea *LE* ...... 83 G 37
S. Andrea *LI* ...... 48 N 12
S. Andrea *PZ* ...... 71 E 28
S. Andrea *SI* ...... 43 L 15
S. Andrea (Isola) *BR*.. 81 F 35
S. Andrea (Isola) *LE*.. 83 G 35
S. Andrea *PD* ...... 24 F 17
S. Andrea *VR* ...... 23 F 15
S. Andrea (Isola) *UD*.. 17 E 21
S. Andrea Bagni *PR* .. 30 H 12
S. Andrea Bonagia *TP*. 96 M 19
S. Andrea di Conza *AV*. 71 E 28
S. Andrea di Foggia *GE*. 37 I 9
S. Andrea
 di Gariglíano *FR* ... 64 R 23
S. Andrea
 di Sorbello *AR* .... 51 M 18
S. Andrea Frius *CA* .. 119 I 9
S. Andrea in Monte /
 St. Andrä *BZ* ..... 4 B 17
S. Andrea
 in Percussina *FI* ... 43 K 15
S. Angelo *AN* ...... 46 K 21
S. Angelo *CE* ...... 70 E 26
S. Angelo *CS* ...... 85 I 29
S. Angelo *NA* ...... 74 E 23
S. Angelo (Pianella) *PE*. 60 O 24
S. Angelo *PZ* ...... 72 E 29
S. Angelo *RI* ...... 59 O 21
S. Angelo (Lago di) *CH*. 60 P 24
S. Angelo (Monte) *ME*. 94 L 26
S. Angelo (Pizzo) *PA*.. 99 N 24
S. Angelo a Fasanella *SA*. 76 F 28
S. Angelo all'Esca *AV*.. 70 D 26
S. Angelo *VE* ...... 24 F 18
S. Angelo d'Alife *CE* .. 65 R 24
S. Angelo
 dei Lombardi *AV* ... 71 E 27
S. Angelo del Pesco *IS*. 65 Q 24
S. Angelo di Brolo *ME*. 100 M 26
S. Angelo
 di Lomellina *PV* ... 20 G 7
S. Angelo di Piove
 di Sacco *PD* ...... 24 F 18
S. Angelo in Colle *SI*.. 50 N 16
S. Angelo in Formis *CE*. 69 D 24
S. Angelo in Lizzola *PS*. 46 K 20
S. Angelo
 in Pontano *MC* ... 52 M 22
S. Angelo
 in Theodice *FR* ... 64 R 23
S. Angelo in Vado *PS*.. 45 L 19
S. Angelo in Villa *FR* .. 64 R 22
S. Angelo le Fratte *PZ*. 76 F 28
S. Angelo Limosano *CB*. 65 Q 25
S. Angelo Lodigiano *LO*. 21 G 10
S. Angelo (Monte) *LT*.. 68 S 22
S. Angelo Muxaro *AG*. 102 O 22
S. Angelo Romano *RM*. 58 P 20
S. Anna *AG* .... 97 O 21
S. Anna *OR* .... 115 H 7
S. Anna
 (vicino a Bianco) *RC*. 91 M 30
S. Anna (vicino a
 Seminara) *RC* .... 90 M 29
S. Anna *LU* .... 38 K 12
S. Anna *VE* .... 33 G 18
S. Anna Arresi *CI* .... 120 J 7
S. Anna
 (vicino a Bellino) *CN*. 26 I 2
S. Anna
 (vicino a Cuneo) *CN*. 34 I 4
S. Anna (vicino a
 Demonte) *CN* .... 34 J 3
S. Anna (Sant. di) *CN*... 34 J 3
S. Anna d'Alfaedo *VR*.. 23 F 14
S. Anna
 di Boccafossa *VE* .. 16 F 20
S. Anna Morosina *PD*.. 24 F 17
S. Anna Pelago *MO* ... 39 J 13
S. Anna
 di Valpolicella *VR*.. 23 F 14
S. Ansano *FI* ...... 43 K 14
S. Antimo *NA* ...... 69 E 24
S. Antimo (Castelnuovo
 dell'Abate) *SI* .... 50 M 16
S. Antine *SS* .... 111 F 8
Santu Antine
 (Santuario) *OR* ... 115 G 8
S. Antioco *CI* ...... 118 J 7
S. Antioco (Isola di) *CI*. 118 J 7
S. Antioco di Bisarcio *SS*. 111 F 8
S. Antonino di Susa *TO*. 26 G 3
S. Antonio *AQ* ..... 65 Q 24
S. Antonio *BL* ...... 13 D 18

S. Antonio *BO* ...... 32 I 17
S. Antonio *FR* ..... 63 R 22
S. Antonio *MO* ..... 39 I 14
S. Antonio (Monte) *NU*. 115 G 8
S. Antonio *SO* ...... 2 C 13
S. Antonio *VA* ...... 8 E 8
S. Antonio *VI* ...... 23 E 15
S. Antonio *VT* ...... 57 O 17
S. Antonio
 (Eremo di) *AQ* ... 64 Q 24
S. Antonio
 (Santuario) *BR* ... 79 F 35
S. Antonio Abate *NA*.. 75 E 25
S. Antonio di Gallura *OT*. 109 E 9
S. Antonio Negri *CR* .. 22 G 12
S. Antonio Ruinas *OR*. 115 H 8
S. Antonio (Serra) *AQ*.. 63 Q 22
S. Apollinare *FR* .... 64 R 23
S. Apollinare in Classe *RA*. 41 I 18
S. Arcangelo *PG* .... 51 M 18
S. Arcangelo *PZ* .... 77 G 30
S. Arcangelo
 (Monte) *MT* ..... 77 G 31
S. Arcangelo
 Trimonte *BN* ..... 70 D 26
S. Arpino *CE* ...... 69 E 24
S. Arsenio *SA* ...... 76 F 28
Sta Barbara *NU* ..... 115 G 8
Sta Barbara *SA* ..... 76 G 27
Sta Barbara *ME* ..... 100 M 27
S. Barnaba *RA* ..... 40 J 17
S. Baronto *PT* ...... 39 K 14
St. Barthelemy *AO* ... 19 E 4
S. Bartolo (Bivio) *AG*.. 97 O 21
S. Bartolomeo *CN* ... 35 J 4
S. Bartolomeo *SA* ... 65 L 19
S. Bartolomeo *TR* ... 58 O 19
S. Bartolomeo *TS* ... 17 F 23
S. Bartolomeo al Mare *IM*. 35 K 6
S. Bartolomeo
 de' Fossi *PG* ..... 51 M 18
S. Bartolomeo
 in Bosco *FE* ...... 32 H 16
S. Bartolomeo
 in Galdo *BN* ..... 70 C 27
S. Bartolomeo
 Val Cavargna *CO*.. 9 D 9
S. Basile *CS* .... 85 H 30
S. Basilio *CS* ...... 85 I 30
S. Basilio *ME* ...... 101 M 27
S. Basilio *TA* ...... 73 E 32
S. Bassano *CR* ..... 22 G 11
S. Bellino *RO* ...... 32 G 16
S. Benedetto *CB* .... 118 I 7
S. Benedetto
 (Subiaco) *RM* .... 63 Q 21
S. Benedetto (vicino a
 Pietralunga) *PG* ... 45 L 19
S. Benedetto (vicino ad
 Umbertide) *PG* ... 51 L 19
S. Benedetto
 (Alpe di) *FO* ..... 40 K 17
S. Benedetto
 dei Marsi *AQ* ..... 59 P 22
S. Benedetto
 del Querceto *BO* ... 40 J 16
S. Benedetto
 del Tronto *AP* .... 53 N 23
S. Benedetto in Alpe *FO*. 40 K 17
S. Benedetto
 in Perillis *AQ* .... 60 P 23
S. Benedetto Po *MN* .. 31 G 14
S. Benedetto Ullano *CS*. 86 I 30
S. Benedetto Val
 di Sambro *BO* .... 39 J 15
S. Benigno Canavese *TO*. 19 G 5
S. Bernardino *PS* ... 46 K 19
S. Bernardino *RA* ... 32 I 17
S. Bernardo *SO* .... 10 D 11
S. Bernardo (Colla) *IM*. 35 J 5
S. Bernardo (Colla) *CN*. 35 J 6
S. Berniero *SA* ..... 75 F 26
S. Bernolfo *CN* ..... 34 J 3
S. Biagio *PV* .... 20 G 7
S. Biagio *ME* ...... 101 M 27
S. Biagio *MO* ...... 31 H 15
S. Biagio *PA* ...... 97 O 21
S. Biagio *PD* ...... 24 F 17
S. Biagio *FR* ...... 64 R 23

S. Biagio (vicino ad
 Argenta) *FE* ...... 32 I 17
S. Biagio (vicino a
 Bondeno) *FE* ..... 32 H 16
S. Biagio (Santuario) *PZ*. 84 H 29
S. Biagio della Cima *IM*. 35 K 4
S. Biagio di Callalta *TV*. 25 E 19
S. Biagio Platani *AG* .. 102 O 22
S. Biagio Saracinisco *FR*. 64 R 23
Sta Bianca *FE* ...... 32 H 16
S. Biase *CB* .... 65 Q 25
S. Biase *SA* .... 76 G 27
S. Boldo (Passo di) *TV*.. 13 D 18
S. Bonico *PC* ...... 29 G 11
S. Bonifacio *VR* .... 23 F 15
S. Bortolo
 delle Montagne *VR*.. 23 F 15
Sta Brigida *BG* ..... 9 E 10
Sta Brigida *FI* ...... 40 K 16
S. Brizio *PG* .... 51 N 20
S. Bruzio *GR* ...... 56 O 15
S. Buono *CH* ...... 61 Q 25
S. Calogero *VV* ..... 88 L 30
S. Calogero (Monte) *PA*. 99 N 23
S. Candido / Innichen *BZ*. 4 B 18
S. Canzian d'Isonzo *GO*. 17 E 22
S. Carlo *GE* .... 28 I 8
S. Carlo *PA* .... 97 O 21
S. Carlo *PG* .... 71 D 29
S. Carlo *FE* .... 32 H 16
S. Carlo *FO* .... 41 J 18
S. Carlo *LI* .... 49 M 13
S. Carlo *RC* .... 90 N 29
S. Carlo (Colle) *AO* .. 18 E 2
S. Carlo Terme *MS* .. 38 J 12
S. Carlo Vanzone *VB* .. 7 E 6
S. Casciano (Lago di) *VT*.50 N 17
S. Casciano dei Bagni *SI*. 50 N 17
S. Casciano
 in Val di Pesa *FI* ... 43 L 15
S. Cassiano *RA* ..... 40 J 17
S. Cassiano *SO* ..... 9 D 10
S. Cassiano /
 St. Kassian *BZ* ... 4 C 17
S. Cassiano (Cima) *BZ*... 3 B 16
S. Cassiano
 in Pennino *FO* .... 40 J 17
S. Cataldo *LE* ...... 81 F 36
S. Cataldo *CL* ...... 103 O 23
Sta Caterina *GR* .... 50 N 16
Sta Caterina *LE* ..... 83 G 35
Sta Caterina *OR* .... 114 G 7
Sta Caterina
 (Stagno di) *CI* .... 118 J 7
Sta Caterina *BL* ..... 5 C 19
Sta Caterina Albanese *CS*. 85 I 30
Sta Caterina / St. Katharina
 (vicino a Merano) *BZ*.. 3 C 15
Sta Caterina (vicino a Rattisio
 Nuovo) *BZ* ...... 3 B 14
Sta Caterina del Sasso *VA*. 8 E 7
Sta Caterina
 dello Ionio *CZ* .... 89 L 31
Sta Caterina dello
 Ionio Marina *CZ* .. 89 L 31
Sta Caterina
 di Pittinuri *OR* ... 114 G 7
Sta Caterina (Monte) *TP*. 96 N 18
Sta Caterina Valfurva *SO*. 10 C 13
Sta Caterina
 Villarmosa *CL* .... 99 O 24
Sta Cesarea Terme *LE*.. 83 G 37
S. Cesareo *RM* ..... 63 Q 20
S. Cesario di Lecce *LE*.. 81 G 36
S. Cesario sul Panaro *MO*. 31 I 15
S. Chiaffredo *CN* ... 27 I 4
Sta Chiara *OR* ..... 115 G 8
S. Chirico (Masseria) *FG*. 67 C 29
S. Chirico Nuovo *PZ* .. 77 E 30
S. Chirico Raparo *PZ* .. 77 G 30
S. Christina i. Gröden / Sta
 Cristina Valgardena *BZ*. 4 C 17
S. Cipirello *PA* ..... 97 N 21
S. Cipriano d'Aversa *CE*. 69 D 24
S. Cipriano Picentino *SA*. 75 E 26
S. Cipriano Po *PV* ... 29 G 9
S. Ciro *TP* .... 97 N 20
S. Claudio al Chienti *MC*. 53 M 22
S. Clemente *BO* .... 40 J 16
S. Clemente *CE* .... 64 R 23
S. Clemente a Casauria
 (Abbazia) *PE* ..... 60 P 23
S. Clemente
 al Vomano *TE* .... 60 O 23
S. Colombano *BS* ... 22 E 13
S. Colombano
 al Lambro *MI* .... 21 G 10
S. Colombano
 Certenoli *GE* ..... 37 I 9
S. Colombano *FO* ... 41 J 18

S. Cono CT.......... 104 P 25
S. Corrado di Fuori SR. 105 Q 27
S. Cosimo
della Macchia BR.... 79 F 35
Santi Cosma
e Damiano LT...... 64 S 23
S. Cosmo Albanese CS. 85 I 31
S. Costantino PZ...... 76 G 29
S. Costantino
Albanese PZ........ 77 G 30
S. Costantino
Calabro VV........ 88 L 30
S. Costanzo PS .... 46 K 21
S. Cresci FI .... 40 K 16
S. Crispieri TA .... 79 F 34
Sta Crista d'Acri CS .... 85 I 31
Sta Cristina OR .... 115 G 8
Sta Cristina
(Chiesa di) OR ...... 115 G 8
Sta Cristina
d'Aspromonte RC... 91 M 29
Sta Cristina
e Bissone PV ...... 29 G 10
Sta Cristina Gela PA... 97 N 21
Sta Cristina Valgardena / St.
Christina in Gröden BZ.. 4 C 17
S. Cristoforo AL...... 28 H 8
S. Cristoforo AR .... 45 L 17
S. Cristoforo TN ...... 11 D 15
Sta Croce SO .... 9 D 10
Sta Croce AN........ 46 L 20
Sta Croce CE .... 64 S 23
Sta Croce RI......... 59 O 21
Sta Croce TS......... 17 E 23
Sta Croce (Capo) SR . 105 P 27
Sta Croce (Forca di) PG. 52 N 21
Sta Croce (Monte) CE.. 64 S 23
Sta Croce (Monte) PZ.. 71 E 28
Sta Croce Cameina RG. 106 Q 25
Sta Croce (Capo) VV.... 35 J 6
Sta Croce del Lago BL.. 13 D 18
Sta Croce del Sannio BN. 65 R 26
Sta Croce
di Magliano CB... 66 B 26
Sta Croce (Lago di) BL.. 13 D 19
Sta Croce sull'Arno PI.. 43 K 14
Sta Crocella (Passo) CB. 65 R 25
S. Dalmazio MO ...... 39 I 14
S. Dalmazio PI....... 49 M 14
S. Dalmazio SI........ 50 L 15
S. Damaso MO .... 31 I 14
S. Damiano PG .... 51 N 19
S. Damiano PC .... 29 H 11
S. Damiano (Assisi) PG. 51 N 19
S. Damiano al Colle PV. 29 G 10
S. Damiano d'Asti AT... 27 H 6
S. Damiano Macra CN . 26 I 3
S. Daniele del Friuli UD. 14 D 21
S. Daniele Po CR...... 30 G 12
S. Demetrio SR ...... 105 O 27
S. Demetrio Corone CS. 85 I 31
S. Demetrio
ne'Vestini AQ...... 59 P 22
S. Desiderio GE....... 37 I 9
Sta Domenica VV...... 88 L 29
Sta Domenica
(Abbazia di) CS... 86 J 30
Sta Domenica Talao CS. 84 H 29
Sta Domenica
Vittoria ME...... 100 N 26
S. Domenico VB........ 8 D 6
S. Domenico
(Masseria) TA...... 78 F 32
S. Domino FG .... 66 A 28
S. Domino (Isola)
(I. Tremiti) FG...... 66 A 28
S. Donà di Piave VE.... 16 F 19
S. Donaci BR .... 79 F 35
S. Donato TA .... 79 F 33
S. Donato GR......... 55 O 15
S. Donato LU........ 38 K 13
S. Donato SI......... 43 L 15
S. Donato di Lecce LE.. 83 G 36
S. Donato di Ninea CS . 85 H 30
S. Donato in Collina FI.. 44 K 16
S. Donato in Poggio FI. 43 L 15
S. Donato
in Tavignone PS .... 45 K 19
S. Donato Milanese MI.. 21 F 9
S. Donato
Val di Comino FR... 64 Q 23
S. Donnino FI .... 43 K 15
S. Donnino MO....... 31 I 14
S. Dono VE.......... 16 F 19
S. Dorligo della Valle TS. 17 F 23
S. Efisio CA .... 121 J 9
S. Egidio PG......... 51 M 19
S. Egidio alla Vibrata TE. 53 N 23
S. Elena ME......... 52 M 21
S. Elena PD......... 24 G 17
S. Elena Sannita IS.... 65 R 25
S. Elia CA........... 119 J 9

S. Elia ME............ 100 N 25
S. Elia AN............ 46 L 21
S. Elia CZ............ 89 K 31
S. Elia RC............ 90 N 29
S. Elia RI............ 58 O 20
S. Elia (Monte) RC..... 88 L 29
S. Elia (Monte) TA.... 73 F 33
S. Elia (Capo) CA...... 119 J 9
S. Elia a Pianisi CB.... 66 C 26
S. Elia Fiumerapido FR. 64 R 23
S. Elisabetta AG ..... 102 O 22
S. Elisabetta TO....... 19 F 4
S. Ellero FI.......... 44 K 16
S. Ellero FO.......... 40 K 17
S. Elpidio RI .... 59 P 21
S. Elpidio a Mare AP... 53 M 23
S. Elpidio Morico AP... 53 M 22
S. Enea PG .... 51 M 19
S. Eraclio PG......... 51 N 20
S. Erasmo MC........ 52 M 21
S. Erasmo TR........ 58 O 19
S. Eufemia FO .... 40 K 17
S. Eufemia (Faro di) FG. 67 B 30
S. Eufemia (Golfo di) VV. 88 K 29
S. Eufemia a Maiella PE. 60 P 24
S. Eufemia
d'Aspromonte RC.... 90 M 29
S. Eufemia
della Fonte BS...... 22 F 12
S. Eufemia Lamezia CZ. 88 K 30
S. Eufemia Vetere CZ.. 88 K 30
S. Eurosia BI......... 19 F 6
S. Eusanio
del Sangro CH...... 60 P 24
S. Eusebio BS........ 22 F 13
S. Eusebio MO....... 31 I 14
S. Eutizio
(Abbazia di) PG..... 52 N 21
S. Faustino PG........ 45 L 19
S. Fedele Intelvi CO.... 9 E 9
S. Fele PZ........... 71 E 28
S. Felice CE......... 65 S 24
S. Felice a Cancello CE. 70 D 25
S. Felice Circeo LT.... 68 S 21
S. Felice del Benaco BS. 23 F 13
S. Felice del Molise CB. 65 Q 26
S. Felice / St. Felix BZ . 3 C 15
S. Felice sul Panaro MO. 31 H 15
St. Felix / S. Felice BZ . 3 C 15
S. Ferdinando RC..... 88 L 29
S. Ferdinando
di Puglia FG....... 72 D 30
S. Fidenzio (Abbazia) PG. 51 N 19
S. Fili PZ........... 86 I 30
S. Filippo RI .... 58 O 20
S. Filippo OT........ 109 E 9
S. Filippo del Mela ME. 90 M 27
S. Filippo
di Fragala ME....... 100 M 26
Ss. Filippo
e Giacomo TP ...... 96 N 19
S. Fior TV........... 13 E 19
Sta Fiora GR......... 50 N 16
S. Fiorano PS........ 46 L 19
Sta Firmina AR ...... 45 L 17
Sta Flavia PA .... 98 M 22
S. Floreano UD....... 14 D 21
S. Floriano /
Obereggen BZ...... 12 C 16
S. Floriano del Collio GO. 17 E 22
S. Floro CZ.......... 89 K 31
S. Foca LE.......... 81 G 37
S. Foca PN.......... 13 D 20
S. Fortunato
(Montefalco) PG..... 51 N 19
Sta Francesca FR ..... 64 Q 22
S. Francesco RI ...... 58 O 20
S. Francesco TA ...... 73 E 32
S. Francesco (Santuario di)
(Paola) CS....... 86 I 30
S. Francesco
al Campo TO...... 19 G 4
S. Francesco PN ...... 14 D 20
S. Francesco TN ...... 12 D 16
S. Francesco VR ...... 23 F 15
S. Fratello ME....... 100 M 25
S. Fruttuoso GE....... 37 I 9
S. Gabriele BO....... 32 I 16
S. Gaetano VE....... 16 F 20
S. Galgano
(Abbazia di) SI....... 49 M 15
S. Gavino Monreale VS. 118 I 8
S. Gemiliano CA...... 119 J 9
S. Gemini TR .... 58 O 19
S. Gemini Fonte TR.... 58 O 19
S. Genesio Atesino /
Jenesien BZ........ 3 C 15
S. Genesio ed Uniti PV. 21 G 9
S. Gennaro LU....... 39 K 13
S. Gennaro
Vesuviano NA ...... 70 E 25

St. Georgen /
S. Giorgio BZ .... 4 B 17
S. Germano Chisone TO. 26 H 3
S. Germano dei Berici VI. 24 F 16
S. Germano
Vercellese VC....... 20 F 6
Sta Gertrude /
St. Gertraud BZ .... 3 C 14
S. Gervasio PI .... 43 L 14
S. Gervasio
Bresciano BS ...... 22 G 12
S. Giacomo RG....... 104 Q 26
S. Giacomo CH....... 61 P 25
S. Giacomo TE....... 53 N 22
S. Giacomo
(Masseria) BR....... 79 F 34
S. Giacomo / St. Jakob
(vicino a Bolzano) BZ. 3 C 15
S. Giacomo PV....... 29 G 9
S. Giacomo RE....... 31 H 13
S. Giacomo
(vicino a Boves) CN... 35 J 4
S. Giacomo (vicino a
Demonte) CN....... 34 I 3
S. Giacomo (Passo di) VB. 8 C 7
S. Giacomo (Val) SO ... 9 C 10
S. Giacomo / St. Jakob
vicino a Vipiteno BZ... 4 B 16
S. Giacomo (Cima) BZ... 3 B 16
S. Giacomo
(Convento) RI ...... 58 O 20
S. Giacomo d'Acri CS... 85 I 31
S. Giacomo
degli Schiavoni CB... 61 Q 26
S. Giacomo delle
Segnate MN........ 31 H 15
S. Giacomo di Fraele
(Lago di) SO........ 2 C 12
S. Giacomo
di Martignone BO ... 31 I 15
S. Giacomo di Veglia TV. 13 E 18
S. Giacomo Filippo SO.. 9 C 10
S. Giacomo
Maggiore MO ...... 39 J 14
S. Giacomo Roncole MO. 31 H 15
S. Giacomo
Vercellese VC........ 20 F 6
S. Gillio TO .... 19 G 4
S. Gimignanello SI..... 50 M 16
S. Gimignano SI ..... 43 L 15
S. Ginesio MC .... 52 M 21
S. Giorgio CA .... 118 J 8
S. Giorgio SV .... 36 J 7
S. Giorgio AG....... 102 O 21
S. Giorgio BA .... 73 D 32
S. Giorgio CT....... 100 O 27
S. Giorgio EN....... 100 O 25
S. Giorgio FE .... 32 I 17
S. Giorgio FO....... 41 J 18
S. Giorgio ME....... 94 M 26
S. Giorgio PS .... 41 K 20
S. Giorgio PZ....... 72 E 29
S. Giorgio RI........ 59 O 21
S. Giorgio TE....... 59 O 22
S. Giorgio (Chiesa) CS.. 85 I 31
S. Giorgio UD........ 15 C 21
S. Giorgio VR....... 23 E 15
S. Giorgio /
St. Georgen BZ..... 4 B 17
S. Giorgio
a Colonica FI....... 39 K 15
S. Giorgio a Cremano NA. 69 E 25
S. Giorgio a Liri FR.... 64 R 23
S. Giorgio Albanese CS. 85 I 31
S. Giorgio Canavese TO. 19 F 5
S. Giorgio del Sannio BN. 70 D 26
S. Giorgio della
Richinvelda PN...... 14 D 20
S. Giorgio
delle Pertiche PD.... 24 F 17
S. Giorgio di Cesena FO. 41 J 18
S. Giorgio di Livenza VE..16 F 20
S. Giorgio di Nogaro UD. 17 E 21
S. Giorgio di Pesaro PS. 46 K 20
S. Giorgio di Piano BO. 32 I 16
S. Giorgio in Bosco PD. 24 F 17
S. Giorgio in Salici VR.. 23 F 14
S. Giorgio Ionico TA... 79 F 34
S. Giorgio la Molara BN. 70 D 26
S. Giorgio Lucano MT.. 77 G 31
S. Giorgio Monferrato AL. 28 G 7
S. Giorgio Morgeto RC. 88 L 30
S. Giorgio Piacentino PC. 29 H 11
S. Giorgio (Rio di) OG. 119 I 10
S. Giorgio di Susa TO.. 18 G 3
San Giovanni PC....... 29 H 10
S. Giovanni AQ....... 59 P 21
S. Giovanni AP....... 52 N 22
S. Giovanni CZ....... 87 J 31
S. Giovanni CI........ 118 I 7

S. Giovanni (vicino a
Castelsardo) SS..... 111 E 8
S. Giovanni (vicino a
Sassari) SS......... 110 E 7
S. Giovanni (Lago) AG. 103 P 23
S. Giovanni a Piro SA.. 76 G 28
S. Giovanni
a Teduccio NA...... 69 E 24
S. Giovanni CN....... 27 I 5
S. Giovanni FE....... 33 H 18
S. Giovanni TN....... 11 E 14
S. Giovanni (vicino a
Polcenigo) PN...... 13 D 19
S. Giovanni (vicino a
S. Vito al T.) PN..... 13 E 20
S. Giovanni /
St. Johann BZ ..... 4 B 17
S. Giovanni
al Mavone TE....... 59 O 23
S. Giovanni
al Natisone UD ..... 17 E 22
S. Giovanni al Timavo TS. 17 E 22
S. Giovanni Bianco BG.. 9 E 10
S. Giovanni d'Asso SI .. 50 M 16
S. Giovanni
del Dosso MN...... 31 H 15
S. Giovanni
del Pantano PG..... 51 M 18
S. Giovanni
delle Contee GR..... 50 N 17
S. Giovanni
di Baiano PG ...... 51 N 20
S. Giovanni di Gerace RC. 88 L 30
S. Giovanni di Sinis OR. 114 H 7
S. Giovanni
Galermo CT .... 100 O 27
S. Giovanni Gemini AG. 98 O 22
S. Giovanni Ilarione VR. 23 F 15
S. Giovanni
in Argentella RM .... 58 P 20
S. Giovanni in Croce CR. 30 G 13
S. Giovanni in Fiore CS. 87 J 32
S. Giovanni in Fonte FG. 71 D 29
S. Giovanni in Galdo CB. 65 R 26
S. Giovanni in Galilea FO. 41 K 19
S. Giovanni
in Ghiaiolo PS ..... 45 K 19
S. Giovanni
in Marignano RN ... 41 K 20
S. Giovanni
in Persiceto BO..... 31 I 15
S. Giovanni in Venere CH. 61 P 25
S. Giovanni Incarico FR. 64 R 22
S. Giovanni Incarico
(Lago di) FR........ 64 R 22
S. Giovanni la Punta CT. 101 O 27
S. Giovanni Lipioni CH. 65 Q 25
S. Giovanni Lupatoto VR. 23 F 15
S. Giovanni Maggiore FI. 40 K 16
S. Giovanni Reatino RI. 58 O 20
S. Giovanni Rotondo FG. 67 B 29
S. Giovanni Suergiu CI. 118 J 7
S. Giovanni Teatino CH. 60 O 24
S. Giovanni Valdarno AR. 44 L 16
S. Giovenale RI ...... 59 O 21
S. Girolamo OG....... 117 H 10
Sta Giulia SV .... 27 I 6
S. Giuliano PC........ 30 G 11
S. Giuliano VT....... 57 O 17
S. Giuliano (Lago di) MT. 77 F 31
S. Giuliano
del Sannio CB ..... 65 R 25
S. Giuliano di Puglia CB. 66 B 26
S. Giuliano Milanese MI. 21 F 9
S. Giuliano Nuovo AL.. 28 H 8
S. Giuliano Terme PI .. 42 K 13
S. Giuliano Vecchio AL. 28 H 8
S. Giulio (Isola) NO.... 20 E 7
S. Giuseppe FE ...... 33 H 18
S. Giuseppe MC...... 52 M 21
S. Giuseppe SI....... 50 M 17
S. Giuseppe Jato PA... 97 N 21
S. Giuseppe / Moos BZ.. 4 B 19
S. Giuseppe
Vesuviano NA ...... 70 E 25
Sta Giusta OR....... 114 H 7
Sta Giusta (Monte) SS. 110 E 6
Sta Giusta (Ponte) FG. 66 C 28
Sta Giusta
(Stagno di) OR..... 114 H 7
Sta Giustina RN....... 41 J 19
Sta Giustina BL...... 12 D 18
Sta Giustina in Colle PD. 24 F 17
S. Giustino PG....... 45 L 18
S. Giustino Valdarno AR. 44 L 17
S. Giusto MC .... 52 M 21
S. Giusto Canavese TO. 19 G 5
S. Godenzo FI ...... 40 K 16
S. Grato AO.......... 19 E 5

S. Gregorio CA ...... 119 J 10
S. Gregorio PG...... 51 M 19
S. Gregorio VR...... 24 F 15
S. Gregorio LE...... 83 H 36
S. Gregorio RC...... 90 M 28
S. Gregorio
da Sassola RM...... 63 Q 20
S. Gregorio
di Catana CT ...... 101 O 27
S. Gregorio d'Ippona VV. 88 L 30
S. Gregorio Magno SA. 76 F 28
S. Gregorio Matese CE. 65 R 25
S. Gregorio nelle Alpi BL. 12 D 18
S. Guglielmo al Goleto
(Abbazia) AV ...... 71 E 27
S. Guido LI......... 49 M 13
S. Gusme SI .... 44 L 16
Sto Ianni CE........ 69 D 24
S. Ignazio OR....... 115 G 8
S. Ilario PZ......... 71 E 28
S. Ilario dello Ionio RC. 91 M 30
S. Ilario d'Enza RE.... 30 H 13
S. Ilario di Baganza PR. 30 I 12
S. Ilario Trebbio MC... 52 M 21
S. Imento PC .... 29 G 10
Sto Iona AQ........ 59 P 22
Sto Iorio CE........ 69 D 24
S. Ippolito PS....... 46 K 20
S. Ippolito PI....... 49 M 14
S. Isidoro LE........ 79 G 35
S. Isidoro (vicino a Quartu S.
Elena) CA........ 119 J 9
S. Isidoro (vicino a
Teulada) CA....... 120 K 8
S. Jacques AO ...... 7 E 5
St. Johann /
S. Giovanni BZ..... 4 B 17
S. Jorio (Passo di) CO ... 9 D 9
St. Kassian /
S. Cassiano BZ..... 4 C 17
S. Latino CR .... 22 G 11
S. Lazzaro NA....... 75 F 25
S. Lazzaro PS....... 46 K 20
S. Lazzaro di
Savena BO .... 40 I 16
S. Leo RC........... 90 M 28
S. Leo AR.......... 44 L 17
S. Leo PS .... 41 K 19
S. Leonardo FG...... 71 D 29
S. Leonardo OR...... 115 G 8
S. Leonardo UD...... 15 D 22
S. Leonardo (Passo) AQ. 60 P 24
S. Leonardo /
St. Leonhard BZ .... 4 B 17
S. Leonardo de
Siete Fuentes OR... 115 G 7
S. Leonardo di Cutro KR. 89 K 32
S. Leonardo
di Siponto FG ..... 67 C 29
S. Leonardo in Passiria /
St. Leonhard
in Passeier BZ ..... 3 B 15
S. Leonardo
Valcellina PN....... 13 D 20
S. Leone OG........ 102 P 22
S. Leonhard in Passeier /
S. Leonardo
in Passiria BZ ..... 3 B 15
S. Leonhard /
S. Leonardo BZ..... 4 B 17
S. Leucio del Sannio BN. 70 D 26
S. Liberale VE....... 25 F 19
S. Liberata GR....... 55 O 15
S. Liberato TR ...... 58 O 19
S. Liberato (Lago di) TR. 58 O 19
S. Liberatore
(Cappella) AV....... 70 D 27
S. Loe PA.......... 97 N 21
S. Lorenzello BN...... 65 S 25
S. Lorenzen /
S. Lorenzo di Sebato BZ. 4 B 17
S. Lorenzo RC....... 90 M 29
S. Lorenzo LT....... 64 S 23
S. Lorenzo MC....... 52 M 21
S. Lorenzo OT....... 113 E 11
S. Lorenzo SS....... 111 E 7
S. Lorenzo (Certosa di)
(Padula) SA ...... 76 F 28
S. Lorenzo a Merse SI.. 49 M 15
S. Lorenzo (vicino a
Camagnola) CN.... 27 H 5
S. Lorenzo (vicino a
Cuneo) CN........ 35 I 4
S. Lorenzo (vicino a
Savigliano) CN..... 27 I 5
S. Lorenzo al Lago MC. 52 M 21
S. Lorenzo al Mare IM... 35 K 5
S. Lorenzo PN ...... 13 E 20
S. Lorenzo (Lago di) TN. 11 C 15
S. Lorenzo Bellizzi CS. 85 H 30
S. Lorenzo (Capo) CA. 119 I 10

S. Lorenzo
de' Picenardi CR..... 30 G 12
S. Lorenzo del Vallo CS. 85 H 30
S. Lorenzo
di Rabatta PG....... 51 M 19
S. Lorenzo di Sebato /
St. Lorenzen BZ..... 4 B 17
S. Lorenzo e Flaviano RI. 52 O 21
S. Lorenzo (Fattoria) SR. 107 Q 27
S. Lorenzo in Banale TN. 11 D 14
S. Lorenzo in Campo PS. 46 L 20
S. Lorenzo
in Correggiano RN... 41 J 19
S. Lorenzo in Noceto FO. 40 J 18
S. Lorenzo Isontino GO. 17 E 22
S. Lorenzo Maggiore BN. 65 S 25
S. Lorenzo Nuovo VT.. 50 N 17
S. Lorenzo Vecchio SR. 107 Q 27
S. Luca PG.......... 51 N 20
S. Luca RC.......... 91 M 30
Sta Luce PI......... 43 L 13
Sta Luce (Lago di) PI.. 42 L 13
Sta Lucia CA........ 119 I 9
Sta Lucia BA........ 80 E 33
Sta Lucia BN........ 65 R 25
Sta Lucia FI......... 39 J 15
Sta Lucia NU........ 113 F 11
Sta Lucia PG........ 45 L 18
Sta Lucia RI......... 59 P 21
Sta Lucia SI......... 43 L 15
Sta Lucia (vicino a
Battipaglia) SA .... 75 F 26
Sta Lucia (vicino a
Cagliari) CA .... 118 J 8
Sta Lucia (vicino a
Nocera) AV....... 75 E 26
Sta Lucia (Chiesa di) AV. 71 E 27
Sta Lucia CN........ 34 I 3
Sta Lucia (Lago di) TN.. 11 C 15
Sta Lucia MN........ 31 G 15
Sta Lucia SO......... 2 C 13
Sta Lucia (Terme di) MC. 52 M 21
Sta Lucia del Mela ME. 90 M 27
Sta Lucia
delle Spianate RA ... 40 J 17
Sta Lucia di Piave TV... 13 E 18
Sta Lucia di Serino AV. 70 E 26
Sta Lucia (Rio) CA..... 118 J 8
S. Lucido CS .... 86 J 30
S. Lugano BZ........ 12 D 16
S. Lugano (Pale di) BL.. 12 D 17
S. Lugano (Val di) BL.. 12 D 17
S. Lupo BN......... 65 S 25
Santu Lussurgiu OR .. 115 H 8
Santu Lussurgiu
(Località) OR....... 115 G 7
S. Macario in Piano LU. 38 K 13
S. Macario (Isola) CA.. 121 J 9
Sta Maddalena in Casies /
St. Magdalena BZ... 4 B 18
Sta Maddalena Vallalta /
St. Magdalena BZ... 4 C 17
S. Magno BA .... 72 D 31
S. Mamete CO....... 9 D 9
S. Mango SA .... 75 G 27
S. Mango d'Aquino CZ. 86 J 30
S. Mango Piemonte SA. 75 F 27
S. Mango sul Calore AV. 70 E 26
St. Marcel AO.......... 19 E 4
S. Marcello AN....... 46 L 21
S. Marcello Pistoiese PT. 39 J 14
S. Marco ME....... 101 M 27
S. Marco AQ........ 59 O 21
S. Marco BA .... 80 E 33
S. Marco CT........ 90 N 27
S. Marco PG........ 51 M 19
S. Marco RA .... 41 I 18
S. Marcovicina e
Caserta CE .... 70 D 25
S. Marco (vicino a
Castellabate) SA.... 75 G 26
S. Marco (vicino a
Teano) CE .... 69 D 24
S. Marco (vicino a
Teggiano) SA....... 76 F 28
S. Marco PD........ 24 G 16
S. Marco Argentano CS. 85 I 30
S. Marco UD........ 14 D 21
S. Marco (Capo) AG... 102 O 21
S. Marco d'Alunzio ME. 100 M 26
S. Marco dei Cavoti BN. 70 D 26
S. Marco Evangelista CE. 69 D 25
S. Marco in Lamis FG .. 67 B 28
S. Marco in Lamis
(Stazione di) FG..... 66 B 28
S. Marco (Passo) BG... 9 D 10
S. Marco (Rifugio) BL... 4 C 18
Sta Margherita CA..... 121 K 8
Sta Margherita AP..... 52 M 22
Sta Margherita FI..... 39 J 15
Sta Margherita PR.... 30 H 12

148

Sta Margherita
  d'Adige *PD* .... 24 G 16
Sta Margherita
  di Belice *AG* .... 97 N 21
Sta Margherita
  di Staffora *PV* ...... 29 H 9
Sta Margherita Ligure *GE*. 37 J 9
Sta Maria *CI* .... 118 J 7
Sta Maria *CZ* .... 89 K 31
Sta Maria *ME* 100M 26
Sta Maria (Isola) *OT* .. 109 D 10
Sta Maria de Siones *MO*. 39 I 14
Sta Maria *TR* .... 58 O 19
Sta Maria (Canale) *FG*.. 66 C 27
Sta Maria (Monte) *CT*. 100 N 26
Sta Maria *PC* .... 29 H 10
Sta Maria *VR* ...... 23 F 15
Sta Maria *VC* .... 7 E 6
Sta Maria a Belverde *SI*. 50 N 17
Sta Maria (Giogo di) /
  Umbrail (Pass) *SO* ... 2 C 13
Sta Maria a Mare *AP* ... 53M 23
Sta Maria a Mare *FG* .. 66 A 28
Sta Maria a Monte *PI* .. 43 K 14
Sta Maria
  a Pantano *CE* .... 69 E 24
Sta Maria a Pié
  di Chienti *MC* 53M 22
Sta Maria a Vezzano *FI*. 40 K 16
Sta Maria a Vico ..... 70 D 25
Sta Maria al Bagno *LE*.. 83 G 35
Sta Maria
  alla Fonderia *BZ* .... 2 C 14
Sta Maria Amaseno *FR*. 64 Q 22
Sta Maria Arabona *PE*. 60 P 24
Sta Maria
  Capua Vetere *CE* ... 69 D 24
Sta Maria Codifume *BO*. 32 I 16
Sta Maria Coghinas *SS*. 111 E 8
Sta Maria d'Anglona *MT*. 78 G 31
Sta Maria d'Armi
  (Santuario) *CS* ... 85 H 31
Sta Maria d'Attoli *TA* .. 78 F 32
Sta Maria
  degli Angeli *PG* ... 51M 19
Sta Maria
  dei Bisognosi *AQ* ... 59 P 21
Sta Maria dei Lattani *CE*. 64 S 23
Sta Maria dei Martiri *SA*. 76 G 28
Sta Maria
  dei Sabbioni *CR* .... 22 G 11
Sta Maria del Bosco *PA*. 97 N 21
Sta Maria del Bosco *VV*. 88 L 30
Sta Maria
  del Calcinaio *AR* 50M 17
Sta Maria del Casale *BR*. 81 F 35
Sta Maria del Cedro *CS*. 84 H 29
Sta Maria del Lago
  (Moscufo) *PE* ...... 60 O 24
Sta Maria del Monte *VA*. 8 E 8
Sta Maria del Monte *CS*. 85 H 30
Sta Maria del Monte *RN*. 41 K 20
Sta Maria del Patire
  (Santuario) *CS* ... 85 I 31
Sta Maria del Plano *FR*. 64 R 23
Sta Maria del Rivo *PC*. 29 H 11
Sta Maria del Taro *PR*.. 37 I 10
Sta Maria della Colonna
  (Convento) *BA* ...... 72 D 31
Sta Maria della
  Consolazione *PG* ... 51 N 19
Sta Maria
  della Matina *CS* .... 85 I 30
Sta Maria
  della Strada *CB* ... 65 R 26
Sta Maria della Versa *PV*. 29 H 9
Sta Maria delle
  Grazie di Forno *FO* ... 41 J 18
Sta Maria
  delle Grazie *ME* 95M 27
Sta Maria
  delle Grotte *AQ* ... 59 P 22
Sta Maria
  delle Vertighe *AR* 50M 17
Sta Maria di Antico *PS*. 41 K 18
Sta Maria di Arzilla *PS*. 46 K 20
Sta Maria di Barbana *GO*. 17 E 22
Sta Maria
  di Bressanoro *CR* ... 22 G 11
Sta Maria
  di Castellabate *SA* ... 75 G 26
Sta Maria di Cerrate
  (Abbazia) *LE* ... 81 F 36
Sta Maria di Corte
  (Abbazia di) *NU* .. 115 G 8
Sta Maria di
  Flumentepido *CI* .. 118 J 7
Sta Maria di Galeria *RM*. 58 P 18
Sta Maria di Gesù *PA*.. 98M 22
Sta Maria di Giano *BA*. 72 D 31
Sta Maria
  di Legarano *RI* ...... 58 O 20

Sta Maria
  di Leuca (Capo) *LE* ... 83 H 37
Sta Maria di Leuca
  (Santuario) *LE* ... 83 H 37
Sta Maria di Licodia *CT*. 100 O 26
Sta Maria di Loreto *SA*. 76 E 27
Sta Maria di Merino *FG*. 67 B 30
Sta Maria di Pieca *MC*.. 52M 21
Sta Maria
  di Portonovo *AN* .... 47 L 22
Sta Maria
  di Propezzano *TE* .... 53 O 23
Sta Maria di Pugliano *FR*. 63 Q 21
Sta Maria
  di Rambona *MC* 52M 21
Sta Maria di Ronzano *TE*. 59 O 23
Sta Maria di Sala *VE* ... 24 F 18
Sta Maria di Sala *VT* ... 57 O 17
Sta Maria di Sette *PG*.. 51 L 18
Sta Maria
  di Siponto *FG* ...... 67 C 29
Sta Maria d'Irsi *MT* ... 72 E 31
Sta Maria in Castello *FO*. 40 J 17
Sta Maria in Selva
  (Abbazia di) *MC* ... 52M 22
Sta Maria in Stelle *VR*.. 23 F 15
Sta Maria in Valle
  Porclaneta *AQ* ..... 59 P 22
Sta Maria in Vescovio *RI*. 58 P 19
Sta Maria Infante *LT* ... 64 S 23
Sta Maria la Fossa *CE*.. 69 D 24
Sta Maria la Longa *UD*. 17 E 21
Sta Maria la Palma *SS*. 110 F 6
Sta Maria Lignano *PG*.. 51M 20
Sta Maria Maddalena *SS*.111 E 8
Sta Maria
  Maddalena *RO* ..... 32 H 16
Sta Maria Maggiore *VB*. 8 D 7
Sta Maria
  Navarrese *OG* ...... 117 H 11
Sta Maria Nuova *AN* ... 46 L 21
Sta Maria Nuova *FO* ... 41 J 18
Sta Maria
  Occorrevole *CE* .... 65 R 25
Sta Maria Orsoleo *PZ*.. 77 G 30
Sta Maria Pietrarossa *PG*. 51 N 20
Sta Maria Rassinata *AR*. 45 L 18
Sta Maria Rezzonico *CO*. 9 D 9
S. Mariano *PG* 51M 18
Ste Marie *AQ* ...... 59 P 21
Sta Marina *FO* ...... 40 J 17
Sta Marina *SA* ...... 76 G 28
Sta Marina Salina *ME*.. 94 L 26
Sta Marinella *RM* ..... 57 P 17
Sto Marino *MO* ...... 31 H 14
S. Marino *TR* ...... 51 N 18
San Marino
  (Repubblica di) *RSM*. 41 K 19
S. Maroto *MC* 52M 21
St. Martin / S. Martino *BZ*. 4 B 18
St. Martin in Passeier /
  S. Martino in Passiria *BZ*. 3 B 15
St. Martin in Thurn /
  S. Martino in Badia *BZ*. 4 B 17
S. Martino *BO* ...... 40 I 17
S. Martino *LI* ...... 48 N 12
S. Martino *PG* ...... 45 L 19
S. Martino *RI* ...... 59 O 22
S. Martino / Reinswald *BZ*. 3 B 16
S. Martino *BS* ...... 22 E 13
S. Martino *CN* ...... 26 H 4
S. Martino *NO* ...... 20 F 8
S. Martino *PR* ...... 30 H 13
S. Martino *SV* ...... 36 I 7
S. Martino *SO* ...... 9 D 10
S. Martino *TR* ...... 51 N 18
S. Martino / St. Martin *BZ*. 4 B 18
S. Martino (Pal di) *TN* .. 12 D 17
S. Martino Alfieri *AT* ... 27 H 6
S. Martino alla Palma *FI*. 43 K 15
S. Martino
  Buon Albergo *VR* ... 23 F 15
S. Martino Canavese *TO*. 19 F 5
S. Martino d'Agri *PZ* ... 77 G 30
S. Martino
  dall'Argine *MN* ..... 30 G 13
S. Martino d'Alpago *BL*. 13 D 19
S. Martino dei Muri *PS*. 46 L 20
S. Martino del Piano *PS*. 45 L 19
S. Martino
  della Battaglia *BS* ... 23 F 13
S. Martino
  delle Scale *PA* 97M 21
S. Martino
  di Campagna *PN* ... 13 D 19
S. Martino
  di Castrozza *TN* .... 12 D 17

S. Martino di Finita *CS*. 85 I 30
S. Martino di Lupari *PD*. 24 F 17
S. Martino
  di Venezze *RO* ...... 32 G 17
S. Martino in Argine *BO*. 32 I 16
S. Martino in Badia /
  St. Martin in Thurn *BZ*. 4 B 17
S. Martino
  in Beliseto *CR* ...... 22 G 11
S. Martino
  in Campo *PG* 51M 19
S. Martino in Colle (vicino a
  Gubbio) *PG* 51M 19
S. Martino in Colle (vicino a
  Perugia) *PG* 51M 19
S. Martino
  in Freddana *LU* ... 38 K 13
S. Martino in Gattara *RA*. 40 J 17
S. Martino in Passiria /
  St. Martin
  in Passeier *BZ* ...... 3 B 15
S. Martino in Pensilis *CB*. 66 B 27
S. Martino in Rio *RE* ... 31 H 14
S. Martino
  in Soverzano *BO* .... 32 I 16
S. Martino in Strada *FO*. 41 J 18
S. Martino Monteneve *BZ*. 3 B 15
S. Martino Pizzo *VB* ... 7 D 6
S. Martino Siccomario *PV*. 21 G 9
S. Martino Spino *MO* ... 31 H 15
S. Martino sul Fiora *GR*. 50 N 16
S. Martino
  Valle Caudina *AV* ... 70 D 25
S. Marzano di
  S. Giuseppe *TA* .... 79 F 34
S. Marzano Oliveto *AT*. 28 H 6
S. Marzano sul Sarno *SA*. 70 E 25
S. Massimo *CB* ...... 65 R 25
S. Matteo *CN* ...... 34 I 4
S. Matteo *FG* ...... 66 B 28
S. Matteo (Punta) *SO*.. 11 C 13
S. Matteo
  della Decima *BO* ... 31 H 15
S. Matteo
  delle Chiaviche *MN*.. 31 G 13
S. Matteo in Lamis
  (S. Marco) *FG* ...... 67 B 28
S. Maurizio Canavese *TO*. 19 G 4
S. Maurizio d'Opaglio *NO*. 20 E 7
S. Mauro *NU* .... 115 G 9
S. Mauro (Varco) *CS* ... 86 I 31
S. Mauro a Mare *FO* ... 41 J 19
S. Mauro Castelverde *PA*. 99 N 24
S. Mauro Cilento *SA* ... 75 G 27
S. Mauro di Saline *VR*.. 23 F 15
S. Mauro Forte *MT* .... 77 F 30
S. Mauro la Bruca *SA* ... 76 G 27
S. Mauro Marchesato *KR*. 87 J 32
S. Mauro (Monte) *CA* .. 119 I 9
S. Mauro Pascoli *FO* ... 41 J 19
S. Mauro Torinese *TO*.. 27 G 5
S. Mazzeo *CZ* ...... 86 J 30
S. Menaio *FG* ...... 67 B 29
S. Miai Terraseo
  (Monte) *CI* .... 118 J 7
S. Miali (Punta di) *VS*.. 118 I 8
S. Michele *BS* ...... 23 E 14
S. Michele *VS* ...... 118 I 8
S. Michele *LT* ...... 63 R 20
S. Michele *IM* ...... 35 K 4
S. Michele *NA* ...... 75 F 25
S. Michele *PS* ...... 46 L 20
S. Michele *PC* ...... 29 H 11
S. Michele (Punta) *CI* . 118 I 7
S. Michele *RA* ...... 41 I 18
S. Michele *RE* ...... 31 H 14
S. Michele *SA* ...... 76 F 28
S. Michele (Abbazia) *PC*. 29 G 11
S. Michele (Monte) *FI*.. 44 L 16
S. Michele all'Adige *TN*. 11 D 15
S. Michele
  al Tagliamento *VE* ... 16 E 20
S. Michele Arenas
  (Monte) *CI* .... 118 J 7
S. Michele
  dei Mucchietti *MO* ... 31 I 14
S. Michele
  di Ganzaria *CT* ..... 104 P 25
S. Michele di Piave *TV* . 25 E 19
S. Michele di Plaianu *SS*.110 E 7
S. Michele di
  Salvenero *SS* .... 111 F 8
S. Michele di Serino *AV*. 70 E 26
S. Michele Gatti *PR* ... 30 H 12
S. Michele in Bosco *MN*. 31 G 13
S. Michele
  in Teverina *VT* .... 57 O 18
S. Michele Mondovì *CN*. 35 I 5
S. Michele (Monte)
  (Gorizia) *GO* .... 17 E 22
S. Michele Salentino *BR*. 80 F 34
S. Miniato *PI* ...... 43 K 14

Sta Monica *RN* .... 41 K 20
S. Morello *CS* .... 87 I 32
S. Nazario
  (Santuario) *FG* ...... 66 B 28
S. Nazzaro *PR* ...... 30 H 12
S. Nazzaro *PC* ...... 30 G 11
S. Nazzaro Sesia *NO* ... 20 F 7
S. Nicola *AQ* .... 59 P 21
S. Nicola *ME* 100M 26
S. Nicola *PZ* ...... 72 E 29
S. Nicola *SA* ...... 76 G 27
S. Nicola (vicino ad
  Ardore) *RC* ...... 91 M 30
S. Nicola (vicino a
  Caulonia) *RC* ...... 88 L 31
S. Nicola (Isola)
  (I. Tremiti) *FG* ...... 66 A 28
S. Nicola Arcella *CS* ... 84 H 29
S. Nicola Baronia *AV* ... 71 D 27
S. Nicola dell'Alto *KR* .. 87 J 32
S. Nicola da Crissa *VV*.. 88 L 30
S. Nicola la Strada *CE*.. 69 D 25
S. Nicola l'Arena *PA* ... 98M 22
S. Nicola Manfredi *BN* . 70 D 26
S. Nicola (Monte) *BA* ... 80 E 33
S. Nicola (Monte) *PA* ... 102 O 22
S. Nicola Varano *FG* ... 67 B 29
S. Nicolò *PC* ...... 29 G 10
S. Nicolò *FE* ...... 32 H 17
S. Nicolò *PG* ...... 51 N 20
S. Nicolò a Tordino *TE*.. 53 N 23
S. Nicolò / St. Nikolaus *BZ*. 3 C 14
S. Nicolò d'Arcidano *OR*. 118 H 7
S. Nicolò di Comelico *BL*. 5 C 19
S. Nicolò di Trullas *SS*. 115 F 8
S. Nicolò Gerrei *CA* .. 119 I 9
S. Nikolaus / S. Nicolò *BZ*. 3 C 14
S. Ninfa *TP* .... 97 N 20
S. Odorico *UD* ...... 14 D 20
S. Olcese *GE* ...... 28 I 8
Sta Oliva *FR* .... 64 R 22
S. Omero *TE* ...... 53 N 23
S. Omobono Imagna *BG*.21 E 10
S. Onofrio *CS* ...... 85 H 30
S. Onofrio *LT* ...... 64 R 22
S. Onofrio *TE* ...... 53 N 23
S. Oreste *RM* ...... 58 P 19
S. Orsola *TN* ...... 12 D 16
S. Osvaldo (Passo di) *PN*. 13 D 19
St. Oyen *AO* ...... 6 E 3
Sta Panagia *SR* ...... 105 P 27
Sta Panagia (Capo) *SR*. 105 P 27
S. Pancrazio *OT* ...... 109 D 10
S. Pancrazio *AR* ...... 44 L 16
S. Pancrazio *FI* ...... 43 L 15
S. Pancrazio *PR* ...... 30 H 12
S. Pancrazio *RA* ...... 41 I 18
S. Pancrazio
  Salentino *BR* ...... 79 F 35
S. Pancrazio /
  St. Pankraz *BZ* ...... 3 C 15
St. Pankraz /
  S. Pancrazio *BZ* ...... 3 C 15
S. Pantaleo *OT* ...... 109 D 10
S. Pantaleo (Isola) *TP*.. 96 N 19
S. Pantaleone *RC* ...... 90 N 29
Sta Paolina *AV* ...... 70 D 26
S. Paolo *SR* ...... 107 Q 27
S. Paolo *OT* ...... 113 E 10
S. Paolo *TA* ...... 80 F 33
S. Paolo (Isola) *TA* ... 78 F 33
S. Paolo (Masseria) *TA*. 79 F 33
S. Paolo Albanese *PZ*.. 77 G 31
S. Paolo *BS* ...... 22 F 12
S. Paolo Bel Sito *NA* ... 70 E 25
S. Paolo Cervo *BI* ... 19 F 6
S. Paolo di Civitate *FG*. 66 B 27
S. Paolo di Jesi *AN* ... 46 L 21
S. Paolo *PN* ...... 16 E 20
S. Paolo Solbrito *AT* ... 27 H 5
S. Pasquale *OT* ...... 109 D 9
S. Paterniano *AN* ... 47 L 22
Santu Pedru (Tomba) *SS*. 110 F 7
S. Pelino (Corfinio) *AQ*. 60 P 23
S. Pelino (vicino ad
  Avezzano) *AQ* ...... 59 P 22
S. Pelino (vicino a
  Montereale) *AQ* ...... 59 O 21
S. Pellegrinetto *MO* ... 39 I 14
S. Pellegrino *FI* ...... 40 J 16
S. Pellegrino (vicino a
  Fossato di Vico) *PG* ... 51M 20
S. Pellegrino (vicino a
  Norcia) *PG* ...... 52 N 21

S. Pellegrino (Passo) *TN*. 12 C 17
S. Pellegrino (Val di) *TN*. 12 C 17
S. Pellegrino in Alpe *MO*. 38 J 13
S. Pellegrino Terme *BG*. 21 E 10
St. Peter / S. Pietro *BZ*... 4 A 18
S. Pier d'Isonzo *GO* ... 17 E 22
S. Piero a Grado *PI* .... 42 K 13
S. Piero a Ponti *FI* ...... 39 K 15
S. Piero a Sieve *FI* ...... 40 K 15
S. Piero in Bagno *FO* ... 40 K 17
S. Piero in Campo *LI* ... 48 N 12
S. Piero in Campo *SI* ... 50 N 17
S. Piero Patti *ME* 100M 26
S. Pierre *AO* ...... 18 E 3
S. Pietro *AQ* ...... 59 O 22
S. Pietro *VS* .... 118 I 8
S. Pietro *ME* ...... 94 L 27
S. Pietro *OR* ...... 114 H 7
S. Pietro *NA* ...... 74 F 25
S. Pietro *PG* ...... 51 N 20
S. Pietro *RI* ...... 58 O 20
S. Pietro *VT* ...... 57 O 17
S. Pietro (Badia di) *AN*.. 47 L 22
S. Pietro (Lago di) *AV* ... 71 D 28
S. Pietro (Monte) *CI* ... 118 J 7
S. Pietro (Monte) *OT* ... 109 E 9
S. Pietro a
  Maida Scalo *CZ* ..... 88 K 30
S. Pietro a Monte *PG* ... 51 L 18
S. Pietro a Maida *CZ* ... 88 K 31
S. Pietro /St. Peter *BZ*... 4 A 18
S. Pietro (Canale di) *UD*. 5 C 21
S. Pietro
  Acquaeortus *TR* ..... 50 N 17
S. Pietro al Natisone *UD*. 15 D 22
S. Pietro al Tanagro *SA*. 76 F 28
S. Pietro all'Olmo *MI* ... 21 F 9
S. Pietro Apostolo *CZ*.. 86 J 31
S. Pietro Avellana *IS* ... 65 Q 24
S. Pietro Belvedere *PI*.. 43 L 13
S. Pietro Casasco *PV* ... 29 H 9
S. Pietro Clarenza *CT* ... 100 O 27
S. Pietro di Carida *RC* ... 88 L 30
S. Pietro di Carnia *UD* ... 5 C 21
S. Pietro di Feletto *TV* ... 13 E 18
S. Pietro di Morubio *VR*. 23 G 15
S. Pietro di Ruda *OT* ... 109 E 9
S. Pietro
  di Simbranos *SS* ... 111 E 8
S. Pietro di Sorres *SS*. 111 F 8
Ss. Pietro e Paolo *ME*.. 90 N 27
S. Pietro in Amantea *CS*. 86 J 30
S. Pietro in Bevagna *TA*. 79 G 35
S. Pietro in Campiano *RA*. 41 J 18
S. Pietro in Cariano *VR*. 23 F 14
S. Pietro in Casale *BO*.. 32 H 16
S. Pietro in Cerro *PC* ... 30 G 11
S. Pietro in Curolis *FR*.. 64 R 23
S. Pietro in Gu *PD* ...... 24 F 16
S. Pietro in Guarano *CS*. 86 I 30
S. Pietro in Lama *LE* ... 81 G 36
S. Pietro in Palazzi *LI* ... 48M 13
S. Pietro in Silvis *RA* ... 40 I 17
S. Pietro in Valle *IS* ..... 65 R 25
S. Pietro in Valle *TR* ... 58 O 20
S. Pietro in Vincoli *RA* ... 41 J 18
S. Pietro in Volta *VE* ... 25 G 18
S. Pietro Infine *CE* ...... 64 R 23
S. Pietro (Isola) *TA* ... 78 F 33
S. Pietro (Isola di) *CI* ... 120 J 6
S. Pietro Mosezzo *NO*.. 20 F 7
S. Pietro Mussolino *VI*. 23 F 15
S. Pietro Polesine *RO*.. 32 G 15
S. Pietro Valdastico *VI*. 12 E 16
S. Pietro Vara *SP* ...... 37 I 10
S. Pietro Vernotico *BR*. 81 F 35
S. Pietro Viminario *PD*. 24 G 17
S. Pio delle Camere *AQ*. 59 P 22
S. Polo dei Cavalieri *RM*. 58 P 20
S. Polo d'Enza *RE* ...... 30 I 13
S. Polo di Piave *TV* ... 25 E 19
S. Polo in Chianti *FI* ... 44 K 16
S. Polo Matese *CB* ... 65 R 25
S. Possidonio *MO* ...... 31 H 14
S. Potito *AQ* ...... 59 P 22
S. Potito Sannitico *CE*.. 65 R 25
S. Presto *PG* 51M 20
S. Priamo *CA* ...... 119 I 10
S. Primo (Monte) *CO* ... 9 E 9
S. Prisco *CE* ...... 69 D 24
S. Procopio *RC* ...... 90 M 29
Sta Procula
  Maggiore *RM* ...... 62 R 19
S. Prospero *BO* ...... 39 I 15
S. Prospero *PR* ...... 30 H 13
S. Protaso *PC* ...... 30 H 11

S. Puoto (Lago) *LT* ..... 64 S 22
San Quirico *PO* .... 39 J 15
S. Quirico *GR* .... 50 N 17
S. Quirico *LU* ...... 38 K 13
S. Quirico *PG* 51M 19
S. Quirico d'Orcia *SI* ... 50M 16
S. Quirino *PN* ...... 13 D 20
Sta Rania *KR* ...... 87 J 32
S. Regolo *SI* ...... 44 L 16
Sta Reparata *FO* ...... 40 J 17
Sta Reparata *OT* ...... 109 D 9
Sta Reparata
  (Chiesa) *OT* .... 111 F 9
Sta Restituta *SS* ...... 115 F 9
Sta Restituta *TR* ...... 58 O 19
Sta Rita *CL* ...... 103 O 24
S. Roberto *RC* ...... 90 M 29
S. Rocco *CN* ...... 27 I 6
S. Rocco *GE* ...... 37 I 9
S. Rocco *LU* ...... 38 K 13
S. Rocco *RE* ...... 31 H 13
S. Rocco *SO* ...... 2 C 12
S. Rocco (Galleria) *RI*.. 59 P 21
S. Rocco a Pilli *SI* 50M 15
S. Rocco al Porto *LO* ... 29 G 11
S. Romano *PI* ...... 43 K 14
S. Romano *RE* ...... 31 I 13
S. Romano
  in Garfagnana *LU* ... 38 J 13
S. Romedio *TN* ...... 11 C 15
S. Romolo *IM* ...... 35 K 5
Sta Rosalia *AG* ...... 98 O 22
S. Rossore (Tenuta di) *PI*. 42 K 12
Sta Rufina *FI* ...... 58 O 20
S. Rufino
  (Abbazia di) *AP* ... 52M 22
S. Rufo *SA* ...... 76 F 28
S. Saba *ME* ...... 90 M 28
Sta Sabina *BR* ...... 80 E 35
Sta Sabina *NU* ...... 115 G 8
S. Salvatore *OR* ...... 114 H 7
S. Salvatore *BS* ...... 10 D 13
S. Salvatore *AV* ...... 70 E 26
S. Salvatore *BA* ...... 72 D 30
S. Salvatore *FG* ...... 67 B 29
S. Salvatore (Monte) *PA*. 99 N 24
S. Salvatore (Badia) *PG*. 51M 19
S. Salvatore
  di Fitalia *ME* 100M 26
S. Salvatore
  Monferrato *AL* ...... 28 G 7
S. Salvatore Telesino *BN*. 70 D 25
S. Salvo *CH* ...... 61 P 26
S. Salvo Marina *CH* ... 61 P 26
S. Saturnino
  (Terme di) *SS* ...... 115 F 9
Sta Savino *FO* ...... 40 J 17
S. Savino *PG* 51M 18
S. Savino *PS* ...... 46 L 20
S. Savino *RA* ...... 40 I 17
Sta Scolastica
  (Subiaco) *RM* ...... 63 Q 21
S. Sebastiano
  al Vesuvio *NA* ...... 70 E 25
S. Sebastiano Curone *AL*. 29 H 9
S. Sebastiano da Po *TO*. 19 G 5
S. Secondo *PG* ...... 45 L 18
S. Secondo
  di Pinerolo *TO* ...... 26 H 3
S. Secondo
  Parmense *PR* ...... 30 H 12
Sta Severa *RM* ...... 57 P 17
Sta Severina *KR* ...... 87 J 32
S. Severino Lucano *PZ*. 77 G 30
S. Severino Marche *MC*. 52M 21
S. Severo *FG* ...... 66 B 28
S. Severo *TR* ...... 51 N 18
S. Silvestro *PE* ...... 60 O 24
S. Silvestro (vicino a
  Fabriano) *AN* 52M 20
S. Silvestro (vicino a
  Senigallia) *AN* ...... 46 L 21
S. Silvestro *MN* ...... 31 G 14
S. Silvestro (Rocca di) *LI*. 49M 13
S. Simone *BG* ...... 9 D 11
S. Simone *CA* ...... 119 I 9
S. Simone *TA* ...... 80 F 33
S. Simone (Rio) *OT* ... 113 E 10
S. Siro *CO* ...... 9 D 9
S. Siro *PD* ...... 24 G 17
S. Siro Foce *GE* ...... 37 I 10
S. Sisto *PS* ...... 45 K 19
S. Sisto *RE* ...... 30 H 13
Sta Sofia *FO* ...... 40 K 17
Sta Sofia d'Epiro *CS* ... 85 I 30
S. Sosio *FR* ...... 63 R 22
S. Sossio Baronia *AV* ... 71 D 27
S. Sostene *CZ* ...... 88 L 31
S. Sosti *CS* ...... 85 I 30
S. Sperate *CA* ...... 118 I 9
Sto Spirito *BA* ...... 73 D 32

149

Sto Spirito **CL** 103 O 24
Sto Spirito **PE** 60 P 24
Sto Stefano (Isola) **OT.** 109 D 10
Sto Stefano **AN** 46 L 20
Sto Stefano **AQ** 59 P 21
Sto Stefano **CB** 65 R 25
Sto Stefano **FI** 43 L 14
Sto Stefano **LI** 48 M 11
Sto Stefano **RA** 41 J 18
Sto Stefano **TE** 53 O 22
Sto Stefano (Monte) **LT.** 63 R 21
Sto Stefano al Mare **IM.** 35 K 5
Sto Stefano **RO** 31 G 15
Sto Stefano **VR** 24 F 16
Sto Stefano Belbo **CN.** 27 H 6
Sto Stefano d'Aveto **GE.** 29 I 10
Sto Stefano del Sole **AV.** 70 E 26
Sto Stefano di Briga **ME.** 90 M 28
Sto Stefano di Cadore **BL.** 5 C 19
Sto Stefano di Camastra **ME** 99 M 25
Sto Stefano di Magra **SP.** 38 J 11
Sto Stefano di Sessanio **AQ** 59 O 22
Sto Stefano in Aspromonte **RC** 90 M 29
Sto Stefano Lodigiano **LO.** 29 G 11
Sto Stefano Quisquina **AG** 98 O 22
Sto Stino di Livenza **VE.** 16 E 20
S. Tammaro **CE** 69 D 24
Sta Tecla **CT** 101 O 27
S. Teodoro **ME** 100 N 26
S. Teodoro **OT** 113 E 11
S. Teodoro (Grotta di) **ME** 100 M 25
S. Teodoro (Stagno di) **OT** 113 E 11
S. Teodoro (Terme di) **AV.** 71 E 27
S. Terenziano **PG** 51 N 19
S. Terenzo **SP** 38 J 11
Sta Teresa di Riva **ME** 90 N 28
Sta Teresa Gallura **OT.** 109 D 9
Sto Todaro **VV** 88 L 31
S. Tomaso Agordino **BL.** 12 C 17
S. Tommaso **CH** 60 P 25
S. Tommaso **PE** 60 P 23
SS. Trinità di Delia **TP** 97 N 20
SS. Trinità di Saccargia **SS** 111 E 8
S. Trovaso **TV** 25 F 18
S. Ubaldo *Gubbio* **PG** 45 L 19
St. Ulrich / Ortisei **BZ** 4 C 17
S. Urbano **PD** 32 G 16
S. Urbano **MC** 46 L 21
S. Urbano **TR** 58 O 19
Sta Valburga / St. Walburg **BZ** 3 C 15
St. Valentin a. d. Haide / S. Valentino alla Muta **BZ.** 2 B 13
S. Valentino **TN** 23 E 14
S. Valentino **GR** 50 N 17
S. Valentino **PG** 51 N 19
S. Valentino **TR** 58 O 19
S. Valentino alla Muta / St. Valentin a. d. Haide **BZ.** 2 B 13
S. Valentino in Abruzzo **PE** 60 P 24
S. Valentino Torio **SA** 70 E 25
St. Veit / S. Vito **BZ** 4 B 18
S. Venanzio **MO** 31 I 14
S. Venanzo **TR** 51 N 18
S. Vendemiano **TV** 13 E 19
Sta Venera **CT** 101 N 27
Sta Venere (Monte) **SR.** 104 P 26
S. Venere (Ponte) **FG** 71 D 28
Sta Venerina **CT** 101 N 27
S. Vero Milis **OR** 114 G 7
S. Vicino (Monte) **MC** 52 M 21
St. Vigil / S. Vigilio **BZ** 3 C 15
St. Vigil / S. Vigilio di Marebbe **BZ** 4 B 17
S. Vigilio / St Vigil **BZ** 3 C 15
S. Vigilio di Marebbe / St. Vigil **BZ** 4 B 17
St. Vincent **AO** 19 E 4
S. Vincenzo **BO** 32 H 16
S. Vincenzo **ME** 95 K 27
S. Vincenzo **FR** 64 Q 22
S. Vincenzo **LI** 49 M 13
S. Vincenzo (Masseria) **BA** 72 D 30
S. Vincenzo a Torri **FI** 43 K 15
S. Vincenzo al Volturno **IS** 64 R 24
S. Vincenzo la Costa **CS.** 86 I 30
S. Vincenzo Valle Roveto **AQ** 64 Q 22
S. Vincenzo Valle Roveto Superiore **AQ** 64 Q 22
S. Vitale (Pineta) **RA** 33 I 18
S. Vitale di Baganza **PR.** 30 I 12
S. Vito **CA** 119 I 10
S. Vito (I. di Pantelleria) **TP** 96 Q 17
S. Vito **AV** 71 D 27
S. Vito **BA** 73 D 33
S. Vito **BN** 70 D 26
S. Vito **LT** 63 S 21
S. Vito **MO** 31 I 14
S. Vito **TE** 53 N 22
S. Vito **TR** 58 O 19
S. Vito (vicino a Bassano del G.) **TV** 24 E 17
S. Vito (vicino a Valdobbiadene) **TV** 12 E 17
S. Vito / St. Veit **BZ** 4 B 18
S. Vito al Tagliamento **PN.** 16 E 20
S. Vito al Torre **UD** 17 E 22
S. Vito (Capo) **TA** 78 F 33
S. Vito (Capo) **TP** 97 M 20
S. Vito Chietino **CH** 61 P 25
S. Vito dei Normanni **BR.** 80 F 35
S. Vito di Cadore **BL** 4 C 18
S. Vito di Fagagna **UD** 14 D 21
S. Vito di Leguzzano **VI** 24 E 16
S. Vito in Monte **TR** 51 N 18
S. Vito lo Capo **TP** 97 M 20
S. Vito (Monte) **CL** 99 O 23
S. Vito (Monte) **FG** 71 D 27
S. Vito Romano **RM** 63 Q 20
S. Vito sullo Ionio **CZ** 88 K 31
S. Vittore **FO** 41 J 18
S. Vittore **MC** 46 L 21
S. Vittore del Lazio **FR** 64 R 23
S. Vittore di Chiuse **AN.** 46 L 20
S. Vittore Olona **MI** 20 F 8
S. Vittore **VR** 23 F 15
Sta Vittoria **AQ** 59 O 21
Sta Vittoria **RE** 31 H 13
Sta Vittoria **SS** 111 E 8
Sta Vittoria (Monteleone Sabino) **RI** 58 P 20
Sta Vittoria d'Alba **CN** 27 H 5
Sta Vittoria in Matenano **AP** 52 M 22
Sta Vittoria (Monte) **CA.** 115 H 9
Sta Vittoria (Nuraghe) **CA** 119 H 9
S. Vittorino **AQ** 59 O 21
S. Vittorino **PE** 60 P 23
S. Vivaldo **FI** 43 L 14
St. Walburg / Sta Valburga **BZ** 3 C 15
S. Zaccaria **PZ** 72 E 29
S. Zeno di Montagna **VR** 23 F 14
S. Zeno Naviglio **BS** 22 F 12
S. Zenone al Lambro **MI** 21 G 10
S. Zenone al Po **PV** 29 G 10
S. Zenone degli Ezzelini **TV** 24 E 17
Sanarica **LE** 83 G 37
Sand in Taufers / Campo Tures **BZ** 4 B 17
Sandalo (Capo) **CI** 120 J 6
Sandjöchl / Santicolo (Passo di) **BZ** 3 B 16
Sandrà **VR** 23 F 14
Sandrigo **VI** 24 F 16
Sanfatucchio **PG** 51 M 18
Sanfrè **CN** 27 H 5
Sanfront **CN** 26 I 3
Sangiano **VA** 8 E 7
Sangineto **CS** 84 I 29
Sangineto Lido **CS** 84 I 29
Sangone **TO** 27 G 4
Sangro **AQ** 64 Q 23
Sangro (Lago di) **CH** 60 Q 25
Sanguigna **PR** 30 H 13
Sanguignano **PV** 29 H 9
Sanguinaro **PR** 30 H 12
Sanguinetto **VR** 23 G 15
Sanluri **VS** 118 I 8
Sannace (Monte) **BA** 73 E 32
Sannazzaro de' Burgondi **PV** 28 G 8
Sannicandro di Bari **BA.** 73 D 32
Sannicandro Garganico **FG** 66 B 28
Sannicola **LE** 83 G 36
Sannio (Monti del) **CB.** 65 R 26
Sannoro **FG** 71 D 27
Sansepolcro **AR** 45 L 18
Santadi **CI** 118 J 8
Santadi Basso **CI** 118 J 8
Santandra **TV** 25 E 18
Santarcangelo di Romagna **RN** 41 J 19
Santena **TO** 27 H 5
Santeramo in Colle **BA.** 73 E 32
Santerno **FI** 40 J 16
Santhià **VC** 19 F 6
Santicolo (Passo di) / Sandjöchl **BZ** 3 B 16
Santo **SS** 110 E 6
Santo (Col) **TN** 23 E 15
Santo (Lago) **MO** 39 J 13
Santo (Lago) **TN** 11 D 15
Santo (Monte) **CA** 121 J 8
Santo (Monte) **SS** 111 F 8
Santomenna **SA** 71 E 27
Santopadre **FR** 64 R 22
Santorso **VI** 24 E 16
Santoru (Porto) **OG** 119 I 10
Santuario **SV** 36 I 7
Sanza **SA** 76 G 28
Sanzeno **TN** 11 C 15
Saonara **PD** 24 F 17
Saonda **PG** 51 M 19
Saoseo (Cima) **SO** 10 C 12
Sapienza (Rifugio) **CT.** 100 N 26
Saponara **ME** 90 M 28
Sappada **BL** 5 C 20
Sapri **SA** 76 G 28
Sara (Monte) **AG** 102 O 22
Saracco Volante **CN** 35 J 5
Saracena **CS** 85 H 30
Saraceni (Monte dei) **ME** 100 M 26
Saraceno **CS** 85 H 31
Saraceno (Monte) **AG.** 103 P 23
Saraceno (Punta del) **TP.** 97 M 20
Saracinesco **RM** 58 P 20
Saragiolo **SI** 50 N 16
Saraloi (Monte) **NU** 113 F 10
Sarbene (Genna) **OG.** 117 G 10
Sarcedo **VI** 24 E 16
Sarche **TN** 11 D 14
Sarcidano **CA** 115 H 9
Sarconi **PZ** 77 G 29
Sardagna **TN** 11 D 15
Sardara **VS** 118 I 8
Sardigliano **AL** 28 H 8
Sarego **VI** 24 F 16
Sarentina (Valle) **BZ** 3 C 16
Sarentino / Sarnthein **BZ.** 3 C 16
Sarezzano **AL** 28 H 8
Sarezzo **BS** 22 F 12
Sarginesco **MN** 23 G 13
Sariano **RO** 32 G 16
Sarmato **PC** 29 G 10
Sarmede **TV** 13 E 19
Sarmego **VI** 24 F 17
Sarmento **PZ** 77 G 31
Sarnano **MC** 52 M 21
Sarnico **BG** 22 E 11
Sarno **SA** 70 E 25
Sarno (Fiume) **SA** 75 E 25
Sarnonico **TN** 11 C 15
Sarone **PN** 13 E 19
Saronno **VA** 21 F 9
Sarrabus **CA** 119 I 9
Sarraina (Cala) **OT** 109 D 8
Sarre **AO** 18 E 3
Sarro **CT** 101 N 27
Sarroch **CA** 121 J 9
Sarsina **FO** 41 K 18
Sartano **CS** 85 I 30
Sarteano **SI** 50 N 17
Sartirana Lomellina **PV.** 28 G 7
Sarturano **PC** 29 H 10
Sarule **NU** 115 G 9
Sarzana **SP** 38 J 11
Sarzano **RO** 32 G 17
Sassa **PI** 49 M 14
Sassalbo **MS** 38 J 12
Sassano **SA** 76 F 28
Sassari **SS** 110 E 7
Sassello **SV** 28 I 7
Sassetta **LI** 49 M 13
Sassi (Musone dei) **PD.** 24 F 17
Sassinoro **BN** 65 R 25
Sasso **PR** 30 I 12
Sasso **RM** 57 P 18
Sasso **VI** 12 E 16
Sasso di Castalda **PZ** 76 F 29
Sasso d'Ombrone **GR** 50 N 15
Sasso Marconi **BO** 39 I 15
Sasso Morelli **BO** 40 I 17
Sassocorvaro **PS** 45 K 19
Sassofeltrio **PS** 41 K 19
Sassoferrato **AN** 46 L 20
Sassofortino **GR** 49 M 15
Sassoleone **BO** 40 J 16
Sassonero **BO** 40 J 16
Sassovivo (Abbazia di) **PG** 51 N 20
Sassu (Monte) **SS** 111 E 8
Sassuolo **MO** 31 I 14
Sataria **TP** 96 Q 17
Satriano **CZ** 88 L 31
Satriano di Lucania **PZ.** 76 F 28
Saturnia **GR** 56 O 16
Sauris **UD** 5 C 20
Sauris (Lago di) **UD** 5 C 20
Sauro **MT** 77 F 30
Sauze di Cesana **TO** 26 H 2
Sauze d'Oulx **TO** 26 G 2
Sava **TA** 79 F 34
Sava (Masseria) **BA** 73 E 32
Savara **AO** 18 F 3
Savarenche (Val) **AO** 18 F 3
Savarna **RA** 33 I 18
Savelletri **BR** 80 E 34
Savelli **KR** 87 J 32
Savelli **PG** 52 N 21
Savena **BO** 40 J 15
Savi **AT** 27 H 5
Saviano **NA** 70 E 25
Savigliano **CN** 27 I 4
Savignano di Rigo **FO.** 41 K 18
Savignano Irpino **AV** 71 D 27
Savignano sul Panaro **MO** 39 I 15
Savignano sul Rubicone **FO** 41 J 19
Savigno **BO** 39 I 15
Savignone **GE** 28 I 8
Savio **RA** 41 J 18
Savio (Fiume) **FO** 41 J 18
Savio (Foce del) **RA** 41 J 18
Saviore (Val di) **BS** 10 D 13
Saviore dell'Adamello **BS** 10 D 13
Savoca **ME** 90 N 28
Savogna **UD** 15 D 22
Savogna d'Isonzo **GO.** 17 E 22
Savognatica **RE** 39 I 13
Savoia di Lucania **PZ** 76 F 28
Savona **SV** 36 J 7
Savoniero **MO** 39 I 13
Savorgnano **AR** 45 L 17
Savorgnano **PN** 16 E 20
Savorgnano **UD** 15 D 21
Savoulx **TO** 26 G 2
Savuto **CS** 86 J 30
Savuto (Fiume) **CS** 86 J 31
Scacciano **RN** 41 K 19
Scafa **PE** 60 P 24
Scafati **SA** 75 E 25
Scaglieri **LI** 48 N 12
Scagnello **CN** 35 J 5
Scai **RI** 59 O 21
Scala **ME** 90 M 28
Scala **SA** 75 F 25
Scala Coeli **CS** 87 I 32
Scala (Monte della) **CT.** 104 P 25
Scala Ruia **OT** 111 E 8
Scalambri (Capo) **RG** 106 Q 25
Scaldasole **PV** 28 G 8
Scale (Corno alle) **BO** 39 J 14
Scalea **CS** 84 H 29
Scalea (Capo) **CS** 84 H 29
Scalenghe **TO** 27 H 4
Scalera **PZ** 71 E 29
Scaleres / Schalders **BZ.** 4 B 16
Scaletta Uzzone **CN** 27 I 6
Scaletta Zanclea **ME** 90 M 28
Scalino (Pizzo) **SO** 10 D 11
Scalo dei Saraceni **FG** 67 C 29
Scalone (Passo dello) **CS.** 86 I 29
Scaltenigo **VE** 25 F 18
Scalvaia **SI** 49 M 15
Scalve (Val di) **BS** 10 E 12
Scampitella **AV** 71 D 27
Scanaiol (Cima) **TN** 12 D 17
Scanarello **RO** 33 G 19
Scandale **KR** 87 J 32
Scandarello (Lago di) **RI** 59 O 21
Scandiano **RE** 31 I 14
Scandicci **FI** 43 K 15
Scandolara Ravara **CR** 30 G 12
Scandolara Ripa d'Oglio **CR** 22 G 12
Scandolaro **PG** 52 N 20
Scandriglia **RI** 58 P 20
Scannata (Portella) **PA** 98 N 22
Scanno **AQ** 64 Q 23
Scanno **SA** 75 F 27
Scanno (Lago di) **AQ** 64 Q 23
Scano di Montiferro **OR.** 114 G 7
Scansano **GR** 50 N 16
Scanzano **AQ** 59 P 21
Scanzano Ionico **MT** 78 G 32
Scanzano (Lago dello) **PA** 98 N 22
Scanzorosciate **BG** 21 E 11
Scapezzano **AN** 46 K 21
Scapoli **IS** 64 R 24
Scaramia (Capo) **RG** 106 Q 25
Scarcelli **CS** 86 I 30
Scardovari **RO** 33 H 19
Scardovari (Sacca degli) **RO** 33 H 19
Scario **SA** 76 G 28
Scarlino **GR** 49 N 14
Scarlino Scalo **GR** 49 N 14
Scarmagno **TO** 19 F 5
Scarnafigi **CN** 27 H 4
Scarperia **FI** 40 K 16
Scarperia (Giogo di) **FI.** 40 J 16
Scarzana **FO** 40 J 17
Scattas (Is) **CI** 120 J 8
Scauri **LT** 69 D 23
Scauri (I. di Pantelleria) **TP** 96 Q 17
Scavignano **RA** 40 J 17
Scavo (Portella dello) **PA.** 99 N 23
Scena / Schenna **BZ** 3 B 15
Scerne **TE** 53 O 24
Scerni **CH** 61 P 25
Scesta **LU** 39 J 13
Schabs / Sciaves **BZ** 4 B 16
Schalders / Scaleres **BZ.** 4 B 16
Scheggia **PG** 46 L 20
Scheggia (Valico di) **AR.** 45 L 17
Scheggino **PG** 52 N 20
Schenna / Scena **BZ** 3 B 15
Schia **PR** 38 I 12
Schiara (Monte) **BL** 13 D 18
Schiava **NA** 70 E 25
Schiavi di Abruzzo **CH** 65 Q 25
Schiavon **VI** 24 E 16
Schievenin **BL** 12 E 17
Schignano **PO** 39 K 15
Schilpario **BG** 10 D 12
Schino della Croce (Monte) **EN** 100 N 25
Schio **VI** 24 E 16
Schisò (Capo) **ME** 90 N 27
Schivenoglia **MN** 31 H 15
Schlanders / Silandro **BZ.** 2 C 14
Schlaneid / Salonetto **BZ.** 3 C 15
Schluderbach / Carbonin **BZ** 4 C 18
Schluderns / Sluderno **BZ.** 2 C 13
Schnals / Senales **BZ** 3 B 14
Schönau / Belprato **BZ.** 3 B 15
Schwarzenstein / Nero (Sasso) **BZ** 4 A 17
Sciacca **AG** 102 O 21
Scianne (Masseria) **LE.** 83 G 35
Sciara **PA** 99 N 23
Sciarborasca **GE** 36 I 7
Sciaves / Schabs **BZ** 4 B 16
Scicli **RG** 106 Q 26
Scido **RC** 90 M 29
Scifelli **FR** 64 Q 22
Scigliano **CS** 86 J 30
Sciliar (Monte) **BZ** 3 C 16
Scilla **RC** 90 M 29
Scillato **PA** 99 N 23
Sciolze **TO** 27 G 5
Sciorino (Monte) **EN** 103 O 24
Sclafani Bagni **PA** 99 N 23
Scoffera (Passo di) **GE** 29 I 9
Scoglietti (Punta) **SS** 110 E 6
Scoglitti **RG** 104 Q 25
Scoltenna **MO** 39 J 14
Scomunica (Punta della) **SS** 108 D 6
Scontrone **AQ** 64 Q 24
Scopello **TP** 97 M 20
Scopello **VC** 19 E 6
Scopetone (Foce di) **AR.** 45 L 17
Scoppio **TR** 51 N 19
Scoppito **AQ** 59 O 21
Scorace (Monte) **TP** 97 N 20
Scorciavacche (Portella) **PA** 97 N 21
Scorda (Monte) **RC** 91 M 29
Scordia **CT** 104 P 26
Scorgiano **SI** 49 L 15
Scorno (Punta dello) **SS.** 108 D 6
Scorrano **LE** 83 G 36
Scortichino **FE** 32 H 15
Scorzè **VE** 25 F 18
Scorzo **SA** 76 F 27
Scova (Monte sa) **NU** 115 H 9
Scravaion (Colle) **SV** 35 J 6
Scrisà **RC** 91 M 30
Scritto **PG** 51 M 19
Scrivia **GE** 28 I 9
Scudo (Porto) **CA** 120 K 8
Scurcola Marsicana **AQ.** 59 P 22
Scurtabò **SP** 37 I 10
Scurzolengo **AT** 28 H 6
Sdobba (Punta) **GO** 17 E 22
Sdruzzina **TN** 23 E 14
Sebera (Punta) **CA** 121 J 8
Seborga **IM** 35 K 5
Seccagrande **AG** 102 O 21
Secchia **RE** 31 I 14
Secchia (Fiume) **RE** 39 I 13
Secchiano (vicino a Cagli) **PS** 46 L 19
Secchiano (vicino a S. Leo) **PS** 41 K 18
Secchiello **RE** 38 J 13
Secchieta (Monte) **FI** 44 K 16
Secinaro **AQ** 59 P 23
Secine (Monte) **AQ** 65 Q 24
Secondigliano **NA** 69 E 24
Secugnago **LO** 21 G 10
Seddanus **VS** 118 I 8
Sedegliano **UD** 16 D 20
Sedico **BL** 13 D 18
Sedilis **UD** 15 D 21
Sedilo **OR** 115 G 8
Sedini **SS** 111 E 8
Sedita (Monte) **AG** 102 O 22
Sedrano **PN** 13 D 20
Sedriano **MI** 20 F 8
Sedrina **BG** 21 E 10
Seduto (Monte) **RC** 88 L 30
Seekofel / Becco (Croda di) **BL** 4 B 18
Sefro **MC** 52 M 20
Sega **VR** 23 F 14
Segalare **FE** 33 H 18
Segariu **VS** 118 I 8
Segesta **TP** 97 N 20
Seggiano **GR** 50 N 16
Seghe **VI** 24 E 16
Segni **RM** 63 Q 21
Segno **SV** 36 J 7
Segonzano **TN** 11 D 15
Segrate **MI** 21 F 9
Segromigno in Monte **LU** 39 K 13
Segusino **TV** 12 E 17
Seigne (Col de la) **AO** 18 E 2
Seis / Siusi **BZ** 3 C 16
Seiser Alm / Siusi (Alpe di) **BZ** 4 C 16
Selargius **CA** 119 J 9
Selbagnone **FO** 41 J 18
Selci **PG** 45 L 18
Selci **RI** 58 P 19
Sele **AV** 71 E 27
Sele (Foce del) **SA** 75 F 26
Sele (Piana del) **SA** 75 F 26
Selegas **CA** 119 I 9
Selinunte **TP** 97 O 20
Sella **TN** 12 D 16
Sella di Corno **AQ** 59 O 21
Sella (Gruppo di) **TN** 4 C 17
Sella (Passo di) **TN** 4 C 17
Sella (Lago della) **CN** 34 J 3
Sella Nevea **UD** 15 C 22
Sellano **PG** 52 N 20
Sellate **SI** 49 M 14
Sellia **CZ** 87 K 31
Sellia Marina **CZ** 89 K 32
Selva **BR** 80 E 33
Selva **GR** 50 N 16
Selva **PC** 29 I 10
Selva **TN** 12 D 16
Selva (Bocca della) **BN.** 65 R 25
Selva dei Molini / Mühlwald **BZ** 4 B 17
Selva dei Molini (Val) **BZ.** 4 B 17
Selva del Montello **TV.** 25 E 18
Selva di Cadore **BL** 4 C 18
Selva di Progno **VR** 23 F 15
Selva di Trissino **VI** 24 F 15
Selva di Val Gardena / Wölkenstein in Gröden **BZ** 4 C 17
Selva Grossa **PR** 30 I 12
Selva Malvezzi **BO** 32 I 16
Selvacava **FR** 64 R 23
Selvanizza **PR** 38 I 12
Selvapiana (Cona di) **RM.** 63 R 21
Selvazzano Dentro **PD.** 24 F 17
Selvena **GR** 50 N 16
Selvino **BG** 22 E 11
Semestene **SS** 115 F 8
Semiana **PV** 28 G 8
Seminara **RC** 90 L 29
Semonte **PG** 45 L 19
Sempio (Monte) **OT** 113 E 10
Sempione (Galleria del) **VB** 8 D 6
Semprevisa (Monte) **RM.** 63 R 21
Semproniano **GR** 50 N 16
Senago **MI** 21 F 9
Senáiga **TN** 12 D 17
Senáiga (Lago di) **BL** 12 D 17
Senale / Unsere liebe Frau im Walde **BZ** 3 C 15
Senales / Schnals **BZ** 3 B 14
Senales (Val di) **BZ** 3 B 14
Senalonga (Punta di) **OT.** 111 E 9
Seneghe **OR** 114 G 7
Senerchia **AV** 71 E 27
Senes (Monte) **NU** 113 F 10
Seniga **BS** 22 G 12
Senigallia **AN** 46 K 21
Senio **RA** 40 J 16

A B C D E F G H I J K L M N O P Q R S T U V W X Y Z

A B C D E F G H I J K L M N O P Q R S T U V W X Y Z

Senis OR.............. 115 H 8
Senise PZ .... 77 G 30
Senna Lodigiano LO... 29 G 10
Sennariolo OR.......... 114 G 7
Sennori SS .... 110 E 7
Senorbi CA .... 119 I 9
Sentino PG .... 46 L 20
Sepino CB .... 65 R 25
Seppio MC .... 52 M 21
Sequals PN .... 13 D 20
Serano (Monte) PG .. 52 N 20
Serapo LT .... 68 S 22
Seravezza LU .... 38 K 12
Serchio LU .... 38 J 12
Serdiana CA .... 119 I 9
Seregno MI .... 21 F 9
Seren del Grappa BL .. 12 E 17
Sergnano CR .... 21 F 11
Seriana (Valle) BG .. 10 E 11
Seriate BG .... 21 E 11
Serina BG .... 9 E 11
Serino AV .... 70 E 26
Serino (Monte) CS... 87 I 32
Serio BG .... 10 D 11
Serio (Monte) BA ..... 73 E 33
Serle BS .... 22 F 13
Sermenza VC .... 7 E 6
Sermide MN .... 32 G 15
Sermoneta LT .... 63 R 20
Sermugnano VT ..... 57 O 18
Sernaglia
  della Battaglia TV... 13 E 18
Sernio (Monte) UD... 5 C 21
Serole AT .... 28 I 6
Serottini (Monte) SO... 10 D 13
Serpeddi (Punta) CA .. 119 J 10
Serpentara (Isola) CA . 119 J 10
Serra SS .... 110 F 7
Serra (Alpe di) AR... 45 K 17
Serra d'Aiello CS ..... 86 J 30
Serra de' Conti AN... 46 L 21
Serra del Corvo
  (Lago di) BA ...... 72 E 30
Serra della Stella BA .. 72 E 31
Serra di Croce MT... 77 F 31
Serra di Sotto RN... 41 K 19
Serra Ficaia
  (Murgia di) BA ...... 72 E 31
Serra Marina
  (Masseria) MT ..... 78 F 32
Serra (Monte) I. d'Elba LI . 48 N 13
Serra (Monte) PG ..... 51 M 19
Serra Orrios
  (Nuraghe) NU ..... 117 F 10
Serra Ricco GE ..... 28 I 8
Serra S. Abbondio PS .. 46 L 20
Serra S. Bruno VV ..... 88 L 30
Serra S. Quirico AN... 46 L 21
Serracapriola FG ... 66 B 27
Serrada TN .... 11 E 15
Serrada (Monte) LC... 9 E 10
Serradarce SA .... 75 F 27
Serradica AN .... 52 M 20
Serradifalco CL ..... 103 O 23
Serradipiro CS .... 86 J 31
Serraglio MI .... 31 G 14
Serraia (Lago di) TN... 11 D 15
Serralta di S. Vito CZ .. 88 K 31
Serralunga SA .... 76 G 29
Serralunga d'Alba CN .. 27 I 6
Serralunga di Crea AL . 28 G 6
Serramale (Monte) CS . 84 H 29
Serramanna VS .... 118 I 8
Serramazzoni MO... 39 I 14
Serramezzana SA ... 75 G 27
Serramonacesca PE... 60 P 24
Serrano LE .... 83 G 37
Serranova BR .... 80 E 35
Serrapetrona MC ..... 52 M 21
Serrastretta CZ .... 86 J 31
Serratore (Monte) CS .. 86 J 30
Serravalle AT .... 27 H 6
Serravalle AR .... 44 K 17
Serravalle FE .... 32 H 18
Serravalle PG .... 52 N 21
Serravalle RSM .... 41 K 19
Serravalle a Po MN... 31 G 15
Serravalle all'Adige TN .. 23 E 15
Serravalle di Carda PS .. 45 L 19
Serravalle di Chienti MC. 52 M 20
Serravalle Langhe CN. 27 I 6
Serravalle Pistoiese PT. 39 K 14
Serravalle Scrivia AL... 28 H 8
Serravalle Sesia VC... 20 E 6
Serrazzano PI ..... 49 M 14
Serre CN .... 26 H 3
Serre PA .... 98 N 22
Serre SA .... 75 F 27
Serre (Passo di) FR... 64 R 23
Serre di Rapolano SI.. 50 M 16
Serrenti VS .... 118 I 8

Serri CA .... 119 H 9
Serriola (Bocca) PG... 45 L 19
Serristori (Rifugio) BZ.. 2 C 13
Serrone FR .... 63 Q 21
Serrungarina PS ..... 46 K 20
Sersale CZ .... 87 J 32
Seruci (Nuraghe) CI... 118 J 7
Serva (Monte) BL ..... 13 D 18
Servedio (Masseria) BA. 73 E 32
Servigliano AP .... 52 M 22
Servo BL .... 12 D 17
Sessa VC .... 7 E 6
Sessa Aurunca CE... 69 D 23
Sessa Cilento SA ..... 75 G 27
Sessa Godano SP ..... 37 J 11
Sestino AR .... 45 K 18
Sesto / Sexten BZ.... 4 B 19
Sesto (Val di) /
  Sextental BZ .... 4 B 19
Sesto al Reghena PN... 13 E 20
Sesto Calende VA ..... 20 E 7
Sesto Campano IS... 64 R 24
Sesto ed Uniti CR ..... 22 G 11
Sesto Fiorentino FI... 39 K 15
Sesto Imolese BO ..... 40 I 17
Sesto S. Giovanni MI... 21 F 9
Sestola MO .... 39 J 14
Sestri Levante GE... 37 J 10
Sestri Ponente GE... 36 I 8
Sestriere TO .... 26 H 2
Sestu CA .... 119 J 9
Sesvenna (Piz) BZ.... 2 C 14
Setta BO .... 39 I 15
Settala MI .... 21 F 10
Sette Comuni
  (Altopiano dei) VI... 24 E 16
Sette Feudi CT .... 104 P 25
Sette Fratelli
  (Monte dei) CA ...... 119 J 10
Sette Poste FG .... 67 C 29
Sette Selle
  (Cima di) TN .... 12 D 16
Sette Soldi (Monte) TP. 97 N 20
Sette Vene VT .... 58 P 19
Settebagni RM .... 58 P 19
Settecamini RM .... 62 Q 19
Settefrati FR .... 64 Q 23
Settepani (Monte) SV... 35 J 6
Settignano FI .... 44 K 15
Settignano FG .... 64 R 23
Settima PC .... 29 H 10
Settimana (Val) PN... 13 D 19
Settime AT .... 27 G 6
Settimo VR .... 23 F 14
Settimo Milanese MI... 21 F 9
Settimo San Pietro CA.. 119 J 9
Settimo Torinese TO... 19 G 5
Settimo Vittone TO... 19 F 5
Settingiano CZ .... 88 K 31
Setzu VS .... 118 H 8
Seui OG .... 115 H 9
Seulo CA .... 115 H 9
Seuni CA .... 119 I 9
Seveso MI .... 21 F 9
Seveso (Torrente) CO... 21 E 9
Sevizzano PC .... 29 H 10
Sexten / Sesto BZ..... 4 B 19
Sextental / Sesto
  (Val di) BZ .... 4 B 19
Sezzadio AL .... 28 H 7
Sezze LT .... 63 R 21
Sferracavallo PA ..... 97 M 21
Sferracavallo
  (Capo) NU .... 119 H 11
Sferro CT .... 100 O 26
Sforzacosta MC .... 52 M 22
Sforzesca GR .... 50 N 17
Sforzesca PV .... 20 G 8
Sfruz TN .... 11 C 15
Sgolgore (Murgia) BA.. 73 E 32
Sgonico TS .... 17 E 23
Sgurgola FR .... 63 Q 21
Siamaggiore OR ..... 114 H 7
Siamanna OR .... 115 H 8
Siapiccia OR .... 115 H 8
Siba TP .... 96 Q 17
Sibari CS .... 85 H 31
Sibari (Piana di) CS... 85 H 31
Sibilla (Monte) AP... 52 N 21
Sibillini (Monti) MC... 52 N 21
Sicaminò ME .... 90 M 27
Sicani (Monti) AG... 97 O 21
Sicignano
  degli Alburni SA... 76 F 27

Sicili SA .... 76 G 28
Sicilia
  (Parco Zoo di) CT... 100 O 26
Siculiana AG .... 102 O 22
Siculiana Marina AG .. 102 O 22
Siddi VS .... 118 H 8
Siderno RC .... 91 M 30
Siderno Superiore RC.. 91 M 30
Sieci FI .... 44 K 16
Siena SI .... 50 M 16
Sierio (Monte) PZ ..... 76 F 28
Sieti SA .... 75 E 26
Sieve FI .... 40 K 16
Sigillo PG .... 51 M 20
Sigillo RI .... 59 O 21
Signa FI .... 43 K 15
Signora Pulita
  (Monte) BA .... 80 E 34
Signoressa TV .... 25 E 18
Signorino PT .... 39 J 14
Sila Grande CS .... 86 I 31
Sila Greca CS .... 85 I 31
Sila Piccola CZ .... 87 J 31
Silana (Genna) OG... 117 G 10
Silandro / Schlanders BZ. 2 C 14
Silanus NU .... 115 G 8
Silea TV .... 25 F 18
Sili OR .... 114 H 7
Siligo SS .... 111 F 8
Siliqua CA .... 118 J 8
Silis SS .... 111 E 7
Silius CA .... 119 I 9
Silla BO .... 39 J 14
Silla SA .... 76 F 28
Sillano LU .... 38 J 12
Sillara (Monte) MS... 38 I 12
Sillara (Passo di) PR... 38 I 12
Sillaro BO .... 40 J 16
Silvana Mansio CS... 86 J 31
Silvano d'Orba AL... 28 H 8
Silvano Pietra PV... 28 G 8
Silvi Marina TE .... 60 O 24
Silvi Paese TE .... 60 O 24
Silvignano PG .... 52 N 20
Simala OR .... 118 H 8
Simaxis OR .... 115 H 8
Simbario VV .... 88 L 31
Simbirizzi (Lago di) CA. 119 J 9
Simbruini (Monti) FR .. 63 Q 21
Simeri CZ .... 89 K 31
Simeri-Crichi CZ .... 89 K 31
Simeto CT .... 100 N 26
Simeto (Foce di) CT... 105 O 27
Similaun .... 3 B 14
Simoncello PS .... 41 K 18
Sinagra ME .... 100 M 26
Sinalunga SI .... 50 M 17
Sinarca CB .... 61 Q 26
Sindacale VE .... 16 E 20
Sindia NU .... 115 G 7
Sinello CH .... 61 P 25
Sini OR .... 115 H 8
Sinio CN .... 27 I 6
Sinis OR .... 114 H 7
Siniscola NU .... 113 F 11
Siniscola (Rio de) NU .. 113 F 11
Sinnai CA .... 119 J 9
Sinni PZ .... 77 G 29
Sinopoli RC .... 90 M 29
Sinzias (Cala di) CA ... 119 J 10
Sipicciano CE .... 64 S 23
Sipicciano VT .... 57 O 18
Sipiu CA .... 119 I 9
Sirente (Monte) AQ ... 59 P 22
Sirino (Monte) PZ .... 77 G 29
Siris OR .... 118 H 8
Sirolo AN .... 47 L 22
Siror TN .... 12 D 17
Sirri CI .... 118 J 7
Sises (Monte) TO ...... 26 H 2
Sisini CA .... 119 I 9
Sissa PR .... 30 H 12
Sistiana TS .... 17 E 22
Sisto LT .... 63 R 21
Sitigliano MC .... 52 M 21
Sitran LT .... 63 R 21
Sitria (Badia di) PG... 46 L 20
Sitzerri OR .... 118 I 7
Sitzzon BL .... 12 E 17
Siurgus-Donigala CA .. 119 I 9
Siusi allo Sciliar /
  Seis am Schlern BZ... 3 C 16
Siusi (Alpe di) /
  Seiser Alm BZ .... 4 C 16
Siziano PV .... 21 G 9
Slingia .... 2 B 13
Slizza UD .... 5 C 22
Sluderno / Schluderns BZ. 2 C 13
Smeralda (Costa) OT.. 109 D 10

Smeraldo
  (Grotta delle) SA..... 75 F 25
Smerillo AP .... 52 M 22
Smirra PS .... 46 L 20
Soana TO .... 19 F 4
Soarza PC .... 30 G 12
Soave MN .... 23 G 14
Soave VR .... 23 F 15
Sobretta (Monte) SO... 10 C 13
Socchieve UD .... 13 C 20
Soci AR .... 44 K 17
Sodano (Monte) MT... 77 G 31
Soddi OR .... 115 G 8
Soffi (Isola) SS .... 109 D 10
Sogliano al Rubicone FO. 41 J 18
Sogliano Cavour LE... 83 G 36
Soglio AT .... 27 G 6
Soglio CN .... 26 I 3
Sola BG .... 21 F 11
Solagna VI .... 24 E 17
Solaio SI .... 49 M 14
Solanas (Cagliari) CA . 119 J 10
Solanas (Oristano) OR. 114 H 7
Solanas (Rio) CA ..... 119 J 10
Solano RC .... 90 M 29
Solanto (Punta di) TP. 97 M 20
Solara MO .... 31 H 15
Solarino SR .... 105 P 27
Solaro MI .... 21 F 9
Solaro (Monte) NA ... 74 F 24
Solarolo RA .... 40 I 17
Solarussa OR .... 115 H 8
Solbiate Olona VA ... 20 F 8
Solda / Sulden BZ .... 2 C 13
Solda di Fuori /
  Ausser Sulden BZ .... 2 C 13
Sole (Monti del) BL ... 13 D 18
Sole (Vado di) AQ .... 60 O 23
Sole (Val di) TN ...... 11 C 14
Soleminis CA .... 119 I 9
Solero AL .... 28 H 7
Solesino PD .... 24 G 17
Soleto LE .... 83 G 36
Solfagnano PG .... 51 M 19
Solferino MN .... 23 F 13
Solicchiata CT .... 100 N 27
Soliera MO .... 31 H 14
Solighetto TV .... 13 E 18
Solignano PR .... 30 I 11
Solignano Nuovo MO .. 31 I 14
Solofra AV .... 70 E 26
Sologno RE .... 38 I 13
Solomeo PG .... 51 M 19
Solonghello AL .... 20 G 7
Solopaca BN .... 70 D 25
Solto Collina BG .... 22 E 12
Somaggia SO .... 9 D 10
Somaglia LO .... 29 G 10
Somana LC .... 9 E 9
Somano CN .... 27 I 6
Sombreno BG .... 21 E 10
Sambucheto MC .... 47 L 22
Somma (Monte) NA... 70 E 25
Somma (Valico di) PG . 51 N 20
Somma Lombardo VA.. 20 E 8
Somma Vesuviana NA. 70 E 25
Sommacampagna VR. 23 F 14
Sommariva
  del Bosco CN .... 27 H 5
Sommariva Perno CN... 27 H 5
Sommati RI .... 59 O 21
Sommatino CL .... 103 O 23
Sommeiller (Punta) TO. 18 G 2
Sommo PV .... 29 G 9
Sommo (Monte) BZ.... 4 B 17
Sommo (Passo di) TN... 11 E 15
Sompdogna
  (Sella di) UD .... 15 C 22
Sompiano PS .... 45 L 18
Somplago UD .... 14 C 21
Sona VR .... 23 F 14
Soncino CR .... 22 F 11
Sondalo SO .... 10 D 12
Sondrio SO .... 10 D 11
Sonico BS .... 10 D 13
Sonino (Rifugio) BL... 12 C 18
Sonnino LT .... 63 R 21
Soprabolzano /
  Oberbozen BZ .... 3 C 16
Sopramonte NU .... 117 G 10
Sopramonte TN .... 11 D 15
Soprano (Monte) CS .. 78 G 31
Soprano (Monte) SA .. 75 F 27
Sora FR .... 64 Q 22
Soraga di Fassa TN... 12 C 16
Soragna PR .... 30 H 12
Sorano GR .... 50 N 17
Soratte (Monte) RM .. 58 P 19
Sorbara MO .... 31 H 15
Sorbo AQ .... 59 P 21

Sorbo S. Basile CZ ..... 87 J 31
Sorbolo PR .... 30 H 13
Sordevolo BI .... 19 F 5
Sordiglio RE .... 30 I 13
Sordillo (Monte) CS... 87 I 31
Soresina CR .... 22 G 11
Sorga VR .... 23 G 14
Sorgono NU .... 115 G 9
Sori GE .... 37 I 9
Sorianello VV .... 88 L 30
Soriano Calabro VV... 88 L 30
Soriano nel Cimino VT. 57 O 18
Sorico CO .... 9 D 10
Soriso NO .... 20 E 7
Sorisole BG .... 21 E 10
Sormano CO .... 9 E 9
Soro (Monte) ME ..... 100 N 26
Sorradile OR .... 115 G 8
Sorrentina (Penisola) NA. 74 F 25
Sorrento NA .... 74 F 25
Sorrivoli FO .... 41 J 18
Sorso SS .... 110 E 7
Sorti MC .... 52 M 20
Sospiro CR .... 30 G 12
Sospirolo BL .... 12 D 18
Sossano VI .... 24 F 16
Sostegno BI .... 20 F 6
Sostegno PV .... 29 G 10
Sottile (Punta)
  (I. di Lampedusa) AG. 102 U 19
Sottile (Punta)
  (I. Favignana) TP.... 96 N 18
Sotto di Troina EN... 100 N 25
Sotto il Monte
  Giovanni XXIII BG... 21 E 10
Sottoguda BL .... 12 C 17
Sottomarina VE .... 25 G 18
Sottomonte PN .... 13 D 20
Sovana GR .... 57 O 16
Sover TN .... 12 D 15
Soverato CZ .... 89 K 31
Sovere BG .... 22 E 12
Soveria Mannelli CZ... 86 J 31
Soveria Simeri CZ .... 89 K 32
Soverzene BL .... 13 D 18
Sovicille SI .... 49 M 15
Sovico MI .... 21 F 9
Sovizzo VI .... 24 F 16
Sozzago NO .... 20 F 8
Spaccato (Colle) CH .. 60 P 24
Spada (Monte) NU.... 115 G 9
Spadafora ME .... 90 M 28
Spadillo (Punta) TP... 96 Q 18
Spadola VV .... 88 L 31
Spagnoletti
  (Masseria) BA .... 72 D 30
Spalavera (Monte) VB . 8 D 7
Spalmatore
  (Punta dello) ME.... 92 K 21
Sparacia AG .... 99 O 23
Sparacollo EN .... 100 N 25
Sparagio (Monte) TP .. 97 M 20
Sparanise CE .... 69 D 24
Spargi (Isola) OT .... 109 D 10
Sparone TO .... 19 F 4
Sparta ME .... 90 M 28
Spartivento (Capo) CA. 121 K 8
Spartivento (Capo) RC. 91 N 30
Sparviere (Monte) CS . 85 H 31
Sparviero
  (Scoglio dello) GR .. 49 N 14
Sparvo BO .... 39 J 15
Spazzate Sassatelli BO. 32 I 17
Specchia LE .... 83 H 36
Specchia (Torre) LE... 81 G 37
Specchiolla BR .... 80 E 35
Speco (Convento lo) TR. 58 O 19
Spello PG .... 51 N 20
Spelonga AP .... 52 N 21
Spergolaia GR .... 49 N 15
Sperlinga EN .... 99 N 25
Sperlinga (Bosco di) EN. 99 N 24
Sperlonga LT .... 68 S 22
Sperone TP .... 97 M 20
Sperone (Capo) CI... 120 K 7
Spert BL .... 13 D 19
Spessa PV .... 29 G 10
Spessa UD .... 15 D 22
Spessa VI .... 24 F 16
Speziale BR .... 80 E 34
Spezzano Albanese CS. 85 H 30
Spezzano Albanese
  Terme CS .... 85 H 30
Spezzano della Sila CS. 86 J 31
Spezzano Piccolo CS... 86 J 31
Spiaggia di Rio Torto RM. 62 R 19
Spiaggia Scialmarino FG. 67 B 30

Spiazzi BG .... 10 E 11
Spiazzi VR .... 23 F 14
Spiazzo TN .... 11 D 14
Spigno (Monte) FG... 67 B 29
Spigno Monferrato AL. 28 I 7
Spigno Saturnia LT... 64 S 23
Spigno Saturnia
  Superiore LT .... 64 S 23
Spigone RE .... 38 I 13
Spilamberto MO .... 31 I 15
Spilimbergo PN .... 14 D 20
Spilinga VV .... 88 L 29
Spina FE .... 33 H 18
Spina (Località) PG... 51 N 18
Spina (Genna) OR .... 119 H 8
Spina (Monte la) PZ... 77 G 29
Spina Nuova PG .... 52 N 20
Spinaceto RM .... 58 O 20
Spinaccio RM .... 62 Q 19
Spinadesco CR .... 30 G 11
Spinale (Monte) TN... 11 D 14
Spinazzola BA .... 72 E 30
Spindoli MC .... 52 M 20
Spinea VE .... 25 F 18
Spineda CR .... 30 G 13
Spinello FO .... 40 K 17
Spineta Nuova SA... 75 F 26
Spinete CB .... 65 R 25
Spinetoli AP .... 53 N 23
Spinetta AL .... 28 H 8
Spinetta CN .... 35 I 4
Spino d'Adda CR .... 21 F 10
Spino (Monte) BS .... 23 E 13
Spino (Valico dello) AR. 45 K 17
Spinone al Lago BG... 22 E 11
Spinoso PZ .... 77 G 29
Spirano BG .... 21 F 11
Spluga (Passo dello) /
  Splügenpass SO ...... 9 C 9
Spoleto PG .... 51 N 20
Spoltore PE .... 60 O 24
Spondigna /
  Spondinig BZ .... 2 C 13
Spondinig /
  Spondigna BZ .... 2 C 13
Spongano LE .... 83 G 37
Spormaggiore TN .... 11 D 15
Sporminore TN .... 11 D 15
Spotorno SV .... 36 J 7
Spresiano TV .... 25 E 18
Spriana SO .... 10 D 11
Spropolo RC .... 91 N 30
Spugna (Passo di) PS . 45 K 18
Spulico (Capo) CS ... 85 H 31
Squaneto AL .... 28 I 7
Squaranto VR .... 23 F 15
Squarzanella MN .... 31 G 13
Squillace CZ .... 89 K 31
Squillace (Golfo di) CZ. 89 K 32
Squinzano LE .... 81 F 36
St. Christophe AO... 18 E 4
St. Gertraud /
  Sta Gertrude BZ ..... 3 C 14
St. Jakob / S. Giacomo
  vicino a Bolzano BZ... 3 C 15
St. Jakob / S. Giacomo
  vicino a Vipiteno BZ .. 4 B 16
St. Joseph am See/ S.Giuseppe
  al lago BZ .... 11 C 15
St. Katharina / Sta Catrina
  vicino a Merano BZ ... 3 C 15
St. Rhémy-en-Bosses AO. 6 E 3
Stabiae NA .... 75 E 25
Stabiziane BL .... 4 C 18
Stacciola PS .... 46 K 21
Staffarda (Abbazia di) CN. 26 H 4
Staffoli PI .... 43 K 14
Staffolo AN .... 46 L 21
Staffolo VE .... 16 F 20
Staffora PV .... 29 H 9
Staggia SI .... 43 L 15
Stagnali OT .... 109 D 10
Stagnataro (Cozzo) AG. 98 O 22
Stagno PR .... 30 G 12
Stagno LI .... 42 L 13
Stagno Lombardo CR. 30 G 12
Stagnone
  (Isole dello) TP .... 96 N 19
Staiti RC .... 91 M 30
Staletti CZ .... 89 K 31
Staletti (Punta di) CZ. 89 K 31
Stallavena VR .... 23 F 14
Stalle (Passo)
  Stallersattel BZ ..... 4 B 18
Stalle (Passo) BZ ..... 4 B 18
Stanghella PD .... 32 G 17
Staranzano GO .... 17 E 22
Starleggia SO .... 9 C 9
Starlex (Piz) BZ ..... 2 C 13
Stasulli (Masseria) BA. 73 E 31
Statte TA .... 78 F 33

Staulanza (Forcella) BL. 13 C 18
Stava TN 12 D 16
Stavel TN 11 D 13
Stazione
di Roccastrada GR 49 N 15
Stazzano AL 28 H 8
Stazzano RM 58 P 20
Stazzema LU 38 K 12
Stazzo CT 101 O 27
Stazzona CO 9 D 9
Stazzona SO 10 D 12
Steccato KR 89 K 32
Stefanaconi VV 88 K 30
Steinegg /
Collepietra BZ 3 C 16
Steinhaus / Cadipietra BZ 4 B 17
Steinkarspitz /
Antola (Monte) BL 5 C 20
Stella AP 53 N 23
Stella MO 39 I 14
Stella (Monte della) SA 75 G 27
Stella Cilento SA 75 G 27
Stella SV 36 I 7
Stella UD 16 E 21
Stella (Pizzo) SO 9 C 10
Stella (Torrente) PT 39 K 14
Stellata FE 32 H 16
Stelle delle
Sute (Monte) TN 12 D 16
Stellone TO 27 H 4
Stelvio / Stilfs BZ 2 C 13
Stelvio (Parco
Nazionale dello) BZ 2 C 13
Stelvio (Passo dello) /
Stilfserjoch SO 2 C 13
Stenico TN 11 D 14
Stephanago PV 29 H 9
Stern / La Villa BZ 4 C 17
Sternai (Cima) BZ 2 C 14
Sternatia LE 83 G 36
Sterza PI 49 M 14
Sterzing / Vipiteno BZ 3 B 16
Stezzano BG 21 F 10
Stia AR 40 K 17
Sticciano GR 49 N 15
Stienta RO 32 H 16
Stigliano MT 77 F 30
Stignano RC 88 L 31
Stilfs / Stelvio BZ 2 C 13
Stilfserjoch / Stelvio
(Passo dello) SO 2 C 13
Stilla (Masseria) FG 66 C 27
Stilo RC 88 L 31
Stilo (Punta) RC 89 L 31
Stimigliano RI 58 P 19
Stimpato (Masseria) CT 104 O 26
Stintino SS 108 E 6
Stio SA 76 G 27
Stipes RI 58 P 20
Stirone PR 30 H 11
Stivo (Monte) TN 11 E 14
Stolvizza UD 15 C 22
Stoner VI 12 E 17
Stornara FG 71 D 29
Stornarella FG 71 D 29
Storo TN 23 E 13
Strà VE 24 F 18
Stracia RC 91 N 29
Straciugo (Monte) VB 7 D 6
Strada MC 46 L 21
Strada Casale (La) RA 40 J 17
Strada in Chianti FI 44 L 15
Strada S. Zeno FO 40 J 17
Stradella PV 29 G 9
Stradella vicino a
Borgo Val di T. PR 29 I 11
Stradella
vicino a Parma PR 30 H 12
Stradola AV 71 D 27
Strambino TO 19 F 5
Strangolagalli FR 64 R 22
Strano RC 88 L 31
Strasatti TP 96 N 19
Strassoldo UD 17 E 21
Straulas OT 113 E 10
Stregna UD 15 D 22
Stresa VB 8 E 7
Stretti VE 16 F 20
Strettoia LU 38 K 12
Strettura PG 58 O 20
Strevi AL 28 H 7
Striano NA 70 E 25
Stribugliano GR 50 N 16
Strigno TN 12 D 16
Strognano PR 30 I 12
Stromboli (Isola) ME 95 K 27
Strombolicchio
(Isola) ME 95 K 27
Strona BI 19 F 6
Strona (Torrente) VA 20 E 8
Strona (Torrente) VB 8 E 7
Stroncone TR 58 O 20
Strongoli KR 87 J 33
Stroppiana VC 20 G 7
Stroppo CN 26 I 3
Strove SI 43 L 15
Strovina VS 118 I 8
Strozzacapponi PG 51 M 18
Struda LE 81 G 36
Stuetta SO 9 C 10
Stuffione MO 31 H 15
Stupinigi TO 27 G 4
Stupizza UD 15 D 22
Stura (vicino a
Murisengo) AL 28 G 6
Stura (vicino
ad Ovada) GE 28 I 8
Stura (Valle) CN 34 J 3
Stura di Ala TO 18 G 3
Stura di Demonte CN 34 I 2
Stura di Lanzo TO 19 G 4
Stura di Val Grande TO 18 F 3
Stura di Viù TO 18 G 3
Sturno AV 71 D 27
Suardi PV 28 G 8
Subasio (Monte) PG 51 M 20
Subbiano AR 45 L 17
Subiaco RM 63 Q 21
Subit UD 15 D 22
Succiano AQ 59 P 22
Succiso RE 38 I 12
Succiso (Alpe di) RE 38 J 12
Sud (Costa del) CA 121 K 8
Sueglio LC 9 D 9
Suelli CA 119 I 9
Sugana (Val) TN 12 D 16
Sugano TR 51 N 18
Sughera FI 43 L 14
Suisio BG 21 F 10
Sulau OR 115 H 9
Sulcis CI 118 J 7
Sulden / Solda BZ 2 C 13
Sulmona AQ 60 P 23
Sulpiano TO 19 G 6
Sulzano BS 22 E 12
Sumbraida (Monte) SO 2 C 13
Summaga VE 16 E 20
Suni OR 114 G 7
Suno NO 20 F 7
Superga TO 27 G 5
Supersano LE 83 G 36
Supino FR 63 R 21
Surano LE 83 G 37
Surbo LE 81 F 36
Suretta (Pizzo) SO 9 C 10
Surier AO 18 F 3
Susa TO 18 G 3
Susa (Valle di) TO 18 G 2
Susano MN 23 G 14
Susegana TV 13 E 18
Sustinente MN 31 G 15
Sutera CL 103 O 23
Sutri VT 57 P 18
Sutrio UD 5 C 20
Suvaro (Monte) KR 87 I 32
Suvereto LI 49 M 14
Suvero SP 38 J 11
Suvero (Capo) CZ 88 K 30
Suviana BO 39 J 15
Suviana (Lago di) BO 39 J 15
Suzza (Monte) AG 102 O 22
Suzzara MN 31 H 14
Suzzi PC 29 I 9
Swölferkofel /
Toni (Croda di) BL 4 C 19
Sybaris CS 85 H 31
Sybaris Marine CS 85 H 31

T

Tabaccaro TP 96 N 19
Tabellano MN 31 G 14
Tabiano PR 30 H 12
Tabiano Bagni PR 30 H 12
Tablà / Tabland BZ 3 C 14
Taburno (Monte) BN 70 D 25
Taccone MT 72 E 30
Taceno LC 9 D 10
Tacina KR 87 J 32
Tadasuni OR 115 G 8
Tafuri (Masseria) TA 73 E 32
Taggia IM 35 K 5
Tagliacozzo AQ 59 P 21
Tagliaferro (Monte) VC 7 E 5
Tagliamento UD 13 C 19
Tagliamento
(Foce del) VE 16 F 21
Tagliata MO 39 I 14
Tagliata RE 31 H 14
Tagliata (Monte La) PR 30 I 11
Taglio Corelli RA 32 I 18
Taglio della Falce FE 33 H 18
Taglio di Po RO 33 G 18
Tagliolo Monferrato AL 28 I 8
Tai di Cadore BL 13 C 19
Taibon Agordino BL 12 D 18
Taiet (Monte) PN 14 D 20
Taino VA 20 E 7
Taio TN 11 D 15
Taipana UD 15 D 22
Taisten / Tesido BZ 4 B 18
Talamello PS 41 K 18
Talamona SO 9 D 10
Talamone GR 55 O 15
Talana OG 117 G 10
Talarico CN 34 J 2
Talbignano MO 39 I 14
Taleggio BG 9 E 10
Talla AR 44 L 17
Tallacano AP 52 N 22
Talmassons UD 16 E 21
Talocci RI 58 P 20
Taloro NU 115 G 9
Talsano TA 79 F 33
Talucco TO 26 H 3
Talvacchia AP 53 N 22
Talvera BZ 3 B 16
Tamai PN 13 E 19
Tamara FE 32 H 17
Tambo (Pizzo) SO 9 C 9
Tambre BL 13 D 19
Tambulano (Pizzo) ME 100 N 25
Tambura (Monte) LU 38 J 12
Tamburello (Bivio) AG 102 O 21
Tamburino FI 40 K 16
Tamer (Monte) BL 13 D 18
Tammaro CB 65 R 25
Tanabuto (Portella) AG 98 O 22
Tanagro SA 76 F 28
Tanai / Thanai BZ 2 B 14
Tanamea (Passo di) UD 15 D 22
Tanaro CN 35 J 5
Tanas / Tannas BZ 2 C 14
Tanaunella OT 113 E 11
Tanca (Sa) CA 119 J 9
Tanca Marchese OR 118 H 7
Taneto RE 30 H 13
Tanga (Masseria) AV 71 D 27
Tangi TP 97 N 20
Tannas / Tanas BZ 2 C 14
Tannure (Punta) TP 97 M 20
Taormina ME 90 N 27
Taormina (Capo) ME 90 N 27
Tappino CB 65 R 26
Taramelli (Rifugio) TN 12 C 17
Tarano RI 58 O 19
Taranta Peligna CH 60 P 24
Tarantasca CN 27 I 4
Taranto TA 80 F 33
Taranto (Golfo di) TA 79 G 33
Tarcento UD 15 D 21
Tarderia CT 100 O 27
Tarino (Monte) FR 63 Q 21
Tarmassia VR 23 G 15
Tarnello BZ 2 C 14
Taro PR 29 I 10
Tarquinia VT 57 P 17
Tarres BZ 3 C 14
Tarsia CS 85 I 30
Tarsia (Lago di) CS 85 I 30
Tarsogno PR 37 I 10
Tartano SO 9 D 11
Tartano (Passo di) SO 9 D 11
Tartaro VR 23 G 14
Tarugo PS 46 L 20
Tarvisio UD 15 C 22
Tarvisio (Foresta di) UD 15 C 22
Tarzo TV 13 E 18
Tassara PC 29 H 10
Tassarolo AL 28 H 8
Tassei BL 13 D 18
Tassu (Serra di lu) OT 109 D 9
Tatti GR 49 M 15
Taufers im Münstertal /
Tubre BZ 2 C 13
Taurasi AV 70 D 26
Taureana RC 88 L 29
Tauri (Passo dei) /
Krimmlertauern BZ 4 A 18
Tauriano PN 14 D 20
Taurianova RC 88 L 30
Taurine (Terme) RM 57 P 17
Taurisano LE 83 H 36
Tauro (Monte) SR 105 P 27
Tavagnacco UD 15 D 21
Tavarnelle Val di Pesa FI 43 L 15
Tavarnuzze FI 43 K 15
Tavarone SP 37 J 10
Tavazzano con
Villavesco LO 21 G 10
Tavenna CB 65 Q 26
Taverna RN 41 K 19
Taverna CZ 87 J 31
Taverna FR 64 R 23
Taverna Nuova
(Masseria) BA 72 E 30
Taverna (Pizzo) ME 99 N 24
Tavernacce PG 51 M 19
Tavernazza FG 71 C 28
Taverne MC 52 M 20
Taverne d'Arbia SI 50 M 16
Tavernelle MS 38 J 12
Tavernelle PG 51 M 18
Tavernelle PS 46 K 20
Tavernelle SI 50 M 16
Tavernelle VI 24 F 16
Tavernelle d'Emilia BO 31 I 15
Tavernerio CO 21 E 9
Tavernette TO 26 H 4
Tavernola FG 67 C 29
Tavernola
Bergamasca BG 22 E 12
Tavernole CE 64 R 24
Tavernole sul Mella BS 22 E 12
Taverone MS 38 J 12
Taviano LE 83 H 36
Tavo PE 60 O 23
Tavolara (Isola) SS 113 E 11
Tavole Palatine MT 78 F 32
Tavoleto PS 41 K 19
Tavolicci FO 41 K 18
Tavullia PS 41 K 20
Teana PZ 77 G 30
Teano CE 69 D 24
Tebaldi VR 23 F 15
Tebano RA 40 J 17
Tecchia Rossa MS 38 I 11
Teggiano SA 76 F 28
Téglia (Monte) AP 52 N 22
Teglio SO 10 D 12
Teglio Veneto VE 16 E 20
Teia (Punta della) LI 48 M 11
Telegrafo (il) GR 55 O 15
Telegrafo (Pizzo) AG 97 O 21
Telese BN 70 D 25
Telesia BN 70 D 25
Telessio (Lago di) TO 18 F 4
Telgate BG 22 F 11
Tellaro SP 38 J 11
Tellaro SR 105 Q 26
Tellaro (Villa
Romana del) SR 105 Q 27
Telti OT 112 E 10
Telti (Monte) OT 113 E 10
Telve TN 12 D 16
Temo SS 110 F 7
Tempio Pausania OT 111 E 9
Templi (Valle dei) AG 103 P 22
Tempone SA 76 G 28
Temù BS 10 D 13
Tenaglie TR 58 O 18
Tenda (Colle di) CN 35 J 4
Tendola MS 38 J 12
Tenna AP 52 N 21
Tenna TN 11 D 15
Tenno TN 11 E 14
Tenno (Lago di) TN 11 E 14
Teodorano FO 41 J 18
Teodulo (Colle del) AO 7 E 5
Teolo PD 24 F 17
Teor UD 16 E 21
Teora AV 71 E 27
Teora AQ 59 O 21
Teppia LT 63 R 20
Teramo TE 53 N 23
Terdobbiate NO 20 F 8
Terdoppio NO 20 F 7
Terdoppio PV 20 G 8
Tereglio LU 39 J 13
Terelle FR 64 R 23
Terenten / Terento BZ 4 B 17
Terento / Terenten BZ 4 B 17
Terenzo PR 30 I 12
Tergola PD 24 F 17
Tergu SS 111 E 8
Terlago TN 11 D 15
Terlan / Terlano BZ 3 C 15
Terlano / Terlan BZ 3 C 15
Terlato (Villa) RG 104 Q 25
Terlizzi BA 73 D 31
Terme di Bagnolo GR 49 M 14
Terme di Brennero /
Brennerbad BZ 3 B 16
Terme di Cotilia RI 59 O 21
Terme di Firenze FI 43 K 15
Terme
di Fontecchio PG 45 L 18
Terme di Miradolo PV 21 G 10
Terme di Salvarola MO 31 I 14
Terme di
S. Calogero ME 94 L 26
Terme di Sardara VS 118 I 8
Terme di Saturnia GR 56 O 16
Terme di Suio LT 64 S 23
Terme di Valdieri CN 34 J 3
Terme Luigiane CS 85 I 29
Terme Pompeo FR 63 Q 21
Terme Vigliatore ME 101 M 27
Termeno s. str. d. vino /
Tramin BZ 11 C 15
Termina PR 30 I 13
Termine AQ 59 O 21
Termine Grosso KR 87 J 32
Termine (Passo di) PG 52 M 20
Termini NA 74 F 25
Termini Imerese PA 98 N 23
Termini Imerese
(Golfo di) PA 99 M 23
Terminillo RI 58 O 20
Terminillo (Monte) RI 59 O 20
Terminio (Monte) AV 70 E 26
Termoli CB 61 P 26
Ternavasso TO 27 H 5
Terni TR 58 O 19
Terno d'Isola BG 21 E 10
Terontola AR 51 M 18
Terra del Sole FO 40 J 17
Terra (Pizzo) VB 7 D 6
Terracina LT 63 S 21
Terracino RI 52 N 21
Terradura SA 76 G 27
Terragnolo TN 11 E 15
Terralba OR 118 H 7
Terralba (Monte) OG 115 H 10
Terralba (Poggio) CT 104 P 25
Terranera AQ 59 P 22
Terranova AL 20 G 7
Terranova da Sibari CS 85 I 31
Terranova
dei Passerini LO 21 G 10
Terranova di Pollino PZ 85 H 30
Terranova
Sappo Minulio RC 91 M 30
Terranuova
Bracciolini AR 44 L 16
Terrarossa GE 37 I 10
Terrasini PA 97 M 21
Terrati CS 86 J 30
Terrauzza SR 105 P 27
Terravecchia CS 87 I 32
Terrazzo VR 24 G 16
Terrenove TP 96 N 19
Terreti RC 90 M 29
Terria RI 58 O 20
Terriccio PI 43 L 13
Terricciola PI 43 L 14
Tersadia (Monte) UD 5 C 20
Tersiva (Punta) AO 19 F 4
Tertenia OG 119 H 10
Tertiveri FG 66 C 27
Terza Grande (Monte) BL 5 C 19
Terzigno NA 70 E 25
Terzo d'Aquileia UD 17 E 22
Terzo S. Severo PG 51 N 19
Terzone S. Pietro RI 59 O 21
Tesa BL 13 D 19
Tesero TN 12 D 16
Tesido / Taisten BZ 4 B 18
Tesimo / Tisens BZ 3 C 15
Tesina VI 24 F 16
Tesino AP 53 N 23
Tesoro (Becca del) SV 36 I 7
Tessa (Giogaia di) /
Texelgruppe BZ 3 B 14
Tessennano VT 57 O 17
Tessera VE 25 F 18
Testa (Capo) OT 109 D 9
Testa del Rutor AO 18 F 3
Testa dell'Acqua SR 105 Q 26
Testa Grigia AO 7 E 5
Testa Grossa (Capo) ME 94 L 26
Testa
(Pozzo Sacro sa) OT 109 E 10
Testico SV 35 J 6
Tête Blanche AO 7 G 8
Teti NU 115 G 9
Tetto (Sasso) MC 52 M 21
Teulada CA 120 K 8
Teulada (Capo) CA 120 K 7
Teulada (Porto di) CA 120 K 8
Teveno BG 10 E 12
Tevere AR 45 K 18
Teverola CE 69 E 24
Teverone PG 51 N 19
Texelgruppe /
Tessa (Giogaia di) BZ 3 B 14
Tezio (Monte) PG 51 M 19
Tezze TN 12 E 17
Tezze TV 25 E 19
Tezze sul Brenta VI 24 E 17
Thanai / Tanai BZ 2 B 14
Thapsos SR 105 P 27
Tharros OR 114 H 7
Thiene VI 24 E 16
Thiesi SS 111 F 8
Tho (Pieve del) RA 40 J 17
Thuile (la) AO 18 E 2
Thuins / Tunes BZ 3 B 16
Thuras TO 26 H 2
Thures TO 26 H 2
Thurio CS 85 H 31
Tiana NU 115 G 9
Tiarno di Sopra TN 11 E 13
Tiberina (Val) PG 45 L 18
Tiberio (Grotta di)
(Sperlonga) LT 68 S 22
Tibert (Monte) CN 34 I 3
Tiburtini (Monti) RM 63 Q 20
Ticchiano
(Passo di) PR 38 I 12
Ticengo CR 22 F 11
Ticineto AL 28 G 7
Ticino MI 20 F 8
Tidone PC 29 H 10
Tiepido MO 39 I 14
Tiers / Tires BZ 3 C 16
Tiezzo PN 13 E 20
Tiggiano LE 83 H 37
Tigliano FI 40 K 16
Tiglieto GE 28 I 7
Tigliole AT 27 H 6
Tiglione AT 28 H 7
Tignaga (Pizzo) VC 7 E 6
Tignale BS 23 E 14
Tignino (Serra) PA 99 N 23
Tigullio (Golfo del) GE 37 J 9
Timau UD 5 C 21
Timeto ME 100 M 26
Timidone (Monte) SS 110 F 6
Timmari MT 77 F 31
Timmelsjoch / Rombo
(Passo del) BZ 3 B 15
Timone VT 57 O 17
Timone (Punta) OT 113 E 11
Timpa del Grillo PA 99 N 24
Tinchi MT 78 F 31
Tindari (Capo) ME 100 M 27
Tinnari (Monte) OT 108 D 8
Tinnura OR 114 G 7
Tino NU 115 G 9
Tino (Isola del) SP 38 J 11
Tintinnano SI 50 M 16
Tione VR 23 G 14
Tione degli Abruzzi AQ 59 P 22
Tione di Trento TN 11 D 14
Tirano SO 10 D 12
Tires / Tiers BZ 3 C 16
Tiria (Monte) NU 115 F 9
Tiriolo CZ 88 K 31
Tirivolo CZ 87 J 31
Tirli GR 49 N 14
Tirolo / Tirol BZ 3 B 15
Tirrenia PI 42 L 12
Tirso SS 111 F 9
Tirso
(Cantoniera del) SS 115 G 9
Tirso (Foce del) OR 114 H 7
Tisens / Tesimo BZ 3 C 15
Tissi SS 110 E 7
Titelle BL 12 D 17
Titiano UD 16 E 21
Tito PZ 76 F 29
Tivoli BO 31 I 15
Tivoli RM 63 Q 20
Tizzano Val Parma PR 30 I 12
Toano RE 39 I 13
Tobbiana PT 39 K 15
Tobbio (Monte) AL 28 I 8
Tobia VT 57 O 18
Toblach / Dobbiaco BZ 4 B 18
Toblacher Pfannhorn /
Fana (Corno di) BZ 4 B 18
Toblino (Lago di) TN 11 D 14
Tocco Caudio BN 70 D 25
Tocco da Casauria PE 60 P 23
Toce (Cascata di) VB 8 C 7
Toce (Fiume) VB 8 D 7
Toceno VB 8 D 7
Todi PG 51 N 19
Togano (Monte) VB 8 D 7
Toggia (Lago di) VB 8 C 7
Togliano UD 15 D 22
Toiano PI 43 L 14
Toirano SV 35 J 6
Toirano (Giogo di) SV 35 J 6
Toirano (Grotte di) SV 35 J 6
Tolè BO 39 J 15
Tolentino MC 52 M 21
Tolfa RM 57 P 17
Tolfa (Monti della) RM 57 P 17
Tolfaccia (Monte) RM 57 P 17
Tolle RO 33 H 19
Tollegno BI 19 F 6
Tollo CH 60 O 24
Tolmezzo UD 14 C 21
Tolu CA 119 I 10
Tolve PZ 77 E 30
Tomaiolo FG 67 B 29
Tomba (Monte) VR 23 E 15
Tombolo PD 24 F 17
Tombolo (Pineta del) GR 49 N 14
Tombolo (Tenuta di) PI 42 L 12

A B C D E F G H I J K L M N O P Q R S T U V W X Y Z

Tommaso Natale PA ... 97 M 21
Ton TN .... 11 D 15
Tonadico TN .... 12 D 17
Tonale (Monte) BS... 11 D 13
Tonale (Passo del) BS . 11 D 13
Tonara NU .... 115 G 9
Tonco AT .... 27 G 6
Tonengo TO .... 19 G 6
Tonengo AT .... 27 G 5
Tonezza del Cimone VI. 12 E 16
Toni (Croda dei) /
  Swölferkofel BL .... 4 C 19
Tonini (Rifugio) TN .. 12 D 16
Tonnara Bonagia TP .. 96 M 19
Tonnare CI .... 120 J 6
Tonneri (Monte) OG .. 116 H 10
Tonnicoda RI .... 59 P 21
Tonno GE .... 29 I 9
Tono ME .... 95 M 27
Tonolini (Rifugio) BS.. 10 D 13
Tontola FO .... 40 J 17
Topi (Isola dei) LI .... 48 N 13
Topino PG .... 52 M 20
Toppe del Tesoro AQ . 64 Q 24
Toppo PN .... 13 D 20
Tordandrea PG .... 51 M 19
Tor Paterno RM ...... 62 Q 19
Tor S. Lorenzo RM .... 62 R 19
Tor Sapienza RM ..... 62 Q 19
Tor Vaianica RM ..... 62 R 19
Tora CE .... 64 R 24
Torano RI .... 59 P 21
Torano Castello CS ... 85 I 30
Torano Nuovo TE .... 53 N 23
Torbido RC .... 88 L 30
Torbole TN .... 11 E 14
Torbole-Casaglia BS .. 22 F 12
Torcegno TN .... 12 D 16
Torcello VE .... 16 F 19
Torchiara SA .... 75 G 27
Torchiarolo BR ...... 81 F 36
Torchiati AV .... 70 E 26
Tordinia TE .... 59 O 22
Tordino TE .... 53 O 22
Torella dei Lombardi AV.71 E 27
Torella del Sannio CB . 65 R 25
Torena (Monte) BG ... 10 D 12
Torgiano PG .... 51 M 19
Torgnon AO .... 19 E 4
Toricella del Pizzo CR. 30 G 12
Torricella Sicura TE .. 53 O 22
Torino TO .... 27 G 5
Torino di Sangro CH .. 61 P 25
Torino
  di Sangro Marina CH.61 P 25
Torino (Rifugio) AO ... 6 E 2
Toritto BA .... 73 E 32
Torlano UD .... 15 D 21
Tormine VR .... 23 G 14
Tormini BS .... 22 F 13
Tornaco NO .... 20 F 8
Tornareccio CH ...... 60 P 25
Tornata CR .... 30 G 13
Tornimparte AQ ...... 59 P 22
Tornitore (Poggio) ME. 100 N 25
Torno CO .... 9 E 9
Torno SA .... 76 G 27
Tornolo PR .... 29 I 10
Tornova RO .... 33 G 18
Toro CB .... 65 R 26
Toro (Isola il) CA .... 120 K 7
Torpè NU .... 113 F 11
Torraca SA .... 76 G 28
Torralba SS .... 111 F 8
Torrate PN .... 13 E 20
Torrazza Coste PV ... 29 H 9
Torrazza Piemonte TO. 19 G 5
Torrazzo BI .... 19 F 5
Torre MC .... 46 L 21
Torre UD .... 15 D 21
Torre a Mare BA ..... 73 D 33
Torre Alfina VT ...... 50 N 17
Torre Annunziata NA. 74 E 25
Torre Astura RM ..... 63 R 20
Torre Beretti
  e Castellaro PV .... 28 G 8
Torre Bormida CN ... 27 I 6
Torre Caietani FR ... 63 Q 21
Torre Calzolari PG .. 51 M 20
Torre Canavese TO .. 19 F 5
Torre Canne BR ..... 80 E 34
Torre Cavalo
  (Capo di) BR ...... 81 F 36
Torre Cervia (Faro di) LT. 68 S 21
Torre Ciana
  (Punta di) GR ..... 55 O 15
Torre Civette GR ... 49 N 14
Torre Colimena TA ... 79 G 35
Torre de' Busi LC .. 21 E 10
Torre de' Passeri PE. 60 P 23
Torre de' Picenardi CR . 30 G 12
Torre degli Alberi PV . 29 H 9

Torre dei Corsari VS... 118 H 7
Torre del Colle PG .. 51 N 19
Torre del Greco NA .. 70 E 25
Torre
  del Lago Puccini LU.. 38 K 12
Torre del Lauro ME .. 100 M 25
Torre del Mangano PV. 21 G 9
Torre delle Stelle CA . 119 J 10
Torre dell'Impiso TP .. 97 M 20
Torre dell'Orso LE.... 81 G 37
Torre di Bari OG ..... 117 H 11
Torre di Bocca
  (Masseria) BA........ 72 D 30
Torre di Fine VE .... 16 F 20
Torre di Mosto VE ... 16 E 20
Torre di Palme AP ... 53 M 23
Torre di Ruggiero CZ.. 88 L 31
Torre di Sta Maria SO.. 10 D 11
Torre d'Isola PV...... 21 G 9
Torre d'Ovarda TO ... 18 G 3
Torre Falcone SS..... 110 E 6
Torre Faro ME .... 90 M 28
Torre Lapillo LE...... 79 G 35
Torre Maina MO .... 31 I 14
Torre Mattarelle BR.. 81 F 36
Torre Melissa KR..... 87 J 33
Torre Mileto FG..... 66 B 28
Torre Mozza LE...... 83 H 36
Torre Olevola LT..... 68 S 21
Torre Orsaia SA ..... 76 G 28
Torre Pali LE........ 83 H 36
Torre Pallavicina BG .. 22 F 11
Torre Pedrera RN .... 41 J 19
Torre Pellice TO .... 26 H 3
Torre S. Giovanni LE. 83 H 36
Torre S. Gennaro BR.. 81 F 36
Torre S. Giorgio CN .. 27 H 4
Torre S. Marco PS... 46 L 20
Torre S. Patrizio AP .. 53 M 22
Torre S. Susanna BR.. 79 F 35
Torre Spagnola
  (Masseria) MT ...... 73 E 32
Torre Suda LE ...... 83 H 36
Torre Vado LE ...... 83 H 36
Torre Varcaro
  (Masseria) FG....... 67 C 29
Torrebelvicino VI.... 24 E 15
Torrebruna CH ...... 65 Q 25
Torrechiara PR ...... 30 I 12
Torrecuso BN........ 70 D 26
Torregaveta NA ..... 69 E 24
Torreglia PD......... 24 F 17
Torregrotta ME...... 90 M 28
Torremaggiore FG.... 66 B 27
Torremenapace PV... 29 G 8
Torremuzza ME...... 99 M 24
Torrenieri SI......... 50 M 16
Torrenova ME ...... 100 M 26
Torrenova RM ...... 62 Q 19
Torretta CN .... 35 I 6
Torretta PI .... 42 L 13
Torretta RO .... 32 G 15
Torretta TA .... 79 F 34
Torretta CL .... 103 O 23
Torretta PA .... 97 M 21
Torretta (Portella) PA . 97 M 21
Torretta-Granitola TP.. 97 O 19
Torretta (Masseria) FG.71 D 29
Torretta (Monte) PZ .. 72 E 29
Torrette AN .... 47 L 22
Torrette PS......... 46 K 21
Torrevecchia PV..... 21 G 9
Torrevecchia RM .... 62 Q 19
Torrevecchia Teatina CH. 60 P 24
Torri IM .... 35 K 4
Torri RA .... 33 I 18
Torri del Benaco VR.. 23 F 14
Torri di Quartesolo VI. 24 F 16
Torri in Sabina RI .... 58 O 19
Torriana RN .... 41 K 19
Torricella CS........ 85 I 31
Torricella TA .... 79 F 34
Torricella in Sabina RI.. 58 P 20
Torricella MN ...... 31 G 14
Torricella PR........ 30 H 12
Torricella Peligna CH . 60 P 24
Torriglia GE........ 29 I 9
Torrile PR .... 30 H 12
Torrita di Siena SI.... 50 M 17
Torrita Tiberina RM .. 58 P 19
Torsa UD........... 16 E 21
Torsana MS......... 38 J 12
Torto PA .... 99 N 23
Tortolì OG.......... 117 H 10

Tortolì (Stagno di) OG. 117 H 11
Tortona AL .... 28 H 8
Tortora CS.......... 84 H 29
Tortorella SA .... 76 G 28
Tortoreto TE........ 53 N 23
Tortoreto Lido TE.... 53 N 23
Tortorici ME........ 100 M 26
Torviscosa UD....... 17 E 21
Torza SP .... 37 J 10
Tosa (Cima) TN ..... 11 D 14
Toscanella BO....... 40 I 16
Toscano (Arcipelago) LI. 48 M 12
Toscolano TR........ 58 O 19
Toscolano-Maderno BS. 23 F 13
Tosi FI............. 44 K 16
Tossicia TE......... 59 O 22
Tossignano BO...... 40 J 16
Tossino FO......... 40 J 17
Tottubella SS....... 110 E 7
Tout Blanc (Monte) AO. 18 F 3
Tovel (Lago di) TN.... 11 D 14
Tovena TV .... 13 E 18
Tovio BL .... 12 E 17
Tovo di S. Agata SO... 10 D 12
Tovo (Monte) TO .... 18 F 4
Tovo S. Giacomo SV .. 36 J 6
Trabacche
  (Grotta delle) RG .. 104 Q 25
Trabaria (Bocca) PG... 45 L 18
Trabia PA........... 98 N 22
Trabuccato (Punta) SS. 108 D 7
Tracchi VR .... 23 E 15
Tracino TP.......... 96 Q 18
Tracino (Punta) TP... 96 Q 18
Tradate VA .... 20 E 8
Traessu (Monte) SS... 111 F 8
Trafficanti BG....... 22 E 11
Traffiume VB .... 8 D 7
Trafoi BZ........... 2 C 13
Traghetto FE........ 32 I 17
Tragliatella RM...... 62 Q 18
Tramariglio SS....... 110 F 6
Tramatza OR........ 115 G 7
Tramazzo FO........ 40 J 17
Trambileno TN ...... 11 E 15
Tramin / Termeno BZ.. 11 C 15
Tramontana (Punta) SS.111 E 7
Tramonti (Lago di) PN. 13 D 20
Tramonti di Sopra PN.. 13 D 20
Tramonti di Sotto PN.. 13 D 20
Tramuschio MN ..... 31 H 15
Tramutola PZ........ 77 G 29
Trana TO........... 26 G 4
Tranquillo (Monte) AQ. 64 Q 23
Traona SO.......... 9 D 10
Trapani TP .... 96 M 19
Trapani-Birgi
  (Aeroporto di) TP... 96 N 19
Trappa BI .... 19 F 5
Trappeto PA........ 97 M 21
Trappeto Bambino RC. 88 L 30
Trarego Viggiona VB.. 8 D 7
Trasacco AQ........ 59 Q 22
Trasaghis UD........ 14 D 21
Traschio PC .... 29 I 9
Trasimeno (Lago) PG.. 51 M 18
Trasquera VB....... 8 D 6
Trassanti PS........ 46 K 20
Tratalias CI......... 118 J 7
Travacò Siccomario PV. 29 G 9
Travagliato BS....... 22 F 12
Travale GR .... 49 M 15
Travedona Monate VA. 20 E 8
Traversa FI .... 40 J 15
Traversara RA ...... 40 I 18
Traversella VB ...... 19 F 5
Traversetolo PR ..... 30 I 13
Travesio PN .... 14 D 20
Travignolo (Val) TN... 12 D 17
Travo PC .... 29 H 10
Trazzonara (Monte) TA. 79 F 34
Tre Cancelli RM...... 63 R 20
Tre Cancelli (Valico) MT. 77 F 30
Tre Croci VT........ 57 O 18
Tre Croci (Passo) BL... 4 C 18
Tre Fontane TP...... 97 O 20
Tré-la-Tête AO...... 6 E 2
Tre Pietre (Punta dei) TP. 96 Q 17
Tre Pizzi MC .... 52 M 20
Tre Signori
  (Corno dei) TN...... 11 C 13
Tre Signori (Picco dei) /
  Dreiherrnspitze BZ... 4 A 18
Tre Signori (Pizzo dei) BG. 9 D 10
Tre Termini
  (Passo del) BS ..... 22 F 12
Trearie CT.......... 100 N 26
Trebaseleghe PD..... 24 F 18
Trebbia PC .... 26 H 4
Trebbiantico PS ..... 46 K 20

Trebbio FI........... 40 K 15
Trebbo di Reno BO ... 32 I 15
Trebecco PC......... 29 H 9
Trebecco (Lago di) PV. 29 H 9
Trebisacce CS .... 85 H 31
Trecasali PR .... 30 H 12
Trecastagni CT ...... 101 O 27
Trecate NO .... 20 F 8
Trecchina PZ .... 77 G 29
Trecenta RO........ 32 G 16
Trecine PG .... 51 M 18
Tredozio FO .... 40 J 17
Trefinaidi (Monte) ME. 100 N 25
Treglio CH.......... 60 P 25
Tregnago VR........ 23 F 15
Treia MC .... 52 M 21
Tremalzo (Passo di) TN. 23 E 14
Trematerra (Monte) CZ. 88 L 31
Tremenico LC .... 9 D 10
Tremestieri ME....... 90 M 28
Tremezzo CO........ 9 E 9
Tremiti (Isole) FG ... 66 A 28
Tremoli CS .... 84 H 29
Tremosine BS .... 23 E 14
Trenta CS .... 86 J 30
Trentangeli
  (Masseria) PZ...... 72 D 29
Trentinara SA .... 75 F 27
Trento TN .... 11 D 15
Trentola-Ducenta CE .. 69 E 24
Trenzano BS........ 22 F 12
Trepalle SO .... 2 C 12
Trepidò Soprano KR... 87 J 32
Trepidò Sottano KR... 87 J 32
Treponti PD .... 24 F 17
Treporti VE .... 16 F 19
Treppio PT .... 39 J 15
Treppo Carnico UD... 5 C 21
Treppo Grande UD .. 14 D 21
Trepuzzi LE......... 81 F 36
Trequanda SI........ 50 M 17
Tres TN............ 11 D 15
Tresa PG .... 51 M 18
Tresa VA .... 8 E 8
Tresana MS......... 38 J 11
Tresauro RG........ 104 Q 25
Trescore Balneario BG.. 22 E 11
Trescore Cremasco CR. 21 F 10
Tresenda SO .... 10 D 12
Tresigallo FE........ 32 H 17
Tresinaro RE........ 39 I 13
Tresino (Monte) SA .. 75 F 26
Tresino (Punta) SA... 75 F 27
Tresivio SO......... 10 D 11
Tresnuraghes OR.... 114 G 7
Tressanti FG........ 67 C 29
Tressi TO .... 19 F 4
Treste CH .... 61 P 25
Trestina PG......... 45 L 18
Tretto VI .... 24 E 16
Trevenzuolo VR .... 23 G 14
Treviggiano MC..... 46 L 21
Trevico AV .... 71 D 27
Treviglio BG........ 21 F 10
Trevignano TV ..... 25 E 18
Trevignano Romano RM. 57 P 18
Trevinano VT....... 50 N 17
Treviolo BG........ 21 E 10
Treviso TV......... 25 E 18
Treviso (Rifugio) TN.. 12 D 17
Treviso Bresciano BS.. 22 E 13
Trevozzo PC........ 29 H 10
Trexenta CA .... 119 I 9
Trezzano sul Naviglio MI. 21 F 9
Trezzo sull'Adda MI... 21 F 10
Trezzo Tinella CN ... 27 H 6
Triana GR .... 50 N 16
Trianelli BA......... 72 D 30
Triangolo di Riva /
  Dreieck-Spitze BZ ... 4 B 18
Tribano PD .... 24 G 17
Tribiano MI......... 21 F 10
Tribolina BG........ 22 E 11
Tribuláun / Pflerscher
  Tribulaun BZ ...... 3 B 16
Tricarico MT........ 72 E 30
Tricase LE .... 83 H 37
Tricerro VC .... 20 G 6
Trichiana BL........ 13 D 18
Tricoli (Punta) OG ... 117 H 10
Tridentina (Rifugio) BZ.. 4 A 18
Triei OG .... 117 G 10
Trieste TS .... 17 F 23
Triggianello BA...... 73 E 33
Triggiano BA........ 73 D 32
Trigna (Pizzo della) PA. 98 N 22
Trigno IS........... 65 Q 24

Trigolo CR.......... 22 G 11
Trigona SR .... 104 P 26
Trigus (Serra) CI ..... 118 I 7
Trimezzo RI .... 59 O 21
Trimezzo VI .... 24 E 16
Trinità SA .... 76 F 28
Trinità RE .... 30 I 13
Trinità (vicino ad
  Entracque) CN...... 34 J 4
Trinità (vicino
  a Fossano) CN ..... 27 I 5
Trinità (Abbazia della)
  (Cava de' Tirreni) SA. 75 E 26
Trinità (Abbazia della)
  (Venosa) PZ ...... 72 E 29
Trinità d'Agultu
  e Vignola OT ..... 108 E 8
Trinità (Lago della) TP. 97 N 20
Trinitapoli FG ...... 72 C 30
Trinkstein /
  Fonte alla Roccia BZ.. 4 A 18
Trino VC .... 20 G 6
Triolo PG .... 66 C 27
Triona (Monte) PA ... 97 N 21
Trionto CS.......... 85 I 31
Trionto (Capo) CS.... 87 I 32
Triora IM .... 35 K 5
Tripi ME .... 101 M 27
Triponzo PG .... 52 N 20
Trischiamps UD ..... 5 C 20
Triscina TP .... 97 O 20
Trisobbio AL .... 28 I 7
Trissino VI .... 24 F 16
Trisulti (Certosa di) FR. 63 Q 22
Triuggio MI .... 21 F 9
Trivento CB .... 65 Q 25
Trivero BI .... 19 E 6
Trivigliano FR ...... 63 Q 21
Trivignano UD ..... 25 F 18
Trivignano Udinese UD. 17 E 22
Trivigno PZ .... 77 F 29
Trivio PG .... 58 O 20
Trivolzio PV .... 21 G 9
Trodena / Truden BZ.. 12 D 16
Trodica MC......... 53 M 22
Trofarello TO .... 27 H 5
Trogkofel / Aip
  (Creta di) UD ...... 14 C 21
Troia FG .... 71 C 27
Troia (Ponte di) FG... 66 C 28
Troia (Punta) TP..... 96 N 18
Troina EN .... 100 N 25
Troina (Fiume) ME ... 100 N 25
Tromello MI .... 20 G 8
Trompia (Val) BS..... 22 E 12
Trona (Lago di) SO... 9 D 10
Troncia CI.......... 118 J 7
Trontano VB .... 8 D 7
Tronto TE .... 53 N 22
Tronzano Vercellese VC. 19 F 6
Tropea VV.......... 88 K 29
Troviggiano MC..... 46 L 21
Trovo PV .... 21 G 9
Truccazzano MI ..... 21 F 10
Trucchi CN .... 35 I 4
Trucco IM .... 35 K 4
Truden / Trodena BZ.. 12 D 16
Trulli (Regione dei) BA. 80 E 33
Trulli (Zona dei) BA... 80 E 33
Trullo (Masseria) BA .. 72 E 30
Truzzo (Lago del) SO .. 9 C 9
Tualis UD........... 5 C 20
Tubre / Taufers im
  Münstertal BZ...... 2 C 13
Tudaio di Razzo
  (Monte) BL .... 5 C 19
Tuddeggi (Monte) SS.. 111 F 8
Tudia PA .... 99 N 23
Tufara CB .... 66 C 26
Tufillo CH .... 65 Q 25
Tufo AV .... 70 D 26
Tufo Basso AQ ...... 59 P 21
Tuglie LE .... 83 G 36
Tuili VS............ 118 H 8
Tula SS .... 111 E 8
Tului (Monte) NU .... 117 G 10
Tumarino (Punta) SS. 108 D 6
Tumboi OR......... 115 H 8
Tundu (Monte) NU ... 113 F 10
Tundu (Monte) OT... 111 F 10
Tunes / Thuins BZ.... 3 B 16
Tuoma SI........... 50 M 16
Tuoro sul Trasimeno PG. 51 M 18
Tupei CI............ 118 J 7
Turago Bordone PV... 21 G 9
Turania RI.......... 59 P 21
Turano RI .... 58 O 20
Turano (Lago di) RI ... 58 P 20
Turano Lodigiano LO . 21 G 10
Turate CO.......... 21 F 9
Turbigo MI .... 20 F 8
Turchi (Balata dei) TP.. 96 Q 18

Turchino (Passo del) GE. 28 I 8
Turchio (Monte) CT.. 100 N 26
Turcio VI .... 24 E 16
Tures (Val di) BZ..... 4 B 17
Turi BA .... 73 E 33
Turlago MS......... 38 J 12
Turri VS .... 118 H 8
Turri (Monte) CA.... 119 I 9
Tursi MT .... 77 G 31
Turuddò (Monte) NU . 113 F 10
Turusele OG........ 117 G 10
Tusa ME .... 99 N 24
Tusa (Fiume di) ME ... 99 N 24
Tuscania VT........ 57 O 17
Tusciano SA .... 75 E 27
Tussio AQ .... 59 P 22
Tuttavista (Monte) NU. 117 F 10
Tuturano BR .... 79 F 35
Tyndaris ME........ 100 M 27

U

Uatzu NU .... 115 H 9
Uboldo VA .... 21 F 9
Uccea UD .... 15 D 22
Ucina (Pizzo d') ME .. 100 M 26
Ucria ME .... 100 M 26
Uda (Monte) CA ..... 119 I 9
Udine UD .... 15 D 21
Uffente LT .... 63 R 21
Ufita AV .... 71 D 27
Ugento LE .... 83 H 36
Uggiano la Chiesa LE. 83 G 37
Uggiano Montefusco TA. 79 F 34
Uggiate Trevano CO .. 20 E 8
Uia Bessanese TO ... 18 G 3
Uia di Ciamarella TO.. 18 G 3
Uia (Monte) TO...... 26 G 3
Ulà Tirso OR........ 115 G 8
Ulassai OG .... 117 H 10
Ulignano PI......... 43 L 14
Uliveto Terme PI..... 42 K 13
Ulmeta
  (Cantoniera dell') BA. 72 D 30
Ulmi TP .... 97 N 20
Ulten / Ultimo BZ.... 3 C 15
Ultental / Ultimo
  (Val d') BZ .... 3 C 14
Ultimo / Ulten BZ.... 3 C 15
Ultimo (Val d') /
  Ultental BZ........ 3 C 14
Umbertide PG....... 51 M 18
Umbra (Foresta) FG.. 67 B 29
Umbrail (Pass) /
  Sta Maria (Giogo di) SO. 2 C 13
Umbriatico KR ..... 87 I 32
Umito AP .... 52 N 22
Ummari TP......... 97 N 20
Uncinano PG .... 51 N 19
Unghiasse (Monte) TO. 18 F 3
Ungroni (S') OR...... 114 H 7
Unnichedda
  (Punta) NU ...... 113 F 11
Unsere liebe Frau im Walde /
  Senale BZ......... 3 C 15
Unserfrau / Madonna
  di Senales BZ...... 3 B 14
Untermoi / Antermoia BZ. 4 B 17
Unterplanken /
  Planca di Sotto BZ.... 4 B 18
Unturzu (Monte) SS.. 110 F 7
Uomo (Capo d') GR... 55 O 15
Upega CN .... 35 J 5
Urachi (Nuraghe s') OR. 114 G 7
Urago d'Oglio BS.... 22 F 11
Uras OR .... 118 H 8
Urbana PD .... 24 G 16
Urbania PS......... 45 K 19
Urbe SV .... 28 I 7
Urbino PS.......... 46 K 19
Urbino (Monte) PG .. 51 M 19
Urbisaglia MC....... 52 M 22
Urbs Salvia MC ..... 52 M 22
Urgnano BG........ 21 F 11
Uri SS .... 110 F 7
Uri (Flumini) CA ..... 119 I 10
Ursini RC .... 88 L 31
Urtigu (Monte) OR... 114 G 7
Ururi CB .... 66 B 27
Urzano PR .... 30 I 12
Urzulei OG .... 117 G 10
Usago PN .... 14 D 20
Uscerno AP .... 52 N 22
Uscio GE .... 37 I 9
Usellus OR .... 115 H 8
Usi GR .... 50 N 16
Usini SS .... 110 F 7
Ussana CA .... 119 I 9
Ussaramanna VS .... 118 H 8
Ussassai OG........ 116 H 10

Usseglio TO .... 18 G 3
Ussita MC .... 52 N 21
Ustica PA............. 92 K 21
Ustica (Isola di) PA.. 92 K 21
Uta CA................ 118 J 8
Utero (Monte) RI ..... 52 N 21
Uttenheim /
  Villa Ottone BZ...... 4 B 17

V

Vacca (Isola la) CI..... 120 K 7
Vaccarile AN .... 46 L 21
Vaccarizza PV .... 29 G 9
Vaccarizzo CT .... 105 O 27
Vaccarizzo CS .... 86 I 30
Vaccarizzo Albanese CS. 85 I 31
Vacchelli (Canale) CR .. 21 F 10
Vaccolino FE .... 33 H 18
Vacheres AO .... 19 F 5
Vacone RI............. 58 O 19
Vacri CH.............. 60 P 24
Vada LI............... 48 L 13
Vada (Secche di) LI .. 48 M 13
Vadena / Pfatten BZ.. 12 C 15
Vado BO.............. 39 J 15
Vado (Capo di) SV.... 36 J 7
Vado Ligure SV....... 36 J 7
Vado Mistongo BN ... 65 R 26
Vaggimal VR .... 23 F 14
Vaggio FI .... 44 L 16
Vagli (Lago di) LU.... 38 J 12
Vagli Sopra LU....... 38 J 12
Vagli Sotto LU .... 38 J 12
Vaglia FI .... 40 K 15
Vagliagli SI .... 44 L 16
Vaglie BL............. 38 J 12
Vaglierano AT .... 27 H 6
Vaglio Basilicata PZ.. 77 E 29
Vagnole (le) CE ...... 69 D 23
Vahrn / Varna BZ .... 4 B 16
Vaiano PO............ 39 K 15
Vaiano Cremasco CR .. 21 F 10
Vailate CR............ 21 F 10
Vaiont (Lago del) PN.. 13 D 19
Vairano Patenora CE... 65 R 24
Vairano Scalo CE .... 64 S 24
Vairo PR.............. 38 I 12
Vajont PN............. 13 D 20
Val d'Asso SI.......... 50 M 16
Val della Torre TO.... 19 G 4
Val di Meda FI........ 40 J 16
Val di Mela OT........ 109 D 9
Val di Mezzo /
  Mittertal BZ .... 3 B 16
Val di Nizza PV ...... 29 H 9
Val di Sogno VR ..... 23 E 14
Val Grande
  (Parco Nazionale) TO. 18 F 3
Val Grande (Parco
  Nazionale della) VB.. 8 D 7
Val Noana (Lago di) TN. 12 D 17
Valas / Flaas BZ....... 3 C 15
Valbella (Punta) BZ ... 2 B 14
Valbona (Cima di) TN.. 11 D 13
Valbondione BG....... 10 D 12
Valbrevenna GE....... 29 I 9
Valbruna CO .... 9 E 9
Valbruna UD .... 15 C 22
Valcaira CN........... 35 J 5
Valcanale BG......... 10 E 11
Valcasotto CN .... 35 J 5
Valcava LC .... 21 E 10
Valcavera (Colle di) CN. 34 I 3
Valchiusella TO....... 19 F 5
Valcimarra MC........ 52 M 21
Valda TN .... 11 D 15
Valdagno VI.......... 24 F 15
Valdaora / Olang BZ.. 4 B 18
Valdarno AR.......... 44 L 16
Valdena AR........... 38 I 11
Valdengo BI.......... 19 F 6
Valderice TP.......... 96 M 19
Valdicastello
  Carducci LU .... 38 K 12
Valdichiesa ME....... 94 L 26
Valdidentro SO....... 2 C 12
Valdieri CN........... 34 J 4
Valdimonte PG....... 45 L 18
Valdina ME........... 90 M 28
Valdobbiadene TV .... 12 E 17
Valdorbia PG......... 46 L 20
Valdritta (Cima) VR.. 23 E 14
Valduggia VC......... 20 E 6
Valdurna BZ.......... 3 B 16
Valdurna / Durnholz BZ. 3 B 16
Valeggio PV.......... 20 G 8
Valeggio sul Mincio VR. 23 F 14
Valentano VT......... 57 O 17
Valenza AL .... 28 G 7
Valenzano BS .... 22 F 12
Valenzano BA .... 73 D 32

Valera Fratta LO ...... 21 G 10
Valeriano PN .... 14 D 20
Valestra RE .... 39 I 13
Valfabbrica PG .... 51 M 19
Valfenera AT .... 27 H 5
Valfloriana TN........ 12 D 16
Valfredda (Sasso di) TN. 12 C 17
Valfurva SO .... 11 C 13
Valgioie TO........... 26 G 4
Valgoglio BG......... 10 E 11
Valgrana CN.......... 34 I 4
Valgrisenche AO...... 18 F 3
Valguarnera EN ...... 104 O 25
Vallà TV.............. 24 E 17
Vallada Agordina BL.. 12 C 17
Vallalta RE........... 31 H 15
Vall'Alta (Cala) SS.... 109 D 9
Vallarga / Weitental BZ. 4 B 17
Vallarsa TN........... 23 E 15
Vallata AV............ 71 D 27
Valle BO.............. 39 J 15
Valle BS.............. 10 D 13
Valle MS.............. 38 I 11
Valle Agricola CE ..... 65 R 24
Valle Aurina / Ahrntal BZ. 4 B 17
Valle Castellana TE ... 53 N 22
Valle Dame AR .... 51 M 18
Valle di Cadore BL .... 13 C 18
Valle di Maddaloni CE. 70 D 25
Valle Lomellina PV.... 20 G 7
Valle Mosso BI........ 19 F 6
Valle S. Bartolomeo AL. 28 H 7
Valle S. Felice TN .... 11 E 14
Valle S. Giovanni TE .. 59 O 22
Vallebona IM.......... 35 K 5
Vallecorsa FR......... 64 R 22
Vallecrosia IM........ 35 K 4
Vallecupa AG......... 59 P 22
Valledolmo PA........ 99 N 23
Valledoria SS......... 108 E 8
Vallefiorita CZ........ 88 K 31
Vallegrande FR....... 64 R 23
Vallelonga VV........ 88 L 30
Vallelunga CE .... 65 R 24
Vallelunga RM........ 58 P 19
Vallelunga
  Piatameno CL .... 99 N 23
Vallemaio FR......... 64 R 23
Vallemare RI .... 59 O 21
Vallenoncello PN .... 13 E 19
Vallenzona GE........ 29 I 9
Vallepietra RM........ 63 Q 21
Valleranello RM....... 62 Q 19
Vallerano PR .... 30 I 12
Vallerano VT......... 58 O 18
Valleremita AN .... 52 M 20
Vallermosa CA........ 118 I 8
Vallerotonda FR...... 64 R 23
Valles / Vals BZ...... 4 B 16
Valles (Passo di) TN... 12 C 17
Valles (Val di) BZ..... 4 B 16
Vallesaccarda AV ..... 71 D 27
Valleverde
  (Santuario di) FG .. 71 D 28
Vallevona (Cima di) AQ. 59 P 21
Vallevona (Masseria) FG. 66 C 27
Valli del Pasubio VI... 23 E 15
Valli Grandi Veronesi VR. 32 G 15
Valli Mocenighe PD... 32 G 16
Vallicciola OT........ 111 E 9
Vallico LU............ 38 J 13
Vallinfante MC .... 52 N 21
Vallinfreda RM .... 59 P 20
Vallingegno
  (Abbazia di) PG.... 51 M 19
Vallio Terme BS....... 22 F 13
Vallisnera RE .... 38 I 12
Vallo TO.............. 19 G 5
Vallo della Lucania SA. 76 G 27
Vallo di Nera PG...... 52 N 20
Vallocchia PG........ 52 N 20
Vallombrosa FI....... 44 K 16
Valloni IS............ 64 R 24
Valloria LO .... 29 G 10
Valloriate CN......... 34 I 4
Vallosa TN........... 11 D 15
Vallugana VI......... 24 F 16
Vallurbana PG........ 45 L 18
Valmacca AL .... 28 G 7
Valmadonna AL ..... 28 H 7
Valmadrera LC........ 21 E 10
Valmala AL........... 26 I 4
Valmeronte (Monte) PG. 45 L 18
Valmontone RM....... 63 Q 20
Valmorel BL.......... 13 D 18
Valmozzola PR........ 30 I 11
Valnogaredo PD....... 24 G 16
Valnontey AO......... 18 F 4
Valosio AL............ 28 I 7
Valpantena VR .... 23 F 14

Valparola (Passo di) BL.. 4 C 17
Valpelina VE.......... 16 F 21
Valpelline AO......... 7 E 4
Valpelline (Località) AO. 6 E 3
Valperga TO.......... 19 F 4
Valpiana GR.......... 49 M 14
Valpolicella VR ...... 23 F 14
Valpromaro LU .... 38 K 13
Valprato Soana TO ... 19 F 4
Vals / Valles BZ ...... 4 B 16
Valsanzibio PD....... 24 G 17
Valsassina LC......... 9 E 10
Valsavarenche AO.... 18 F 3
Valsavignone AR..... 45 K 18
Valsecca BG.......... 21 E 10
Valsolda CO.......... 9 D 9
Valstagna VI.......... 12 E 16
Valstrona VB......... 8 E 6
Valsura BZ............ 3 C 15
Valtellina SO......... 10 D 12
Valtina / Walten BZ... 3 B 15
Valtopina PG......... 51 M 20
Valtorta BG........... 9 E 10
Valtournenche AO.... 7 E 4
Valtournenche
  (Località) AO ...... 7 E 4
Valva SA .... 71 E 27
Valvasone PN .... 16 E 20
Valverde CT .... 101 O 27
Valverde FO.......... 41 J 19
Valverde PV.......... 29 H 9
Valverde
  (Santuario di) SS.... 110 F 7
Valvestino BS .... 23 E 13
Valvestino (Lago di) BS. 23 E 13
Valvisciolo
  (Abbazia di) LT .... 63 R 20
Valzurio BG........... 10 E 11
Vancimuglio VI....... 24 F 16
Vancori (i) ME .... 95 K 27
Vandoies / Vintl BZ... 4 B 17
Vandra IS............ 65 R 24
Vaneze TN .... 11 D 15
Vanga / Wangen BZ .. 3 C 16
Vannino (Lago) VB.. 8 C 7
Vanoi TN............. 12 D 17
Vanzago MI .... 21 F 9
Vanzanghello MI..... 20 F 8
Vanze LE............. 81 G 36
Vaprio d'Adda MI..... 21 F 10
Vaprio d'Agogna NO.. 20 F 7
Vara SP.............. 37 I 10
Vara Inferiore SV .... 28 I 7
Varaita CN........... 26 I 3
Varaita (Valle) CN.... 26 I 3
Varallo VC............ 20 E 6
Varallo Pombia NO... 20 E 7
Varano Borghi VA .... 20 E 8
Varano de Melegari PR. 30 H 12
Varano (Lago di) FG ... 67 B 29
Varano Marchesi PR.. 30 H 12
Varapodio RC........ 91 M 29
Varazze SV........... 36 I 7
Varco Sabino RI ..... 59 P 21
Varedo MI............ 21 F 9
Varena TN............ 12 D 16
Varenna LC........... 9 D 9
Varese VB............ 20 E 8
Varese (Lago di) VA... 20 E 8
Varese Ligure SP .... 37 I 10
Vargo AL............. 28 H 8
Vari MC.............. 52 N 21
Varignana BO........ 40 I 16
Varigotti SV.......... 36 J 7
Varmo UD............ 16 E 20
Varna / Vahrn BZ .... 4 B 16
Varone TN............ 11 E 14
Varrone LC .... 9 D 10
Varsi PR.............. 30 I 11
Varzi PV.............. 29 H 9
Varzo VB............. 8 D 6
Vas BL............... 12 E 17
Vasanello VT......... 58 O 19
Vasco CN............. 35 I 5
Vascon TV............ 25 E 18
Vasia IM.............. 35 K 5
Vason TN............. 11 D 15
Vastogirardi IS....... 65 Q 24
Vaticano (Capo) VV... 88 L 29
Vaticano (Città del) RM. 62 Q 19
Vatolla SA............ 75 G 27
Vauda Canavese TO ... 19 G 4
Vazia RI.............. 58 O 20
Vazzano VV.......... 88 L 30
Vazzola TV........... 25 E 19
Vazzoler (Rifugio) BL.. 12 C 18
Vecchiano PI......... 42 K 13

Vedano Olona VA .... 20 E 8
Veddasca (Val) VA .... 8 D 8
Vedegheto BO........ 39 I 15
Vedelago TV .... 24 E 18
Vedeseta BG .... 9 E 10
Vedrana BO.......... 32 I 16
Vedriano RE.......... 30 I 13
Veggiano PD......... 24 F 17
Veggio BO............ 39 J 15
Veglie LE............. 81 G 35
Veiano VT............ 57 P 18
Veio RM.............. 58 P 19
Veirera SV........... 28 I 7
Vela (Villa) SR........ 105 Q 27
Vélan (Monte) AO .... 6 E 3
Veleso CO............ 9 E 9
Velezzo Lomellina PV.. 20 G 8
Velia SA.............. 75 G 27
Velino RI .... 58 O 20
Velino (Gole del) RI... 59 O 21
Velino (Monte) AQ.... 59 P 22
Vellano PT............ 39 K 14
Velledo SV........... 35 J 6
Velleia PC............ 29 H 11
Velletri RM........... 63 Q 20
Velloi / Vellau BZ .... 3 B 15
Velo d'Astico VI...... 24 E 16
Velo Veronese VR.... 23 F 15
Velturno / Feldthurns BZ. 4 B 16
Velva SP.............. 37 J 10
Vena CT.............. 101 N 27
Vena (Fiume) VE ..... 16 E 20
Venafro IS............ 64 R 24
Venagrande AP ...... 53 N 22
Venaria Reale TO .... 19 G 4
Venarotta AP......... 52 N 22
Venas di Cadore BL... 13 C 18
Venasca CN .... 26 I 4
Venaus TO............ 18 G 3
Venda (Monte) PD.... 24 G 17
Vendicari (Isola) SR... 107 Q 27
Vendone SV........... 35 J 6
Vendrogno LC........ 9 D 9
Venegazzu' TV .... 25 E 18
Venegono VA......... 20 E 8
Venere AQ .... 59 Q 22
Venere (Monte) VT ... 57 O 18
Veneria VC........... 20 G 6
Venetico ME .... 90 M 28
Venezia VE........... 25 F 19
Venezia (Rifugio) BL.. 13 C 18
Venezia (Cima) BZ ... 2 C 14
Venezia-Marco Polo
  (Aeroporto) VE ..... 25 F 19
Venezzano BO .... 32 H 16
Venina (Lago di) SO... 10 D 11
Venina (Passo) SO.... 10 D 11
Venosa PZ............ 72 E 29
Venosta (Val) /
  Vinschgau BZ ...... 3 C 14
Venticano AV......... 70 D 26
Ventimiglia IM .... 35 K 4
Ventimiglia di Sicilia PA. 98 N 22
Vento (Grotta del) LU.. 38 J 13
Vento (Portella del) CL. 99 O 24
Vento (Serra del) PA... 99 N 24
Vento (Torre del) BA... 72 D 31
Venturina LI.......... 49 M 13
Veny (Val) AO .... 18 E 2
Venzone UD.......... 14 D 21
Verano / Vöran BZ.... 3 C 15
Verano Brianza MI.... 21 F 9
Verazzano AR .... 45 L 18
Verbania VB.......... 8 E 7
Verbicaro CS .... 84 H 29
Verceia SO .... 9 D 10
Vercelli VC .... 20 G 7
Verchiano PG .... 52 N 20
Verde (Capo) IM...... 35 K 5
Verde (Costa) VS ..... 118 I 7
Verde (Isola) VE ..... 33 G 18
Verde (la) RC......... 91 M 30
Verde (Lago) BZ...... 2 C 14
Verdéggia IM......... 35 J 5
Verdello BG .... 21 F 10
Verdi PA.............. 99 N 24
Verduno CN.......... 27 I 5
Verdura AG........... 97 O 21
Verena (Monte) VI.... 12 E 16
Verezzi SV............ 36 J 6
Vergato BO........... 39 J 15
Vergemoli LU......... 38 J 13
Verghereto PO .... 43 K 15
Verghereto FO .... 45 K 18
Vergiano RN .... 41 J 19
Vergiate VA .... 20 E 8
Vergine Maria PA..... 98 M 22
Vergineto PS......... 46 K 20
Vergnasco BI......... 19 F 6
Verica MO............ 39 J 14
Vermenagna CN...... 35 J 4

Vermica KR........... 87 K 33
Vermiglio TN......... 11 D 14
Vermiglio (Val) TN.... 11 C 13
Vernà (Pizzo di) ME... 101 M 27
Vernago / Vernagt BZ.. 3 B 14
Vernago (Lago di) BZ.. 3 B 14
Vernagt / Vernago BZ.. 3 B 14
Vernante CN.......... 35 J 4
Vernazza SP.......... 37 J 11
Vernazza PC.......... 30 H 11
Vernio PO............ 39 J 15
Vernole LE............ 81 G 36
Versa GO............. 17 E 22
Versa AT............. 27 G 6
Versa (Fiume) VE .... 16 E 20
Versa PV............. 29 G 9
Versano CE........... 64 S 24
Versciaco / Vierschach BZ. 4 B 18
Versilia (Riviera della) LU. 38 K 12
Vertana (Cima) BZ.... 2 C 13
Verteglia (Piano di) AV. 70 E 26
Vertemate CO......... 21 E 9
Vertova BG........... 22 E 11
Verucchio RN .... 41 K 19
Vervio SO .... 10 D 12
Vervò TN............. 11 D 15
Verza PC............. 29 G 11
Verzegnis UD......... 14 C 20
Verzegnis (Monte) UD. 14 C 20
Verzi SV.............. 35 J 6
Verzino KR .... 87 J 32
Verzuolo CN.......... 27 I 4
Vescia Scanzano PG.. 51 N 20
Vescona SI .... 50 M 16
Vescovado SI......... 50 M 16
Vescovana PD .... 32 G 17
Vescovato CR .... 22 G 12
Vesime AT............ 27 I 6
Vesio BS.............. 23 E 13
Vesole (Monte) SA.... 75 F 27
Vespolate NO .... 20 F 7
Vespolo (Monte) SO.. 10 D 11
Vessalico IM.......... 35 J 5
Vesta GR............. 23 E 13
Vestea PE............ 60 O 23
Vestenanova VR...... 23 F 15
Vestignè TO.......... 19 F 5
Vestone BS........... 22 E 13
Vesuvio NA........... 70 E 25
Vetan AO............. 18 E 3
Veternigo VE......... 24 F 18
Vetralla VT........... 57 P 18
Vetria SV............. 35 J 6
Vetriolo Terme TN.... 12 D 15
Vette (le) BL.......... 12 D 17
Vettica Maggiore SA.. 75 F 25
Vettigne VC.......... 20 F 6
Vetto RE............. 38 I 13
Vettore (Monte) AP... 52 N 21
Veveri NO............ 20 F 7
Vezza d'Oglio BS ..... 10 D 13
Vezza (Torrente) VT... 57 O 18
Vezzanello MS........ 38 J 12
Vezzano PR .... 30 H 12
Vezzano TN.......... 11 D 14
Vezzano Ligure SP.... 38 J 11
Vezzano sul Crostolo RE. 31 I 13
Vezzena (Passo di) TN. 12 E 16
Vezzo VB............. 8 E 7
Vezzola RE........... 31 H 14
Vezzola
  (Abbazia di) AT.... 27 G 5
Viadana MN.......... 31 H 13
Viadana Bresciana BS.. 22 F 13
Viagrande CT......... 101 O 27
Viamaggio AR........ 45 K 18
Viamaggio (Passo di) AR. 45 K 18
Vianino PR........... 30 H 11
Viano RE............. 31 I 13
Viareggio LU......... 38 K 12
Viarigi AT............ 28 G 7

Viarolo PR........... 30 H 12
Viarovere MO .... 31 H 15
Viazzano PR......... 30 H 12
Vibo Valentia VV..... 88 K 30
Vibo Valentia Marina VV. 88 K 30
Viboldone MI .... 21 F 9
Vibonati SA .... 76 G 28
Vibrata TE............ 53 N 23
Vicalvi FR............ 64 Q 23
Vicarello LI .... 42 L 13
Vicarello RM.......... 57 P 18
Vicchio FI............ 40 K 16
Vicenne TR........... 51 N 18
Viceno VB............ 8 D 6
Vicenza VI............ 24 F 16
Viciomaggio AR...... 44 L 17
Vico LU.............. 39 J 14
Vico del Gargano FG.. 67 B 29
Vico d'Elsa FI......... 43 L 15
Vico Equense NA..... 74 F 25
Vico (Lago di) VT..... 57 P 18
Vico nel Lazio FR..... 63 Q 22
Vicobarone PC .... 29 H 10
Vicofertile PR......... 30 H 12
Vicoforte CN......... 35 I 5
Vicoforte
  (Santuario di) CN... 35 I 5
Vicoli PE............. 60 O 23
Vicomero PR......... 30 H 12
Vicomoscano CR ..... 30 H 13
Vicopisano PI .... 43 K 13
Vicovaro RM......... 58 P 20
Viddalba SS.......... 108 E 8
Vidiciatico BO........ 39 J 14
Vidigulfo PV.......... 21 G 9
Vidor TV............. 12 E 18
Vidracco TO......... 19 F 5
Viepri PG............ 51 N 19
Vierschach /
  Versciaco BZ ...... 4 B 18
Viesci RI............. 59 O 21
Vieste FG............ 67 B 30
Vietri di Potenza PZ.. 76 F 28
Vietri sul Mare SA.... 75 F 26
Vietti TO............. 19 G 4
Vieyes AO............ 18 F 3
Viganella VB .... 8 D 6
Vigarano Mainarda FE. 32 H 16
Vigarano Pieve FE.... 32 H 16
Vigasio VR........... 23 G 14
Vigatto PR........... 30 H 12
Vigevano PV......... 20 G 8
Vigezzo (Piana di) VB.. 8 D 7
Vigezzo (Val) VB..... 8 D 7
Viggianello PZ....... 85 H 30
Viggiano PZ.......... 77 F 29
Viggiù VA .... 8 E 8
Vighizzolo BS .... 22 F 13
Vighizzolo CO........ 21 E 9
Vighizzolo d'Este PD.. 24 G 16
Vigliano AQ.......... 59 O 21
Vigliano Biellese BI... 19 F 6
Viglio (Monte) AQ.... 63 Q 22
Viglione (Masseria) BA. 73 E 32
Vigna di Valle RM.... 57 P 18
Vignai IM............. 35 K 5
Vignale Monferrato AL. 28 G 7
Vignanello VT........ 58 O 18
Vignate MI .... 21 F 10
Vigne TR............. 58 O 19
Vignola PR........... 30 H 12
Vignola MS.......... 38 I 11
Vignola MO.......... 39 I 15
Vignola Mare OT..... 109 D 9
Vignola (Monte) TN... 23 E 14
Vignole BL........... 13 D 18
Vignole Borbera AL... 28 H 8
Vignole CN........... 34 I 4
Vignolo CN........... 34 I 4
Vigo VR.............. 32 G 15
Vigo di Cadore BL .... 5 C 19
Vigo di Fassa TN ..... 12 C 17
Vigo Rendena TN..... 11 D 14
Vigodarzere PD ...... 24 F 17
Vigoleno PC.......... 30 H 11
Vigolo BG............ 22 E 12
Vigolo Baselga TN.... 11 D 15
Vigolo Marchese PC.. 30 H 11
Vigolo Vattaro TN.... 11 D 15
Vigolzone PC......... 29 H 11
Vigone TO............ 27 H 4
Vigonovo PN......... 13 E 19
Vigonovo VE......... 24 F 17
Vigonza PD .... 24 F 17
Vigoponzo AL........ 29 H 9
Vigorovea PD .... 24 G 18
Viguzzolo AL......... 28 H 8
Vila di Sopra /
  Ober Wielenbach BZ.. 4 B 17
Villa TO.............. 51 M 18
Villa BS.............. 10 E 12

A B C D E F G H I J K L M N O P Q R S T U V W X Y Z

Villa SV................ 28 I6
Villa a Sesta SI..... 44 L16
Villa UD.............. 14 C20
Villa Adriana (Tivoli) RM. 63 Q20
Villa Baldassarri LE... 81 F35
Villa Barbaro Maser TV. 24 E17
Villa Bartolomea VR... 32 G16
Villa Basilica LU...... 39 K13
Villa Bozza TE........ 60 O23
Villa Caldari CH..... 60 P25
Villa Canale IS...... 65 Q25
Villa-Carcina BS 22 F12
Villa Carlotta
(Tremezzo) CO 9 E9
Villa Castelli BR.... 79 F34
Villa Celiera PE..... 60 O23
Villa Col de' Canali PG. 46 L20
Villa Collemandina LU. 38 J13
Villa Cordellina-Lombardi
(Tavernelle) VI... 24 F16
Villa d'Adda BG...... 21 E10
Villa d'Agri PZ...... 77 F29
Villa d'Aiano BO..... 39 J14
Villa d'Almè BS...... 39 K13
Villa d'Artimino PO... 43 K15
Villa del Bosco BI.... 20 F6
Villa del Bosco PD.... 24 G18
Villa del Conte PD.... 24 F17
Villa del Foro AL..... 28 H7
Villa della Petraia FI... 39 K15
Villa di Artimino PO... 43 K15
Villa di Briano CE.... 69 D24
Villa di Castello FI.... 39 K15
Villa di Chiavenna SO.. 9 D10
Villa di Poggio
a Caiano PO...... 39 K15
Villa di Sério BG 21 E11
Villa di Tirano SO..... 10 E11
Villa Dogana FI...... 39 J15
Villa d'Ogna BG...... 10 E11
Villa d'Orri CA...... 118 J9
Villa Estense PD..... 24 G17
Villa Faraldi IM...... 35 K6
Villa Fastiggi PS..... 46 K20
Villa Fontana BO..... 32 I16
Villa Forci LU....... 38 K13
Villa Foscari
(Malcontenta) VE... 25 F18
Villa Gamberaia
(Settignano) FI.... 44 K15
Villa Garibaldi MN... 31 G14
Villa Grande CH...... 60 P25
Villa Hanbury IM...... 35 K4
Villa Jovis Capri NA... 74 F24
Villa La Rotonda VI... 24 F16
Villa Lagarina TN..... 11 E15
Villa Lante (Bagnaia) VT. 57 O18
Villa Latina FR...... 64 R23
Villa le Sabine LI..... 49 M13
Villa Literno CE...... 69 D24
Villa Littorio SA..... 76 F28
Villa Manin
(Passariano) UD 16 E21
Villa Mansi
(Segromigno) LU... 39 K13
Villa Margherita LI.... 49 M13
Villa Minozzo RE..... 38 I13
Villa Napoleone
(S. Martino) LI..... 48 N12
Villa Oliveti PE...... 60 O24
Villa Olmo CO....... 21 E9
Villa Ottone /
Uttenheim BZ..... 4 B17
Villa Pasquali MN.... 30 G13
Villa Passo TE....... 53 N22
Villa Pisani Strà VE... 24 F18
Villa Pliniana Torno CO.. 9 E9
Villa Poma MN....... 31 H15
Villa Potenza MC..... 52 M22
Villa Reale di Marlia LU. 39 K13
Villa Rendena TN..... 11 D14
Villa Rosa TE........ 53 N23
Villa S. Giovanni LE... 60 O24
Villa S. Giovanni RC.. 90 M28
Villa Saletta PI...... 43 L14
Villa S. Angelo AQ... 59 P22
Villa S. Antonio AP... 53 N23
Villa Sta Croce CE.... 69 D24
Villa S. Faustino PG... 51 N19
Villa S. Giovanni
in Tuscia VT....... 57 P18
Villa S. Leonardo CH... 60 P25
Villa Sta Lucia FR.... 64 R23
Villa Sta Lucia
degli Abruzzi AQ... 60 O23
Villa Sta Maria CH.... 60 Q25

Villa S. Pietro CA...... 121 J8
Villa S. Sebastiano AQ. 59 P21
Villa S. Secondo AT.... 27 G6
Villa Sto Stefano FR... 63 R21
Villa Santina UD...... 14 C20
Villa Saviola MN...... 31 G14
Villa Serraglio RA..... 32 I17
Villa Torrigiani
(Segromigno) LU... 39 K13
Villa Vallucci TE...... 59 O22
Villa Verde OR....... 115 H8
Villa Verdi
(S. Agata) PC...... 30 G12
Villa Verucchio RN.... 41 J19
Villa Vomano TE..... 60 O23
Villabassa /
Niederdorf BZ..... 4 B18
Villabate PA........ 98 M22
Villabella AL........ 28 G7
Villaberza RE........ 38 I13
Villabruna BL........ 12 D17
Villachiara BS....... 22 F11
Villacidro VS........ 118 I8
Villadeati AL........ 27 G6
Villadoro EN........ 99 N24
Villadose RO........ 32 G17
Villadossola VB...... 8 D6
Villafalletto CN...... 27 I4
Villafelice FR....... 64 R22
Villafontana VR...... 23 G15
Villafora RO........ 32 G16
Villafranca d'Asti AT... 27 H6
Villafranca di Forlì FO.. 40 J18
Villafranca di Verona VR. 23 F14
Villafranca
in Lunigiana MS.... 38 J11
Villafranca Padovana PD. 24 F17
Villafranca Piemonte TO. 27 H4
Villafranca Sicula AG.. 97 O21
Villafranca Tirrena ME. 90 M28
Villafrati PA........ 98 M22
Villaggio Amendola FG. 67 C29
Villaggio Frasso CS... 85 I31
Villaggio Mancuso CZ. 87 J31
Villaggio Mosé AG... 103 P22
Villaggio Racise CZ... 87 J31
Villaggio Resta LE.... 83 G35
Villaggio
Sta Margherita EN.. 100 N25
Villagrande PS....... 41 K19
Villagrande
(Tornimparte) AQ... 59 P21
Villagrande Strisaili OG. 117 H10
Villagrappa FO...... 40 J17
Villagrazia PA....... 98 M22
Villagrazia di Carini PA. 97 M21
Villagreca CA....... 118 I9
Villalago AQ........ 64 Q23
Villalba CL......... 99 O23
Villalfonsina CH...... 61 P25
Villalunga SV....... 35 J6
Villalvernia AL...... 28 H8
Villamagna CH...... 60 P24
Villamagna FI....... 44 K16
Villamagna PI....... 43 L14
Villamaina AV....... 71 E27
Villamar VS........ 118 I8
Villamarina FO...... 41 J19
Villamarzana RO... 32 G17
Villamassargia CI.... 118 J7
Villandro / Villanders BZ. 3 C16
Villandro (Monte) BZ.. 3 C16
Villaneto PZ........ 77 G30
Villanoce GE........ 29 I10
Villanova BO........ 32 I16
Villanova FI........ 43 K14
Villanova MO....... 31 H14
Villanova CR........ 30 G13
Villanova AL........ 29 H9
Villanova BO........ 60 O24
Villanova RA........ 41 I18
Villanova VE........ 16 E20
Villanova (Masseria) BR. 81 F36
Villanova d'Albenga SV. 35 J6
Villanova d'Ardenghi PV. 21 G9
Villanova d'Asti AT.... 27 H5
Villanova del Battista AV. 71 D27
Villanova
del Ghebbo RO..... 32 G16
Villanova di
Camposampiero PD. 24 F17
Villanova Franca VS... 118 I9
Villanova Maiardina MN..23 G14

Villanova
Marchesana RO 32 H17
Villanova Mondovì CN. 35 I5
Villanova Monferrato AL. 20 G7
Villanova
Monteleone SS..... 110 F7
Villanova Solaro CN... 27 H4
Villanova Strisaili OG. 117 H10
Villanova sull'Arda PC.. 30 G11
Villanova
Truschedu OR...... 115 H8
Villanova Tulo CA..... 115 H9
Villanovaforru VS..... 118 I8
Villanterio PV....... 21 G10
Villanuova BS....... 22 F13
Villanuova sul Clisi BS. 22 F13
Villaorba UD........ 16 D21
Villapaiera BL....... 12 D17
Villaperuccio CI...... 118 J8
Villapiana BL........ 12 D17
Villapiana CS........ 85 H31
Villapiana Lido CS.... 85 H31
Villapiana Scalo CS... 85 H31
Villapriolo EN....... 99 O24
Villaputzu CA....... 119 I10
Villar Focchiardo TO... 26 G3
Villar Pellice TO...... 26 H3
Villar Perosa TO...... 26 H3
Villarbasse TO....... 27 G4
Villarboit VC........ 20 F7
Villareggia TO....... 19 G5
Villaretto TO........ 26 G3
Villarios CI.......... 120 J7
Villaro CN.......... 26 H3
Villaromagnano AL... 28 H8
Villarosa EN........ 99 O24
Villarotta RE........ 31 H14
Villasalto CA........ 119 I10
Villasanta MI........ 21 F9
Villaseta AG........ 102 P22
Villasimius CA....... 119 J10
Villasmundo SR...... 105 P27
Villasor CA......... 118 I8
Villaspeciosa CA..... 118 J8
Villastellone TO...... 27 H5
Villastrada MN....... 31 H13
Villastrada PG....... 50 M18
Villata CN.......... 26 I4
Villata VC.......... 20 F7
Villatella IM........ 35 K5
Villaurbana OR...... 115 H8
Villavallelonga AQ.... 64 Q22
Villaverla VI........ 24 F16
Ville di Fano AQ...... 59 O21
Ville sur Sarre AO.... 18 E3
Villefranche AO...... 18 E3
Villeneuve AO....... 18 E3
Villerose RI......... 59 P21
Villesse GO......... 17 E22
Villetta Barrea AQ.... 64 Q23
Villimpenta MN...... 31 G15
Villnöß / Funes BZ... 4 C17
Villongo BG........ 22 E11
Villorba TV......... 25 E18
Villotta PN......... 13 E20
Vilminore di Scalve BG. 10 E12
Vilpian / Vilpiano BZ.. 3 C15
Vimercate MI....... 21 F10
Vimodrone MI....... 21 F9
Vinadio CN......... 34 J3
Vinaio UD......... 14 C20
Vinca MS.......... 38 J12
Vinchiaturo CB...... 65 R25
Vinchio AT......... 28 H6
Vinci FI........... 43 K14
Vinciarello CZ....... 89 L31
Vinco RC.......... 90 M29
Vindoli RI.......... 59 O21
Vinovo TO......... 27 H4
Vinzaglio NO....... 20 G7
Viola CN.......... 35 J5
Viola (Val) SO....... 10 D13
Vione BS.......... 10 D13
Viòz (Monte) TN..... 11 C13
Viozene CN......... 35 J5
Vipiteno / Sterzing BZ. 3 B16

Virgilio MN......... 31 G14
Virle Piemonte TO.... 27 H4
Visaille (la) AO...... 6 E2
Visano BS.......... 22 G13
Visciano NA........ 70 E25
Visciglieto
(Masseria) FG...... 66 C28
Visdende (Valle) BL.... 5 C19
Visentin (Col) TV..... 13 D18
Viserba RN......... 41 J19
Viserbella RN....... 41 J19
Visgnola CO........ 9 E9
Visiano PR......... 30 H12
Visignano TV....... 25 E18
Viso (Monte) CN..... 26 H3
Visome BL.......... 13 D18
Visso MC.......... 52 N21
Vistarino PV........ 21 G9
Vistrorio TO........ 19 F5
Vita TP........... 97 N20
Vita (Capo della) LI... 48 N13
Vitalba (Poggio) PA... 43 L13
Vitamore
(Masseria) AV...... 71 E28
Viterbo VT......... 57 O18
Viticuso FR......... 64 R23
Vitinia RM.......... 62 Q19
Vito (Serra di) CT..... 100 N26
Vitorchiano VT...... 57 O18
Vitravo KR.......... 87 J32
Vitriola MO......... 39 I13
Vittoria RG......... 104 Q25
Vittoriale (il) BS..... 23 F13
Vittorio Veneto TV.... 13 E18
Vittorio Veneto
(Rifugio) BZ....... 4 A17
Vittorito AQ........ 60 P23
Vittuone MI........ 20 F8
Vitulano BN........ 70 D25
Vitulazio CE........ 69 D24
Viù TO........... 18 G4
Viù (Val di) TO....... 18 G3
Vivaro PN.......... 13 D20
Vivaro Romano RM... 59 P21
Viverone BI........ 19 F6
Viverone (Lago di) BI.. 19 F6
Viviere CN......... 26 I3
Vivione (Passo del) BG. 10 D12
Vivo d'Orcia SI...... 50 N16
Vizze (Passo di) /
Pfitscherjoch BZ.... 4 B16
Vizze (Val di) BZ..... 3 B16
Vizzini CT.......... 104 P26
Vizzola Ticino VA.... 20 F8
Vo PD............ 24 G16
Vo VI............ 24 F16
Vobarno BS........ 22 F13
Vobbia GE......... 29 I9
Vocca VC.......... 8 E6
Vodo Cadore BL..... 13 C18
Voghera PV........ 29 H9
Voghiera FE........ 32 H17
Vogogna VB........ 8 D6
Volania FE......... 33 H18
Volano FE......... 33 H18
Volano TN......... 11 E15
Volargne VR........ 23 F14
Volciano BS........ 22 F13
Volla NA.......... 69 E25
Vollan / Foiana BZ.... 3 C15
Volmiano FI........ 39 K15
Vologno RE........ 38 I13
Volongo CR........ 22 G12
Volpago
del Montello TV.... 25 E18
Volpara PV......... 29 H9
Volpara AL......... 29 H9
Volparo SA......... 75 F27
Volpe
(Punta della) OT.... 109 D10
Volperino PG........ 52 N20
Volpedo AL......... 28 H8
Volpiano TO........ 19 G5
Volsini (Monti) VT.... 57 O17
Volta SO.......... 9 D10
Volta Mantovana MN. 23 G13
Voltaggio AL....... 28 I8
Voltana RA......... 32 I17
Volterra PI......... 43 L14
Voltido CR......... 30 G13

Voltone VT......... 57 P17
Voltre FO.......... 41 J18
Voltri GE.......... 36 I8
Volturara Appula FG.. 66 C27
Volturara Irpina AV... 70 E26
Volturino FG........ 66 C27
Volturino (Fiumara) FG. 66 C27
Volturino (Monte) PZ.. 77 F29
Volturno IS......... 64 R24
Volumni
(Ipogeo di) PG..... 51 M19
Volvera TO......... 27 H4
Vomano TE........ 59 O22
Vomano (Val di) AQ... 59 O22
Vöran / Verano BZ.... 3 C15
Vorno LU.......... 42 K13
Vottignasco CN..... 27 I4
Votturino (Lago) CS... 86 J31
Voturo (Pizzo) PA.... 99 N24
Vulcanello
(Monte) ME....... 94 L26
Vulcano
(Bocche di) ME.... 94 L26
Vulcano (Isola) ME... 94 L26
Vulcano (Monte) AG.. 102 T20
Vulci VT.......... 57 O16
Vulgano FG........ 71 C27
Vulture (Monte) PZ... 71 E28

W

Waidbruck /
Ponte Gardena BZ.. 3 C16
Walten / Valtina BZ... 3 B15
Wangen / Vanga BZ... 3 C16
Weißenbach / Riobianco
(vicino a
Campo Tures) BZ... 4 A17
Weißenbach / Riobianco
(vicino a Pennes) BZ.. 3 B16
Weißkugel /
Bianca (Palla) BZ.... 2 B14
Weisslahnbad / Bagni di
Lavina Bianca BZ... 3 C16
Weißseespitze / Lago Bianco
(Punta) BZ........ 2 B14
Weitental / Vallarga BZ. 4 B17
Welsberg /
Monguelfo BZ..... 4 B18
Welschnofen /
Nova Levante BZ.... 12 C16
Wengen / La Valle BZ.. 4 C17
Wiesen / Prati BZ.... 3 B16
Wieser Alm /
Malga Prato BZ.... 4 A18
Wilde Kreuzspitze /
Croce (Picco di) BZ... 3 B16
Willy Jervis TO....... 26 H3
Winnebach /
Prato alla Drava BZ... 4 B19
Wölkenstein in Gröden /
Selva di Valgardena BZ. 4 C17
Wölfl / Lupicino BZ.... 12 C16

X-Z

Xirbi CL........... 99 O24
Xireni (Masseria) PA.. 99 N23
Xitta TP........... 96 N19
Xomo (Passo di) VI... 23 E15
Xon (Passo) VI....... 23 E15
Zaccanopoli VV...... 88 L29
Zaccaria NA........ 69 E24
Zaccheo TE........ 53 N23
Zacchi (Rifugio) UD... 15 C23
Zafferana Etnea CT... 101 N27
Zafferano (Capo) PA.. 98 M22
Zafferano (Porto) CA.. 120 K7
Zagarise CZ........ 87 K31
Zagarolo RM....... 63 Q20
Zaiama UD......... 15 D21
Zambana TN........ 11 D15
Zambla BG......... 10 E11
Zamboni RE........ 38 J13
Zambrone VV....... 88 K29
Zambrone
(Punta di) VV...... 88 K29
Zancona GR........ 50 N16
Zané VI........... 24 E16
Zangarona CZ....... 88 K31
Zanica BG......... 21 F11
Zanotti CN......... 34 J2
Zappolino BO....... 39 I15
Zapponeta FG....... 67 C29
Zappulla ME....... 100 M26
Zappulla (Case) RG... 107 Q26

Zatta (Monte) GE..... 37 I10
Zattaglia RA........ 40 J17
Zavattarello PV...... 29 H9
Zeccone PV........ 21 G9
Zeda (Monte) VB..... 8 D7
Zeddiani OR........ 114 H7
Zelbio CO.......... 9 E9
Zelo RO........... 32 G16
Zelo Buon Persico LO.. 21 F10
Zeme PV.......... 20 G7
Zenna VA.......... 8 D8
Zenobito
(Punta del) LI...... 48 M11
Zenson di Piave TV... 16 E19
Zeppara OR........ 115 H8
Zerba PC.......... 29 I9
Zerbio PC.......... 30 G11
Zerbolò PV......... 21 G9
Zerfaliu OR........ 115 H8
Zeri MS........... 38 I11
Zerman TV......... 25 F18
Zero TV........... 25 F18
Zero Branco TV...... 25 F18
Zevio VR.......... 23 F15
Ziano di Fiemme TN... 12 D16
Ziano Piacentino PC... 29 G10
Zibello PR......... 30 G12
Zibido PV.......... 21 G9
Zibido S. Giacomo MI.. 21 F9
Zignano SP........ 37 J11
Zimardo RG........ 107 Q26
Zimella VR......... 24 F16
Zimmara (Monte) PA.. 99 N24
Zimone BI......... 19 F6
Zinasconuovo PV.... 29 G9
Zinascovecchio PV... 29 G9
Zinga KR.......... 87 J32
Zingarini RM....... 62 R19
Zingonia BG........ 21 F10
Zinnigas CA........ 118 J8
Zinola SV.......... 36 J7
Zinzulusa (Grotta) LE.. 83 G37
Zippo (Masseria) TA... 80 E33
Ziracco UD......... 15 D22
Zita (Passo della) ME.. 100 M26
Zoagli GE.......... 37 I9
Zocca MO.......... 39 I14
Zóccolo (Lago di) BZ... 3 C14
Zogno BG.......... 21 E10
Zola Pedrosa BO..... 31 I15
Zoldo Alto BL....... 13 C18
Zoldo (Valle di) BL.... 13 C18
Zollino LE......... 83 G36
Zomaro RC......... 91 M30
Zone BS........... 22 E12
Zone LU........... 39 K13
Zoppé TV.......... 13 E19
Zoppé di Cadore BL... 13 C18
Zoppo
(Portella dello) ME.. 100 N26
Zoppola PN........ 13 E20
Zorlesco LO........ 21 G10
Zorzoi BL.......... 12 D17
Zovallo (Passo) PR... 29 I10
Zovello UD......... 5 C20
Zovo (Passo del) BL... 5 C19
Zsigmondy-
Comici (Rifugio) BZ... 4 C19
Zubiena BI......... 19 F5
Zuccarello SV....... 35 J6
Zucchi (Piano) PA.... 99 N23
Zucco (Lo) PA....... 97 M21
Zuccone Campelli LC.. 9 E10
Zuccone (Monte) SP.. 37 I10
Zuddas (Is) CI....... 120 J8
Zuel BL........... 4 C18
Zugliano VI........ 24 E16
Zuglio UD.......... 5 C21
Zugna (Monte) TN.... 23 E15
Zula BO........... 40 I16
Zumaglia BI........ 19 F6
Zumelle
(Castello di) BL.... 13 D18
Zungoli AV......... 71 D27
Zungri VV.......... 88 L29
Zupo (Pizzo) SO..... 10 C11
Zuppino SA........ 76 F27
Zurco RE.......... 31 H13
Zuri OR........... 115 G8
Zurrone (Monte) AQ.. 64 Q24
Zwischenwasser /
Longega BZ....... 4 B17

A
B
C
D
E
F
G
H
I
J
K
L
M
N
O
P
Q
R
S
T
U
V
W
X
Y
Z

Piante di città
Town plans / Plans de villes / Stadtpläne / Stadsplattegronden / Planos de ciudades

ITALIA

- Agrigento............... 157
- Alessandria 158
- Ancona 158
- Arezzo 159
- Ascoli Piceno........... 159
- Assisi 160
- Bari.................... 161
- Bergamo............... 161
- Bologna............. 162/163
- Bolzano................. 164
- Brindisi 165
- Cagliari 165
- Catania 166
- Como 166
- Cortina d'Ampezzo 167
- Cosenza................. 167
- Courmayeur............. 168
- Cremona................ 168
- Cuneo 169
- Ferrara.................. 169
- Firenze.............. 170/171
- Genova.............. 172/173
- L'Aquila................. 174
- Lecce 174
- Lucca 175
- Mantova 176
- Messina 177
- Milano 178/179
- Modena................. 180
- Napoli 181
- Novara 182
- Padova 182
- Palermo................. 183
- Parma 184
- Perugia 185
- Pesaro 185
- Pescara 186
- Pisa.................... 186
- Reggio di Calabria 187
- Rimini 187
- Roma 188/189
- Salerno 190
- San Gimignano......... 190
- San Remo 191
- Sassari 191
- Siena 192
- Siracusa............... 193
- Sorrento 194
- Spoleto 194
- Stresa.................. 195
- Taormina 196
- Taranto 197
- Torino 198/199
- Trento 200
- Treviso................. 201
- Trieste 202
- Udine.................. 203
- Urbino 203
- Venezia................ 204
- Verona................. 205
- Vicenza 206
- Viterbo 206

Piante — Plans — Town plans

Curiosità / Curiosités / Sights

Edificio interessante	Bâtiment intéressant	Place of interest
Costruzione religiosa interessante: Chiesa - Tempio	Édifice religieux intéressant : catholique - protestant	Interesting place of worship: Church - Protestant church

Viabilità / Voirie / Roads

Autostrada - Doppia carreggiata tipo autostrada	Autoroute - Double chaussée de type autoroutier	Motorway - Dual carriageway
Svincoli numerati: completo, parziale	Échangeurs numérotés : complet - partiels	Numbered junctions: complete, limited
Grande via di circolazione	Grande voie de circulation	Major thoroughfare
Via regolamentata o impraticabile	Rue réglementée ou impraticable	Unsuitable for traffic or street subject to restrictions
Via pedonale - Tranvia	Rue piétonne - Tramway	Pedestrian street - Tramway
Parcheggio - Parcheggio Ristoro	Parking - Parking Relais	Car park - Park and Ride
Galleria	Tunnel	Tunnel
Stazione e ferrovia	Gare et voie ferrée	Station and railway
Funicolare	Funiculaire, voie à crémaillère	Funicular
Funivia, cabinovia	Téléphérique, télécabine	Cable-car

Simboli vari / Signes divers / Various signs

Ufficio informazioni turistiche	Information touristique	Tourist Information Centre
Moschea - Sinagoga	Mosquée - Synagogue	Mosque - Synagogue
Torre - Ruderi	Tour - Ruines	Tower - Ruins
Mulino a vento	Moulin à vent	Windmill
Giardino, parco, bosco	Jardin, parc, bois	Garden, park, wood
Cimitero	Cimetière	Cemetery
Stadio - Golf - Ippodromo	Stade - Golf - Hippodrome	Stadium - Golf course - Racecourse
Piscina: all'aperto, coperta	Piscine de plein air, couverte	Outdoor or indoor swimming pool
Vista - Panorama	Vue - Panorama	View - Panorama
Monumento - Fontana	Monument - Fontaine	Monument - Fountain
Porto turistico	Port de plaisance	Pleasure boat harbour
Faro	Phare	Lighthouse
Aeroporto - Stazione della metropolitana	Aéroport - Station de métro	Airport - Underground station
Autostazione	Gare routière	Coach station
Trasporto con traghetto:	Transport par bateau :	Ferry services:
passeggeri ed autovetture - solo passeggeri	passagers et voitures, passagers seulement	passengers and cars - passengers only
Ufficio centrale di fermo posta - Ospedale	Bureau principal de poste restante - Hôpital	Main post office with poste restante - Hospital
Mercato coperto	Marché couvert	Covered market
Carabinieri - Polizia	Gendarmerie - Police	Gendarmerie - Police
Municipio	Hôtel de ville	Town Hall
Università, scuola superiore	Université, grande école	University, College
Edificio pubblico indicato con lettera:	Bâtiment public repéré par une lettre :	Public buildings located by letter:
Museo - Municipio	Musée - Hôtel de ville	Museum - Town Hall
Prefettura, sottoprefettura - Teatro	Préfecture, sous-préfecture - Théâtre	Prefecture or sub-prefecture - Theatre

M   H
P   T

Stadtpläne — Plattegronden — Planos

Sehenswürdigkeiten / Bezienswaardigheden / Curiosidades

Sehenswertes Gebäude	Interessant gebouw	Edificio interesante
Sehenswerter Sakralbau:	Interessant kerkelijk gebouw:	Edificio religioso interesante: católica - protestante
Katholische - Evangelische Kirche	Kerk - Protestantse kerk	

Straßen / Wegen / Vías de circulación

Autobahn - Schnellstraße	Autosnelweg - Weg met gescheiden rijbanen	Autopista - Autovía
Nummerierte Voll- bzw. Teilanschlussstellen	Knooppunt / aansluiting: volledig, gedeeltelijk	Enlaces numerados: completo, parciales
Hauptverkehrsstraße	Hoofdverkeersweg	Via importante de circulación
Gesperrte Straße oder mit Verkehrsbeschränkungen	Onbegaanbare straat, beperkt toegankelijk	Calle reglamentada o impracticable
Fußgängerzone - Straßenbahn	Voetgangersgebied - Tramlijn	Calle peatonal - Tranvía
Parkplatz - Park-and-Ride-Plätze	Parkeerplaats - P & R	Aparcamiento - Aparcamientos «P+R»
Tunnel	Tunnel	Túnel
Bahnhof und Bahnlinie	Station, spoorweg	Estación y línea férrea
Standseilbahn	Kabelspoor	Funicular, línea de cremallera
Seilschwebebahn	Tandradbaan	Teleférico, telecabina

Sonstige Zeichen / Overige tekens / Signos diversos

Informationsstelle	Informatie voor toeristen	Oficina de Información de Turismo
Moschee - Synagoge	Moskee - Synagoge	Mezquita - Sinagoga
Turm - Ruine	Toren - Ruïne	Torre - Ruinas
Windmühle	Windmolen	Molino de viento
Garten, Park, Wäldchen	Tuin, park, bos	Jardín, parque, madera
Friedhof	Begraafplaats	Cementerio
Stadion - Golfplatz - Pferderennbahn	Stadion - Golfterrein - Renbaan	Estadio - Golf - Hipódromo
Freibad - Hallenbad	Zwembad: openlucht, overdekt	Piscina al aire libre, cubierta
Aussicht - Rundblick	Uitzicht - Panorama	Vista parcial - Vista panorámica
Denkmal - Brunnen	Gedenkteken, standbeeld - Fontein	Monumento - Fuente
Yachthafen	Jachthaven	Puerto deportivo
Leuchtturm	Vuurtoren	Faro
Flughafen - U-Bahnstation	Luchthaven - Metrostation	Aeropuerto - Estación de metro
Autobusbahnhof	Busstation	Estación de autobuses
Schiffsverbindungen:	Vervoer per boot:	Transporte por barco:
Autofähre, Personenfähre	Passagiers en auto's - uitsluitend passagiers	pasajeros y vehículos, pasajeros solamente
Hauptpostamt (postlagernde Sendungen) - Krankenhaus	Hoofdkantoor voor poste-restante - Ziekenhuis	Oficina de correos - Hospital
Markthalle	Overdekte markt	Mercado cubierto
Gendarmerie - Polizei	Marechaussee / rijkswacht - Politie	Policía National - Policía
Rathaus	Stadhuis	Ayuntamiento
Universität, Hochschule	Universiteit, hogeschool	Universidad, escuela superior
Öffentliches Gebäude, durch einen Buchstaben gekennzeichnet:	Openbaar gebouw, aangegeven met een letter::	Edificio público localizado con letra :
Museum - Rathaus	Museum - Stadhuis	Museo - Ayuntamiento
Präfektur, Unterpräfektur - Theater	Prefectuur, onderprefectuur - Schouwburg	Prefectura, subprefectura - Teatro

M   H
P   T

AGRIGENTO

0   1 km

Tempio di Zeus Olimpio......D
Tempio di Castore e Polluce....E

N

PALERMO
CORLEONE   PALERMO   CALTANISSETTA

FAVARA

Str. Statale 118
V. Giuseppe Mazzini
V. Salvatore
V. Scifo
Imera
V. 25 Aprile
Groeni
Dante
V. Menea
V. S. Francesco Gamez
Empedocle
Luciani
V. Antonio
Statale di Porto Empedocle

OSPEDALE PSICHIATRICO

Museo Archeologico Regionale
San Nicola
Quartiere ellenistico romano
VALLE
Oratorio di Falaride
DEI
Tempio di Eracle
TEMPLI
Via Sacra
Giardino della Kolymbetra
Tomba di Terone
Tempio di Hera Lacinia
TEMPIO DELLA CONCORDIA

Str. Anna Antica
Str. Statale Sud Occidentale
Hypsas
VILLASETA
V. Empedocle
S. Biagio
V. Cavalieri Magazzeni

PORTO EMPEDOCLE

Str. Statale di Porto

GELA, RAGUSA

MARE MEDITERRANEO

LINOSA, LAMPEDUSA   S. LEONE

Verdura
SS 386
SP 33
SS 86

Pizzo Raiata
596

Calamonaci
Cianciana

15
SP 19

Bonsignore

TRAPANI, PORTO EMPEDOCLE

AGRIGENTO

0   300 m

N

Scifo   Imera   V. Palermo
V. Salvatore
Aprile
V. 25
V. Altieri
V. Ignazio
Giardinello
Groeni
Imera

Biblioteca Lucchesiana
Cattedrale
Pal. Barone Celauro
Pal. del Campo-Lazzarini
Monastero di Santo Spirito
S. Maria dei Greci
San Lorenzo
Palazzo Celauro
Chiesa di S. Giuseppe
Conventino Chiaramontano
Chiesa di S. Calogero

V. Recinto Oblati
V. Garibaldi
V. Orfane
V. Atenea
Dante
Acrone
V. Giuseppe
Piazza F. Rosselli
Piazza A. Moro
Piazza G. Marconi
V. Cicerone
V. S. Peri Vito
Piazza Cavour
Vle d. Vittoria

PALERMO, CALTANISSETTA

V. della Pace
V. Solferino
V. Alessandro
Manzoni
V. Giuseppe Toniolo
Eseneto
V. Graceffo
Leonardo
Rafarca

Str. Statale Sud Occidentale Sicula
Contrada Pezzino

VALLE DEI TEMPLI

RAGUSA, VALLE DEI TEMPLI

Gelonardo   Realmonte
Pergole
Scavuzzo   Caliato
Lido Rossello   Punta Grande
Capo Rossello   Punta Grande
San Leone

Villaseta
AGRIGENTO
Cattedrale
Spirito
Valle dei Templi
Porto Empedocle
San Leone Mosè
Giarra
Dune I
Dune II
Dune III
Dune IV
Magellano I
Magellano II
Carinatello
Fiumenaro
Zingarello
Monte Grande

Castronuovo di Sicilia
Lago Fanaca
Pizzo Lupo 1092
Stazione di Cammarata
Pizzo Fic
Casalicchio
13
SP 36
SP 55
Cammarata
San Giovanni Gemini
Santa Rosalia
M. Cammarata 1578
1246
Pizzo d. Rondine
Acquaviva Platani
Cozzo tre Monti 970
Rio Platani
Turvoli
Portella Tanabuto 544
Casteltermini
Magri
SP 20
SP 22
SP 142
Biagio Platani
Rocca Ficarazze
Villaggio Faina
Sant'Angelo Muxaro
Cap Masaniello
Villagg Grap
M. Le Fosse 653
Santa Elisabetta
Torre
Raffadali
Aragona
501
Comitini
Grotte
14
Zorba
Stazione di Aragona Caldara
Quattro Strade
Scintilia
Joppolo Giancaxio
Vulcanelli di Macalube
Borsellino
San Benedetto
San Michele
M. Suzza
Giardina Gallotti
10
Montaperto
Favara
Villaggio Mosè
SS 189
SS 122
SS 115
E 931
Grancifone

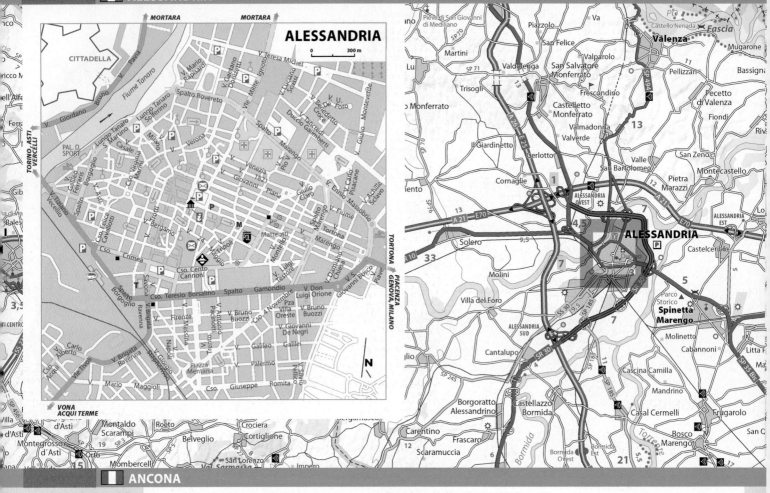

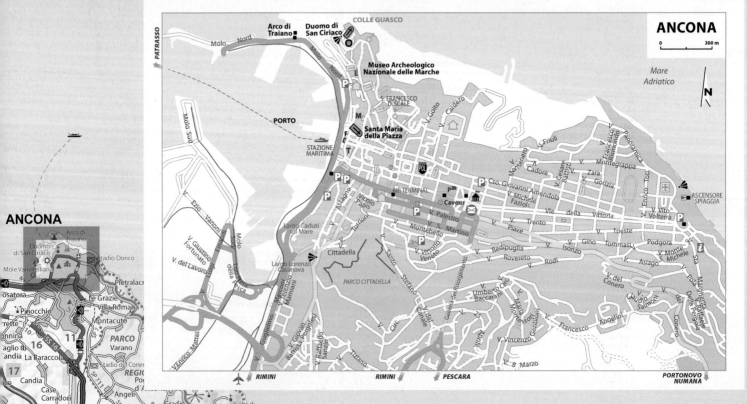

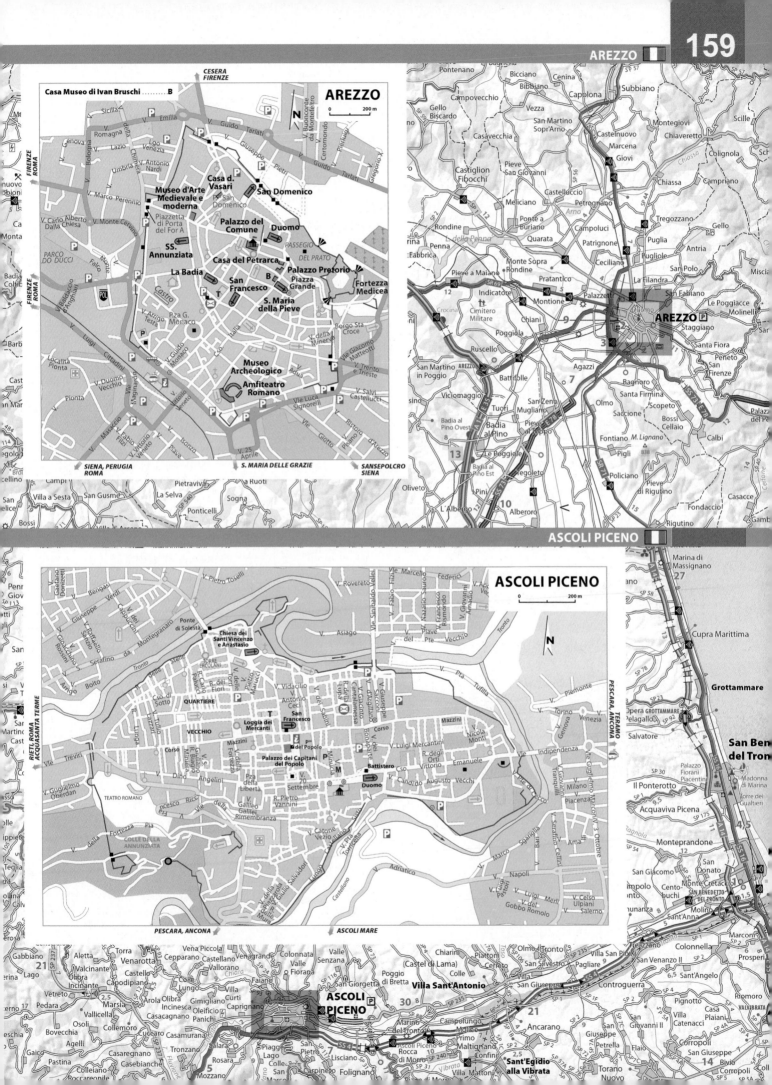

AREZZO

CESERA FIRENZE

Casa Museo di Ivan Bruschi .... B

0   200 m

Casa d. Vasari
Museo d'Arte Medievale e moderna
San Domenico
Palazzo del Comune
Duomo
SS. Annunziata
Casa del Petrarca
La Badia
San Francesco
Palazzo Pretorio
Piazza Grande
Fortezza Medicea
S. Maria della Pieve
PASSEGGIO DEL PRATO
Museo Archeologico
Amfiteatro Romano

FIRENZE ROMA
FIRENZE ROMA

PARCO DO DUCCI

Castro

SIENA, PERUGIA ROMA   S. MARIA DELLE GRAZIE   SANSEPOLCRO SIENA

ASCOLI PICENO

0   200 m

Chiesa dei Santi Vincenzo e Anastasio
Ponte di Solesta
QUARTIERE VECCHIO
Loggia dei Mercanti
San Francesco
P. del Popolo
Palazzo dei Capitani del Popolo
Battistero
Duomo
TEATRO ROMANO
COLLE DELLA ANNUNZIATA

RIETI, ROMA ACQUASANTA TERME

PESCARA, ANCONA   ASCOLI MARE

Marina di Massignano
Cupra Marittima
Grottammare
San Benedetto del Tronto

ASCOLI PICENO

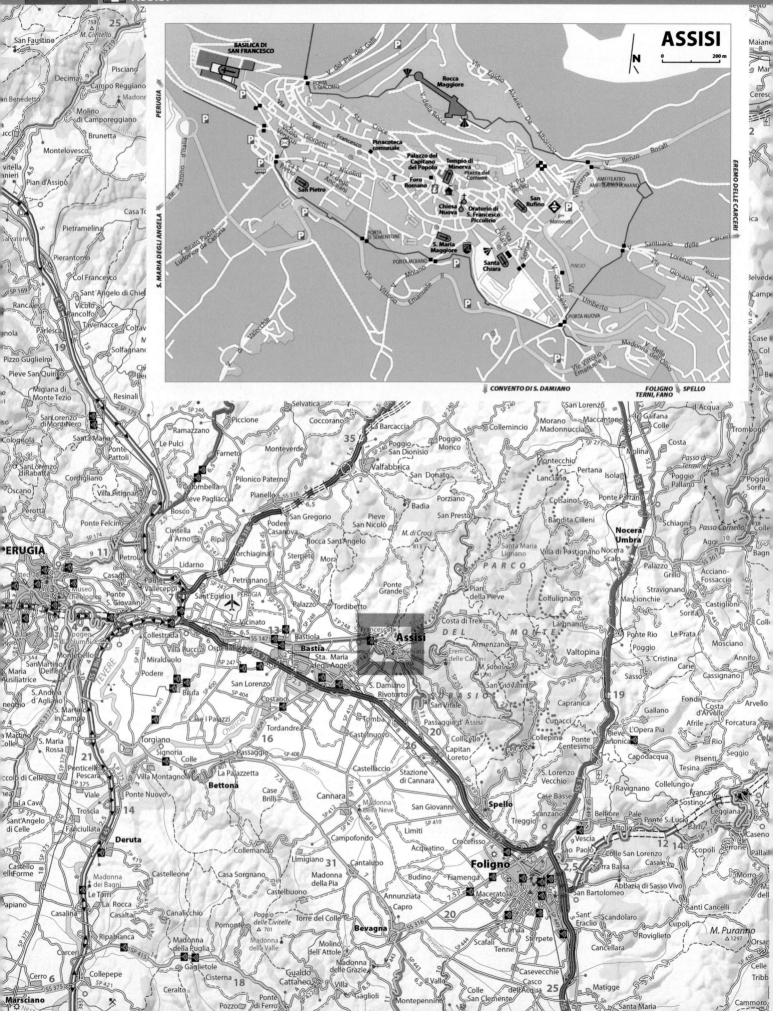

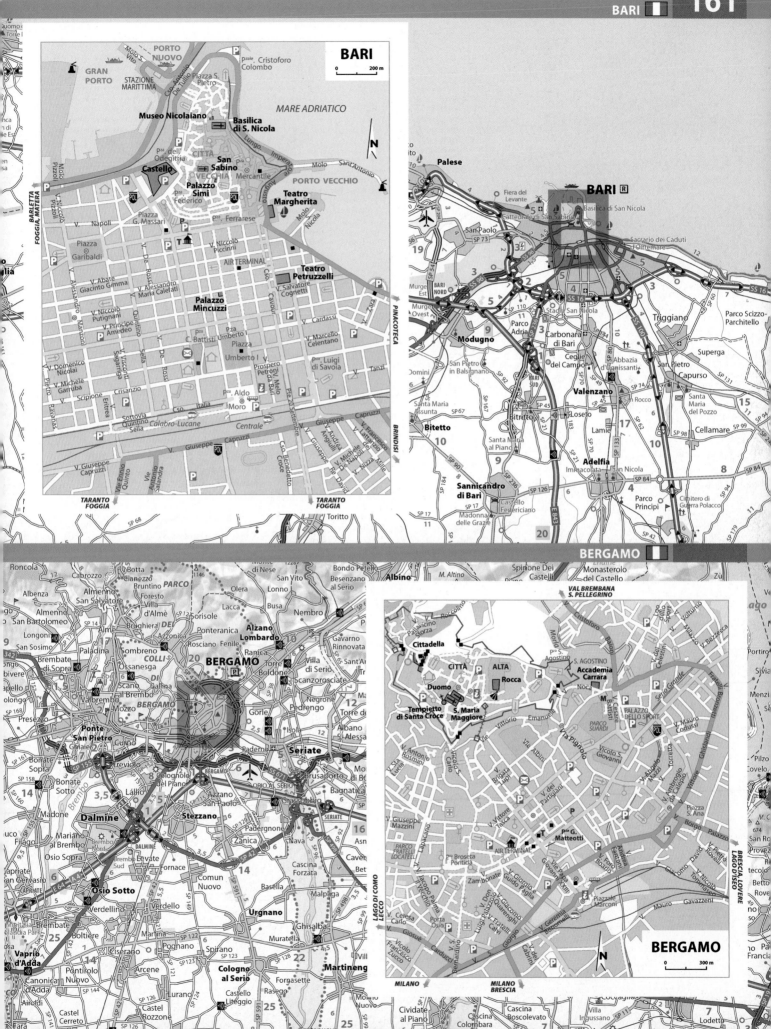

BOLOGNA

VERONA • MODENA VIA EMILIA • CASTEL MAGGIORE • VERONA, PADOVA FERRARA

BOLOGNA G. MARCONI • LIPPO • CORTICELLA • S. PELLEGRINO • QUARTO INFERIORE
BORGO PANIGALE • BOLOGNA B. PANIGALE • LAME • DOZZA • BOLOGNINA
S. VIOLA • SAFFI • FIERA DI BOLOGNA • BOLOGNA ARCOVEGGIO • SAN DONATO
CASTELDEBOLE • BARCA • Bologna Centrale • VILLANOVA • S. VITALE
DALL'ARA • San Petronio • BOLOGNA-S. LAZZARO • S. VITALE
BOLOGNA CASALECCHIO • RIALE • CASALECCHIO DI RENO • PONTE VECCHIO
CERETOLO • Madonna di San Luca • MURRI • MAZZINI • S. LAZZARO DI SAVENA
COSTA SARAGOZZA • COLLI • CHIESANUOVA • LA CICOGNA • PARCO DELLA RESISTENZA
CASAGLIA • GAIBOLA • MONTE DONATO • SAN RUFFILLO

VIGNOLA • VERONA PALMA • A1/E35 • A14 • A14/E35 • RAVENNA • RAVENNA, FORLÌ, RIMINI • A14 RIMINI E45

PISTOIA LIVORNO • FIRENZE • FIRENZE

BOLOGNA
0 1 km

Spilamberto • San Cesario sul Panaro • Piumazzo • Magazzino • San Giovanni • Cabelle
Savignano sul Panaro • Formica • Monteveglio • Garofano • Montebudello • Monteveglio Alto
Castello di Serravalle • Castelletto • Sant'Apollinare • Tiola • Ciano • Ponzano

Lupazzo • La Valle • Cerredolo • Cassano • Ronchi • La Barbona • Coscogno • SASSI DI ROCCA MALATINA • Rocca Malatina • Savigno • Samoggia
La Cà • Castelvecchio • Gombola • La Berzigala • La Guardia • Le Coste • Castellino • Montecorone • Monte Ombraro
Toano • Massa • Mogno • Il Poggio • Sant'Antonio • Gainazzo • Samone • La Torre • Zocchetta
Lama di Monchio • Maranello • Montebonello • Ca' Bortolucci • Benedello • Comungrande • Missano • Zocca • San Prospero
Albero • Castellaro • M. San Martino • Casale • Miceno • Iddiano • Montalbano • Tolè • Bort
Montefiorino • Costrignano • Cinghianella • Frassineti • Crocette • Castagneto • Rosola
Rubbiano • Vitriola • Susano • Monzone • Crocette • San Giacomo Maggiore • Montalto • La Trappola • Santa Lucia
La Verna • Savoniero • Polinago • Serre • **Pavullo nel Frignano** • Verica • Amore • Cereglio
Peschiere • Pianezzo • Lamalunga Pianorso • Monteleone • Monte Obizzo • Niviano • Monticello • Bertocchi • Serra Sarzana • Pieve di Roffeno a Cerelio
Casola • Montecerreto • Cadignano • Montecuscolo • Montorso • Villa d'Aiano • Rocca di Roffeno • Casigno
Serradimigni • M. Modino • Palagano • Monte • Castello Mocogno • Montecenere • Gaianello • San Giacomo Maggiore • Salto • Castel d'Aiano
Lago • Pietraguisa • Piane di Mocogno • Vaglio • Lama Mocogno • Renno • Gaiato • San Martino • Montese • Passo Brasa • Labante • Riola
I Ronchi • Boccassuolo • Fignola • Casine Tole • Castagnola • Montespecchio • Sassomolare • Pietracolora • Palazzo
Barigazzo • La Santona • Castellaro • Vesale • M. Emiliano • Montecreto • Alberelli • Santa Maria Villiana • Pieve di Affrico
Cento Croci • Serpiano • Magrignana • Trentino • La Serra • Sasso • Castelluccio • Forno • Rocca Pitigliana • Marano • Riola di
Capannone • Montecreto • Riolunato • La Serra • Sasso • Castelluccio • Marano • Molinaccio • Savignano
Casoni • Castello • Tintoria • Trignano • Fanano • Corona • Abetaia • Bombiana • Rivabella • Ponte di Verzuno
Sant'Andrea Pelago • M. Calvanella • Canevare • Rocca Corneta • Belvedere • Gaggio Montano • Silla
Pievepelago • **M. Cimone** • PARCO DELL'ALTO APPENNINO MODENESE • Piano della Farnia • Querciola • Grecchia • Crociale • Pian di Casale • Poggio
Merizzana • Chiusura • Fellicarolo • Chiesina • Gabba • Villaggio Europa • Corvella • Berzantina • Prati • Marzolara • Casola
Cadagnolo • Fiumalbo • Montemezzano • Poggiolforato • Vidiciatico • Capugnano • **Porretta Terme** • Castel di Casio • Camugnano
Le Tagliole • Rotari • Lago Dogana Nuova • Faidello • Ospitale • Lizzano in Belvedere • Castelluccio • Santa Maria Maddalena • Le Croci • Poggio • Costozza
M. Giovo • Serretto • Abetone • Boscolungo • Bicchiere di Sopra • Passo Croce Arcana • Osteria • Pianaccio • Monteacuto dell'Alpi • Borgo Capanne • Pavana • Badi
Val di Luce • Le Regine • Rivoreta • Melo • CORNO ALLE SCALE • Como alle Scala • Santuario della Madonna del Faggio • Lustrola • Suviana • Bargi
Alpe Tre Potenze • Fontana Vaccaia • Piano di Novello • Pianosinatico • Doganaccia • Granaglione • Pianoro • Sambuca
Libro Aperto • La Secchia • Passo Croce Arcana • Santuario Madonna dell'Acero • Santuario della Madonna di Calvigi

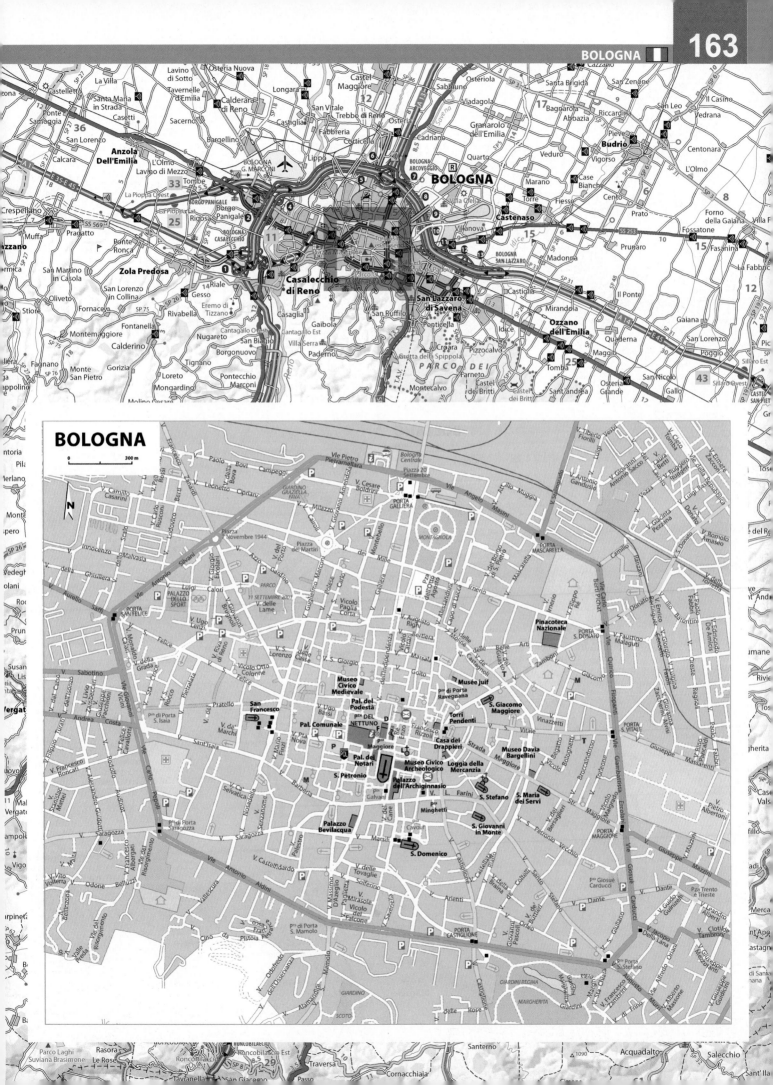

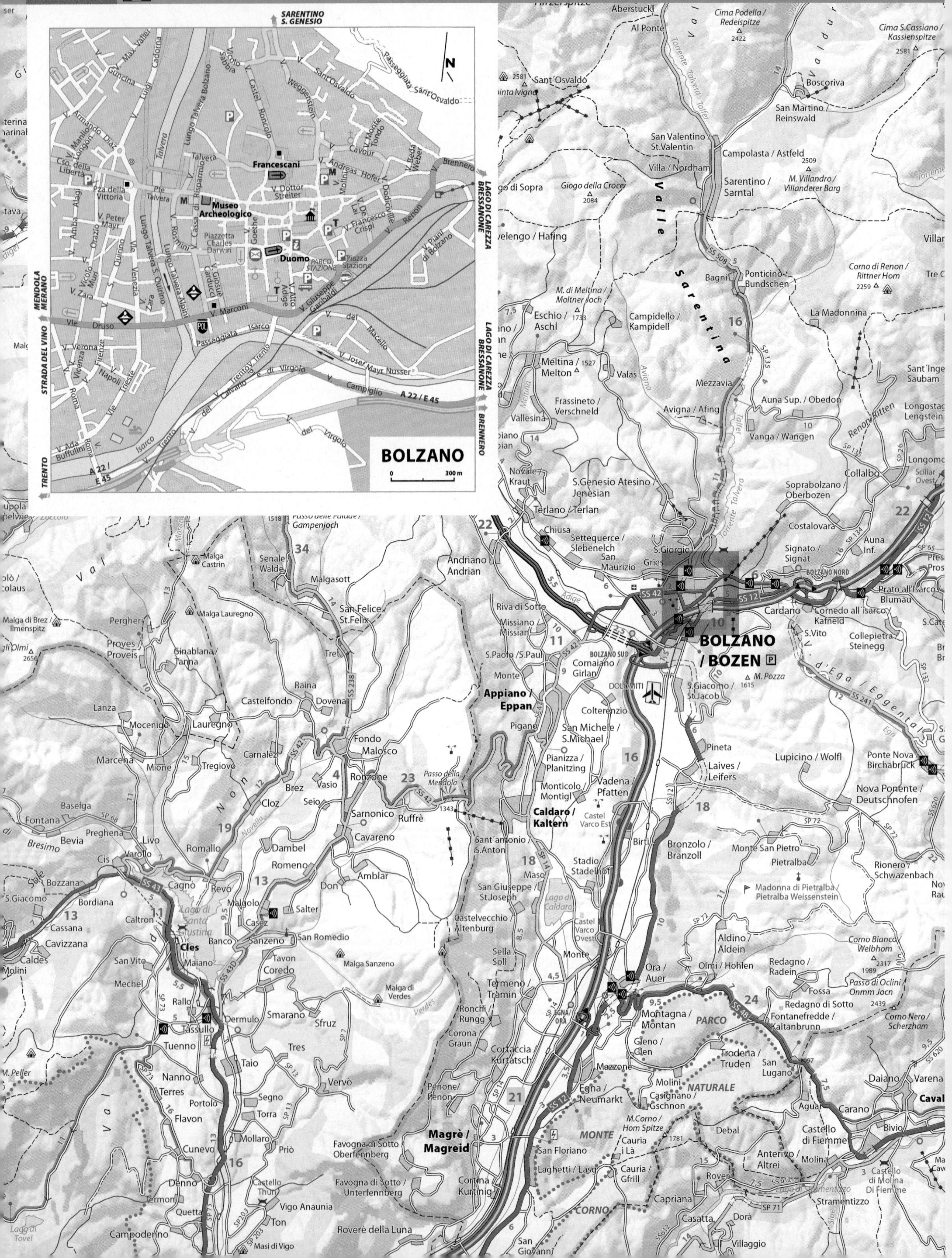
SARENTINO
S. GENESIO
N
BOLZANO
0 300 m
Francescani
Museo Archeologico
Duomo
Piazza Stazione
Piazzetta Charles Darwin
Passeggiata Sant'Osvaldo
Brennero
LAGO DI CAREZZA BRESSANONE
BRENNERO
MENDOLA MERANO
STRADA DEL VINO
TRENTO
A 22 / E 45
V. Josef Mayr Nusser
Passeggiata Isarco
Vle Druso
V. Marconi
Talvera
Isarco
Valle Sarentina
Sarentino / Sarntal
San Valentino / St.Valentin
Campolasta / Astfeld
Villa / Nordheim
Ponticino / Bundschen
Bagni
Mezzavia
Avigna / Afing
Vanga / Wangen
Auna Sup. / Obedon
Soprabolzano / Oberbozen
Collalbo
Costalovara
Signato / Signat
Auna Inf.
Cardano
Cornedo all'Isarco / Karneid
Prato all'Isarco / Blumau
S.Vito
Collepietra / Steinegg
BOLZANO / BOZEN
M. Pozza
S.Giacomo / St.Jacob
Pineta
Laives / Leifers
Bronzolo / Branzoll
Monte San Pietro
Pietralba
Nova Ponente / Deutschnofen
Lupicino / Wolfl
Ponte Nova / Birchabruck
Aldino / Aldein
Redagno / Radein
Ora / Auer
Montagna / Montan
Gleno / Glen
Trodena / Truden
San Lugano
Egna / Neumarkt
Mazzone
Molini
Casignano / Gschnon
Cauria / i Là
Debal
Anterivo / Altrei
Castello di Fiemme
Carano
Daiano
Varena
Cavalese
Molina
Stramentizzo
Capriana
Casatta
Villaggio
Dorà
Rover
Laghetti / Laag
San Floriano
Cauria / Gfrill
Cortina / Kurtinig
Magrè / Magreid
Cortaccia / Kurtatsch
Corona / Graun
Ronchi / Rungg
Termeno / Tramin
Penone / Penon
Caldaro / Kaltern
Lago di Caldaro
Castel Varco Ovest
Sella / Soll
Castelvecchio / Altenburg
San Giuseppe / St.Joseph
Sant'antonio / S.Anton
Monticolo / Montigl
Pianizza / Planitzing
San Michele / S.Michael
Appiano / Eppan
Cornaiano / Girlan
Colterenzio
Vadena / Pfatten
Missiano / Missian
Riva di Sotto
S.Paolo / S.Pauls
Monte
Pigano
Andriano / Andrian
Terlano / Terlan
Settequerce / Siebeneich
San Maurizio
Gries
S.Giorgio
Chiusa
S.Genesio Atesino / Jenesian
Novale / Kraut
Vallesina
Frassineto / Verschneid
Meltina / Melton
Eschio / Aschl
Campidello / Kampidell
Valas
Avelengo / Hafling
Giogo della Croce
Sant'Osvaldo
Aberstuckl
Al Ponte
Cima Podella / Redeispitze
Cima S.Cassiano / Kassienspitze
Boscoriva
San Martino / Reinswald
M. Villandro / Villanderer Barg
Corno di Renon / Rittner Horn
La Madonnina
Sant'Ingenuino / Saubam
Longostagno / Lengstein
Longomoso
Rionero / Schwazenbach
Madonna di Pietralba / Pietralba Weissenstein
Corno Bianco / Welbhorn
Passo di Oclini / Onmm Jocn
Corno Nero / Scherzham
Fossa
Redagno di Sotto
Fontanefredde / Kaltanbrunn
PARCO NATURALE MONTE CORNO
M.Corno / Hom Spitze
Olmi / Hohlen
Birti
Stadio / Stadelhof
Maso
Passo della Mendola
Senale / Walde
Malgasott
San Felice / St.Felix
Tret
Dovena
Raina
Castelfondo
Fondo
Malosco
Ronzone
Sarnonico
Ruffrè
Cavareno
Amblar
Don
Romeno
Dambel
Salter
Sanzeno
San Romedio
Tavon
Coredo
Malga Sanzeno
Malga di Verdes
Smarano
Sfruz
Tres
Taio
Vervò
Segno
Torra
Mollaro
Priò
Favogna di Sotto / Oberfennberg
Favogna di Sotto / Unterfennberg
Vigo Anaunia
Ton
Roverè della Luna
Masi di Vigo
Castello Thun
Denno
Termon
Quetta
Campodenno
Lago di Tovel
Cunevo
Flavon
Portolo
Terres
Nanno
Tuenno
Tassullo
Rallo
Dermulo
Mechel
San Vito
Cles
Maiano
Banco
Casez
Malgolo
Revò
Cagnò
Romallo
Livo
Varollo
Cis
Bozzana
Bordiana
Caltron
Cassana
Cavizzana
Caldes
Molini
S.Giacomo
Lago di Santa Giustina
Preghena
Bevia
Bresimo
Fontana
Baselga
Marcena
Mione
Tregiovo
Carnalez
Cloz
Brez
Vasio
Seio
Lauregno
Mocenigo
Lanza
Proves / Proveis
Sinablana / Tanna
Pergheri
Malga Lauregno
Malga Castrin
Malga di Brez / Ilmenspitz
Passo delle Palade / Gampenjoch
Val di Non
Val di Sole
BOLZANO SUD
BOLZANO NORD
DOLOMITI

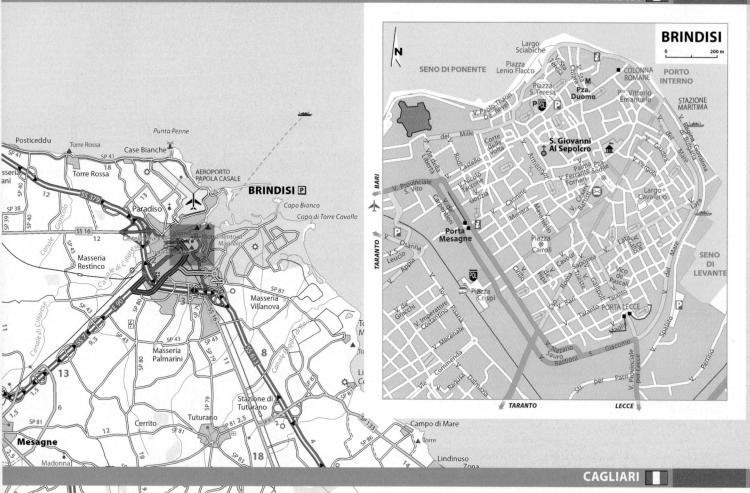

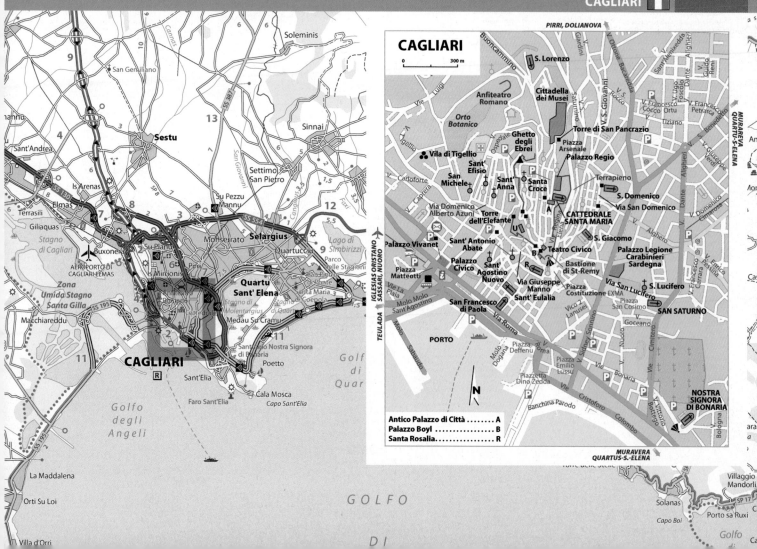

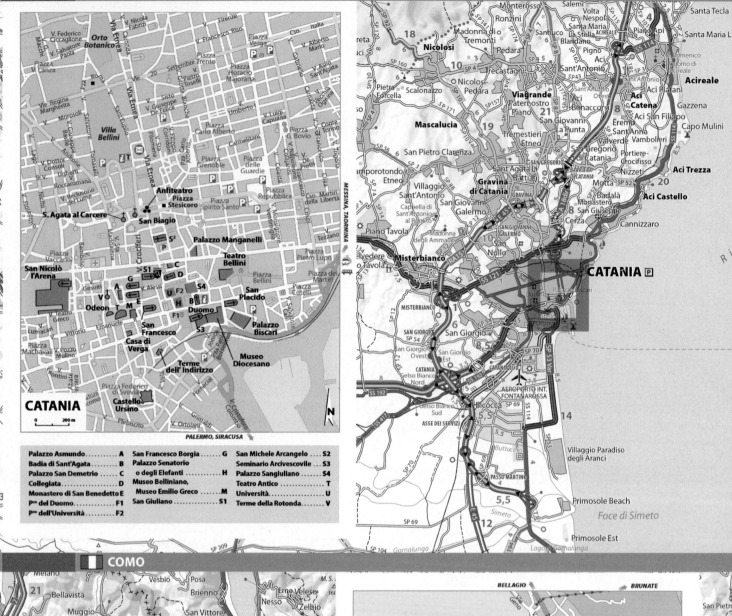

CATANIA

Scale: 200 m

PALERMO, SIRACUSA

MESSINA, TAORMINA

Palazzo Asmundo . . . . A	San Francesco Borgia . . . . . G	San Michele Arcangelo . . . S2
Badia di Sant'Agata . . . . B	Palazzo Senatorio	Seminario Arcivescovile . . S3
Palazzo San Demetrio C	o degli Elefanti . . . . H	Palazzo Sangiuliano S4
Collegiata . . . . D	Museo Belliniano,	Teatro Antico . . . . T
Monastero di San Benedetto E	Museo Emilio Greco . . . . . . M	Università . . . . U
Pⁿᵃ del Duomo F1	San Giuliano S1	Terme della Rotonda V
Pⁿᵃ dell'Università F2		

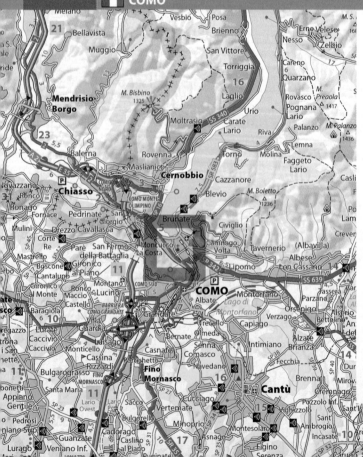

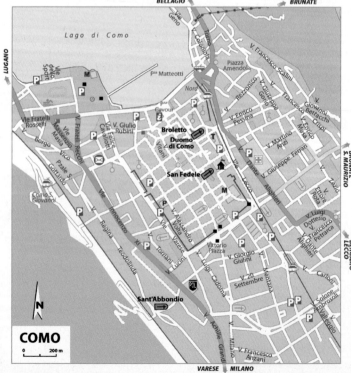

COMO

Scale: 200 m

BELLAGIO   BRUNATE

VARESE   MILANO

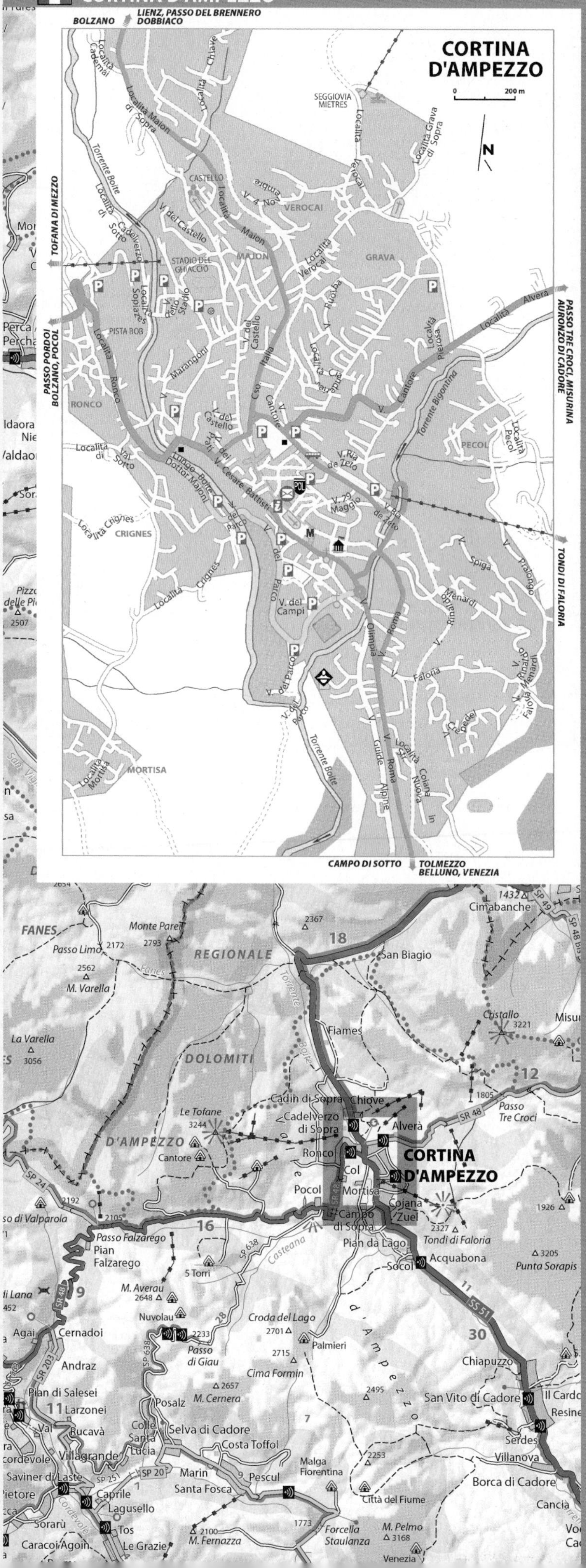

CORTINA D'AMPEZZO

0   200 m

N

BOLZANO
LIENZ, PASSO DEL BRENNERO
DOBBIACO

TOFANA DI MEZZO

PASSO PORDOI
BOLZANO, POCOL

PASSO TRE CROCI, MISURINA
AURONZO DI CADORE

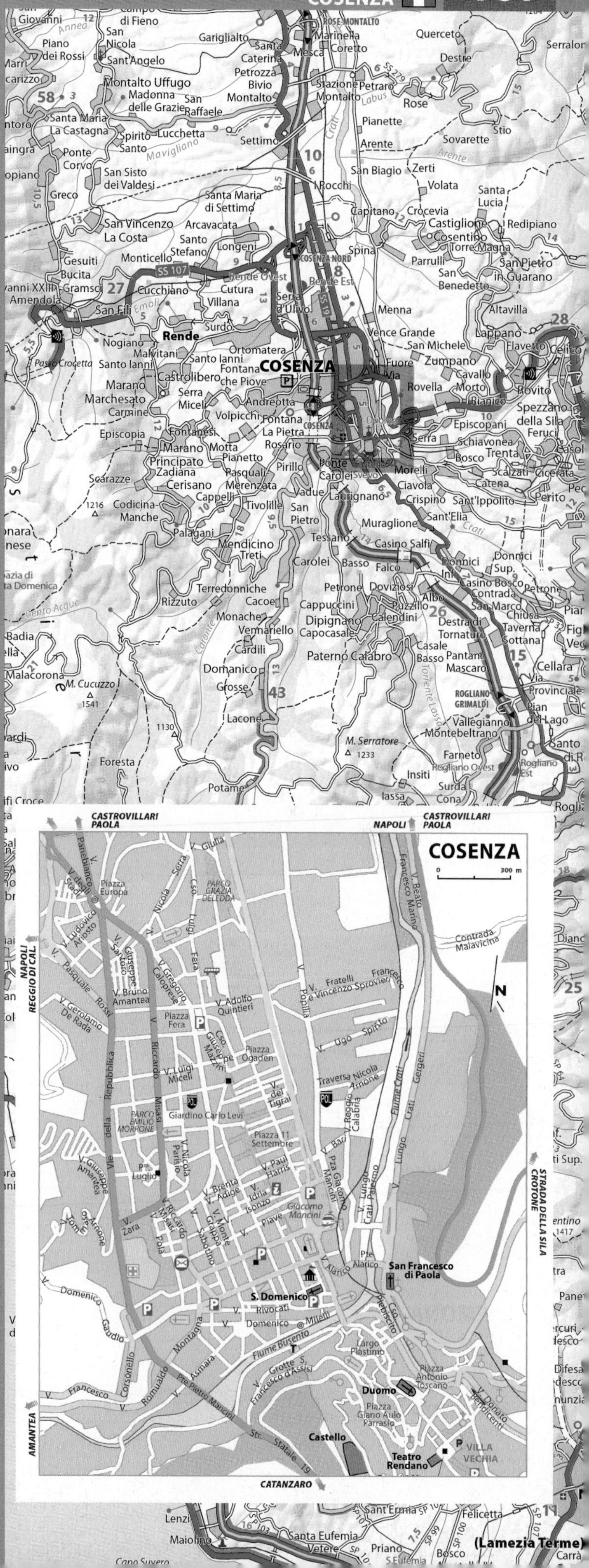

TONDI DI FALORIA

CAMPO DI SOTTO   TOLMEZZO
BELLUNO, VENEZIA

COSENZA

300 m

N

CASTROVILLARI
PAOLA

NAPOLI
PAOLA

NAPOLI
REGGIO DI CAL.

AMANTEA

CATANZARO

STRADA DELLA SILA
CROTONE

CORTINA
D'AMPEZZO

COSENZA

Rende

FANES

REGIONALE

DOLOMITI

D'AMPEZZO

(Lamezia Terme)

COURMAYEUR

0   200 m

PARCO BOLLINO

Str. della Villette
Gr. Grivel
Str. della Villette
Courmayeur
Statale 26
Vicolo Dolonne
V. dei Giardini
PLAN GORRET
Vittoria
Vicolo dei Lerici
V. della Margherita
V. degli Anziani
DOLONNE
Gr. di Vittoria
Dolonne
della Grapillon
Statale 26
V. Regionale 26
Luigino Henry
Str. delle Volpi
Str. del Puset
Fiume Dora di Courmayeur
N

MT BLANC / M. BIANCO

Goûter 4304   Vallot   Alberico   4810   Torino
Sella   Ghiglione   Lavachey   Praz Sec   Pont
Meyen   Plampincieux   Neyron   La Grande Rochère 3326
Plan Ponquet   Entrèves   La Trappe   Les Ecules
Borelli   Purtud   Pré   Le Saxe   Villair   Testa di Liconi 2929
Freney   M. Bianco   Entrel   Villette   Courmayeur   Liconi
La Visaille   Plan Checrouit   Dolonne   Verrand   Villotta   Planaval   Les C
Arpette   COURMAYEUR SUD   Pallusieux   Morge   Cheverel   Challancin
Alpe de Lex Blanche   2763   Chanton   Dailley   Lavancher   Villair   Remondey   Chatelard
Cresta d'Arp   Pré-St-Didier   SS 26   Morgex
Mialley   Moillex   Arpy   Montett   Le Ruine   La Salle
3252   Torrent   Elevaz   Colle San Carlo   1971   Echarlod   Villair
Alpi di Chevanne   Alpage du Berrio Blanc   La Balme   Goubelin   MORGE   Epineys   Derby
La Thuile   Moulin   Alpe Fond d'Arp   Lazel   Sant Gurs
Porassey   Thovex   Arpilla   33
Verney   Arpettes   Pont   Entrèves   Montagna Tillac
Serrand   Villaret   M. Lusse 3055
Lago di Verney   Le Tour   La Souche   M. Paramont   Planaval
2188   Grand Assaly 3166   3300   La Clusaz
Passo del Piccolo San Bernardo / Col du Ptit St Bernard   La Fressy   Plante
31   D 1090   La Fressy   Plante

Mt de Mirande / M.Miravidi 3066
1967   Les Chapieux
Cormet de Roselend
Barrage de Roselend
2289   2891   19
Aiguille du Grand Fond   La Terrasse   Bonneval
2999
Le Roignais
2736   D 902

CREMONA

0   300 m   N

BERGAMO   BRESCIA
MILANO CREMA
CODOGNO
MILANO PIACENZA

Boschetto   V. dei Cipressi   Cimitero   V. Esilde Soldi
Costantino Lazzari   Navigilo Civico   Agostino   Aglio   V. Legione Ceccopieri   Brescia
Piazza Stazione   V. Fabio Filzi   V. Dante   Brescia V. Civo Cerca
Bergamo   Montello   V. Giacomo Bertesi   S. VICENZO   V. degli Opifici
Sabotino   Zara   Alfeno Varo   Museo Stradivariano   Piazza della Libertà   V. Mantova
Monte Nero   Grado   Piazza Roma   V. Rialto
Stefano   Sant'Agostino   Piazza 4 Novembre
Angelo   Massaratti   TORRAZZO   Duomo   V. Angelo Ortolani
Olona   Bissolati   Battistero   POL   Francesco   Novati
PARCO CADUTI DI NASSIRYA   V. Bella Rocca   M   V. Manini
Mincio   Po   Vle Po   Belfuse   Cadore
PARCO IGINIO SARTORI   Boscone   V. del Giordano
CREMONA   V. Argine Panizza   V. S. Rocco   V.al Depuratore

MANTOVA BRESCIA
MANTOVA,PARMA CASALMAGGIORE

E 70

Colombara   Casale Belvedere   Pieve Grumone   19
Padermo Ponchielli   Polengo   Villanova Alghisi   Noci Garioni   Aspice
Farfengo   SP 47   15   Casalsigone   Borgonuovo   Brazzuoli   Corte de' Frati
Luignano   Ossolaro   Castelnuovo Ghirardi   San Sillo
Grumello Cremonese   18   Castelnuovo del Zappa   Dosso Baroardo   Marzalengo   Cantarane   Pozzaglio   Solarolo del Persico
Sesto Cremonese   12   Cortetano   Castelverde   Livrasco   Ossalengo   Livraschino di Mezzo   Villasco   Barbiselle
Fengo   Fornace   Costa   Breda de' Bugni   Paradiso   Bettenesco   Persico
Cavanegra   Casanova del Morbasco   Sant'Abramo   SP 415   Boschetto   San Pietro De
Baracchino   18   AEROPORTO DI CREMONA-MIGLIARO   Maristella   San Marino
Spinadesco   San Predengo   Migliaro   3   San Felice
Castorna   Cavatigozzi   Picenengo   Cà de'   San Savi
CREMONA   3   Cremona Nord   San Giacomo Lovara   Vigolo Visnade
Casa Pioppa   Palazzo del Comune   Cremona Sud   Bagnara
Olza   Viola   Bosco   Mezzano   Bonemerse   Cà San Mi
Fogarole   Ex Parmigiano   Gazzolo   Quattrostrade
Croce   Bosco   Castelvetro Piacentino   Gerre de' Caprioli   Pieve d'Ol
Casazza   Santo Spirito   Pieve d'Ol
d'Adda   11   Monticelli d'Ongina   CASTELVETRO   Stagno   Stagno Lombardo   Ca'
33   San Pietro in Corte   Brancere   Quarti
San Nazzaro   Borgonovo   San Pedretto   San Giuliano   Cascina Gerre   Le Case
rbio   Boschi   Fienili   Forno   Casotti
A 21   Polignano   Soarza
CAORSO   Rotta   19   Crocione   Cignano   Villanova sull'arda   Santa Franca
Polignano   21   San Pietro in cerro   26   13
Cortemaggiore   Sant' Agata   6   Brè

PIACENZA
Quartazzola   Vallera   Roncaglia   Muradello   La Santina
Pittolo   Novate Roglieri   Montale   Molino di Sotto   Villa Verdi
Mucinasso   Cassino   SP 587   Chiavenna Landi   Torrente Ardo   Vidalenzo   Polesine Parmense
Casoni   San Bonico   San Giovanni   Casabianca   Saliceto   Chiusa   Crosa   Brè
I Vaccari   I Tre Rivi   Pontenure   Ongina
16   16   E 70

CUNEO

TORINO, SAVIGLIANO
SALUZZO, FOSSANO

CARAGLIO
DRONERO, ACCEGLIO

COLLE DELLA MADDALENA
COLLE DI TENDA

SANT'ANNA

BASSE SAN SEBASTIANO

Porta Torino
Piazza Torino

Piazza Foro Boario

Piazza Martiri d. Libertà

PIAZZA GALIMBERTI

Piazza Boves

Porta Mondovì

MONDOVI SAVONA

CUNEO ALTIPIANO

Piazzale Libertà

GIARDINI DON STOPPA

Piazza Europa

STADIO FRATELLI PASCHIERO

PARCO DE LA GIOVENTÙ

PARCO DELLA RESISTENZA

CUNEO

0   200 m

CUNEO EST
Madonna dell'Olmo
Torre d'Acceglio
Torre dei Frati
BARRIERA DI CASTELLO STURA

CUNEO

Borgo San Dalmazzo

Boves

Peveragno

Roccavione

FERRARA

0   300 m

FERRARA

ROVIGO PADOVA, MODENA

FERRARA NORD

FERRARA SUD

Castello Estense

Casa di Ludovico Ariosto

Ponte Travagli

BOLOGNA

RAVENNA

PARCO URBANO G. BASSANI

MOTOVELODROMO

Casa dell'Ariosto

Museo Boldini

Pal. dei Diamanti

CIMITERO DELLA CERTOSA

CIMITERO EBRAICO

Castello Estense
Pal. del Municipio

Duomo

Sinagogue

Casa Romei

Palazzina di Marfisa d'Este

S. Maria in Vado

Palazzo Schifanoia

S. Antonio in Polesine

Museo Archeologico Nazionale

PARCO MASSARI

POMPOSA

FIRENZE (inset map)

BOLOGNA · BOLOGNA · PRATOLINO · Parco Demidoff · MONTORSOLI · CALENZANO · PRATO-CALENZANO · SETTIMELLO · COLONNATA · Piazzale Leonardo Da Vinci · Colli · QUINTO ALTO · SERPIOLLE · FIESOLE · Duomo · Teatro Romano · Badia Fiesolana · San Domenico · Castello · Petraia · CASTELLO · TRESPIANO · FIRENZE-NORD · SESTO FIORENTINO · AMERIGO VESPUCCI · BROZZI · RIFREDI · NOVOLI · MAIANO · Piazza Pietro Leopoldo · COMUNALE · COVERCIANO · Cenacolo di San Salvi · ARNO · L'ISOLOTTO · FIRENZE-SIGNA · FORLÌ, AREZZO PONTASSIEVE · V. S. Carlo · ARCETRI · LE BAGNESE · SCANDICCI VINGONE · POGGIO IMPERIALE · GALLUZZO · Certosa del Galluzzo · POZZOLATICO · FIRENZE-SUD · PONTE A EMA · GRASSINA · FIRENZE-CERTOSA · ROMA AREZZO · SIENA

0 1 km · N

Main map

BOLOGNA · Gaggio Montano · Rivabella · Ponte di Verzuno · Burzanella · Carpineta · Crociale · Silla · Pian di Casale · Camugnano · Trasserra · San Damiano · Corvella · Prati · Marzolara · Castelluccio · Guzzano · Belvedere · Porretta Terme · Le Croci · Terme di Porretta · Castel di Casio · Mogne · Poggio · Costozza · Castiglione dei Pepoli · Santa Maria Maddalena · Il Giardino · Suviana · Baigno · Bacino di Suviana · Granaglione · Borgo Capanne · Ponte della Venturina · Bargi · Parco Laghi Suviana Brasimone · Lustrola · Orsi · Pavana · Badi · San Giuseppe · La Badia · Badia di Santa a Montepiano · Sambuca Pistoiese · Molino del Pallone · Taviano · Bellavalle · Carpineta · M. Calvi 1283 · Fossato · Gavigno · Tabernacolo di Gavigno · Cavarzano · Calistri · Case Boni · Posala · Corniolo · Trogoni · Biagioni · Lagacci · Casa Morotti · Campaldaio · Frassignoni · Casoni · San Pellegrino · Stabiazzoni · L'Acqua · San Pietro · Spedaletto · Campagnana · Sant'Ippolito · Collina · Monachino · Trebbio · Luicciana · La Villa · Badia a Taona · Cantagallo · Santo Stefano · Gricigliano · Luogomano · Carmignanello · Il Signorino · Croce a Uzzo · Corbezzi · Iano · Villa di Baggio · Masselo · Migliana · Chiusoli · Il Fabbro Le Forni · Vaiano · La Cugna · Brana · La Spagna · Petrucci · Rotone · Ponte Serrantona · Le Pozze · Ponzano · Tobbiana · Fognano · Albiano · Mengarone · Valdibrana · Villanova · Pracchie · Schignano · PISTOIA · Sarripoli · Arcigliano · Gello · Santomato · Montale · Fornacelle · Montemurlo · Freccioni · La Briglia · PRATO · La Macchia · Femminamorta · Piteccio · Le Querce · Bagnolo · Maliseti · Canneto · Colognora · Panicagliora · Montagnana · Giampierone · Fornace · Ponte Nuovo · Chiazzano · Agliana · Narnali · Galciana · Coiano · Avaglio · Petrolo · Celle · Torbecchia · La Vergine · Bargi · Sperone · Fedi · Bottegone · Pieruccini · Pontassio · Rubattorno · Violeto · Castello Marchetti · Tobbiana · La Querce · Cafaggio · PRATO OVEST · Boveglio · San Quirico · Sorana · Macchino · Marliana · Casore del Monte · Serravalle Pistoiese · Ramini · Tucci · Bottegaccia · Barba · Stella · Olmi · Le Vanne · Casini · Pinzale · PRATO EST · Collodi · Pescia · Uzzano · Vacchereccia · Serravalle Alto · Migliandola · Collina · Quarrata · Montemagno · La Fratta · Tavola · Seano · Tobbiana · MONTECATINI TERME · Le Molina · Montecatini Alto · Pieve a Nievole · Vinacciano · Nardini · Lucciano · Tizzana · Ponte a Tigliano · Le Cascine · Castelnuovo · Santa Lucia · Molinaccio · Monsummano Terme · Cantagrillo · Montevettolini · Baco · Fornaci · Mungherino · Montemagno · Montorio · Capezzano · Poggetto · Carmignano · Poggio a Caiano · Campi Bisenzio · Alberghi · Borgo a Buggiano · Grotta Giusti · Terzo · Pozzarello · Cecina · Larciano · Colomba · Poggiani · Carbonata · Quarrata · Crociali · San Baronto · Porciano · Le Torri · Sant'Angelo · Signa · Luciani · Montecarlo · Fornace · Basetti · Chiesina Uzzanese · Ponte Buggianese · Albinatico · Cintolese · Lamporecchio · La Berga · Figliano · Baccereto · Ponte all'Asse · Serra · Comeana · San Mauro · Porcari · Marginone · Michi · La Capanna · Anchione · San Rocco · Spicchio · Fornello · Artimino · San Rocco · Zolonica · Marliana · Micheloni · Altopascio · La Capanna · Vione · Biagioni · Puntoni · Castelletto · Poggioni · Mastromarco · Larciano · Vergereto · Poggio alla Malva · Lastra a Signa · Altopascio · Spianate · Ferretto · Quercia · Massarella · Ponte di Masino · Lazzeretto · Vitolini · Vinci · Frantolo · Porponi · Le Sodole · Sant'Ilario · Brucianesi · Gigioni · Dal Cerro · Gelsa · Cinelli · Morelli · Toiano · Cerreto Guidi · Porponi · Poggio alla Malva · Castellina · Villa Campanile · Orentano · Galleno · Pinete · Vincio · Sant'Ansano · Montelupo Fiorentino · Capraia · Malmantile · Roveta · Orbignano · Pianore · Nardoni · Nardi · Torre · Le Vendute · Cioni · Le Cortini · Poggio Tempesti · Lungo · Villa Alessandri · Limite · Castellina · San Miniatello · Case Puntone · Tavolaia · Staffoli · Casini · Ponte a Cappiano · Le Botteghe · Spicchio-Sovigliana · Pontorme · Marliana · Inno · Marcio · Montefalcone · Cerri · Pianorano · Colle Alberti · Avane · Fibbiana · San Martino · Fucecchio · Bassa

FIRENZE

GENOVA (inset map)

PIACENZA ALESSANDRIA
TORINO MILANO
PIACENZA

SAVONA TORINO
LA SPEZIA RAPALLO

Cimitero di Staglieno
ACQUARIO
San Lorenzo
PORTO

GENOVA EST
GENOVA-NERVI

Mura · Chiappe · OREGINA · RIVAROLO · CAMPIERDARENA · Di Negro · Pra
S. TEODORO · RIGHI · QUEZZI · ARASSI · S. EUSEBIO · S. DESIDERIO · VALLE STURLA
SAN FRUTTUOSO · S. MARTINO D'ALBARO · S. FRANCESCO D'ALBARO · V. Pisa
QUARTO ALTO · QUARTO DEI MILLE · VILLA QUARTARA · STURLA · BOCCADASSE
COLLE OMETTI · QUINTO AL MARE · NERVI

Parco Villa Gambaro
Montelungo · BAVARI

GOLFO DI GENOVA

N

0   1 km

Regional map

Rutte · Perletto · Roccaverano · Denice · Piana · Montechiaro d'Acqui · Colombara · Zerba · Cavigliar · Costa · Madonna delle Rocche · Stura Ovest · Retorto
Cortemilia · Vengore · Mombaldone · Cartosio · Ponzone · Caldasio · Galanti
Torre Bormida · Bec Puschera · Garbaoli · Turpino · Saquana · Chiappino · Pianlago · Verzella · Bandita · M. del Ratto 685 · San Luca
Bergolo · Serole · Brallo · Rocchetta · Vico · Barbania · Bergagiolo · Malvicino · Foi · Arbiglia · Cimaferle · Toleto · Abasse · Olbicella
Pezzolo Valle Uzzone · Gorrino · Moglia · Isole · Spigno Monferrato · Duranti · Giuliani · Pian Castagna · Tiglieto
Levice · Carpeneta · Todocco · San Massimo · Merana · Montaldo · Valla · Pareto · Roboaro · Miogliola · Garbarini · Moretti · Badia · Casavecchia
Castelletto Uzzone · Lodisio · Pontevecchio · Monte · Praiet · Squaneto · Sorba · Dogli · Miogliola · Maddalena · San Pietro d'Olba · Palo · Urbe · Acquabuona · Acquabianca
San Michele · Scaletta Uzzone · Sanvarezzo · Santa Giulia · Noceto · Molino · Blandri · Fidelini · Mioglia · Sassello · Badani · Veirera · Vara Inf. · Martina
Gottasecca · Monti · Brovida · La Villa · Bormiola · Villa · Piano · Girini · Cavanna · Galletti · Casone · Becca della Rama 708 · Piampaludo · Vara Sup.
Contrada · Gabutti · Cosana · Dego · La Costa · Botta · Pianfreciso · Vignaretto · Isola · Passo del Faiallo 1061
Lignera · Carretto · Ville · Rocchetta Cairo · Frassoneta · Porri · Giusvalla · Pontinvrea · La Pineta Carmine · Colle del Giovo · M. Beigua 1287
Campolungo · Saliceto · San Michele · Carnovale · Ponterotto · Collina del Dego 836 · Pratipoia · Palazzo · Stella · Santa Giustina · Alpicella · Sciarborasca
San Michele · Montaldo · Carpeneto · Vesima · Ferriera · Montenotte Inf. · Rocca del Bonomo 855 · Corona · Reverdita Rocca · Ronco Faie · Deserto · Pratozanino · Cogoleto
orgenti el belbo · Cairo Montenotte · Bormida · Sant'Anna · Becca del Tesoro 855 · Montenotte Sup. · San Giovanni Mezzano · Teglia · San Martino · Pero · Piani d'Invrea Nord · San Giacomo
Montezemolo · Cengio · Cengio Alto · Le Mule · Casazza · Bragno · Santa Maddalena · Santa Giustina · Gameragna · San Bernardo · Piani d'Invrea Sud
Strada · Vignali · Case Rossi · Case Lidora · Prasottano · Palazzo Doria · Ellera · Prato · Casino · Sanda · Brasi · Varazze
Martinetto · Millesimo · Cosseria · San Giuseppe · Palazzo Doria · Santuario · La Rocca · Celle Ligure
Valzemola · Roccavignale · Spinetta · Plodio · Costa · Carcare · Ferrania · Botta · Cadibona · Olmo · Albisola Sup. · Costa
Camponuovo · Case Rossi · Millesimo · Piani · Altare-Carcare · Ciatti · Pecorile
Acquafredda · Melogno · Biestro · Altare · Castellaro · Colle Cadibona · Marmorassi · Grana · Albissola Marina
Piano · Borda · Ronchi · Malagatti · Montemoro · Montefreddo · Conca Verde · San Cristoforo Nord

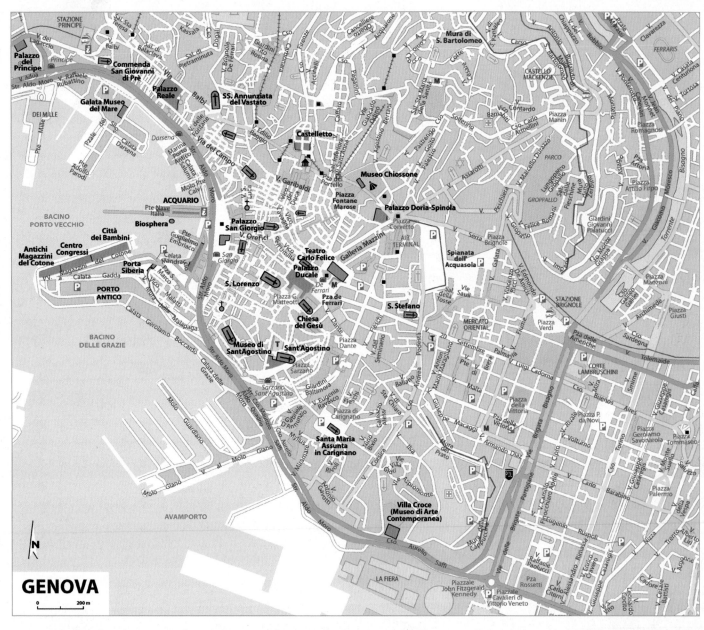

GENOVA

0   200 m

Palazzo del Principe
Commenda San Giovanni di Prè
Palazzo Reale
Galata Museo del Mare
DEI MILLE
STAZIONE PRINCIPE
Principe
V. del Lagaccio
V. di Balaclava
V. Balbi
SS. Annunziata del Vastato
Sal. di Pietraminuta
Castelletto
Piazza del Portello
Museo Chiossone
Mura di S. Bartolomeo
CASTELLO MACKENZIE
FERRARIS
CASTELLETTO
Piazza Manin
V. Garibaldi
Piazza Fontane Marose
Palazzo Doria-Spinola
PARCO
GROPALLO
Giardini Giovanni Palatucci
BACINO PORTO VECCHIO
ACQUARIO
Pte Nave Italia
Biosphera
Città dei Bambini
Centro Congressi
Antichi Magazzini del Cotone
Porta Siberia
PORTO ANTICO
Palazzo San Giorgio
V. Orefici
S. Giorgio
Palazzo Ducale
Teatro Carlo Felice
Galleria Mazzini
Piazza Corvetto
AIR TERMINAL
Spianata dell'Acquasola
STAZIONE BRIGNOLE
Piazza Verdi
S. Lorenzo
Piazza G. Matteotti
Pza de Ferrari
S. Stefano
MERCATO ORIENTALE
Piazza Dante
Chiesa del Gesù
Sant'Agostino
Museo di Sant'Agostino
Piazza Sarzano
Giardini Baltimora
Piazza di Carignano
Piazza della Vittoria
CORTE LAMBRUSCHINI
BACINO DELLE GRAZIE
Calata delle Grazie
Santa Maria Assunta in Carignano
Mura delle Grazie
AVAMPORTO
Villa Croce (Museo di Arte Contemporanea)
LA FIERA
Piazzale John Fitzgerald Kennedy
Piazzale Cavalieri di Vittorio Veneto
N

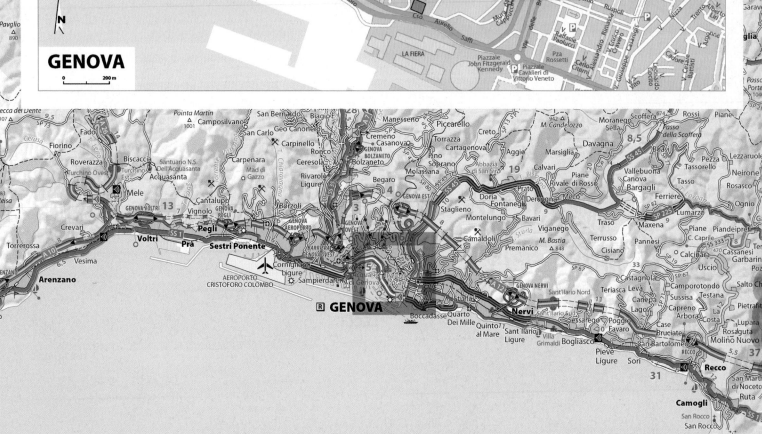

Rocca del Dente
Pointa Martin
Camposilvano
San Bernardo
Biagio
Manesseno
Piccarello
Creto
Moranego
Passo della Scoffera
Rossi
Piane
SP 73
Fiorino
Fado
San Carlo
Geo Canonero
Cremeno
Casanova
Torrazza
Cartagenova
Davagna
8,5
Roverazza
Biscaccia
Santuario N.S. Dell'Acquasanta
Carpinello
Ronco
GENOVA BOLZANETO
Pino
Soprano
Aggio
Marsiglia
Pezza
Lezzaruole
Turchino Ovest
Acquasanta
Mad di Gazzo
Ceresola
Bolzaneto
Molassana
Abbazia di San Siro
Calvari
Piane
Vallebuona
Canova
Tassorello
Neirone
Mele
Cantalupo
Rivarolo Ligure
Begaro
19
Rivale di Rosso
Bargagli
Tasso
Rosasco
GENOVA VOLTRI
13
Vignolo
Borzoli
GENOVA AEROPORTO
GENOVA OVEST
GENOVA EST
Prato
Desogna
Ferriere
Lumarze
Ognio
Crevari
Pegli
Prà
Sestri Ponente
Cornigliano Ligure
BARRIERA GENOVA OVEST
Staglieno
Montelungo
Bavari
Traso
Maxena
Piane
Piandeipreti
C. Caprile
SS 333
Torrerossa
Voltri
Vesima
AEROPORTO CRISTOFORO COLOMBO
Sampierdarena di Genova
Viganego
M. Bastia
Terrusso
Pannesi
Cassanesi Garbarin
Uscio
Poz
Arenzano
Camaldoli
Premanico
Cisiano
Castagnola
Camporotondo
Testana
GENOVA NERVI
Sant'Ilario Nord
Teriasca
Leva
Canepa
Sussia
Pietrafitt
GENOVA
Nervi
Sturla
Quarto Dei Mille
Sant'Ilario Sud
Sessarego
Lagos
Capreno
La Costa
Lupara
Boccadasse
Quinto al Mare
Sant'Ilario Ligure
Villa Grimaldi
Poggio Favaro
Case Bruciate
Rosaguta
Molino Nuovo
37
Pieve Ligure
Sori
San Bartolomeo
RECCO
Recco
31
San Rocco
San Rocco
GOLFO
Punta Chiappa
M. di Port
Camogli
SS 1
San Martino di Noceto
Ruta
San Fruttuoso

L'AQUILA

CENTRO STORICO CHIUSO ALLA CIRCOLAZIONE AUTOMOBILISTICA

ARAGNO COLLEBRINCIONI

RIETI, ASCOLI PICENO ROMA

MONTE LUCO PINETA

Vie della Croce Rossa

V. del Beato Cesidio

V. Corrado

PTA ROMA

S. Lucia

V. delle Tre Spighe

Castello

V. Emidio Lopardi

V. Roma

V. Rustici

ASCOLI PICENO ROMA, PESCARA POPOLI

V. Cardinale Mazzarino

V. Antonio Panella

POL

V. Fiore

Vle Gran Sasso

Vle Nizza

V. Ovidio

S. Bernardino

V. Francesco Filomusi Guelfi

V. Tancredi da Pentima

PORTA RIVERA

Fontana delle 99 Cannelle

PTA Bernardino

PORTA BAZZANO

Piazza Duomo

V. Madonna del Pra

V. Gabriele D'Annunzio

V. Michele Jacobucci Michele

PORTA NAPOLI

Piazza Collemaggio

S. Maria di Collemaggio

OSPEDALE PSICHIATRICO

L'AQUILA

0   300 m

N

AVEZZANO

PESCARA SULMONA

Pta Napoli

Gran (Sasso)

M. Corvo 2623

Acqua di San Franco

Madonna del Monte

Tarignano

Barete

Pizzoli

Colle

San Pelino

Teora

Cermone

Pozza

San Lorenzo

Arischia

San Vittorino

Collebrincioni

Aragno

18

Amiternum

Pretuno

Cansatessa

Conventi di San Giuliano

San Giacomo

L'AQUILA EST

Tempera

Paganic

San Marco

Colle di Preturo

Cese

Coppito

L'AQUILA OVEST

SS 17 Bis

L'AQUILA

Bazzano

Vitatomassa

Sassa

Valle Aterno Sud

Aquilio

Sant'Ella

Onna

Genzano

Pagliare

Colle di Roio

Santa Rufina

San Cipriano

Colle di Sassa

Poggio Santa Maria

Roio Piano

Poggio di Roio

Pianola

Cominio

Civita di Bagno

Collemare

Colleracido

Piaggie

Bagno

Monticchio

San Felice d'Ocre

Pie' la Costa

Santa Croce

Piagge

Colle di Lucoli

Lùcoli

Vado Lucoli

San Benedetto

Barano

Peschiola

Lucoli Alto

Tornimparte

Castiglionne

Collimento

LECCE

Case Simini

Abbazia Santa Maria di Cerrate

Borgo Grappa

Frigole

Borgo Piave

Case Bianche

23

Surbo

Giorgilorio

Masseria Olmo

Villaggio Dario

Villaggio del Sole

San Ligorio

Villaggio Wojtila

LECCE

Mezzagrande Marangi

Zona Erchie Piccolo

Masseria Marsello

Villa Convento

Zona Marangi

Rosa Marina

Merine

Arnesano

Aria Sana

Monteroni di Lecce

Donadeo

Cavallino

Lizzanello

San Pietro in Lama

Leguile

San Cesario di Lecce

Dragoni

Copertino

San Donato di Lecce

Caprarica di Lecce

Galugnano

Martignano

Santa Barbara

Sternatia

Zollino

Martano

BARI, BRINDISI

TARENTO

V. Michele De Pietro

S. Angelo

Porta Napoli

V. Principi di Savoia

Pal. del Governo

Santa Croce

PAL. PALMIERI

PAL. MARRESE

Gesù

Pza S. Oronzo

Sant'Irene

Pal. del Seggio

S. Marco

Castello

Pza del Duomo

Seminario

Duomo

MUST

Anfiteatro Romano

PORTA RUDIAE

Pal. Vescovile

Teatro Romano

S. Matteo

PORTA S. BIAGIO

Rosario

GALLIPOLI

S. Francesco d'Assisi

CARMINE

Museo Provinciale Sigismondo Castromediano

MAGLIE, OTRANTE

LECCE

0   200 m

N

MAGLIE, OTRANTE

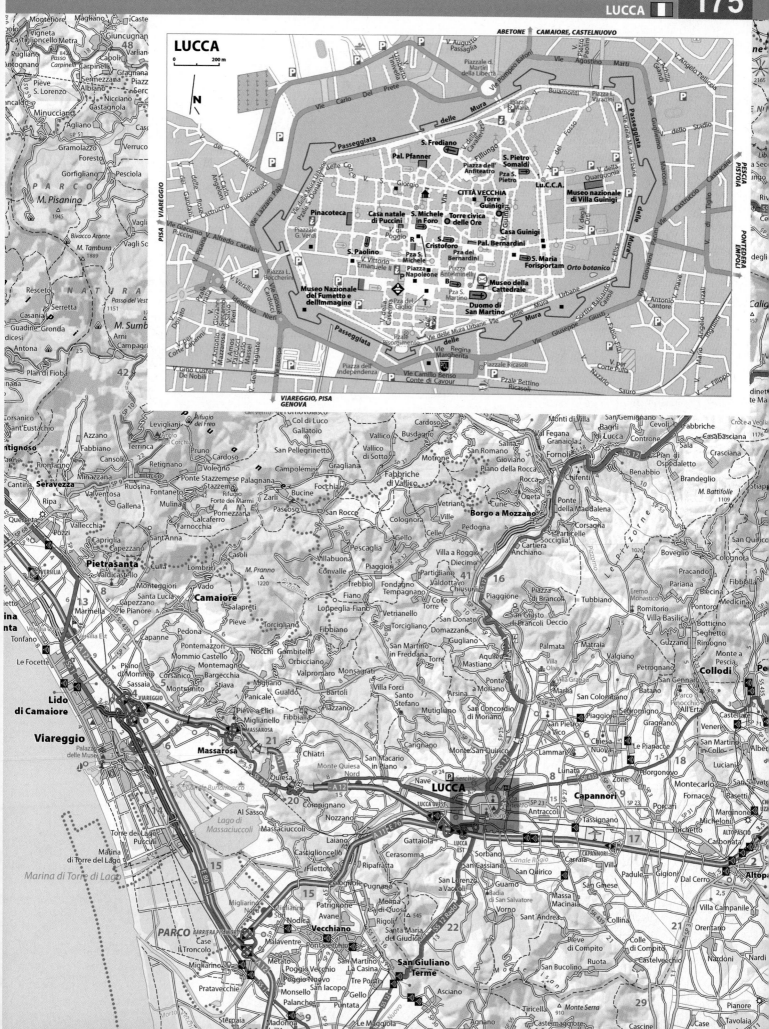

LUCCA

0   200 m

N

ABETONE, CAMAIORE, CASTELNUOVO

PESCIA PISTOIA

PONTEDERA EMPOLI

S. Frediano
Pal. Pfanner
Piazza dell' Anfiteatro
S. Pietro Somaldi
Lu.C.C.A.
Museo nazionale di Villa Guinigi
CITTÀ VECCHIA
Torre Guinigi
Pinacoteca
Casa natale di Puccini
S. Michele in Foro
Torre civica delle Ore
Casa Guinigi
S. Paolino
S. Cristoforo
Pal. Bernardini
Pza dei Bernardini
S. Maria Forisportam
Orto botanico
Piazza Napoleone
Piazza Antelminelli
Museo Nazionale del Fumetto e dell'Immagine
Museo della Cattedrale
Duomo di San Martino

VIAREGGIO, PISA GENOVA

Passeggiata

Mura delle

Monti di Villa
San Gemignano
Croce a Veglia

Seravezza
Pietrasanta
Camaiore

Borgo a Mozzano

Collodi

Lido di Camaiore
Viareggio

Massarosa

LUCCA

Capannori

Lago di Massaciuccoli

Torre del Lago Puccini

Marina di Torre di Lago

Vecchiano

San Giuliano Terme

PARCO

MANTOVA

0   200 m

N

LAGO SUPERIORE

BRESCIA VERONA

Lago di Mezzo

CASTELLO

Porta Mulina
Porta Pitentino
POL
P

Museo Diocesano
Duomo
PALAZZO DUCALE
Piazza Sordello
Palazzo d'Arco
Palazzo Bonacolsi
Pza M. di Belfiore
Pza Broletto
Sant'Andrea
Pza delle Erbe
Pza A. Mantegna
Pal. della Ragione
Rotonda di S. Lorenzo
Teatro Scientifico
Pescherie
Pza F. Cavallotti

Palazzo di Giustizia

PALAZZO TE   CASA D. MANTEGNA

REGGIO EMILIA MODENA

CREMONA PARMA

PADOVA FERRARA

Lago Inferiore
PORTO

Main map place names:

Brescia, Verona, Cisano, Pressenga, Calmasino, Garda Est, Riovalli, Tezze, Colombare, Giorgio, Banchetto, Valgatara, Villa, Casterna, Negrar, Santa Maria di Negrar, San Pietro in Cariano, Sant'Ambrogio di Valpolicella, Maregnago, San Floriano, Lenguin, Bussolengo, Pescantina, Parona, Arbizzano, Santa Cristina, Pedemonte, Castelrotto, Corrubbio, Quinzano, 14, Ospedaletto, San Lucia, Settimo, Case Nuove, Pastrengo, Lora, Parco, Persiano, Bassone, ADIGE, Palazzolo, 19, 12, Bosco, San Massimo all'Adige, Lugagnano, Castelnuovo del Garda, SR 11, San Martino, Sona, VERONA NORD, Platano, San Giorgio in Salici, 16, Sommacampagna, Ceolara, Monte Baldo Nord, Casone, 8, VERONA SUD, Corte, San Rocco, Casazze, Somma-campagna, Monte Baldo Sud, VALERIO CATULLO, 4, Zuccotti, Camalavicina, Mongabia, Salionze, Oliosi, Rosolotti, Fredda, Poiane, Dossobuono, Alpo, Pasquali, Santa Lucia, Gorgo, Ganfardine, Caluri, Custoza, Pozzomoretto, SP 26, Vantini, Venturelli, Remelli, Dosegu, Rizza, Castel d'Azzano, 24, Valeggio sul Mincio, Villafranca di Verona, Madonna dell'Uva Secca, Azzano, Becca, Pozzi, Rosegaferro, Povegliano Veronese, Isolalta, Forette, Corte Brigafatta Nuova, Pizzoletta, San Zeno, I Casotti, Vigasio, Vò Pindemonte, Bussacchetti, Grazioli, Nadalini, Parco Cavour, Campagnola, Foroni, Mazzi, Quaderni, Salette, 28, Volta Mantovana, Reale, Montaldo, Martelli, Turchetti, Gatti, Comminello, Vanoni, Mozzecane, Quistello, Povegliano Est, San Bernardino, Cereta, Tirolo, Pozzolo, Sfrizzera, Le Sei Vie, Pace, Malavicina, Belvedere, Nogarole Rocca, Pradelle, Selvarizzo, Birbesi, Castelgrimaldo, Ferri, Cortile Falzoni, Tormine, Povegliano Ovest, NOGAROLE ROCCA, 29, 20, Trevenzuolo, Serraglio, Colombare, Vasto di Sopra, Tezze, Cortine, Massimbona, Roverbella, Fienili, Castiglione Mantovano, Corte Prestinari, Canedole, Cortalta, Valmala, Vasto di Sotto, Torre, Villabona, Marengo, Castelletto, Santa Lucia, Roncoleva, Fagnano, Goito, Marsiletti, Rotta, Corte Tezzoli, San Brizio, Bertone, Marmirolo, Dosso, Castelbelforte, Sacca, Mussolina, Brolazzo, 11, Bosco Fontana, Bancole, Villanova Maiardina, Ghisiolo, Susano, Maglio, Belrolo, Soave, Porto Mantovano, Drasso, Castel d'Ario, Motta, Fossato, 13, Sant'Antonio, Fossamana, Stradella, Gazzo, Rodigo, Callera, Gazoldo degli Ippoliti, Le Corti, Ripa, Rivalta, Corniano, Cittadella, 5, 4, Bazza, Sarginesco, Pilone, Grazie, Castelnuovo, MANTOVA, Mottella, MANTOVA NORD, Cadè, Villa Garibaldi, Barbassolo, Castellucchio, Curtatone, Lago Superiore, Lago Inferiore, San Giorgio di Mantova, Olmo Lungo, Borgo Castelletto, Montanara, Crocette, San Silvestro, Cerese, Pietole Vecchie, Formigosa, Ponte Merlano, San Giovanni, Garolda, San Lorenzo, La Santa, Levata, Virgilio, Pietole, San Biagio, Roncoferraro, Gabbiana, Pilastro, Balconcello, Cappelletta, San Michele in Bosco, Marcaria, Casale, Colombina, Buscoldo, Serraglio, Campione, Gradaro, Bagnolo San Vito, Belforte, Campitello, Corte Ronchi, Ponteventuno, Bellaguarda, MANTOVA SUD, SP 413, Spineda, Gazzuolo, Canicossa, San Caldo, Romanore, Po Est, San Giacomo Po, Gorgo, Camatta

Medole, Crocevia, Guidizzolo, San Giacomo, Foresto, Dosso, Baite, Rebecco, Sassi, Colla, 20, SP 9, Gambina, Lodolo, Sant'Anna, Castel Goffredo, Casalpoglio, Berenzi, Bocchere, Bellaria, Morini, Casaloldo, San Vito, Castelnuovo, Molinello, Ceresara, Colombare, San Martino Gusnago, San Lazzaro, Molino Nuovo, Solarolo, Volongo, Pistoni, Malavicina, Villa Cappella, Quattro Strade, Negrisoli, Piubega, SP 69, Gazzuoli, San Cassiano, San Fermo, Mariana Mantovana, 19, Redondesco, Cimbriolo, Gaffuro, Carrobbio, Casatico, Pagadelli, 15, Ospitaletto, Casazze, Mosio, Giardino, San Martino dall'Argine, Bozzolo, Cividale, Rivarolo Mantovano

DEL MINCIO, PARCO, Mincio, Diversivo

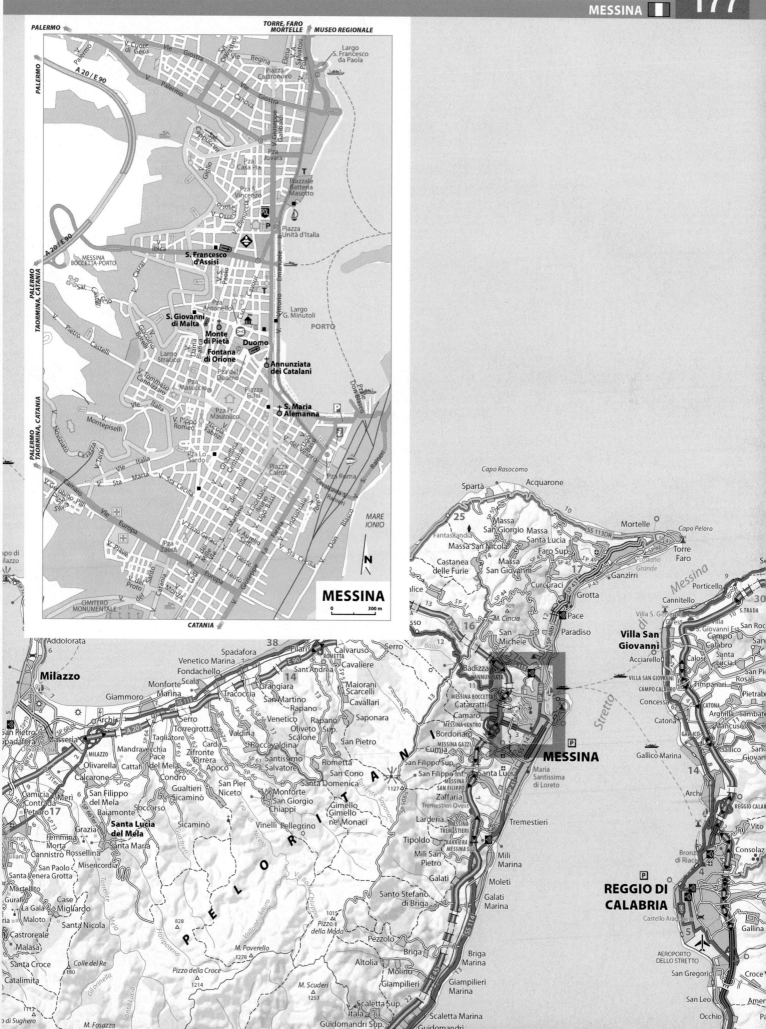

MESSINA

0   300 m

Cermenate
Lomazzo
Lentate sul Seveso
Mariano Comense
Giussano
Merate
Calusco d'Adda
Meda
Seregno
Carate Brianza
Bernareggio
Saronno
Seveso
Cesano Maderno
Desio
Arcore
Vimercate
Lissone
Villasanta
Concorezzo
Trezzo sull'Adda
Pertusella
Limbiate
Varedo
Muggiò
Nova Milanese
MONZA
Agrate Brianza
Garbagnate Milanese
Paderno Dugnano
Lainate
Cinisello Balsamo
Cusano Milanino
Cormano
Brugherio
Bollate
Sesto San Giovanni
Cernusco sul Naviglio
Gorgonzola
Cassano d'Adda
Novate Milanese
Bresso
Cologno Monzese
Rho
Pero
Pioltello
Segrate
Melzo
MILANO
Settimo Milanese
Rivolta d'Adda
Cesano Boscone
Peschiera Borromeo
Corsico
Romano Banco
Assago
Trezzano sul Naviglio
Chiaravalle Milanese
San Donato Milanese
San Giuliano Milanese
Buccinasco
Rozzano
Opera
Melegnano
Pieve Emanuele
Binasco
Lacchiarella
Siziano
LODI
Sant'Angelo Lodigiano

MODENA

0   200 m

VERONA   VERONA

PARMA REGGIO EMILIA

Biblioteca Estense

Palazzo Ducale

Metope

DUOMO

Piazza Grande

Piazzale S. Francesco

Piazzale Risorgimento

Largo Hannover

PARMA REGGIO EMILIA   BOLOGNA

Main towns and localities:

REGGIO NELL'EMILIA · Carpi · Concordia sulla Secchia · Mirandola · San Possidiono · Cavezzo · Novi di Modena · San Prospero sulla Secchia · Soliera · Campogalliano · Rubiera · Scandiano · Sassuolo · Maranello · Fiorano Modenese · Formigine · MODENA · Nonantola · Castelfranco Emilia · San Cesario sul Panaro · Spilamberto · Castelnuovo Rangone · Bomporto · Bastiglia

NAPOLI
N
0   200 m

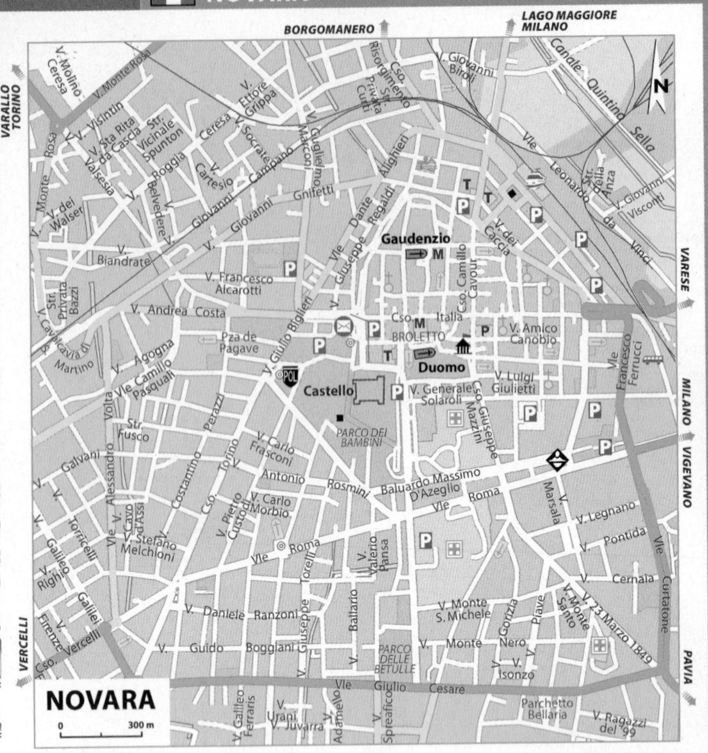

NOVARA

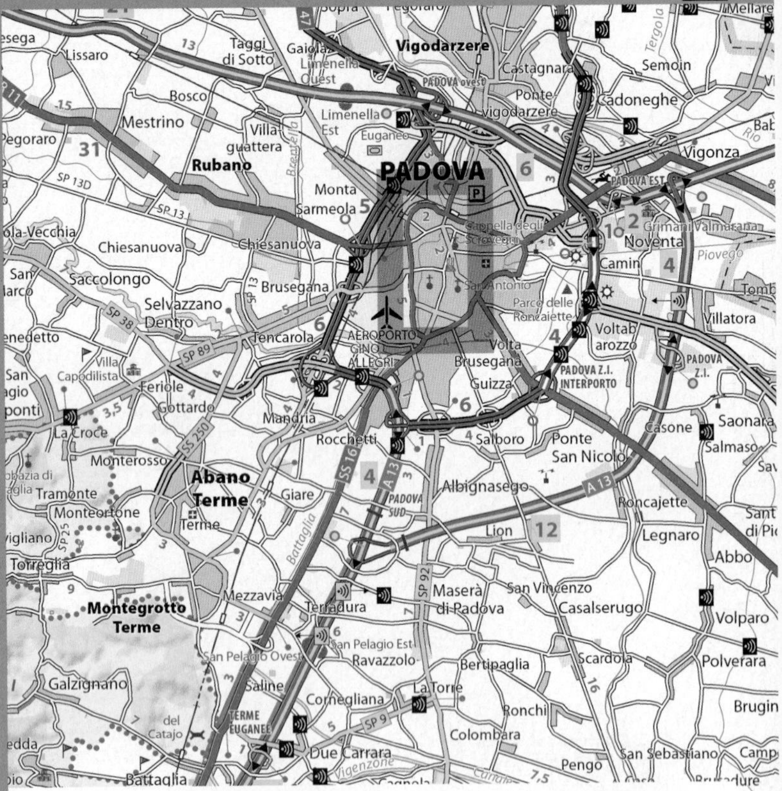

0 300 m

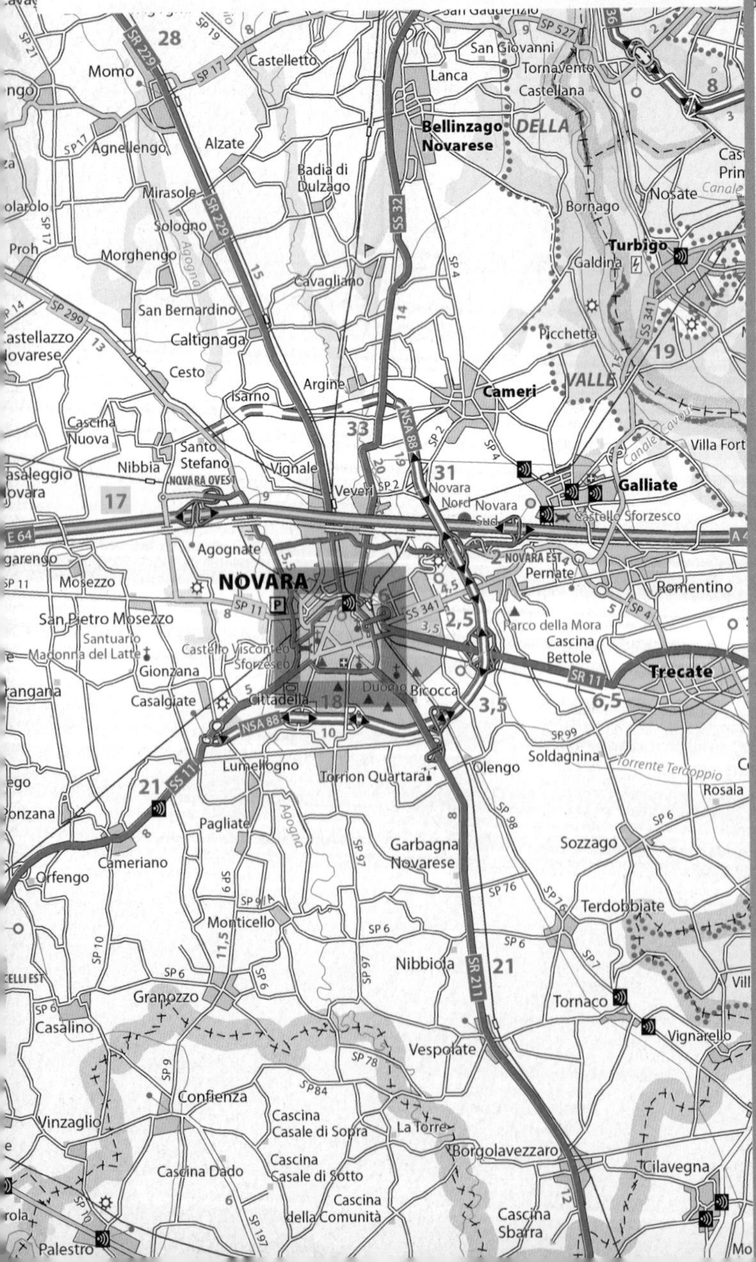

PADOVA

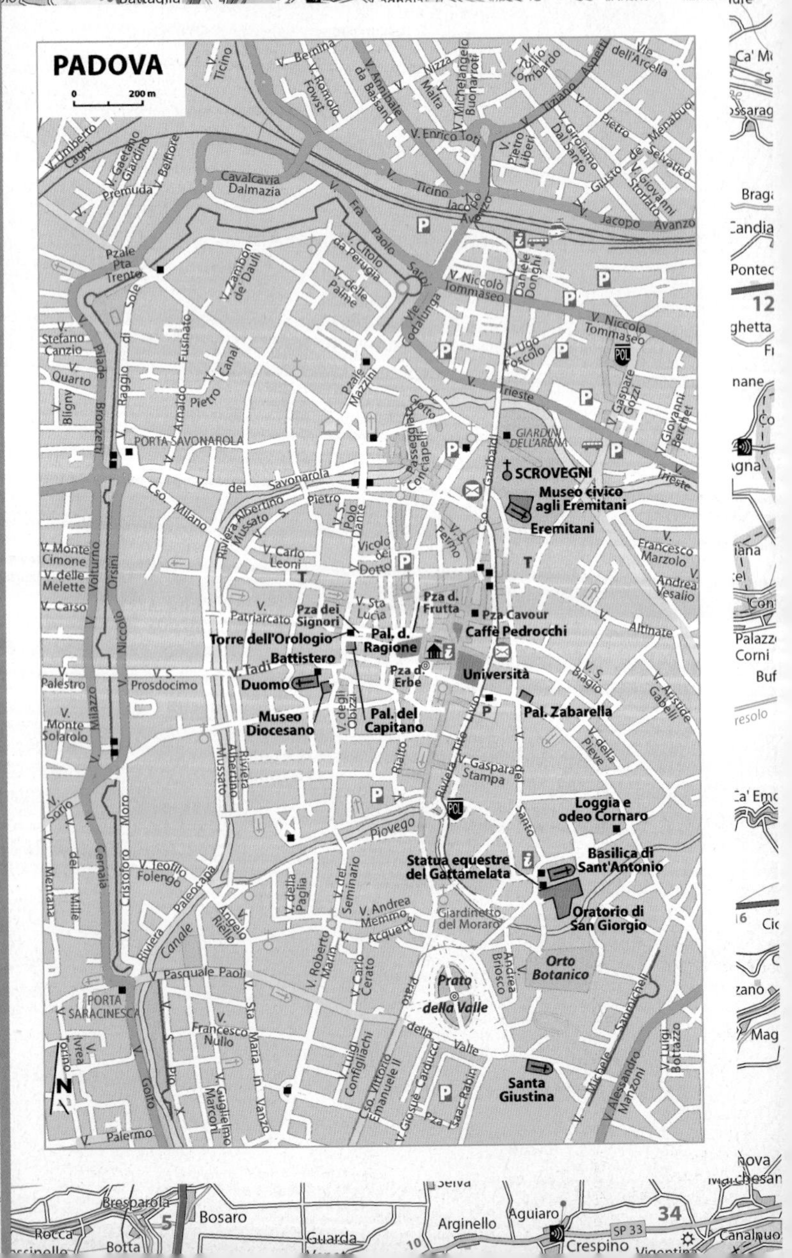

0 200 m

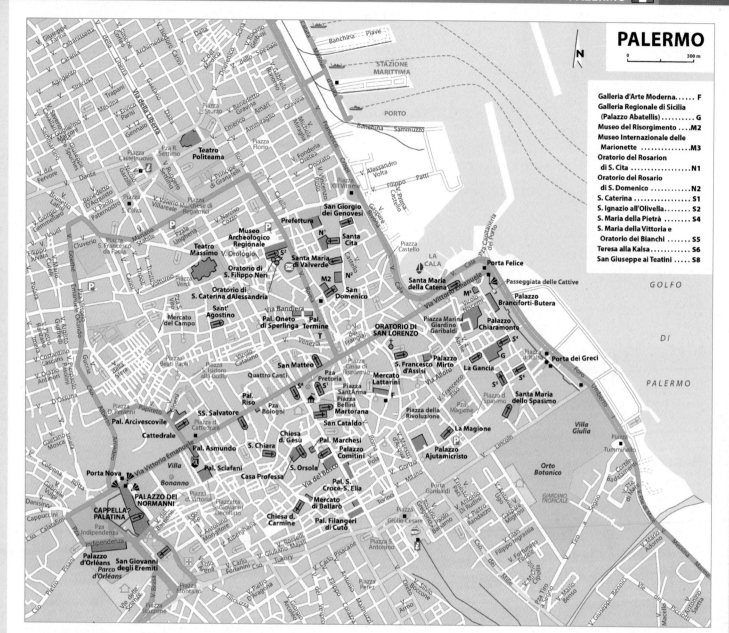

PALERMO

0 — 300 m

N

Galleria d'Arte Moderna...... F
Galleria Regionale di Sicilia
(Palazzo Abatellis)........... G
Museo del Risorgimento M2
Museo Internazionale delle
Marionette M3
Oratorio del Rosarion
di S. Cita N1
Oratorio del Rosario
di S. Domenico N2
S. Caterina S1
S. Ignazio all'Olivella......S2
S. Maria della Pietrà S4
S. Maria della Vittoria e
Oratorio dei Bianchi S5
Teresa alla Kalsa S6
San Giuseppe ai Teatini S8

GOLFO

DI

PALERMO

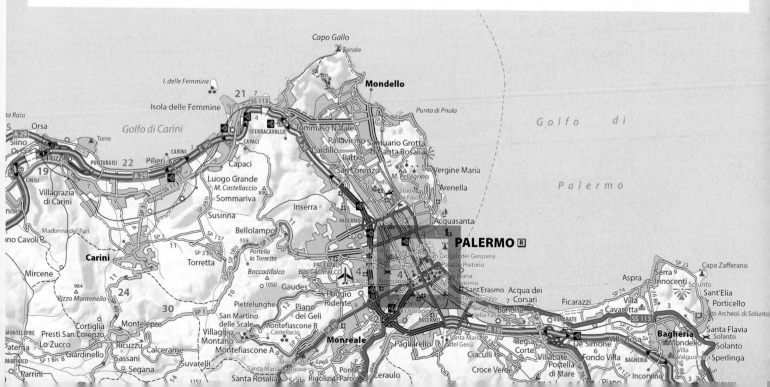

Capo Gallo

Mondello

Golfo di Carini

Golfo di

Palermo

PALERMO Ⓡ

Carini

Monreale

BAGHERIA

PARMA

0　　200 m

MANTOVA

PIACENZA
FIDENZA

FORNOVO
LA SPEZIA

MODENA
BOLOGNA

MANTOVA

Map labels (city centre):

Palazzo del Giardino
Parco Ducale
Palazzo della Pilotta
Casa Toscanini
Camera di San Paolo
Casa della Musica
Pinacoteca Stuard
Teatro Regio
Duomo
Antica spezieria di San Giovanni Evangelista
S. Maria
S. Giovanni Evangelista
BATTISTERO
Piazza Duomo
P.za della Pace

V. Paolo Baratta
V.le Piacenza
Vle Piacenza
Borgo Guazzo
V. Trento
V. Palermo
V. Trieste
V. Toscana
V. Lazio
V. Umbria

Piazza Sta Croce
V. John Kennedy
Piazza G. Picelli
Piazza Matteotti
Piazzale Barbieri
Piazzale Pintor
Piazza Rondani
Borgo Scacchi
Piazzale Risorgimento
Vle Partigiani d'Italia
PARCO CITTADELLA

Torrente Parma
Pte Italia
Vle Agostino Berenini
Vle delle Rimembranze

N

Regional map labels:

Vidalenzo, Ragazzola, Fossa, Bosco Piazza, Casalmaggiore, Pontetterra, Sabbioneta, Villa Pasquali
Busseto, La Vella, Marzanello, Rigosa, Gramignazzo, Torricella, Sacca, Motta San Fermo, Vicomoscano, Quattrocase, Zerba
Frescarolo, Spigarolo, Santa Caterina, Fontanelle, Sissa, Borgonovo, Coltaro, San Nazzaro, Sacchetta, Sanguigna, Stazione Chiesa, Mezzano Rondani, Roncadello, Oratorio
Roncole Verdi, Diolo, Chiavica, Portone del Pizzo, Sala, Casalfoschino, Corte Vescovato, Bezze, Copernio, Mezzano Sup., Cicognara, Logozzo
Samboseto, Pilottina, Colombarone, Campedello, Casello, Vedole, Parmetta, Mezzano Inf., Viad
Soragna, Carzeto, Copezzato, Trecasali, San Quirico, Torrile, Colorno, Mazzabue, Casale, Brescello, Coenzo
Borghese, Castellina, Pongennaro, Castellaicardì, Ronco Campo Canetto, Sant'Andrea a Sera, Rivarolo, San Polo, Malcantone, Scutellara
Castione Marchesi, Chiusa Viarola, Chiusa Ferranda, Paroletta, Ronchetti, Sant'Andrea a Mane, San Siro, Gainago, San Giorgio, Alba
Colombara, Bastelli, Fidenza Salsomaggiore T., Cannetolo, Fontanellato, Albareto, Grugno, Vicomero, Castelnovo a Sera, Pizzolese, Castelletto, Frassinara, Lentigione
Rimale, Toccalmatto, Campazzo, Chiara, Caseificio, Viarolo, Cervara, Baganzola, Ravadese, Certosino, Sorbolo
San Faustino, Priorato, Casalbarbato, Salso, Bellena, Bianconese, Roncopascolo, Castelnovo, Ramoscello, San Sisto
Fidenza, Cabriolo, Parola, Fontevivo, Masone, Fontane, Eia, Fognano, Case Nuove PARMA, San Martino, Pedrignano Bogolese, San Martino Est, Casalpo
Santa Margherita, Sanguinaro, Molinetto, Cascine, Ponte Taro, Fraore, Malarolo, Chiozzola, Casaltone, Olmo
Siccomonte, Rivalazzo, PARMA OVEST, Celana, Vigolante, San Leonardo, San Martino Ovest, T.A.V., Casalbaroncolo
Borghetto, La Marchesa, Noceto, Valera, Case Rosse, Crocetta, PARMA, San Donato, Benecetto, Tanzolino, Gaттatico, Praticello, Nocetolo
Bagni di Tabiano, La Costa, Vicofertile, Costa Pavesi, Pieve di Cusignano, Vigheffio, Mariano, Coloreto, Martorano, Castagnola, Pantaro, San Prospero, Casello, Rainuzzi, Case Cocconi, Caprara
Bànzola, Costa Mezzana, FLUVIALE, Lemignano, Stradella, Porporano, Gaione, Castellana, Terre di Canossa Campegine, Sant'Ilario d'Enza
Varano Marchesi, Cella Costamezzana, Medesano, Vigatto, Malandriano, Calerno, Gazzaro, Gaida, Cadè
M. Inverno, Miano, Pianezza, Felegara, Collecchio, San Martino Sinzano, San Ruffino, Carignano, Villanova, Monticelli Terme, Partitore, Cornocchio
Visiano, Sant'Andrea Bagni, Gaiano, REGIONALE DEL TARO, Vilanuova, Casale, Corcagnano, Borgo, Marano, Croce, Quercioli

Redondesco, Pioppino, Pagadelli, Mosio, Bozzolo, Giardino, San Martino dall'Argine, Belvedere, Spineda, San Fiore, Breda Azzolini, Brugnolo, Cividale Mantovano, Palazzo, Rivarolo del Re, Ronchi, Breda Cisón

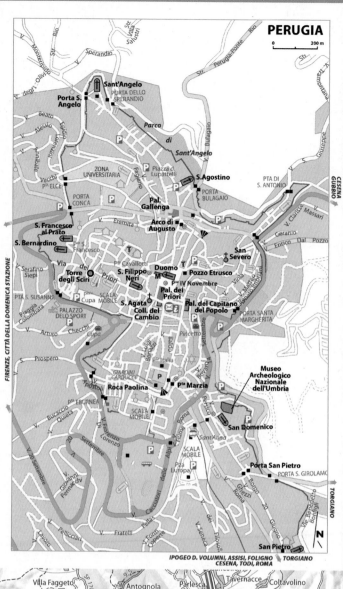

PERUGIA

0   200 m

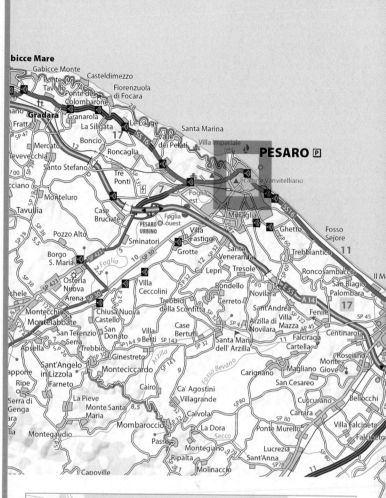

PESARO

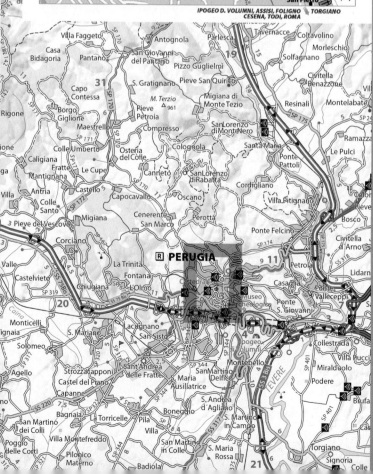

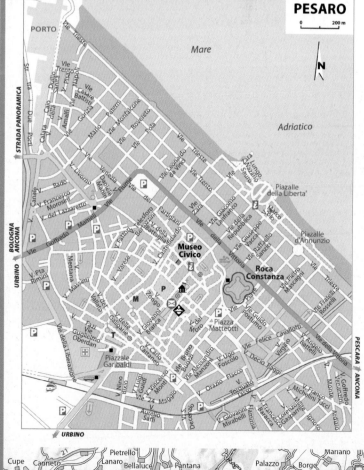

PESARO

0   200 m

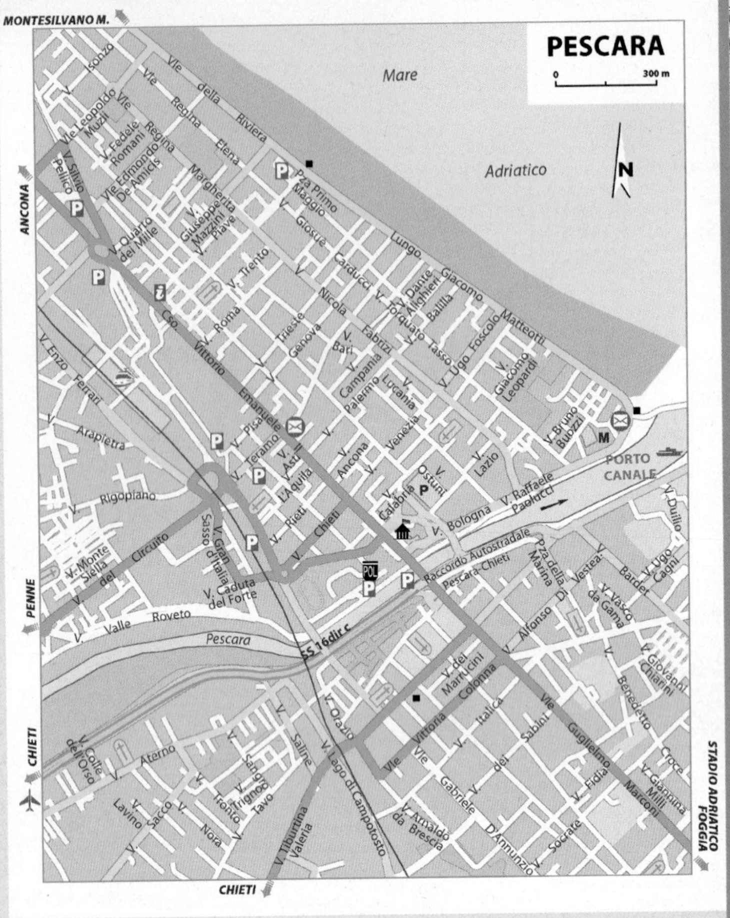

PESCARA

0   300 m

N

Mare
Adriatico

MONTESILVANO M.
ANCONA
PENNE
CHIETI
PORTO CANALE
STADIO ADRIATICO
FOGGIA
CHIETI

PISA

PARCO
Vecchiano
San Giuliano Terme
MIGLIARINO
PISA
SAN ROSSORE
AEROPORTO GALILEO GALILEI
LIVORNO
COLLESALVETTI

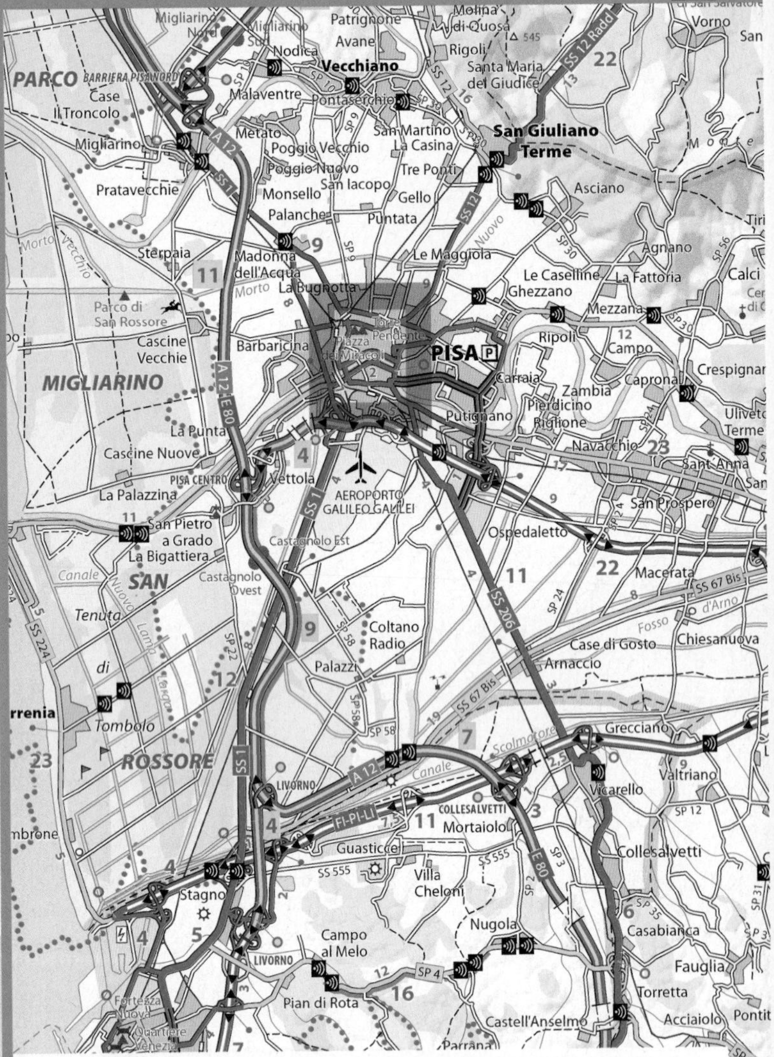

PISA

0   200 m

N

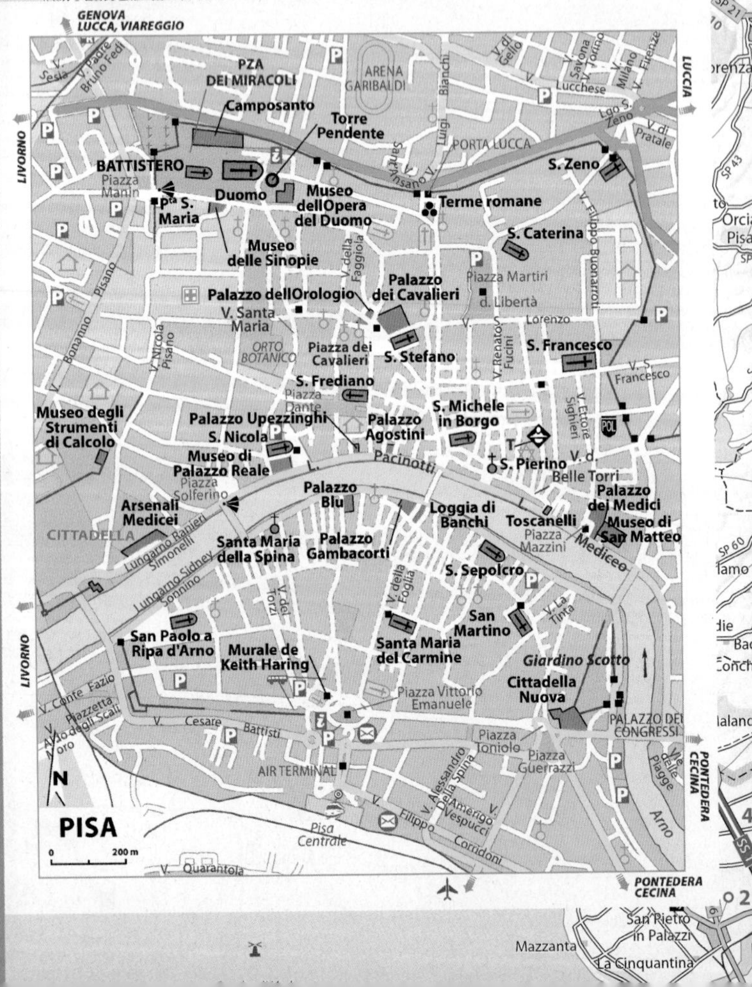

GENOVA
LUCCA, VIAREGGIO
LUCCA

PZA DEI MIRACOLI
Camposanto
Torre Pendente
BATTISTERO
Duomo
Museo dell'Opera del Duomo
Museo delle Sinopie
S. Maria
Palazzo dell'Orologio
V. Santa Maria
ORTO BOTANICO
Palazzo dei Cavalieri
S. Stefano
S. Frediano
Museo degli Strumenti di Calcolo
Palazzo Upezzinghi
S. Nicola
Palazzo Agostini
Museo di Palazzo Reale
Arsenali Medici
CITTADELLA
Palazzo Blu
Santa Maria della Spina
Palazzo Gambacorti
San Paolo a Ripa d'Arno
Murale de Keith Haring
Santa Maria del Carmine
ARENA GARIBALDI
PORTA LUCCA
S. Zeno
Terme romane
S. Caterina
S. Francesco
S. Michele in Borgo
S. Pierino
Belle Torri
Palazzo dei Medici
Museo di San Matteo
Toscanelli
Loggia di Banchi
S. Sepolcro
San Martino
Giardino Scotto
Cittadella Nuova
PALAZZO DEI CONGRESSI
AIR TERMINAL
PONTEDERA CECINA

PESCARA
Silvi Marina
Montesilvano Marina
Montesilvano
Francavilla al Mare
San Giovanni Teatino
CHIETI

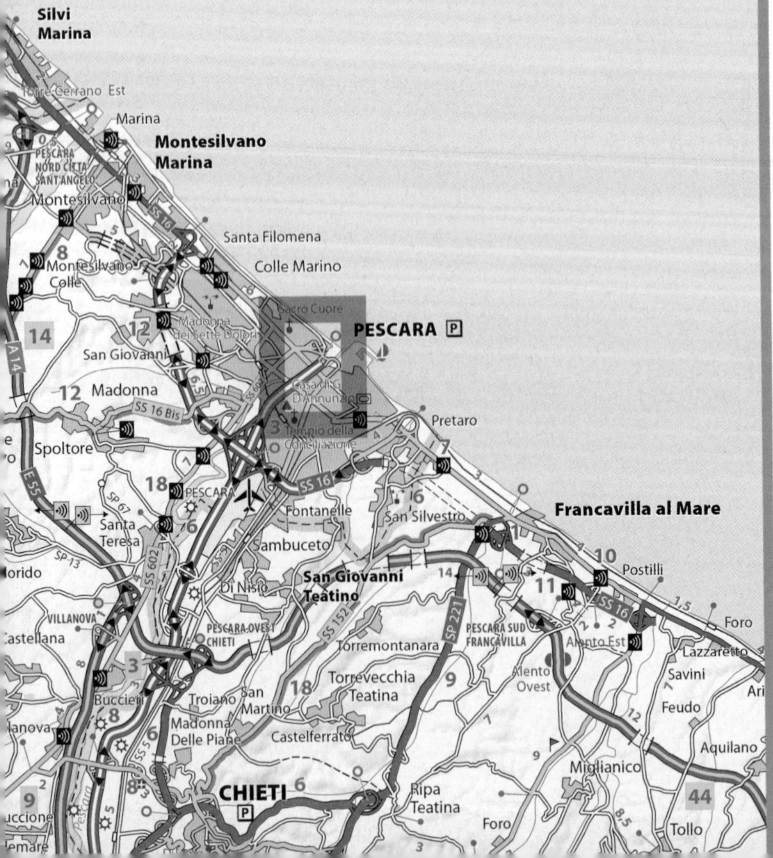

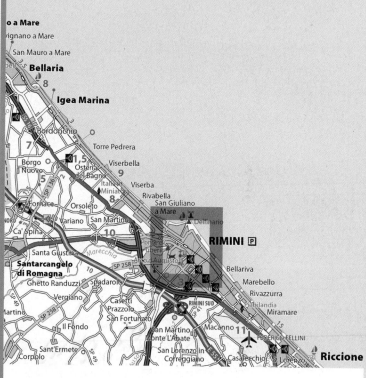

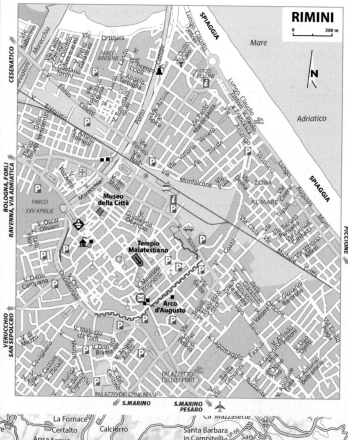

ROMA

0   2 km

Percorsi di attraversamento
e di circonvallazione

VITERBO   VITERBO FIRENZE, TERNI   RIETI FIRENZE, TERNI   RIETI   FIRENZE TERNI

LA GIUSTINIANA
A 90
TOMBA DI NERONE
Grottarossa
Cassia
OTTAVIA
RISERVA NATURALE DELL'INSUGHERATA
MONUMENTO NATURALE QUARTO DEGLI EBREI E TENUTA DI
TORREVECCHIA
Casal Selce
Boccea
CASALOTTI
MONTE MARIO
STADIO OLIMPICO
TOR DI QUINTO
VILLA ADA
MONTE SACRO
SETTECAMINI
A 90
MICHELIN
A 24 / E 80
L'AQUILA, AVEZZANO
TOR SAPIENZA
Sant'Agnese fuori le Mura
Il Pincio
VATICANO
MUSEI VATICANI
CASTEL SANT'ANGELO
SANTA MARIA MAGGIORE
COLOSSEO
SAN GIOVANNI IN LATERANO
San Lorenzo fuori le Mura
Roma Termini
A 24
CENTOCELLE
TORRENOVA
TUSCOLANO
TORRE MAURA
CINECITTÀ
A 1 dir / E 821
NAPOLI
CIVITAVECCHIA
AURELIA
VILLA DORIA PAMPHILI
PORTA S. SEBASTIANO
Roma Ostiense
Basilica di San Paolo Fuori le Mura
CORVIALE
IL TRULLO
OSTIENSE
CATACOMBE
Appia
MAGLIANA
E.U.R.
CECCHIGNOLA
MORENA
ROMA CIAMPINO
CASTELLI ROMANI
A 91 / E 80
A 91
Fiume Tevere
FIUMICINO
CIVITAVECCHIA
A 90 / E 80
OSTIA ANTICA, LIDO DI ROMA   NAPOLI   CASTELLI ROMANI NAPOLI

Santa Marinella
Capo Linaro
Santa Severa
Pyrgi
I Grottini
Due Casette
Necropoli Etrusca
Necropoli Etrusca
Cerveteri
CERVETERI-LADISPOLI
Marina di Cerveteri
Ceri
Colle di Vaccina
Osteria Nuova
Ladispoli
Palo
Statua
Ruderi di San Nicola
Passo Oscuro
Scuole
MACCARESE FREGENE
Maccarese
Torre Maccarese
Fregene
Ceri
Ceri
Il Castellaccio
Tragliatella
Gestino
Tragliatella
Tragliata
Cascina di Castel Campanile
Monte del Fico
Valcanneto
Torrimpietra
Aranova
Centro Tre Denari
Centro Tre Cannelle Barbabianca
BARRIERA ROMA OVEST
Breccia
Arrone Est
Arrone Ovest
Case Bianche
Viale di Porto

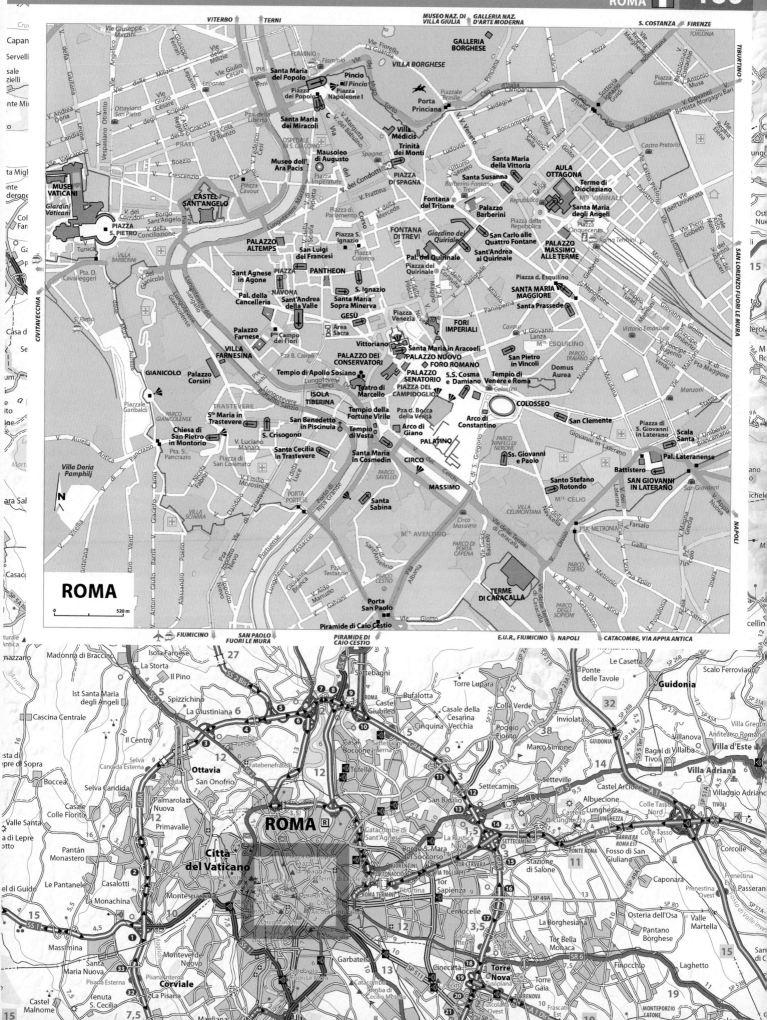

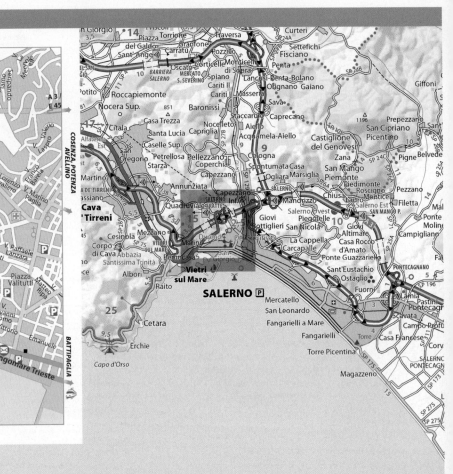

SAN GIMIGNANO

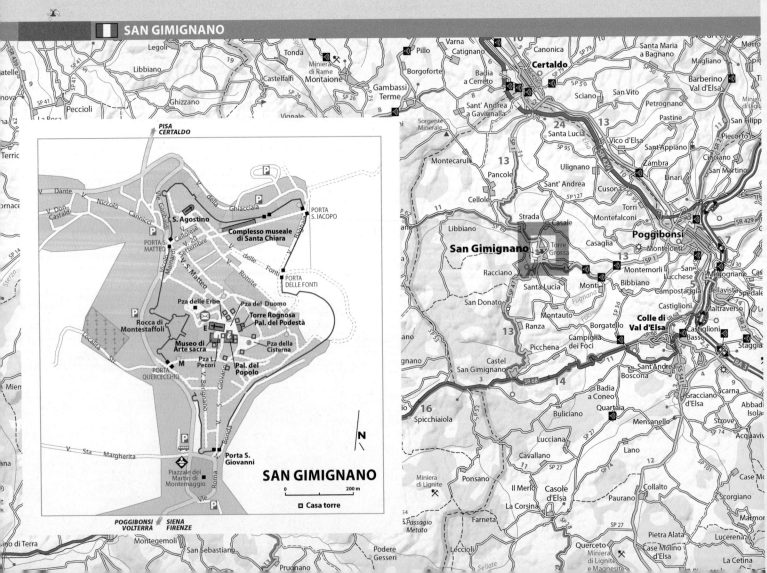

SAN REMO (city map)

SAN ROMOLO

La Pigna

CASINO

CAPITANERIA DI PORTO

PORTO VECCHIO

Molo Sud

VENTIMIGLIA NICE

GENOVA

SAN REMO
0 200 m
N

Vie delle Martiri della Libertà · V. Galileo Galilei · V. Francesca · V. Wolfgang Goethe · V. Carlo Pisacane · V. Zeffiro Massa · V. Flume · V. Trento · V. Trieste · Cso. Salvo D'Acquisto · V. Pietro · degli Inglesi · Cso. Giacomo Matteotti · V. Roma · V. Nino Bixio · Cso. Nazario Sauro · POL

SAN REMO (regional map)

Cetta · Molini di Triora · C. di Langan · Buggio · Agaggio Superiore · Conio · Ville San Pietro · Costa · Aigovo · Carpasio · Glori · Costa · Arzene · M. Moro · Prelà · Montalto Ligure · Tavole · Valloria · Lecchiore · Badalucco · Pietrabruna · Boscomare · Lingueglie · Castellaro · Castellaro · Gallinaro · Taggia · Pompeiana · Terzorio · Ceriola Sud · San Gregorio · Vignai · Ciabaudo · Baiardo · Passo Ghimbegna · M. Ceppo 1627 · Berzi · M. Faudo 1149 · M. Bignone 1299 · Ceriana · Verezzo · Perinaldo · San Romolo · Borello · Negi · San Donato · Sant'Antonio · Poggio · Bussana Vecchia · Riva Ligure · Santo Stefano al Mare · Cavi · Arma di Taggia · Bussana · SAN REMO OVEST · **SAN REMO** · Coldirodi · Ospedaletti · C. Nero · Cala S. Ampelio · Bordighera Alta · Montenero · Vallecrosia Alta · Sasso di Bordighera · Termini · Borghetto · San Nicola · BORDIGHERA · **Bordighera** · Vallecrosia · **Ventimiglia** · Mortola Sup. · Villa Hanbury · Grimaldi · Roquebrune · Cap Martin · Gorbio · Ste Agnès · Villatella · San Pancrazio · Calvo · Ciaixe · Soldano · San Biagio della Cima · Vallebona · Madonna della Neve · San Bartolomeo · Seborga · Madonna della Cima · Bevera · Seglia · Carletti · San Lorenzo · Camporosso · San Giacomo · **MENTON**

SASSARI (city map)

SASSARI
0 200 m
N

PLATAMONA SORSO SENNORI

PORTO TORRES

ALGHERO ITTIRI

OLBIA CAGLIARI

Sant'Antonio Abate · Fontana del Rosello · Santissima Trinità · Pza. S. Antonio · Corso della Trinità · Pza Mercato · Frumentaria · Palazzo di S. Saturnino · Casa Guarino · Sant'Andrea · Casa Farris · Piazza Tola · Teatro Civico · MUS'A · Santa Caterina · Duomo di S. Nicola · Palazzo Ducale · Piazza Castello · Castello Aragonese · Madonna del Rosario · Palazzo della Provincia · Santa Maria di Betlem · Palazzo Giordano · Piazza d'Italia · Padiglione dell'Artigianato · Piazza Fiume · Museo Nazionale G. A. Sanna · Giardini Pubblici · Piazza A. Gramsci · Piazza Guglielmo Marconi · Piazza Primo Roma

SASSARI (regional map)

Punta Tramontana · Punta Tramontana · Tonnara · Bachile Corte · M. Tudderi 435 · Maritza · Marina di Sorso · Platamona Lido · Arboriamar · Stagno di Platamona · Serralonga · **Sorso** · M. Cau 233 · Pirastreddu · Truncu Reale · San Michele di Plaianu · Terrada · Sennori · Lungo Valle · San Lorenzo · Ottava · Villa Gorizia · Taniga Malafede · Santa Vittoria · San Quirico · San Giovanni · Truncu Reale · Ziuri · Viziliu · Li Punti · Filigheddu · **Osilo** · La Landrigga · Monte Oro · Caniga · Palazzo Ducale · Le Querce · Nostra Signora di Bonaria · Usai · Scala di Giocca · **SASSARI** · Mandra di l'Ainu · Bagni di San Martino · Tissi · Muros · Usini · Ossi · Cargeghe · Codrongianos · Lago Baratz · Baratz · Santa Maria la Palma · Tottubella · Rumanedda · Bonassai · San Marco · Guardia Grande · I Piani · Necropoli di Anghelu Ruju · Olmedo · Uri · Michele di Salvennor

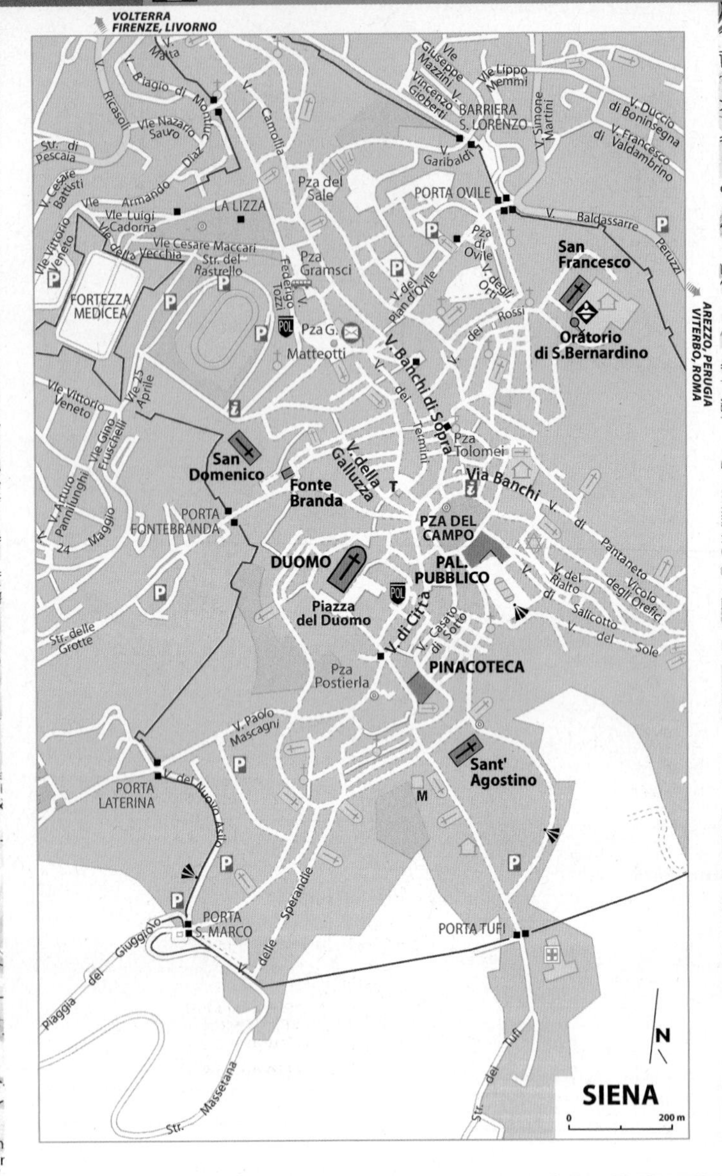

SIENA

VOLTERRA, FIRENZE, LIVORNO

AREZZO, PERUGIA, VITERBO, ROMA

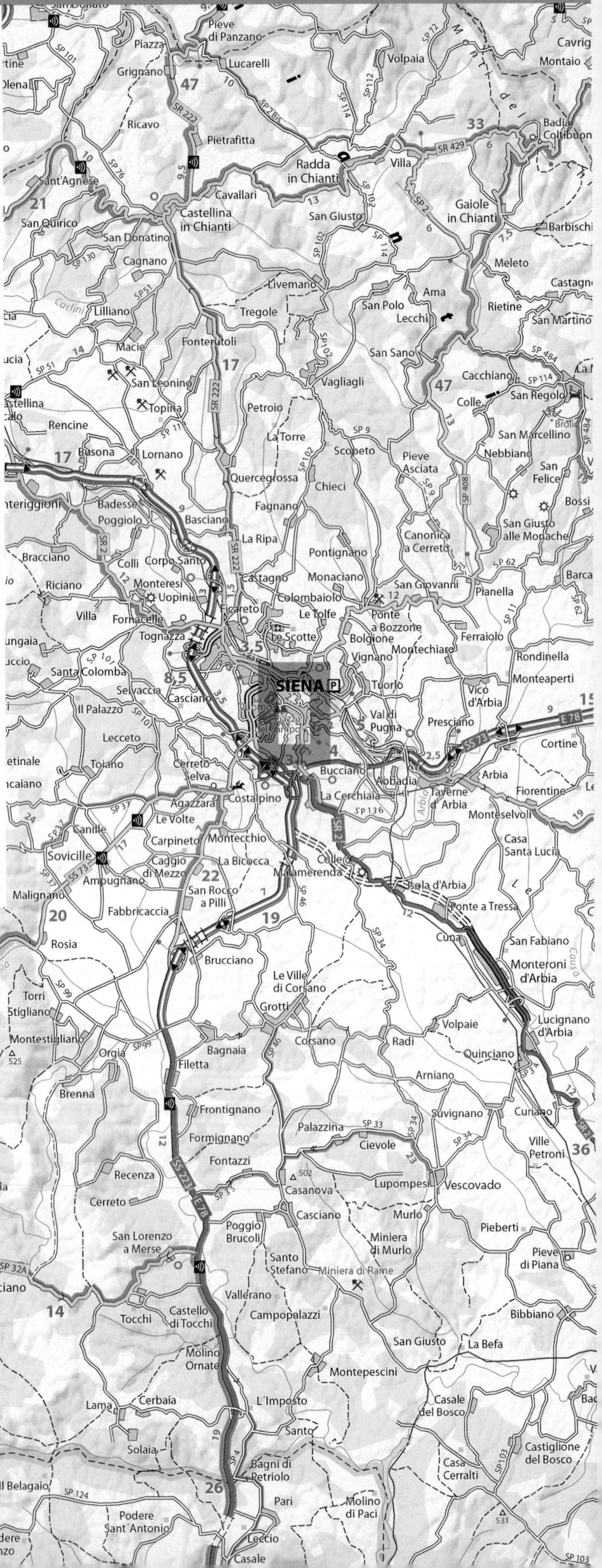

FORTEZZA MEDICEA

LA LIZZA

BARRIERA S. LORENZO

PORTA OVILE

San Francesco
Oratorio di S.Bernardino

PZA DEL CAMPO

San Domenico
Fonte Branda

DUOMO
Piazza del Duomo

PAL. PUBBLICO

PINACOTECA

PORTA FONTEBRANDA

PORTA LATERINA

PORTA S. MARCO

PORTA TUFI

Sant' Agostino

Pza Postierla

N

SIENA

0   200 m

SIENA

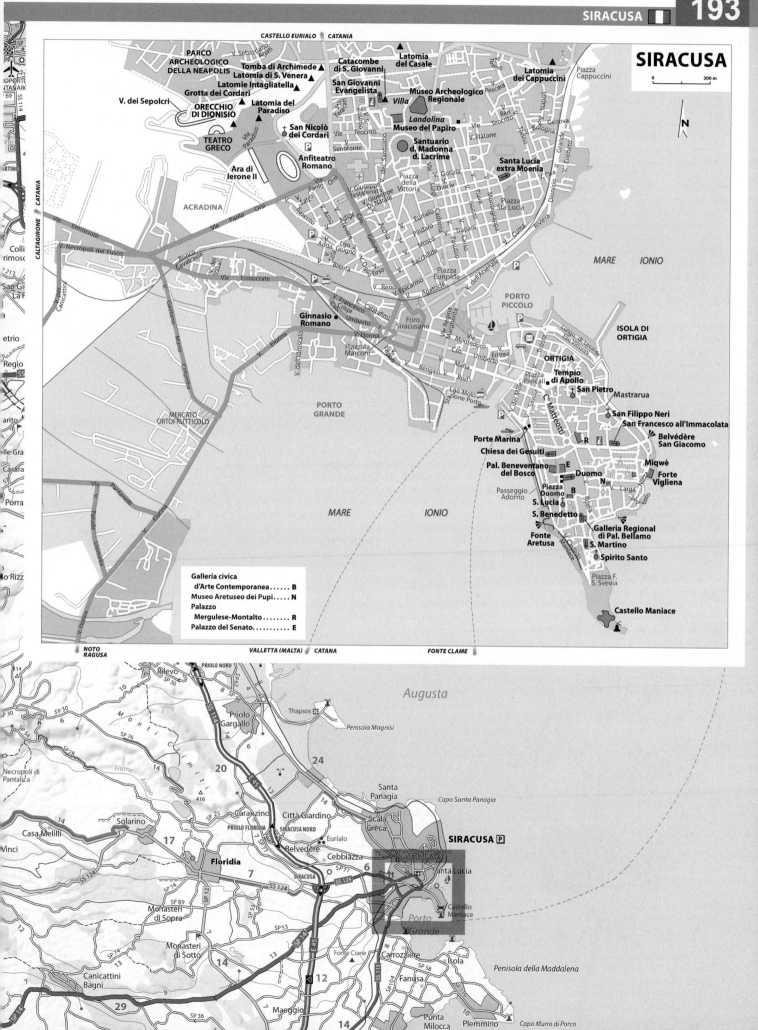

SIRACUSA

0   300 m

N

PARCO
ARCHEOLOGICO
DELLA NEAPOLIS
Tomba di Archimede
Latomia di S. Venera
Latomie Intagliatella
Grotta dei Cordari
V. dei Sepolcri
ORECCHIO
DI DIONISIO
Latomia del Paradiso
San Nicolò
dei Cordari
TEATRO
GRECO
Anfiteatro
Romano
Ara di
Ierone II
ACRADINA

CASTELLO EURIALO   CATANIA
Catacombe
di S. Giovanni
San Giovanni
Evangelista
Latomia
del Casale
Museo Archeologico
Regionale
Villa
Landolina
Museo del Papiro
Santuario
d. Madonna
d. Lacrime
Latomia
dei Cappuccini
Piazza
Cappuccini

Santa Lucia
extra Moenia

Piazza della
Vittoria
Piazza
Sta Lucia

MARE   IONIO

Ginnasio
Romano
Foro
Siracusano

PORTO
PICCOLO

ISOLA DI
ORTIGIA

PORTO
GRANDE

ORTIGIA
Tempio
di Apollo
San Pietro
Mastrarua
San Filippo Neri
San Francesco all'Immacolata
Belvédère
San Giacomo
Miqwè
Forte
Vigliena

MERCATO
ORTOFRUTTICOLO

Porte Marina
Chiesa dei Gesuiti
Pal. Beneventano
del Bosco
Duomo
Piazza
Duomo
S. Lucia
S. Benedetto
Galleria Regional
di Pal. Bellamo
S. Martino
Spirito Santo

Passeggio
Adorno

MARE   IONIO

Fonte
Aretusa

Piazza F.
S. Svevia

Castello Maniace

Galleria civica
d'Arte Contemporanea . . . . . . B
Museo Aretuseo dei Pupi . . . . . N
Palazzo
  Mergulese-Montalto . . . . R
Palazzo del Senato . . . . E

NOTO
RAGUSA
VALLETTA (MALTA)   CATANA
FONTE CLAME

Augusta

Rilevo
Priolo
Gargallo
PRIOLO NORD
Thapsos
Penisola Magnisi

Necropoli di
Pantalica

Monti Climiti

Santa
Panagia
Capo Santa Panagia

Caranzino
Città Giardino
Scala
Greca

Solarino
PRIOLO FLORIDIA
SIRACUSA NORD
Belvedere
Eurialo

SIRACUSA

Casa Melilli
Floridia
Cebbiazza
Santa Lucia

Monasteri
di Sopra
Castello
Maniace
Porto
Grande

Monasteri
di Sotto
Clane
Fonte Ciane
Carrozziere
Isola
Penisola della Maddalena

Canicattini
Bagni
Maeggio
Fanusa

Punta
Milocca
Plemmirio
Capo Murro di Porco
Arenella

SORRENTO

0   200 m

CAPRI

MARINA GRANDE

MARINA PICCOLA

Belvedere di Correale

Museo Correale di Terranova

VILLA COMUNALE

N

San Francesco

Piazza della Vittoria

Piazza S. Antonino

Piazza Tasso

Piazza A. Veniero

PENISOLA SORRENTINA

SALERNO

NAPOLI

Cso. Italia

V. Nizza

V. Fuorimura

V. degli Aranci

V. Marziale

V. Enrico Caruso

Nicola

V. del Mare

V. sopra le Mura

V. Rivolo

Sant'Antonio

Sant'Antonio

Sta. Lucia

Parsano

Atigliana

Correale

Vico Terzo Rota

V. Renato

Scavi Archeologici

Terme Stabiane

Pozzano

Villaggio Monte Faito

Convento San Francesco

Vico Equense

Seiano

Montechiaro

Massaquano

Belvedere Patierno

Moiano

Antignano

Ticciano

Alberi Camaldoli

Preazzano

Piano di Sorrento

Meta

Arola

Positano

Sant'Agnello

Sorrento

Marina di Puolo

Parco

Letizia

Montecorbo

Arorella

Sant'Agata

Colli di Fontanelle

Cesano

Massa Lubrense

Riviera di Marcigliano

San Filippo

Pontone

Conca Verde

Punta Lagno

Annunziata

Le Caselle

Schiazzano

Torvillo

Torca

Marciano

Metrano

Capo d'Arco

Coppetelle

Pontone a Marciano

Termini

Sirenuse

Nerano

Torre

Punta Campanella

Bocca Piccola

Costier

Grotta Azzurra

Anacapri

Capri

Faraglioni

I. Faraglioni

M. Solario

Punta Carena

Isola di Capri

SPOLETO

0   200 m

TODI MONTEFALCO   FOLIGNO

Basilica di S. Salvatore

P.za della Vittoria

S. Gregorio Maggiore

ANFITEATRO ROMANO

S. Domenico

Duomo

P.za del Duomo

Arco di Druso

Piazza Campello

ROCCA

Ponte delle Torri

PORTA S. MATTEO

TEATRO ROMANO

Piazza Garibaldi

Cso. Giuseppe Garibaldi

PORTA MONTERONE

Torrente

Tessino

N

TERNI ROMA

M. Puranno

M. Fugo

Camino

Corvia

Scafali

Tenne

Sterpete

Scandolaro

Sant'Eraclio

Roviglieto

Cupoli

Cancellara

Orsano

Terne

Forfi

Molini

Celle

Tribbio

Civitella

Mevale

Ponte Nuovo

Saccovescio

Cervara

Montefalco

San Fortunato

Casco dell'Acqua

Casevecchie

Matigge

Santa Maria in Valle

Parrano

Cammoro

Vene

Orvan

Borgo San Giovanni

Castelsan

Il Valle

Colle San Clemente

Pietrauta

Fabbri

Turrita

San Luca

Cannaiola

Trevi

Bovara

Pettino

Spina

Madonna della Stella

San Lorenzo

Pigge

Colle Pian Fienile

Spina Nuova

Piccicche

Fratta

Castel S. Giovanni

Tempio di Clitunno

Pissignano

Fonti del Clitunno

Acera

Mercatello

Casa Fiorelli

Castel Ritaldi

Beroide

Campello Clitunno

Campello Alto

Colle del Marchese

Bruna

Azzano

La Bianca

Silvignano

Camporoppolo

Poreta

Petrognano

San Brizio

San Giacomo

Protte

Bazzano Sup.

Montefiorello

M. Galenne

Terzo la Pieve

San Vito

Terraia

Oriolo

Bazzano Inf.

Fabbreria

Pian della Noce

Casenove

Roselli

Castello di Morgnano

Maiano

Mergnano

San Venanzo

Eggi

Geppa

Grotti

San Silvestro

Sta. Croce

San Sabino

Cerro

San Severo

Sant'Angelo in Mercole

San Nicolo

Spoleto

Forca di Cerro

La Costa

Madonna di Baiano

S. Giovanni di Baiano

San Martino in Trignano

Crocemarroggia

Casa Napoli

Monteluco

Vallochia

Vaglia

Borgiano

Arezzola

Icciano

Meggiano

Case Mustaiole

Patrico

Scheggi

Rapicciano

Pompagnano

Pontuglia

Schioppo

Civitella

Balduini

Cerqueto

Valdarena

Cese

Ceseli

Castagnacupa

Valico di Somma

M. Fionchi

San Valentino

Terria

Somma

San Pietro

Sambucheto

Monteleone di Spoleto

Villa San Silvestro

Trivio

Butine

Porzano

Venti

Sterpeto

Chiavano

STRESA

0   200 m

N

LIDO

MOTTARONE

DOMODOSSOLA BAVENO

Lago Maggiore

MOTTARONE

PALAZZO DEI CONGRESSI

Villa Pallavicino

NOVARO MILANO

V. Gilberto Borromeo
V. Torino
V. del Lupo
Sempione Nord
V. Monte Grappa
V. Principe di Piemonte
V. Galileo Galilei
V. Raffaello Sanzio
Viale Baveno
V. Giuseppe Verdi
V. Virgilio
V. Siemens
Selvalunga
V. Dante
V. Alighieri
Lamberti
Ronco
Roma
V. al Castello
per Binda

Map of the Lake Maggiore region showing:

Cannobio · Cannero Riviera · Luino · Porto Valtravaglia · VERBANIA · Intra · Pallanza · Baveno · Isole Borromée · Stresa · Laveno-Mombello · Cittiglio · Cocquio · Gavirate · Ispra · Angera · Arona · Sesto Calende · Vergiate · Somma Lombardo · Borgomanero · Borgosesia · Varallo · Omegna · Orta San Giulio · Gravellona Toce · Casale Corte Cerro · Il Mottarone · M. Massone · Cima Capezzone

LAGO MAGGIORE

PARCO NATURALE LAGONI DI MERCURAGO

LAGO D'ORTA

CASTELMOLA

MESSINA

V. Fontana Vecchia

Pza Annibale di Francia

V. Stup..oni

San Pancrazio

Piazza S. Pancrazio

M. TAURO △

Castello

Pta Messina
Pal. Corvaja
Odeon
S. Caterina

Pza Vittorio Emanuele

MAZZARÒ

RISERVA NATURALE ISOLA BELLA

Mad. della Rocca

Badia Vecchia

Naumachies

TEATRO GRECO

Pta Catania

Pal. Ciampoli

Duomo
Pza IX Aprile
Pza del Duomo

Giardini di Villa Comunale

Pal. S. Stefano

Piazzale S. Domenico

ISOLA BELLA

M. CROCIFISSO △

BELVEDERE

VILLAGONIA

MARE   IONIO

N

TAORMINA

0 ——— 200 m

GARDINI-NAXOS
CATANIA

Elicona

Novara di Sicilia

San Basilio
Vallancazza

SP 93

Frascianida

Badiavecchia

San Martino Raccui

Belardo

Rimiti

Badia

Galluffi

Allume

Nizza

M. Castellazzo
1311

Portella Pertusa
974

Pietragrossa
1125

Figheri

Misitano

Ciccattali

Pagliara

Sciglio

Locadi

SP 110   SP 115
1259

Portella Mandrazzi
47

Evangelisti
Rubino

1079

Antillo

Misitano Inf.
Morzulli

San Carlo

Rogani

Misserio

Rocchénere

Grotte

ROCCALUMERA

Roccalumera

Furci Siculo

1341

Borgo Piano Torre
Borgo Pietrapizzola
Borgo Mallitana

Bastianello

Mitta

Pietrabianca

Fadarechi

Mancusa
Calcare

Cucco

SP 23

M. Croce Mancine

Borgo Schisina

Montagna Grande
1374

Borgo Schisina

Scifi

Contura Sup.

Casalvecchio Siculo
S. Pietro Paolo

Rina

Savoca

Santa Teresa di Riva

San Francesco di Paola

Borgo San Giovanni

Limina

Contura Inf.

Santa Teresa di Riva Ovest
di Riva Est

Roccella Valdemone

SP 2

Malvagna

19

Francavilla di Sicilia

Roccafiorita

Sant'Alessio

Sant' Alessio Siculo
Village

Sant' Alessio Siculo

domenica Vittoria

Bonvassallo

Moio Alcantara

Motta Camastra

Graniti

Pantana

Melia

Mongiuffi

Gallodoro

Forza d'Agro

Capo S. Alessio
Santa Margherita

Fondaco Prete

Verzella

Manganielle
Vena Imperi

Grava

10

Fondaco Motta

Luppineria

Larderia

TAORMINA
885

Letojanni

Castiglione di Sicilia

Ficarazzi

22

San Cataldo
SP 81

Muscianò-Cupparo

Acqualorto

Lumbia

Castelmola

Spisone

Mazzeo

Mazzarò

Passopisciaro

Solichiata

Gole di Alcantara

Finaita

Mitogio

Gaggi

Villagonia

6

Taormina

Montelaguardia
SS 120

Moscamento
Cerro

17

Catena

GIARDINI NAXOS

Pali

Capo Taormina

20

Rovittello

Linguaglossa

Fiascora

Chianchitta-Trappitello
Calatabiano Ovest
Calatabiano

Chianchitta

Naxos

Giardini-Naxos

PARCO

M. Santa Maria
1632

Torremorte

9

Piedimonte Etneo

Ciollo

Chianchitta Pallio
Porticato
San Marco

M. Nero
2049

Zappello di Campagna

Presa

Notara

Pasteria-Lapide

M. Crisimo
1345

Vena

FIUMEFREDDO

Civì Passagliastro

Etna
2472
M. Pizzillo
1773

Montargano

Santa Venera

Portosalvo

Fiumefreddo di Sicilia

Fondachello

MONTE

3340

Rifugio Cirelli

Sant'Antonino

Nunziata

Puntalazzo

Mascali

ETNA

REGIONALE

Fornazzo

Sant' Alfio
Paoli

Praino

San Giovanni

Macchia

Milo

Tagliaborsa

Galia
Torre

Sant'Anna

Carrabba

Giarre

Riposto

TARANTO

0   200 m

TORINO

0   200 m

N

Major labels and places:

LANZO TORINESE · AOSTA · MILANO NOVARA · CHIVASSO

SUSA · A 32 / E 70 · BRIANÇON, TRAFORO DEL FRÉJUS COLLE D. MONCENISIO, SUSA

REGGIA DI VENARIA · VILLARETTO · LA FALCHERA · SETTIMO TORINESE

DRUENTO · SAVONERA · LUCENTO · MADONNA DI CAMPAGNA · FIAT · ABBADIA DI STURA · BARCA BERTOLLA · S. MAURO TORINESE

PIANEZZA · OSPEDALE PSICHIATRICO · PARCO MARIO CARRARA · Basilica di Superga

ALPIGNANO · COLLEGNO · Fiume Dora Riparia · Duomo · Circuito delle Maddalena · SUPERGA

RIVOLI · OSPEDALE PSICHIATRICO · Pza Massaua · Pozzo Strada · Monte Grappa · Villa della Regina · PARCO NATURALE DELLA COLLINA DI SUPERGA

Castello et Museo d'Arte contemporanea · GRUGLIASCO · PARCO RUFFINI · Museo di Anatomia Museo della Frutta · MADONNA DEL PILONE · REAGLIE · MONGRENO

C.A.A.T. · S.I.T.O. · Pinacoteca Giovanni e Marella Agnelli · PILONETTO · Parco della Rimembranza · PINO TORINESE

RIVALTA DI TORINO · S.I.T.O. · Parco Europa · Colle della Maddalena · CASTELVECCHIO

BEINASCO · FIAT · FIAT Settembrini · MUSEO DELL'AUTOMOBILE C. BISCARETTI DI RUFFIA · CAVORETTO · REVIGLIASCO · PECETTO TORINESE

AVIGLIANA · MIRAFIORI · Piazzale Caio Mario · Circuito della Maddalena · S. Pietro

ORBASSANO · BORGARETTO · Palazzina di Caccia · STUPINIGI · NICHELINO · MONCALIERI · TESTONA · MORIONDO · TROFARELLO · VALLE · SAUGLIO

PARCO NATURALE DI STUPINIGI · TETTI ROLLE · TORINO MONCALIERI · TAGLIAFERRO · MONCALIERI LA ROTA · PALERO · CAMBIANO

PINEROLO SESTRIERE · CARMAGNOLA SALUZZO · CUNEO SAVONA · CUNEO · GENOVA PIACENZA · ALBA

Lower regional map:

Pra Piano · Giaglione · San Giovanni · Remats · Gravere · Chiomonte · Frais · Susa · Morelli · Meana di Susa · Mattie · Bruzolo · San Didero · Borgone Susa · Condove · Caprie · Almese · Rivera · Miosa · Brione · Grange di B.

Pian Gelassa · Madonna della Neve · Cervetto · Città · Villar Focchiardo · Sant'Antonino di Susa · Vaie · Chiusa di San Michele · Sacra di San Michele · S. Ambrogio di · Avigliana

Colle delle Finestre · M. Pelvo · M. Orsiera · Rocca Rossa · Alpe di Graveno · Chiapero · Valgioie · Molino

Cima Ciantiplagna · Montagna d'Esseaux · M. Orsiera · M. Rocciavrè · M. Robinet · Freinetto · Coazze · Giaveno · San Bernardino

Pourrieres · Usseaux · Pequerel · ORSIERA · ROCCIAVRÈ · Forno · Alpe della Balma · Maddalena Savora · Dalmassi

Fraisse · Souchères-Basses · Laux · Fenestrelle · Villaretto · Fondufaux · Mentoulles · Seleiraut · Alpe Colombina · Roccette · Mollar dei Franchi · Prese di Piossasco · Piossasco

M. Albergian · Bezzi · Albergian · Chambons · Gran Paetto · M. Uia · Alpe Nuova · Riboda · Provana · Verna · Fiola · Montegrosso · Merlino

Chasteiran · Roure · Roreto Chisone · Balma · Castel del Bosco · Meano · Santo Stefano · Madonna della Pace · Prese della Franza · Burdini · Ravera · Cumiana

TRENTO

0   200 m

PADOVA, VENEZIA
BOLZANO

PADOVA, VENEZIA
BOLZANO

Piazza del Duomo
Museo Diocesano
Duomo
Pal. Tabarelli
Castello
PALAZZO DELLA REGIONE
MAUSOLEO C. Battisti
DOS TRENTO
S. APOLLINARE

BOLZANO
BRESCIA MONTE BONDONE
VERONA
VENEZIA PADOVA
VICENZA

TRENTO
TRENTO NORD
TRENTO SUD

Caldaro / Kaltern
Magrè / Magreid
Baselga di Pinè
Pergine Valsugana
Casalino
Levico Terme
Andalo
Molveno
Cima Brenta
M. Paganella
Mezzocorona
Mezzolombardo
San Michele all'Adige
Lavis

TRIESTE

0   200 m

N

GORIZIA MIRAMARE · VENEZIA UDINE

OPICINA
FIUME (RIJEKA) POSTUMIA

CENTRALE

Piazza di Scorcola

Piazza Guglielmo Oberdan

GIARDINO PUBBLICO M. TOMMASINI

PALAZZO DELLA REGIONE

PALAZZO DEI CONGRESSI

ACQUARIO

TEATRO ROMANO

Castello
San Giusto

Museo del Mare

Museo di Storia e d'Arte

CAMPO MARZIO

MERCATO CENTRALE

Piazza Garibaldi

GIARDINO BASEVI

FIERA

MUGGIA PULA

FIUME UDINE

Golfo di Panzano

Casa Valle Dossi

Fossalon di Grado

Punta Sdobba

Golometto

Santa Croce

Gabrovizza San Primo

Sgonico

Rupinpiccolo

Rupingrande

Sežana

Bocca di Primero

Santa Maria di Barbana

Grado Lido

Grado Pineta

Golfo

di

Grignano

Castello di Miramare

Faro della Vittoria

Barcola

Prosecco

Opicina

Trebiciano

Gropada

Padriciano

Lipica

Lovek

Monrupino
Borgo Grotta Gigante

Fernetti

Basovizza

Grozzana

Pesek di Grozzana

R TRIESTE

San Rocco

Baia di Muggia

San Rocco

Aquilinia Stramare

Lazzaretto

Debeli Rtič

Ankaran

Spodnje Škofije

Muggia

Monte d'Oro

San Giuseppe della Chiusa Domio

San Dorligo della Valle Caresana

Bagnoli della Rosandra

Parco della Val Rosandra

Crociata di Prebenico

Kozina

Petrinje

UDINE

TOLMEZZO, TARVISIO

UDINE

0   200 m

TRIESTE, TARVISIO, VENEZIA PORDENONE

PARCO DELLA RIMEMBRANZA

P.za Primo Maggio

Castello

Palazzo Vescovile

Piazza della Libertà

Duomo

N

LIGNANO SABBIADORO

GORIZIA · TRIESTE GRADO

URBINO

Urbino
Fortezza Albornoz
Palazzo Ducale
San Donato
Maciolla
Il Caldese
San Marino
San Marino d'Urbino
Calpino
Canavaccio

Montecalvo in Foglia
Borgo Massano
Montefabbri
Colbordolo
Pontevecchio
Il Montale

Sassocorvaro
San Donato in Taviglione
Montecalende
Villa Cal Frate

Fermignano
Urbania

RIMINI PESARO

Porta S. Lucia

Piazzale Roma

Casa di Raffaello

Fortezza Albornoz

Oratorio di S. Giuseppe

Oratorio di S. Giovanni

Porta Valbona

ASCENSORE

Porta Lavagine

P.za S. Francesco

S. Francesco

P.za della Repubblica

Cattedrale

Piazza Duca Federico

S. Domenico

PALAZZO DUCALE

Piazza Rinascimento

Strada Panoramica

AREZZO

S. BERNARDINO

FANO PERUGIA

N

URBINO

0   100 m

(lower left Udine region map)

TARCENTO
Nimis
San Gervasio
Molinis

Tricesimo
Tavagnacco
UDINE NORD
Pasian di Prato
UDINE
Sant'Osvaldo
Basaldella
Zugliano
Campoformido
Pozzuolo del Friuli

Pradamano
Buttrio
Cussignacco
Paparotti

Lauzacco
Sammardenchia

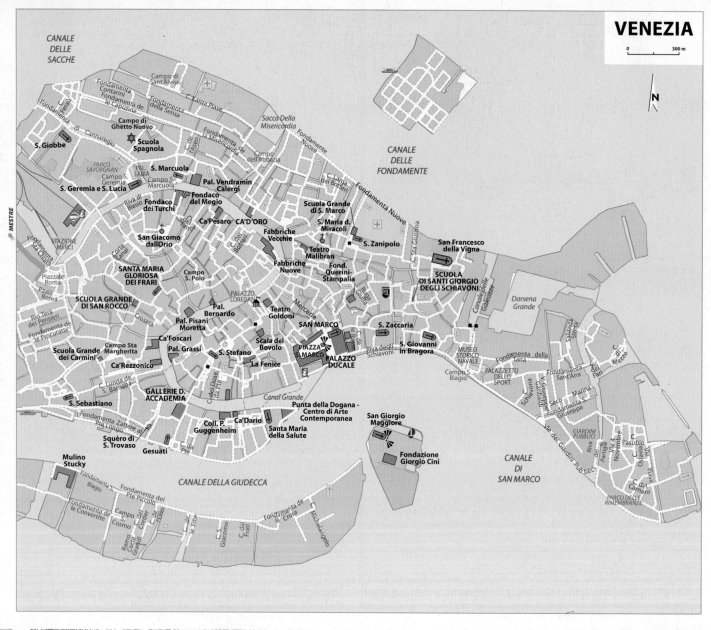

VENEZIA

0   300 m

N

CANALE
DELLE
SACCHE

S. Giobbe

Campo di
Sant'Alvise

Fondamenta
Contarini
Fondamenta de
le Capuzine

Fondamenta
della Sensa

C. Larga Piave

Sacca Della
Misericordia

Fondamenta
Nuove

CANALE
DELLE
FONDAMENTE

Campo di
Ghetto Nuovo

Scuola
Spagnola

PARCO
SAVORGNAN

Campo S.
Geremia

PAL.
LABIA

S. Marcuola

Campo
Marcuola

Pal. Vendramin
Calergi

Fondamenta de
la Misericordia

Campo
dell'Abbazia

C. Larga
dei Botteri

Fondamenta Nuove

Sta Giustina

Scuola Grande
di S. Marco

San Francesco
della Vigna

S. Geremia e S. Lucia

Riva di
Biasio

Fondaco
dei Turchi

Fondaco
del Megio

Ca'Pesaro

CA'D'ORO

S. Maria d.
Miracoli

S. Zanipolo

STAZIONE
MERCI

Fondamenta
Sco Chiara

San Giacomo
dall'Orio

Fabbriche
Vecchie

Teatro
Malibran

SCUOLA
DI SANTI GIORGIO
DEGLI SCHIAVONI

Piazzale
Roma

SANTA MARIA
GLORIOSA
DEI FRARI

Campo
S. Polo

Fabbriche
Nuove

Fond.
Querini-
Stampalia

Darsena
Grande

Pzle
Roma

Rio Terá
dei Pensieri
Fondamenta de
le Procuratie

SCUOLA GRANDE
DI SAN ROCCO

Crosera

Pal.
Bernardo

PALAZZO
LOREDAN

Mercerie

Teatro
Goldoni

SAN MARCO

Pal. Pisani
Moretta

Ca'Foscari

Campo Sta
Margherita

Ca'Rezzonico

Pal. Grassi

Scala del
Bovolo

S. Stefano

PIAZZA
S. MARCO

PALAZZO
DUCALE

S. Zaccaria

S. Giovanni
in Bragora

MUSEO
STORICO
NAVALE

Scuola Grande
dei Carmini

Riva degli
Schiavoni

Campo S.
Biagio

PALAZZETTO
DELLO
SPORT

Fondamenta della
Tana

Fondamenta
Sant'Ana

GALLERIE D.
ACCADEMIA

La Fenice

Canal Grande

S. Sebastiano

Fondamenta Zattere ai
Pte Longo

Coll. P.
Guggenheim

Ca'Dario

Punta della Dogana -
Centro di Arte
Contemporanea

San Giorgio
Maggiore

Seco
Marina

V. Giuseppe
Garibaldi

Fondamenta
Giuseppe

GIARDINI
PUBBLICI

Vie dei Giardini Pub.blici

Squèro di
S. Trovaso

Gesuati

Santa Maria
della Salute

Fondazione
Giorgio Cini

CANALE
DI
SAN MARCO

Vie 4
Novembre

Mulino
Stucky

Fondamenta S.
Biagio

Fondamenta del
Pte Piccola

CANALE DELLA GIUDECCA

Fondamenta de
le Convertite

Campo
Sto
Cosmo

C. dei
Corder

Fondamenta de
la Crosa

C. Michelangelo

PARCO DELLE
RIMEMBRANZE

MESTRE

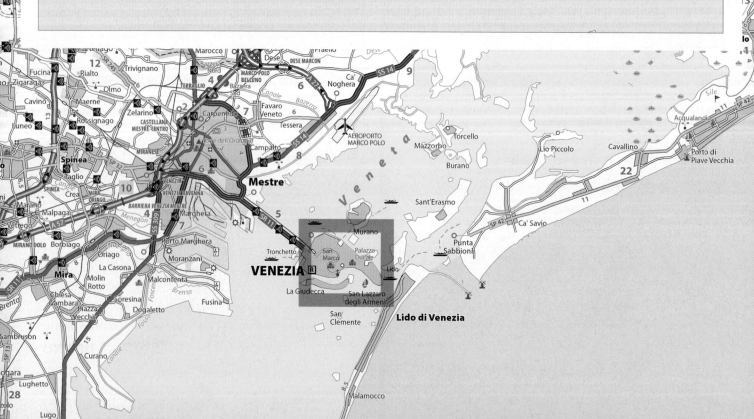

12 Rialto
SR 245
Trivignano

Marocco

Praello

Dese

DESE MARCON

SS 14   9

Fucina

Olmo

TERRAGLIO

MARCO-
POLO BELLUNO

Bazzet
Nord

A27

Ca'
Noghera

o
Zigaraga

Cavino

Maerne

Zelarino

Bazzera
Sid

Favaro
Veneto

Luneo

Rossignago

CASTELLANA
MESTRE-CENTRO

Carpenedo

Tessera

AEROPORTO
MARCO POLO

Mazzorbo

Torcello

Lio Piccolo

Cavallino

Spinea

MIRANESE

Campalto

SS 14

Burano

Taglio

VENEZIA
MESTRE

Mestre

Sant'Erasmo

Acqualandia

22

Porto di
Piave Vecchia

Marano

ORIAGO

VENEZIA-
RAVENNA

BARRIERA VENEZIA MESTRE

Malpaga

Margheta

SR 11

Ca' Savio

Mira

MIRANO DOLO

Porto Marghera

Moranzani

Tronchetto

San
Marco

Palazzo
Ducale

Lido

Punta
Sabbioni

Vettrego

La Casona

Molin
Rotto

Malcontenta

Fusina

VENEZIA

La Giudecca

San Lazzaro
degli Armeni

San
Clemente

Lido di Venezia

Chiesa
Gambara

Piazza
Vecchia

Dogaletto

Brenta

Foscso

28

Curano

Lughetto

Sambruson

Lugo

Malamocco

A

Map A (regional):
Lazise
Valesane
Rocchetti
Palù
Sega
Ponton
Ronchi
Pedemonte
San Floriano
Sant'Ambrogio di Valpolicella
Montecchio
Grezzana
Cancello
Moruri
Tregnago
Campian

San Faustino
Piovezzano
Ospedaletto
Castelrotto
Corrubbio
Arbizzano
Santa Maria di Negrar
Pedemonte
Lenguin
Santa Maria in Stelle
Pradelle
Marcellise
Montorio Veronese
La Costa
Castagnè
Mezzane di Sopra
Capovilla
Cellore
Campian

Fossalta
Movieland Park
Movieland Aqua
Donzella
Parco Natura Viva
Pescantina
Lora
Settimo
Parona
Quinzano
Avesa
Poiano
Sasso
San Felice
Olive
Gugi
Mezzane di Sotto
Verzen
Illasi

Roarlongo
Colà
Pacengo
Sandrà
Palazzolo
Bussolengo
Bosco
Lugagnano
Case Nuove
San Massimo all'Adige
Colombare
San Pietro
San Zeno
Osteria

Peschiera del Garda
Cavalcaselle
Castelnuovo del Garda
Platano
San Martino
Sona
VERONA NORD
Casone
San Michele Extra
VERONA
San Martino Buon-Albergo
Vago Monticelli
Pieve

Ponti sul Mincio
Zuccotti
Camalavicina
Corte
San Rocco
SOMMACAMPAGNA
Monte Baldo Nord
Palazzina
Castiglione
VERONA EST
Rota

Casale
Salionze
Oliosi
Somma-campagna
Casazze
Monte Baldo Sud
VALERIO CATULLOA
Dossobuono
Ca' di David
Tosi
San Giovanni Lupatoto
Campalto

Monzambano
Pasquali
Santa Lucia
Fredda
Poiane
Alpo
Marchesino
Pontocello
Zevio

Valeggio
Vantini
Venturelli
Pozzomoretto
Caluri
Castel d'Azzano
Rizza
Scopella
San Fermo
La Punta
Santa Maria di Zevio
Perzacco

VERONA (city map)

Key locations:
- Castel San Pietro
- Duomo
- Teatro Romano
- Museo Archeologico
- Palazzo Forti
- Sant'Anastasia
- Pal. Maffei
- Arche Scaligere
- Giardino Giusti
- Pal. dei Tribunali (Scavi Scaligeri)
- Pal. del Comune
- S. Zeno Maggiore
- Pta dei Borsari
- Casa di Giulietta
- S. Lorenzo
- Castelvecchio
- Ponte Scaligero
- Arena
- S. Fermo Maggiore
- Pza Bra
- PALACE GRAN GUARDIA
- Tomba di Giulietta

TRENTO

BRESCIA LAGO DI GARDA

SOMMACAMPAGNA LUGAGNANO

MANTOVA TRENTO

BRESCIA VICENZA

ROVIGO

BOSCO CHIESANUOVA

PORTA VESCOVO

VENEZIA VICENZA

N

0   300 m

Pza dei Signori .... B
Loggia dei Consiglio .... E
Pal. del Governo .... W

VICENZA

Legend:
- Torre Bissara C
- Loggia del Capitanio .... D
- Sta Corona .... E
- Pza dei Signori .... N

Key landmarks: Teatro Olimpico, Pal. Leoni Montanari, San Lorenzo, Palladio Museum, Museo Civico, Duomo, Basilica, Museo Diocesano, Ponte San Michele, Giardino Salvi, Parco Querini, Basilica di M.te Berico

0 — 300 m

VITERBO

Key landmarks: Palazzo dei Papi, Piazza S. Lorenzo, Porta Faul, Porta Fiorentina, Porta Murata, Porta Romana, Porta D. Carmine, Quartiere San Pellegrino, P.za d. Plebiscito

0 — 200 m